La PARTICULE D'IXZALUOH

LES CHRONIQUES DE VICTOR PELHAM
TOME 2

La PARTICULE D'IXZALUOH

Pierre-Olivier Lavoie

A·D·A éditions

Éditeur : François Doucet
Révision linguistique : Féminin Pluriel
Correction d'épreuves : Nancy Coulombe, Carine Paradis
Montage de la couverture : Tho Quan
Photo de la couverture : © istockphoto
Mise en pages : Sébastien Michaud
ISBN 978-2-89667-086-4
Première impression : 2010
Dépôt légal : 2010
Bibliothèque et Archives nationales du Québec
Bibliothèque Nationale du Canada

Éditions AdA Inc.
1385, boul. Lionel-Boulet
Varennes, Québec, Canada, J3X 1P7
Téléphone : 450-929-0296
Télécopieur : 450-929-0220
www.ada-inc.com
info@ada-inc.com

Diffusion
Canada :   Éditions AdA Inc.
France :   D.G. Diffusion
                Z.I. des Bogues
                31750 Escalquens — France
                Téléphone : 05.61.00.09.99
Suisse :   Transat — 23.42.77.40
Belgique :   D.G. Diffusion — 05.61.00.09.99

Imprimé au Canada

Participation de la SODEC. SODEC
Nous reconnaissons l'aide financière du gouvernement du Canada par l'entremise du Programme d'aide au développement de l'industrie de
l'édition (PADIÉ) pour nos activités d'édition.
Gouvernement du Québec — Programme de crédit d'impôt pour l'édition de livres — Gestion SODEC.

Catalogage avant publication de Bibliothèque et Archives nationales du Québec et Bibliothèque et Archives Canada

Lavoie, Pierre-Olivier, 1986-

    La particule d'Ixzaluoh
    (Les chroniques de Victor Pelham ; 2)
    ISBN 978-2-89667-086-4
    I. Titre.

PS8623.A865P37 2010   C843'.6   C2010-940406-8
PS9623.A865P37 2010

Table des matières

Chapitre 1

Gabriel Lupin

La gare ferroviaire d'Oxford était bondée en cette journée pluvieuse, fraîche et humide. De faibles rayons de soleil traversaient à peine les nombreuses vitres du plafond de la gare. Hommes et femmes marchaient d'un pas décidé vers les quais, mallette et parapluie à la main, vêtus de leurs habits de travail.

— Journaux! s'écria un jeune camelot d'à peine 10 ans, vêtu d'un habit miteux et d'une vieille casquette, trop grande. Journaux!

— C'est combien? demanda la voix d'un jeune homme.

— Une pièce, monsieur, répondit l'enfant, rayonnant.

Il avait trouvé un client!

— Je t'en offre 10, répondit le jeune homme d'un air complice, mais en échange, tu veux bien me rendre un service?

Le jeune camelot hocha la tête avec énergie, il ferait tout pour 10 pièces.

L'homme posa un genou à terre en s'appuyant sur sa canne, pour être à la hauteur du garçon. Il s'inclina vers l'enfant et, après quelques regards furtifs à gauche et à droite, pointa discrètement une femme.

— Lorsque cette dame, là-bas, viendra vers toi, expliqua le jeune homme en chuchotant, tu lui expliqueras que tu as vu Gabriel sauter dans un train en direction de Manchester. C'est compris?

Le camelot regarda la jeune femme. Elle était belle, rousse, et portait une tenue rouge élégante. Elle promenait son regard sur la foule, d'un air désemparé.

— Oh! oui, monsieur, acquiesça le camelot, visiblement ravi. C'est compris!

Le jeune homme sortit son portefeuille et lui tendit, non pas 10, mais bien 20 pièces. Il offrit un clin d'œil au garçon et pressa le pas vers le quai d'un train menant à Londres. Le garçon le contemplait avec admiration ; le jeune homme avait de longs cheveux châtains, bien coiffés, et qui tombaient sous sa nuque en dégradé. Il portait un débardeur de bonne qualité, une chemise aux manches retroussées et un pantalon beige, et tenait un veston sous le bras. Malgré la cadence rapide de son pas, le jeune homme marchait avec une canne, comme bien des hommes de sa classe sociale.

— Merci infiniment, monsieur, murmura le garçon en regardant le jeune homme s'éloigner.

Comme l'avait prédit le jeune homme, la femme vint voir le garçon, qui s'était remis à crier en direction des passants trop pressés pour lui accorder un regard :

— Journal ! Quelqu'un veut un journal ?

— Excuse-moi, mon chéri, dit la femme en s'inclinant vers lui.

— Oui, madame ? demanda le garçon en s'efforçant de paraître innocent.

— Est-ce que tu aurais vu un homme avec un blouson à la main, une canne et…

— Gabriel ? répondit aussitôt le garçon. Je le connais bien, il est très gentil.

La jeune femme parut étonnée, puis elle sourit.

— C'est juste, dit-elle.

— Oh ! oui, madame, répondit aussitôt le jeune homme en tentant de paraître le plus naturel possible. Je l'ai vu, il m'a acheté un journal et s'est dirigé vers le quai de Manchester, madame.

Le sourire de la femme s'effaça subitement. Elle paraissait furieuse.

— Tu es certain ? lança-t-elle amèrement.

— Oui, madame, répondit le camelot. Absolument certain.

La femme se redressa, arracha un journal des mains du garçon et lui donna une pièce, avant de se diriger vers le quai de Manchester, l'air frustrée. Le garçon haussa les épaules et sourit.

Quant au jeune homme, il s'était glissé dans une file de gens qui s'apprêtaient à monter dans un train. À son tour, l'employé occupé à vérifier les billets de train le reconnut et sourit jovialement.

— Monsieur Lupin! lança-t-il en lui serrant la main. Comment allez-vous?

— Bien, et vous, monsieur Brown? répondit le jeune homme en lui tendant son billet.

L'employé de la gare était un vieil homme au visage bienveillant, portant une large moustache méticuleusement taillée et de petites lunettes rondes.

— Merveilleusement bien, répondit l'employé en poinçonnant le billet. C'est votre dernier voyage, si je ne m'abuse?

— Vous avez une bonne mémoire, monsieur Brown, dit le jeune homme en souriant. C'est exact, c'est bien mon dernier voyage, mais je compte revenir dès janvier. Vous savez, la paperasse…

— Vous êtes un grand homme, Gabriel Lupin, lança Brown avec un air admirateur.

— Je ne suis qu'un homme tentant de vivre sa vie de manière honnête, répondit humblement Gabriel. Je devrais y aller, monsieur Brown, les gens derrière attendent.

L'employé sursauta en réalisant qu'en effet, une file d'hommes et de femmes lui lançaient des regards noirs et impatients. Il rendit le billet de train à Gabriel qui lui sourit et monta dans le train. Sillonnant l'allée du train, le jeune homme s'installa sur une banquette libre, sur laquelle il déposa sa canne et son veston. Il détacha le premier bouton de sa chemise, histoire d'être plus à l'aise, et jeta un dernier coup d'œil vers la gare. Le jeune camelot croisa son regard, et lui fit un bref signe de main. Gabriel lui fit un signe en retour, puis, quelques instants plus tard, le train se mit en marche et quitta la gare d'Oxford.

— Enfin libéré de cette folle, murmura Gabriel en lançant un dernier regard à travers la vitre.

Certains passagers du train le fixaient, un sourire aux lèvres, tandis que d'autres chuchotaient en jetant des coups d'œil dans sa direction. Le jeune homme, habitué à ce genre de comportement, n'y porta aucune attention. Au bout d'une heure, Gabriel sortit une enveloppe de son veston et la lut :

Cher Gabriel,

Ma femme et moi t'attendons pour un souper lors de ton dernier passage en Angleterre (le 20 septembre, si je ne m'abuse) et espérons vivement te voir à notre porte durant cette soirée. Quatre longues années ont passé depuis la dernière fois où nous nous sommes vus ! Bien sûr, si tu ne peux pas être présent, nous comprendrons, tu es devenu un jeune homme bien occupé et nous sommes fiers de toi. Notre demeure a été reconstruite, aux frais du Consortium, et notre forêt s'est entièrement régénérée. Ne prévois pas de transport de retour en soirée.

Prends soin de toi, jeune ami.

Edward Leafburrow

Un sourire s'afficha sur le visage de Gabriel alors qu'il remettait soigneusement la lettre dans son enveloppe, avant de la glisser dans son veston. Son regard égayé se perdit au loin, à travers les toits des maisons anglaises aux angles bien droits qui défilaient à grande vitesse. Le jeune homme se leva et se dirigea vers la salle de bain, dans laquelle il se soulagea et s'épongea le visage. Se regardant dans le miroir, il vit un visage aux yeux verts, portant une fine barbe de deux jours qui masquait partiellement ses joues creuses et son menton. Gabriel retourna à sa banquette et s'y installa. Le reste du trajet s'écoula rapidement ; il le passa à songer à une nouvelle pièce de piano qu'il était en train de composer.

Au bout d'une demi-heure, les freins du train crissèrent, annonçant la fin du trajet. Gabriel saisit son veston, qu'il posa sur son avant-bras, et prit sa canne. Courtois, il laissa passer un couple de personnes âgées qui le remercièrent d'un sourire bienveillant.

— Vous êtes un ange, monsieur Lupin, commenta la vieille dame, dont le sourire débordait d'énergie, alors qu'elle passait devant Gabriel.

— Marthe, voyons, intervint son mari, un vieil homme au visage rond et à la moustache touffue. Laisse donc ce jeune garçon, il doit entendre ça tous les jours! Pardonnez-la, ajouta-t-il à l'intention de Gabriel qui, lui, semblait amusé.

— Oh, Rupert! lança la dame d'un ton honteux. Ne sois pas déplaisant!

Elle se tourna vers le jeune homme et ajouta :

— Ce sont des jeunes gens comme vous qui nous permettent de vivre nos derniers jours, nous, les personnes âgées, en étant sûrs que la génération future s'en sortira bien!

— Je… C'est gentil à vous, dit Gabriel en souriant, un peu mal à l'aise. Faites attention à la marche en sortant, d'accord ?

Le couple continua son chemin dans l'allée bondée du train. Gabriel put tout de même les entendre argumenter.

— Je te l'avais bien dit, Rupert! lança la dame. Un ange! Regarde la manière dont il nous a traités!

— C'est un jeune homme comme il ne s'en fait plus, je l'admets, répondit le vieil homme d'un ton humble. Mais tout de même, ce n'était pas une raison pour…

Gabriel, qui avait laissé passer quelques personnes, s'engagea à son tour dans l'allée et sortit du train. La gare de Londres était presque identique à celle d'Oxford, seulement plus achalandée. Le jeune homme marcha en direction de la sortie de la gare, se faufilant entre une foule de gens, et passa devant un trio de vieux gobelins maussades qui jouaient un air tout aussi morose au saxophone. En voyant les créatures hautes de 1 m 50, aux traits arrondis et au teint verdâtre, Gabriel ne put s'empêcher de sourire et de s'ennuyer de celle qu'il considérait comme sa petite sœur.

— Bonne journée à vous, leur dit-il en jetant quelques pièces dans un des étuis ouverts, et tristement vides, des musiciens.

Les yeux des gobelins devinrent étincelants à la vue des pièces tombées dans leur étui. Tout en s'éloignant, Gabriel put entendre la musique devenir plus joyeuse. Le jeune homme quitta la gare de Londres et s'engagea dans la ville brumeuse en direction de l'Institut de Saint-John. Il marcha, la canne à la main, durant près de 20 minutes, sillonnant les rues bondées et pavées de Londres, tout en rendant les nombreux sourires que les jeunes femmes de son âge lui envoyaient en croisant son chemin. En effet, depuis quelque temps, il était devenu très populaire auprès de la gent féminine, mais il n'y avait jamais vraiment succombé, par manque d'intérêt.

Londres était retombée sous l'emprise d'une autorité gouvernementale, et la compagnie du Consortium avait été bannie de la ville, ce qui avait ravi la population. Gabriel arriva finalement devant l'Institut et s'arrêta pour le contempler d'un air plutôt triste.

Cet endroit était le lieu où il avait passé, jusqu'à maintenant, la plus grande partie de sa vie. Autrefois, l'Institut recueillait les orphelins et enfants rejetés en bas âge pour les utiliser comme main-d'œuvre. Il avait façonné des meubles et assemblé des armes sous l'emprise d'un traceur ; une puce électronique qui force les enfants à obéir aux ordres en les rendant totalement amorphes, incapables d'éprouver la moindre émotion. Les enfants de Saint-John avaient une espérance de vie d'environ 17 ans, avant que leur cœur ne cesse de battre. Cette trop courte vie était, elle aussi, due au traceur. En effet, avec l'âge, il devenait plus difficile de contrôler les enfants, puisque leur corps rejetait progressivement le parasite en eux, jusqu'à ce qu'il parvienne à s'en libérer totalement. Ce rejet prenait en moyenne 17 années. À ce moment-là, leur système vital cessait de fonctionner, puisqu'il s'avérait incapable de subsister seul.

Gabriel avait été le seul enfant de Saint-John à survivre, passé 17 ans. On avait supprimé son traceur et son cœur avait continué de battre, plus fort que jamais. Après la chute du Consortium, qui possédait et finançait l'Institut de Saint-John, les autorités de Londres avaient congédié et fait emprisonner tous ses employés, et avaient engagé des infirmiers qui s'occupaient des enfants jusqu'à leur mort, puisque la suppression des traceurs s'avérait trop dangereuse. Évidemment, les médias s'étaient emparés de l'affaire et le peuple de Londres avait réagi avec horreur. L'ancienne directrice des lieux, madame Snickels, que Gabriel connaissait bien, avait été tuée dans sa cellule par d'autres prisonnières.

Durant des années, Gabriel s'en était voulu d'avoir abandonné les siens sans pouvoir les sauver de l'esclavage. Rongé par le remords, il s'était décidé à agir. Le jeune homme était donc devenu professeur de piano et musicien dans un cabaret de Québec, avec un seul but en tête : aider ses jeunes confrères orphelins. Il y a une année, il était parvenu à amasser assez d'argent pour acheter l'établissement, et l'avait fait renommer simplement « l'orphelinat ». En effet, l'endroit accueillait maintenant des orphelins, des enfants maltraités ou venant de familles trop défavorisées, et veillait à leur fournir un logis hygiénique et de qualité.

Cependant, les anciens locataires de la bâtisse n'avaient pas été abandonnés. Un étage leur était réservé ; ils y étaient surveillés en permanence par une équipe médicale. Gabriel avait en effet engagé de nombreux spécialistes en leur proposant une façon d'approcher les enfants sous l'emprise du traceur : l'amour. Ces enfants étaient bien traités, et étaient réunis dans des salles dans lesquelles ils étaient encouragés à jouer et à dessiner. Bien sûr, il fallait un temps considérable pour que ces enfants apprennent à s'amuser, voire à sourire, mais certains d'entre eux étaient parvenus à faire ressurgir leurs émotions positives, à se défaire de l'emprise des traceurs et ainsi y survivre. L'amour, le rire et l'amusement les avaient libérés d'une vie d'esclavage. Malheureusement, certains enfants étaient tout de même décédés, ce qui avait fortement bouleversé Gabriel.

Le jeune homme avait donc été extrêmement touché en voyant qu'il était parvenu à sauver certains de ces jeunes et n'avait jamais été aussi motivé à continuer de leur vouer toute son énergie. Une partie de lui était libérée d'un lourd remords qui avait pesé dans son cœur depuis trop longtemps. Aujourd'hui, il venait signer quelques papiers concernant l'administration et s'assurer lui-même que les enfants étaient toujours bien traités, selon ses directives. D'ailleurs, tous les enfants de son établissement lui vouaient une admiration et un amour sans bornes. Après une bonne inspiration, Gabriel franchit la porte de son orphelinat d'un pas décidé.

Arrivé dans le hall d'entrée, le jeune homme s'avança et posa la main sur le comptoir d'accueil, là où se trouvait habituellement un employé chargé de la réception. Gabriel tapota des doigts sur le comptoir. Sur celui-ci, on voyait une machine à écrire et un encrier dans lequel baignait une plume, juste à côté d'une pile de papiers. Gabriel pivota lentement sur lui-même et sourit. L'endroit était beaucoup plus beau qu'il ne l'avait jadis été. Les murs, qui autrefois étaient ternes et fades, étaient maintenant tapissés avec soin. Il lança des regards curieux dans un des deux corridors connectés au hall d'entrée et vit trois jeunes enfants courir en riant, avant de disparaître dans une autre pièce.

— Monsieur Lupin! s'exclama une voix sortie de nulle part.

Gabriel tourna sur lui-même et vit un homme marcher vivement vers lui, depuis l'autre corridor, la main tendue. C'était monsieur Leblanc, le directeur de l'orphelinat. Gabriel lui avait spécialement offert le poste, car il lui vouait une grande confiance.

— Louis! lança Gabriel en serrant vigoureusement la main de son interlocuteur. Quel plaisir de te revoir!

Louis était un homme dans la trentaine, aux cheveux blonds, bouclés, et au visage amical.

— Comment vas-tu? lança Leblanc d'un ton enjoué.

— Très bien, merci. Et toi?

— Je me porte à merveille! Les enfants aiment bien mes poèmes et le soir, avant l'heure du coucher, je les réunis dans l'auditorium et je leur récite mes créations!

Louis, qui avait autrefois été un soldat du Consortium, était aussi un poète. Gabriel sourit en songeant qu'en vérité, à cet âge, les enfants devaient plutôt se moquer des talents artistiques de l'homme, s'il en avait vraiment. Car après tout, Gabriel ne s'était jamais attardé à écouter les poèmes et récits de Leblanc. Cela dit, il était vrai que Louis était grandement apprécié des jeunes.

— C'est fantastique, répondit Gabriel. Tout le monde va bien? ajouta-t-il en lançant un regard amusé vers le comptoir de la réception, vide.

— Miranda s'est fait voler sa chaussure par le jeune Mark Rogers, s'excusa Louis. Ce jeune homme nous cause bien des ennuis; mais sinon, tout va bien!

Au même moment, la réceptionniste revint vers son comptoir. C'était Miranda Bowern.

— J'ai eu tout le mal du monde à récupérer ma chaussure! se plaignit-elle.

En remarquant Gabriel, le teint de Miranda vira aussitôt au rouge et elle s'installa derrière son comptoir en affichant un sourire gêné.

— B... bonjour monsieur Lupin, dit-elle en gloussant.

Gabriel lui sourit amèrement avant de retourner son attention vers son ami.

— Louis, dit-il, j'ai quelques papiers à signer, je crois...

— Oh oui! lança le directeur, mais où avais-je la tête... Gabriel, suis-moi.

Les deux hommes traversèrent un couloir menant aux bureaux des employés. Ils pénétrèrent dans celui du fond, le plus grand. Sur la porte, on pouvait lire sur un écriteau :

Louis Leblanc, directeur des lieux

Juste à côté de l'écriteau se trouvaient des feuilles de papier avec des dessins, assurément faits par les enfants.

— Tu peux t'installer ici, lui offrit Louis en retirant précipitamment les feuilles remplies de poèmes qui encombraient son bureau, créant un espace raisonnable.

— Volontiers, répondit Gabriel en s'installant.

Il déposa sa canne contre le bureau. Louis revint à ses côtés, tenant une pile de papiers dans les mains.

— Ce sont les formulaires des nouveaux résidents de l'orphelinat, lui expliqua Leblanc.

— Merci, répondit Gabriel en les prenant.

Gabriel aurait pu laisser le directeur s'en occuper, mais il accordait une attention particulière aux jeunes de son établissement, et avait insisté pour signer les papiers lui-même. Les prochaines fois, se disait-il toujours, il laisserait son personnel s'en occuper, mais Gabriel finissait toujours par changer d'avis et utiliser ce prétexte pour visiter son établissement.

— Louis, aurais-tu une plume? demanda-t-il poliment.

Le directeur prit l'encrier et la plume posée sous la pile de poèmes, sur son bureau, avant de l'ouvrir pour Gabriel.

— Merci.

— Je vais te laisser parcourir ces documents tranquillement, lui dit Louis, tu n'auras qu'à te rendre à la réception une fois que tu auras terminé. Je viendrai te rejoindre.

Gabriel acquiesça d'un signe de tête et attendit que son ami quitte la pièce avant de poser son regard vers la pile de papiers qu'il lui avait donnés. Il saisit la plume, alluma une lampe, se mit à lire avec une attention particulière le premier formulaire, puis le signa et passa au suivant. Au bout d'une heure et demie, Gabriel soupira d'un air satisfait et se leva après s'être assuré que les papiers étaient tous bien signés.

Contrairement à la demande de Louis, il n'alla pas à la réception, mais fit le tour de son propre établissement. Parfois, des enfants couraient vers lui les bras ouverts. Il s'agenouillait et les enlaçait. Gabriel monta à l'étage, faisant bien attention de ne pas trop forcer sur sa jambe, et se dirigea vers l'aile des enfants sous l'emprise du traceur. Au bout du couloir, il s'arrêta devant une porte de chambre qui lui était bien familière. Celle où il avait lui-même séjourné.

Il ouvrit la porte et contempla la pièce sans même y entrer. Elle était meublée adéquatement et un lit confortable s'y trouvait. Après un court moment, il referma la porte et se dirigea vers un autre couloir. Tout en marchant dans ces corridors si familiers, le jeune homme se remémorait de très mauvais souvenirs. Il jetait encore des coups d'œil, par instinct, vers les recoins où les sentinelles, qui gardaient autrefois les lieux, se nichaient.

Gabriel s'arrêta en passant devant une pièce dans laquelle la plupart de ses jeunes confrères se trouvaient. Leurs visages lui étaient familiers, il les avait tout de même fréquentés durant des années, mais sans vraiment y prêter attention. La pièce était une salle de jeu. Une institutrice vint vers lui, le visage rayonnant.

— Bonjour monsieur Lupin, dit-elle.

Elle était plus jeune que lui et avait les cheveux noirs et fins, tombant sur ses épaules.

— Bonjour Adèle, lui répondit-il en souriant. Comment vont les enfants ?

— Très bien, lui dit-elle, l'air ravie. Vingt-cinq d'entre eux se sont libérés du traceur depuis les six derniers mois.

— C'est un progrès remarquable ! lança Gabriel, épaté. À ce rythme...

Adèle le coupa.

— Oui, tous les enfants devraient être sauvés.

Gabriel se sentait merveilleusement bien. En compagnie d'Adèle, la jeune institutrice, il se promena entre les enfants qui jouaient avec d'autres institutrices, en leur offrant de chaleureux sourires. Gabriel s'arrêta auprès d'un enfant qui ne paraissait pas du tout s'amuser et le fixa longuement.

— Il s'appelle Tom, lui dit Adèle. Son traceur à une grande emprise sur lui. Il est difficile à amuser. Ou peut-être est-il de nature plus réservée...

Gabriel s'installa à ses côtés, posant sa canne par terre, et tendit son bras pour saisir une lampe sur une petite table. À l'aide de celle-ci, il projeta l'ombre de ses mains sur le mur et créa la forme d'un chien, d'une oie et d'un éléphant. Le jeune homme réussit à capter l'attention de l'enfant au bout de quelques minutes, et un sourire s'étira sur son jeune visage amorphe.

— Vous êtes fantastique, lui dit Adèle avec un regard plein de fascination.

— N'exagérez pas, répondit Gabriel en se relevant à l'aide de sa canne. Parfois, il faut simplement un peu de persévérance, et le tour est joué. Mais ça, vous le savez aussi bien que moi.

Il consulta sa montre et dit :

— Adèle, je dois partir, on m'attend. Vous et votre équipe faites de l'excellent travail.

La jeune femme s'inclina poliment et sourit tandis que Gabriel retournait vers le hall d'entrée, en saluant les enfants qui croisaient son chemin. Dans le hall, Louis faisait les 100 pas.

— Te voilà donc enfin ! lui lança-t-il lorsqu'il le remarqua.

— Je suis allé dire bonjour à mes employés et aux enfants, répondit Gabriel d'un air amusé. C'est grave ?

— Bien sûr que non.

— J'ai laissé les formulaires dans ton bureau, lui dit Gabriel en enfilant son veston. Je dois partir, on m'attend.

— Déjà ?

— Une rencontre avec de vieux amis. Je ne peux pas être en retard...

Les deux hommes se serrèrent la main.

— Merci, au nom de tout le monde, pour ta visite, lui dit Louis. Et je te remercie encore de m'avoir offert ce poste, ajouta-t-il en baissant le ton.

Gabriel acquiesça d'un signe de tête et fit un signe de la main à Miranda, la réceptionniste, avant de quitter l'orphelinat. Satisfait de sa visite, il traversa la rue pavée en direction d'un carrosse stationné. Son chauffeur, un grand gaillard à l'ossature carrée, fumait un cigare.

— Bonjour Mikhaïl, lui lança Gabriel. Êtes-vous prêt ?

— Bien sûr, monsieur Lupin, lui répondit l'homme avec un fort accent. Vous montez à bord dans carrosse.

Mikhaïl était russe et ne maîtrisait pas très bien le français. Il était tout de même le chauffeur préféré de Gabriel, simplement parce qu'il ne parlait pas beaucoup. De ce fait, Gabriel s'arrangeait toujours pour se faire conduire par Mikhaïl lors de ses visites à Londres. Le chauffeur enfila une imposante paire de moufles et s'installa à l'avant du carrosse, sur le siège du conducteur, tel un cocher. Gabriel monta dans le carrosse à son tour, et à peine avait-il refermé sa portière que le moteur se mit en marche. Pendant le trajet, Gabriel regarda la ville de Londres défiler sous ses yeux. Il se souvint alors du temps où il s'était enfui de la ville alors que les rues se faisaient ensevelir sous les plantes, des vignes et des lianes qui avaient jailli des égouts. Évidemment, les plantes avaient été coupées et retirées dans la même semaine. Rien de vraiment grave.

Le ciel s'était assombri depuis longtemps lorsque le carrosse de Gabriel quitta la ville de Londres, maintenant lointaine et illuminée, perdue derrière une nappe de brouillard, pour se diriger vers une forêt qui s'étendait à l'horizon. Au bout d'une dizaine de minutes, le carrosse s'arrêta à la lisière de la forêt, l'éclairant partiellement de ses phares.

— Moi arrêter ici, dit Mikhaïl en descendant de son siège de conducteur.

— Ça me convient parfaitement, répondit Gabriel en descendant du carrosse. Merci beaucoup, Mikhaïl.

— Faire plaisir, répondit le grand Russe en se réchauffant les mains. Moi retourner à Londres, nuit tombée et faire froid bientôt.

— Je comprends, répondit Gabriel en lui tendant une bourse pleine de pièces. Gardez le tout.

Le grand Russe resta bouche bée en voyant la bourse bien remplie tomber dans ses mains.

— Mais... beaucoup trop, protesta-t-il en balbutiant.

— J'insiste, Mikhaïl, répondit Gabriel d'une voix nonchalante.

Le Russe hocha la tête et remonta sur le siège de conducteur du carrosse.

— Bonne nuit, dit-il à Gabriel.

Celui-ci lui fit un signe de la main et contempla le carrosse s'éloigner pendant quelques secondes, avant de se tourner vers la lisière sombre de la forêt. Gabriel se mit à scruter le sol en plissant les yeux et marmonna :

— Où est donc cette lanterne ? Ah, la voilà.

Gabriel la saisit et l'alluma. Une bourrasque de vent froid vint lui fouetter le visage. Frissonnant, il plongea sa main dans la poche de son veston et en sortit une paire de gants tricotés qu'il enfila aussitôt.

— C'est mieux comme ça, dit-il avec satisfaction.

Le jeune homme porta son regard vers le ciel sans étoiles, avant de lever la lanterne devant lui et de s'aventurer dans la forêt, tâtant le sol avec sa canne pour s'assurer de ne pas trébucher.

Chapitre 2

Abe

Gabriel marcha pendant une minute, avant que deux points ver-dâtres et lumineux n'apparaissent devant lui. Il savait qu'il les verrait éventuellement. Le jeune homme se figea et baissa sa lanterne. Un lent craquement de branches et de feuilles suivit. Il se souvint qu'on lui avait dit qu'il fallait être très poli envers ces créatures et ne pas être brusque.

— Je viens voir Leafburrow, dit Gabriel d'une voix qu'il tenta de garder parfaitement ferme, mais qui était tout de même mal assurée.

Malgré ces paroles, il savait qu'il n'aurait pas de réponse. Dans un nouveau craquement de bois, il vit les deux points verts s'avancer rapidement vers lui. Gabriel put voir la silhouette d'un arbre, qui s'était incliné, à quelques mètres de son visage. Les arbres de cette forêt étaient vivants, comme des animaux. L'arbre s'inclina encore un peu plus et Gabriel estima qu'il valait mieux ne pas bouger. Lorsque l'arbre ouvrit sa large bouche, qui n'était qu'une fente grossière dans son écorce, Gabriel vit une épaisse glaise verdâtre en dégouliner, et il sentit son haleine nauséabonde.

— Passer ? demanda la voix caverneuse et lente de l'arbre.

Le jeune homme était stupéfait ; ces arbres pouvaient donc parler.

— Oui, c'est cela, confirma Gabriel en s'efforçant de garder son ton de voix normal, malgré l'imposante créature.

Aussitôt, non pas un, mais bien quatre arbres se déracinèrent du sol obscur de la forêt et se replacèrent, de sorte à former un petit sentier. Après avoir dégluti avec difficulté, il essuya la sueur de son front et s'enfonça dans la forêt en suivant le sentier, espérant tomber sur une clairière. C'est alors que, sortie de nulle part, une voix aiguë, tordue et malicieuse survint :

— Le petit menteur se pavane dans la forêt en pleine nuit, il n'a pas froid aux yeux !

Gabriel sursauta et pivota sur lui-même, tenant sa lanterne bien haut.

— Qui est là ? lança-t-il sans savoir à qui s'adresser.

— Monsieur Halloween, répondit la voix, qui d'autre ?

Gabriel lança des regards dans la forêt, mais ne vit rien qui pourrait être l'origine de cette voix. Ce ne pouvait pas être un arbre.

— Monsieur Halloween ? Halloween est dans un mois, vous êtes un peu en avance, ajouta-t-il d'un ton assez fort pour qu'on puisse l'entendre. Je vous conseillerais un autre nom. Comme votre nom réel, peut-être ?

— Et je devrais suivre le conseil d'un menteur ? lança la voix sur un ton amusé, mais provocant.

Pivotant à nouveau sur lui-même, Gabriel tentait en vain de découvrir son interlocuteur.

— Montrez-vous, lança-t-il d'un ton solide et impératif. Je ne vous veux pas de mal.

— Moi non plus, répondit la voix. Je ne suis pas maléfique. J'aime cependant les blagues, tu veux bien m'en raconter une, petit menteur ?

Gabriel ne répondit rien et scruta les ombres de la forêt. Durant près de 20 secondes, il n'entendit que le hululement des hiboux et le froissement des feuilles caressées par le vent. Au bout d'un moment, il se dit qu'il était probablement la cible d'une mauvaise plaisanterie. Le jeune homme se remit en marche dans le sentier. Soudain, il entendit :

— C'est très impoli d'ignorer les gens.

Cette fois, la voix provenait de beaucoup plus près de lui. Gabriel fit rapidement volte-face en brandissant sa lanterne et vit un froissement de feuilles dans un buisson.

— Montrez-vous! lança-t-il à nouveau. Je n'ai pas de temps à perdre!

— Fais-moi rire, dit la voix d'une tout autre position, cette fois en hauteur. On dit que le petit menteur est doué pour faire rire les gens.

Gabriel sentait l'impatience le gagner peu à peu, mais décida de jouer le jeu. Après avoir courtement songé à une blague, Gabriel prit une bonne inspiration et expira fortement.

— Très bien, dit-il, très bien. Je suis à la tête de l'Angleterre, je suis partout dans le Canada et sans moi, Paris serait pris. Qui suis-je?

Un bref silence s'installa avant que la voix ne réponde :

— Je ne sais pas.

— La lettre «a», dit Gabriel d'un ton las.

— C'est une charade, fit remarquer la voix. Et elle n'est pas drôle.

— Car vous ne l'avez pas comprise, rétorqua Gabriel d'un ton qui démontrait de la moquerie.

— J'en veux une autre, ordonna lentement la voix aiguë.

— Je suis désolé, mais je n'ai pas de temps à perdre, s'impatienta Gabriel. Je vous souhaite une bonne soirée.

Le jeune homme se mit en marche et poursuivit son chemin. Aussitôt, un craquement de bois survint et le sol se mit à trembler. Les arbres s'étaient déracinés et avaient effacé le sentier que Gabriel suivait. Stupéfait, il marmonna :

— Mais qu'est-ce que...

— Les arbres ne te laisseront pas passer, si tu ne me fais pas rire, lança la voix, que Gabriel ne parvint pas à localiser.

Gabriel rit amèrement et dit :

— C'est donc ça, votre jeu? Me faire perdre mon temps?

— Dis-moi une charade rigolote, répondit la voix.

Gabriel songea quelques instants et finit par dire, d'un ton trahissant son impatience :

— Quels sont les deux animaux les plus intelligents?

— Euh…, émit la voix. Attends... je réfléchis.

Il y eut un silence de quelques dizaines de secondes, avant que la voix ne dise :

— Aucune idée. Quels sont-ils ?

— Le cerf et le veau, répondit Gabriel d'un air morne.

— Cerf... veau, répéta la voix. Cerveau ? Ha ! ha ! ha !

La voix pouffa d'un rire agaçant qui rappelait à Gabriel son vieil ami squelettique.

— Cerveau ! lança la voix. Elle est bonne !

— Vraiment bonne, continua Gabriel d'un ton las et sarcastique. Maintenant que vous avez ri, puis-je continuer ma route ?

— Les arbres se sont endormis et ne veulent plus être dérangés, lança la voix d'un air innocent. Ils sont impossibles à réveiller.

Gabriel soupira et consulta sa montre en l'éclairant de sa lanterne. Il allait arriver en retard.

— Et je suppose que je dois poursuivre ma route à l'aveuglette ? demanda-t-il.

Il n'y eut aucune réponse.

— Merci quand même, continua-t-il d'une voix sans enthousiasme.

C'est alors qu'une forme étrange fit son apparition à travers les ombres de la forêt endormie, se dirigeant vers Gabriel. Celui-ci plissa les yeux pour mieux la discerner et crut voir la silhouette d'une énorme araignée. Il recula brusquement de quelques pas et trébucha sur une racine, pour finalement tomber sur le sol en position assise. Une longue vigne s'enroula autour de son torse et le souleva sans peine. Pris de panique, le cœur lui martelant la poitrine, le jeune homme lâcha sa canne et sa lanterne et tenta tant bien que mal de se défaire de son agresseur.

— Je vais te conduire chez Edward, dit la voix.

Suspendu à quelques mètres dans les airs, Gabriel vit deux triangles pointant l'un vers l'autre, orangés et scintillants, apparaître devant lui. Au fur et à mesure que la silhouette d'arachnide avançait en direction de la lanterne couchée sur le sol, Gabriel put discerner la nature de la chose. Ce n'était pas une araignée, mais bien une citrouille qui marchait à l'aide de huit longues vignes arquées comme des pattes. La créature était aussi grosse qu'un ours. Aussitôt, le jeune homme fut déposé au sol comme une vulgaire poupée et dut transférer son poids sur sa jambe forte pour ne pas tomber.

— Qui... qui êtes-vous ? balbutia Gabriel, le souffle court.

Il avait, pendant un instant, craint pour sa vie.

— Abe, répondit la citrouille d'un air amusé. Et je suis très gentil de donner mon vrai nom à un menteur tel que toi, Gabriel.

La chose avait prononcé son nom avec amusement. Deux des vignes de la citrouille ramassèrent la lanterne et la canne et les tendirent au jeune homme.

— Suis-moi, dit Abe, qui se mit en marche comme une araignée.

La bouche de la créature était aussi large que sa tête de citrouille, et lorsqu'elle parlait, on pouvait voir, à l'intérieur, la même lueur orangée qui éclairait ses yeux. Abe pouvait bien s'appeler lui-même monsieur Halloween, songea le jeune homme. Gabriel avait vu son lot de créatures étranges, mais celle-ci n'en restait pas moins étonnante. Gardant une bonne distance avec Abe, Gabriel suivait la créature avec prudence. Il ne parvenait pas à trouver le sentier du regard. Ils avaient donc dévié de la trajectoire indiquée par les arbres. Bien qu'il n'eût que peu confiance en la créature, le jeune homme n'osa pas l'interroger à ce sujet.

— Ça t'ennuie, si je joue de la flûte ? demanda la citrouille.

— Non, balbutia Gabriel. Faites comme bon vous semble.

La citrouille sortit une flûte de pan de nulle part et se mit à jouer un air mystérieux, mais amusant. Au bout de quelques minutes de marche, Gabriel se souvint que madame Alice lui avait un jour confié que plusieurs étranges créatures habitaient dans la vaste forêt entourant sa demeure. Il se souvint aussi qu'elle avait mentionné une citrouille vivante du nom d'Abe.

— Connaissez-vous Edward et sa femme ? demanda Gabriel au bout d'un moment de marche.

— Bien sûr, répondit Abe. Et arrête de me vouvoyer, garde ces manières pour les humains de ton genre.

Le jeune homme fut surpris et attendit un bon moment avant de répondre :

— Désolé.

Il y eut un court silence.

— Tu dois connaître Ichabod ? demanda le jeune homme pour changer de sujet.

— Ouais, répondit la citrouille en enjambant avec facilité un arbre mort, couché sur le côté. C'est un bon ami.

Gabriel, lui, dut contourner l'arbre en prenant bien soin de ne pas trébucher sur le terrain inégal de la forêt. Soudain, il entendit une petite voix déplaisante :

— Hé, Abe ! Arrête de jouer de cette flûte ! Tu nous casses les oreilles !

Gabriel vit deux petites créatures assises sur un tronc d'arbre. Elles avaient de longues oreilles, un nez trop allongé, de petits yeux mesquins et devaient mesurer 30 centimètres de haut. Elles étaient chauves et leur peau était turquoise. Elles portaient uniquement un pagne.

— Qu'est-ce que c'est ? demanda Victor à l'intention de la citrouille, qui cessa de jouer de la flûte.

— Des imps, répondit Abe qui affichait, sur son visage de citrouille, une expression maligne. De désagréables petits diables.

— Diable toi-même, grosse citrouille ! protesta l'une des créatures, faisant un signe grossier avec son bras.

Gabriel ne put s'empêcher de sourire devant la posture de l'imp.

— Nous sommes des esprits des bois, répondit l'autre créature sur un air théâtral.

— Oh, arrête, Frel ! rétorqua Abe. Tu n'es qu'un imp comme les autres. Tu n'as rien de fantastique. Tu respires et tu manges, tout comme les lapins et les rats.

La créature sembla offusquée et croisa ses petits bras brusquement.

— Ça lui apprendra à me dire d'arrêter de jouer de la flûte, rétorqua Abe.

— Espèce d'abomination de légume orange! rétorqua l'autre imp.

— Tu veux que l'abomination te montre ce qu'elle fait de petits diables tels que toi? grommela Abe.

— Hé, ho!, intervint Gabriel. Du calme, tout le monde.

— Et qui c'est, lui? lança Frel.

— Un invité d'Edward et Alice, répondit Abe.

Les deux créatures se regardèrent d'un air stupéfait.

— Oh non, Grel! lança Frel. C'est lui que l'on devait attendre à la lisière de la forêt!

— Tu m'avais dit que c'était demain soir! protesta Grel.

— C'est faux! J'avais dit après-demain!

Les deux imps s'obstinèrent pendant une trentaine de secondes, en tournant en rond sur le tronc d'arbre devant Abe et Gabriel.

— Ils sont toujours comme ça, s'excusa la citrouille.

— Je vois, dit Gabriel. Écoutez-moi, vous deux.

Les deux créatures s'interrompirent et regardèrent Gabriel.

— Abe doit déjà m'emmener à la maison de Leafburrow, expliqua-t-il. Ce n'est pas grave, ça ne vaut pas la peine de vous prendre la tête.

— Mais Alice sera en rogne contre nous! protesta l'une des créatures, que Gabriel n'arrivait pas à différencier.

— Je lui expliquerai, et je suis certain qu'elle ne vous en voudra pas, leur assura le jeune homme.

— Dans ce cas, c'est d'accord! lança l'une des créatures.

Abe et Gabriel reprirent leur chemin, laissant derrière eux les imps qui s'étaient mis à se disputer au sujet de leur prochain repas.

— Que sont-ils vraiment? demanda Gabriel à la citrouille géante. Des esprits ou...

— Des esprits? répéta Abe en riant. On aura tout entendu! Ce sont des imps, des créatures déplaisantes qui vivent dans les forêts et sont trop nombreuses.

— Sont-ils si désagréables? ajouta Gabriel d'un air amusé. Je les trouve rigolos.

— Si cela ne tenait qu'à moi, marmonna la citrouille, je les aurais mangés ! Ça me changerait des araignées et des larves.

— Tu manges des araignées ? répéta Gabriel avec un haut-le-cœur.

— Faut bien se nourrir, répondit simplement Abe. En plus, elles sont toutes tendres au milieu...

La citrouille géante s'était remise à jouer de la flûte et Gabriel la suivait d'une bonne distance, tentant de chasser de ses pensées ces images d'araignées mastiquées par Abe. Après une marche sinueuse entre les nombreux arbres de la forêt, Abe s'immobilisa.

— La clairière se trouve droit devant, dit la citrouille, qui avait cessé de jouer, en pointant à travers les arbres.

Gabriel s'avança prudemment vers la citrouille et vit entre les arbres une clairière, éclairée par la lueur de la lune. On pouvait y voir une vaste demeure, dont les fenêtres étaient illuminées d'une lueur jaune fantomatique, ainsi qu'un moulin à vent.

— Merci pour votre aide, dit Gabriel à la citrouille.

— À la prochaine, Gabriel, répondit la créature en insistant avec moquerie sur le nom du jeune homme, avant de disparaître dans la forêt en jouant de la flûte.

Gabriel franchit la lisière des arbres et déboucha enfin dans la clairière. Celle-ci comprenait plusieurs champs qui regorgeaient de légumes. Les nuages s'étaient dissipés et le ciel était maintenant parsemé d'une nappe d'étoiles. On pouvait bien voir la ceinture d'Orion.

« Ils ont vraiment tout reconstruit », se dit Gabriel en contemplant la grande maison de Leafburrow avec étonnement.

Une bourrasque du vent de septembre vint lui rappeler qu'il était resté dehors bien assez longtemps et qu'il ferait mieux d'accélérer le pas. Gabriel traversa donc l'herbe mouillée de la clairière. Il vit un large carrosse motorisé stationné près de la maison, mais n'y porta pas plus d'attention. Gabriel s'arrêta devant la porte de la demeure, sur laquelle il cogna à l'aide de la tête de sa canne.

— J'arrive ! lança une voix étouffée de l'autre côté de la porte.

Gabriel secoua vigoureusement son veston pour le débarrasser de la poussière et ajusta finalement son col de chemise, juste avant que la porte ne s'ouvre. Une femme au visage froid, ridé et trop maquillé se tenait devant lui. La dame se figea devant lui, frappée d'étonnement. Ses cheveux gris étaient remontés en un impressionnant chignon. Elle portait une robe de gitane, et un large châle pendait sur ses épaules. Des colliers de grosses perles tombaient sur sa poitrine.

— Victor! lança-t-elle en enlaçant le jeune homme.

Au bout d'une longue étreinte, étouffante, la dame le relâcha et le regarda de ses yeux mouillés de joie, le sourire aux lèvres. Elle était maintenant plus petite que lui.

— Bonsoir, madame Alice, dit Victor en souriant.

Un vieil homme arriva depuis le hall d'entrée et posa ses mains sur les épaules de la dame. Son visage familier était pourvu de quelques nouvelles rides, mais sa posture était tout aussi énergique. De petites lunettes rectangulaires étaient déposées sur son nez, et sa chevelure blanche comme neige tombait sur ses épaules avec élégance. Victor lui tendit la main, mais l'homme s'avança et le serra dans ses bras amicalement.

— Bonsoir à vous aussi, monsieur Leafburrow, dit Victor.

— Nous sommes ravis que tu aies pu venir nous voir, lui dit Edward en tapotant l'épaule de Victor. Allez, entre.

— Comme tu as changé! s'étonna madame Alice en déshabillant Victor du regard, une fois qu'Edward eut refermé la porte.

Victor rougit et sourit poliment. D'un coup d'œil, il vit que l'endroit n'avait pas changé, malgré les rénovations. C'était la même demeure chaleureuse et luxueuse. En face de la porte d'entrée se trouvait un escalier en chêne qui menait à l'étage. À gauche du hall d'entrée se trouvait le salon et à droite, la cuisine. Une vive lumière ainsi qu'une odeur délicieuse émanaient de cette dernière.

— Mais qu'est-ce que c'est que cette petite barbe? ajouta la dame avec un sourire moqueur. Et cette coupe de cheveux? On a devant nous un vrai gentleman, Edward.

Victor sentit son visage s'embraser de gêne.

— Oh! je... je devais passer chez le coiffeur, balbutia Victor en passant une main dans ses cheveux.

À vrai dire, il n'avait pas du tout l'intention de se les faire couper.

— La dernière fois que je t'ai vu, lança Edward d'un ton amical, tu avais quelques centimètres en moins!

En effet, Victor et l'homme étaient à présent à la même hauteur.

— Laisse-moi t'apporter un petit quelque chose à manger, dit madame Alice d'un air enjoué, tu dois être affamé!

— Oh... je ne voudrais pas vous déranger, lâcha timidement Victor. Il est tard vous savez...

— Ça ne fait rien, ça ne fait rien, répondit madame Alice avec un geste de la main, comme si elle chassait une mouche invisible.

Victor consulta sa montre et réalisa qu'il était près de vingt-deux heures.

— Je suis désolé, s'indigna-t-il. J'ai rencontré quelques petits obstacles...

— Ne dis pas de sottises! lança amicalement Edward, comme si de rien n'était. Voilà bien quatre longues années que nous t'avons vu, une heure ou deux de plus ne changeraient rien! Et puis, Alice a encore quelques clients.

— C'est vrai, ajouta-t-elle, d'ailleurs, je vais devoir les rejoindre dans la salle à manger. Pendant ce temps, vous, les garçons (elle désigna Edward et Victor d'un signe de main), vous devriez aller bavarder au salon. Je vous rejoins dès que j'ai terminé! On a tellement de choses à se dire!

Madame Alice s'excusa et traversa un petit salon, à gauche du hall d'entrée, avant de se diriger vers une double porte menant à la salle à manger.

— Alice lit l'avenir des gens, commenta Edward d'un murmure.

Victor se rappela la seule et unique fois qu'il avait vu la caravane de madame Alice. Les parfums que dégageait l'endroit et les pots contenant des matières organiques douteuses, flottant dans du formol, le faisaient encore frissonner de dégoût.

— Et ça marche ? demanda finalement Victor en retirant ses chaussures.

Edward sourit et haussa les épaules.

— Je n'ai jamais cru à ce genre de pratiques, avoua-t-il.

— Je peux ? demanda Victor en montrant sa canne au vieux Leafburrow, comme pour lui demander s'il pouvait la garder avec lui.

— Certainement.

Victor essuya le pied de sa canne sur la moquette, en face de la porte d'entrée, et passa au salon en compagnie d'Edward. Le salon était identique à ce dont il se souvenait, malgré l'attentat du Consortium contre la maison, qui l'avait à moitié détruite. Une épaisse moquette brodée était installée sous de confortables sofas, et un feu diffusait une chaleur réconfortante dans un foyer muni d'un manteau de pierre. L'endroit était éclairé par des lampes à huile accrochées aux murs, et trois larges fenêtres recouvertes par d'épais rideaux laissaient apparaître quelques rayons de lune.

— Assieds-toi, offrit Edward d'un signe de main vers un sofa.

Victor s'exécuta alors que Leafburrow se dirigeait vers un petit buffet. Celui-ci n'y était pas la dernière fois que le jeune homme avait mis les pieds dans la vaste demeure.

— Tokay ? demanda Leafburrow alors qu'il versait le liquide d'une cruche en cristal dans un verre.

— Non merci, dit poliment Victor en souriant. Je ne bois pas.

Ce qui était vrai, mis à part du vin à quelques rares occasions.

— C'est une bonne chose, répondit Edward en souriant.

Les rides de l'homme creusaient encore plus son visage. Victor vit à quel point il était vieux et, pourtant, il ne s'était jamais interrogé sur son état de santé. Le jeune homme ne connaissait même pas l'âge d'Edward.

— Puis-je t'offrir autre chose ?

— Auriez-vous du jus de canneberge ? demanda poliment Victor.

Mais aussitôt, une voix familière, qui le fit sursauter, dit à sa droite :

— Voilà !

Un épouvantail lui tendait un verre glacé de jus de canneberge.

— Ichabod ? dit Victor en souriant.

— Le seul et l'unique, répondit l'épouvantail avec un sourire qui lui fendait le visage. Prends ton verre de jus, il me gèle les mains.

Ichabod regardait Victor de ses grands yeux verts luminescents. Le jeune homme saisit le verre, en prit une gorgée et le déposa sur une petite table située en face du sofa. Ichabod alla s'asseoir sur le même sofa que son père adoptif. Il portait son habituel manteau long, brodé et boutonné, ainsi qu'un large chapeau haut de forme. Ichabod était aussi un grand pianiste excentrique et il avait grandement inspiré Victor.

— Tu n'as pas changé, fit remarquer le jeune homme à l'épouvantail.

— Bah ! tu sais, répondit Ichabod avec un geste las de la main, mon enveloppe physique ne change pas comme la tienne.

— Quatre longues années, dit lentement Edward en fixant Victor, un sourire en coin.

— Ça fait un bon moment, en effet, admit Victor en buvant une gorgée de jus. Ichabod, comment as-tu su pour le verre de jus ?

— C'est ton breuvage favori. Nika me l'a dit.

Victor haussa les sourcils. Il était vrai que Nika échangeait beaucoup de lettres avec leurs amis communs.

— Alors, dit Edward après une gorgée de son tokay, comment vont les affaires avec l'orphelinat ?

— Très bien, je suis impressionné par le dévouement des employés envers les enfants qui y vivent.

— Il paraît que tu es parvenu à libérer certains enfants de leur traceur ? demanda aussitôt Ichabod.

Victor hocha la tête en souriant.

— Comment as-tu fait ? demanda Edward d'un air intrigué et amusé.

— L'amour, répondit simplement Victor au bout d'un instant de silence. L'attention positive que l'on porte envers ces enfants. Leur montrer à s'amuser, à rire, à dessiner. Cela génère des émotions plus fortes qui permettent à l'enfant d'ébranler les structures du traceur jusqu'à sa suppression.

— C'est merveilleux, dit Edward à mi-voix. Tu auras donc sauvé tes anciens confrères, alors que tu aurais pu rester à l'abri sous ta fausse identité. Ce sont les hommes comme toi qui nous démontrent que le bien existe encore.

Victòr sourit avec reconnaissance et finit son verre de jus.

— Dis-moi, continua Edward, as-tu mis tout ton argent dans ce projet ?

— En partie, avoua Victor. Ça m'est égal, de toute manière.

— Les affaires au cabaret marchent bien ? demanda Ichabod, qui analysait le bout de ses doigts, comme s'il avait des ongles.

Victor se sentit aussitôt mal à l'aise. Il savait que l'épouvantail le questionnerait sur ce sujet.

— Hem... oui, les choses vont bien, répondit-il en se grattant l'arrière de la tête.

— Certains journalistes de Québec disent que Victor Pelham est un meilleur pianiste qu'Hajek Drahokoupil, lança Edward sur le ton de la taquinerie.

Victor sourit maladroitement. À Québec, il gardait son vrai nom, mais en dehors, il utilisait un pseudonyme. C'était mieux ainsi.

— N'exagérons pas ! protesta Ichabod. Je dois admettre que tu as du talent, Victor, mais de là à me surpasser, moi ? J'en doute.

Ichabod était un pianiste de renommée mondiale. Pour ne pas effrayer les gens sous son apparence d'épouvantail, il se déguisait avec un costume de théâtre et portait un autre nom.

— Je... enfin, je ne me crois pas meilleur que quiconque, balbutia Victor, visiblement mal à l'aise. Si les gens aiment mes pièces, c'est bien !

— Fausse modestie, grommela Ichabod.

Edward rit et finit son verre de tokay.

— Voudrais-tu m'expliquer en quoi consistent tes journées ? demanda-t-il en posant son verre.

Le jeune homme hocha la tête.

— Le jour, répondit Victor, je donne des cours particuliers à ceux qui m'engagent pour leur apprendre le piano. Vers 18 h, je me rends au cabaret et je joue du piano pendant trois heures, jusqu'à la fermeture. Mais j'ai généralement deux jours de congé par semaine.

Edward hocha la tête en guise de compréhension.

— As-tu eu des ennuis avec ton nouveau nom ? demanda-t-il ensuite.

— Non, aucun, répondit Victor avec vivacité. C'est étonnant, d'ailleurs, je m'attendais à me faire déranger un jour ou l'autre par des gens liés à l'ancien institut.

— Ils ne te dérangeront plus jamais, dit Ichabod. Snickels est morte et les autres institutrices ont été emprisonnées dans d'autres pays. Et puis, aux dernières nouvelles, nous t'avions déclaré mort pour t'éviter ce genre d'ennuis. Ce qui aura été inutile, au final. Mais, ajouta-t-il en levant le doigt, on ne peut jamais être trop prudent.

Au même moment, on entendit un bruit de pas. Victor, Edward et Ichabod tournèrent la tête vers la double porte menant à la salle à manger et virent madame Alice en sortir, accompagnée d'un couple de vieillards qui semblaient terrifiés.

— Ne vous en faites pas, leur dit madame Alice en les accompagnant à la porte, tenant la femme par l'épaule. Cela n'arrivera pas avant 13 longues années !

La vieille femme laissa échapper un sanglot et regarda madame Alice de ses yeux mouillés.

— En êtes-vous certaine ? demanda-t-elle.

— Entièrement, répondit madame Alice avec douceur. Madame, monsieur, ajouta-t-elle en leur ouvrant la porte, je vous souhaite une bonne nuit.

Une fois la porte refermée, madame Alice marcha vers le salon et s'assit sur le même sofa que Victor, qui se redressa, pour mieux paraître.

— Que leur as-tu dit, Alice ? demanda Edward avec un sourire en coin.

— Que leur maison s'écroulerait sous un tremblement de terre violent, répondit madame Alice en souriant.

On entendit le carrosse démarrer et s'éloigner.

— Oh, mon petit chéri! lança aussitôt madame Alice en serrant de nouveau Victor dans ses bras, l'engloutissant dans une vague de parfum digne de ceux portés par les vieilles dames déplaisantes.

Victor lançait des regards impuissants vers Ichabod et Edward, qui riaient silencieusement.

Madame Alice libéra le jeune homme de son étreinte et posa ses mains sur ses joues avant d'ajouter :

— Ma foi, tu es devenu un bel homme. Je parie que les jeunes femmes te tournent autour comme des mouches!

Victor déglutit avec difficulté et afficha un sourire gêné.

— C'est vrai, j'allais oublier! Tu dois être affamé! lança madame Alice en se levant d'un bond. Mon petit Ichabod, le souper est-il prêt?

— Ouais, répondit l'épouvantail. Marcel et moi avons tout préparé il y a deux heures. Il ne reste qu'à réchauffer au four.

Marcel était le majordome de la maison. La dernière fois que Victor l'avait vu, c'était quatre ans auparavant, lors de l'attentat du Consortium contre la demeure de Leafburrow. Victor balaya l'endroit du regard, mais ne vit pas le majordome déplaisant et hautain.

— Voudrais-tu mettre le tout au four, mon chéri? demanda doucement madame Alice à son fils adoptif, l'épouvantail. Notre invité doit mourir de faim.

— J'y vais, répondit jovialement Ichabod en se levant d'un bond, avant de se diriger vers la cuisine.

— Oh, s'indigna Victor d'une voix pressante, je ne veux pas vous déranger, je vous assure...

— Ne dis pas de bêtises, répondit aussitôt madame Alice. Edward, viens m'aider à mettre la table.

Leafburrow envoya un clin d'œil à Victor et se leva, laissant ce dernier seul au salon, un peu mal à l'aise. Ils passèrent à table une dizaine de minutes plus tard et Marcel, le majordome, fit son apparition en amenant un plateau d'argent sur lequel reposait une large dinde. L'homme était petit et toujours aussi dodu. Son crâne chauve était orné d'une couronne de cheveux grisonnants, soigneusement peignés, et il portait une petite moustache qui lui donnait un air ridicule, malgré sa posture hautaine et son menton trop haut. Victor en était presque à se demander comment Marcel pouvait voir ce qu'il faisait. Après s'être fait servir par le majordome, le jeune homme lui envoya un sourire qu'il n'eut pas en retour. Marcel était tout aussi déplaisant qu'autrefois. Installé au bout de la table, à l'opposé d'Edward, Victor dégusta la viande parfaitement cuite tout en racontant, à la demande de madame Alice, un résumé de ce qui s'était passé dans sa vie durant les quatre dernières années.

Victor raconta donc à Edward, à madame Alice et à Ichabod (qui ne faisait que siroter un verre d'eau) sa vie quotidienne. Il vivait toujours avec Clémentine, qu'il considérait comme sa petite sœur, Balter et Nika. Cette dernière avait rencontré plusieurs hommes, mais sans succès amoureux. Elle avait fini par succomber au charme de Liam, qui venait la voir de temps en temps. Quant à Clémentine, elle était devenue une adolescente bien énergique et très demandée auprès des gobelins de son âge.

— Et ce bon vieux Balter? demanda Edward en finissant sa coupe de vin. Qu'advient-il de lui?

— Il n'a pas changé, répondit Victor en mastiquant sa dernière bouchée de dinde. Il passe son temps à travailler dans son atelier. Il m'a aidé à réparer Drext, peu après mon arrivée à Québec.

— Oui, je me souviens, dit madame Alice, qui tenait sa coupe de vin entre ses mains. Annika me l'avait dit dans l'une de ses lettres. Je lui avais fait part de mes impressions concernant cette machine...

En effet, Victor savait que madame Alice n'avait jamais approuvé le fait qu'il garde la sentinelle robotisée qui l'avait presque tué, dans la caverne de la Fleur mécanique. D'ailleurs, peu de gens appréciaient le fait qu'une machine de guerre soit entreposée dans l'atelier de Balter, pas même Nika.

— Sur quoi Balter travaille-t-il, actuellement? continua Edward. Toujours sur ce nouveau moteur?

— Non, répliqua Victor, en fait, il travaille sur une nouvelle source d'énergie basée sur sa plus récente découverte.

— Une source d'énergie ? demanda le vieux Leafburrow, à la fois enthousiaste et intrigué.

— Oui, répondit Victor. Enfin, quelque chose comme ça.

Chapitre 3

Le retour chez soi

Un silence étrange s'installa autour de la longue table éclairée par la lueur d'un chandelier. Victor réalisa, par leurs expressions, qu'Ichabod et madame Alice ne savaient pas plus que lui pourquoi Edward ne répondait pas ; le vieil homme paraissait pensif. Finalement, il hocha machinalement la tête avant d'ajouter :

— Qu'a-t-il découvert, au juste ?

— Je n'en sais pas vraiment plus, avoua Victor, moi et les sciences...

Le jeune homme avait prononcé sa dernière phrase sur un ton léger, pour indiquer qu'il n'y connaissait rien.

Edward ne répondit pas, il se contenta de sourire en hochant la tête.

— Victor, mon chéri, dit madame Alice, comment as-tu atteint la clairière ? Je n'ai vu ni Grel ni Frel avec toi...

Le jeune homme avait complètement oublié de raconter sa mésaventure avec Abe. Il s'expliqua donc en racontant en détail comment il était parvenu à convaincre la citrouille géante de l'accompagner à la clairière.

— Il doit y avoir une erreur, s'indigna madame Alice, Frel et Grel sont d'adorables petits...

— ... monstres, termina Ichabod.

— Ne dis pas de telles choses ! répliqua madame Alice. Ils ont simplement oublié...

— Je t'avais dit que c'était une mauvaise idée de les charger d'une telle tâche, dit Edward d'un ton amusé. Les imps ne sont pas des créatures auxquelles nous pouvons faire confiance. Ichabod a un peu raison...

— Ne l'encourage pas ! lui rétorqua madame Alice d'un ton sec.

Edward et Ichabod se contentèrent de masquer leur rire, tous deux ayant une expression amusée imprimée sur le visage.

— Ce n'est pas grave, dit Victor. Abe m'a conduit jusqu'ici. Par contre, je dois admettre avoir été inquiet face à la réaction des arbres lorsqu'ils m'ont aperçu... Ils peuvent être très dangereux, parfois.

Le jeune homme se souvenait de ce que ces arbres avaient fait aux hommes du Consortium, il y a quatre années.

— Ils ne t'auraient pas fait de mal, lui assura Edward. Ces arbres laissent entrer ceux que nous désirons voir.

— Tu as changé de canne ? fit remarquer Ichabod. Je peux ? ajouta-t-il en pointant celle-ci, comme pour la prendre.

Victor lui fit signe de la prendre en souriant. L'épouvantail saisit la canne qui était appuyée contre la table et la tourna entre ses doigts, pour l'analyser.

— Où l'as-tu achetée ? demanda Ichabod sans quitter des yeux l'objet.

— Je l'ai faite moi-même, répondit Victor. Vous savez, lorsque je suis arrivé à Québec, je n'avais pas beaucoup d'élèves de piano. J'avais donc beaucoup de temps libre.

— Tu veux rire ? lança Ichabod d'un air stupéfait. C'est toi qui l'as faite ?

Victor hocha la tête.

— Je peux voir ? demanda madame Alice.

Ichabod lui tendit la canne et sa mère adoptive l'analysa à son tour.

— Mon Dieu, dit-elle. Victor, cette canne a été créée avec le plus grand soin, comme l'aurait fait un artisan.

Victor sourit et la remercia du compliment. Il était vrai qu'il s'était efforcé de créer une canne avec la plus grande minutie. Celle-ci était de taille convenable, elle était brune et son pommeau, fait d'argent, représentait la tête d'une wyverne.

— Comment l'as-tu conçue ? demanda Edward qui venait d'ajuster ses lunettes rectangulaires pour analyser la canne. Et le pommeau, tu l'as fait toi-même ? C'est très bien sculpté, on voit même les détails de la tête...

— C'est bien moi, admit Victor, je connais bien le forgeron de la ville, puisque j'ai enseigné le piano à sa fille.

Victor se rappela alors les étranges et gênantes séances avec Emmanuelle Lagrange, une jeune demoiselle qui n'écoutait pas un mot de ce qu'il tentait de lui apprendre, puisque cette dernière passait le plus clair de son temps à le dévorer des yeux.

— Enfin bref, continua Victor après sa courte pause, il m'a donné quelques outils et m'a montré comment façonner le pommeau en fer et le pied de la canne. Quant à la tige de bois, je l'ai achetée chez un menuisier et j'ai insisté pour la faire moi-même.

— Le menuisier t'a laissé utiliser son matériel ? s'étonna Ichabod.

— Oui, il était intrigué de voir comment j'allais m'y prendre. De plus, j'avais déjà utilisé ces outils à l'Institut, lorsque j'étais un enfant.

À la suite de cette remarque, madame Alice devint blême et lança des yeux ronds à Ichabod, comme si c'était sa faute d'avoir rappelé de mauvais souvenirs à Victor.

Vers minuit, lorsque tout le monde eut terminé le délicieux repas, madame Alice s'empressa d'offrir à Victor une chambre pour la nuit. Celui-ci n'argumenta pas, puisqu'il n'avait pas prévu de transport pour le retour, comme le lui avait mentionné Edward dans sa lettre. Madame Alice mena donc Victor à la chambre qu'il avait utilisée la dernière fois qu'il était venu. C'était une petite chambre douillette, dont la fenêtre offrait une vue sur le moulin à vent, et qui avait sa propre salle de bain. Après avoir fait un brin de toilette, Victor retira ses vêtements et se glissa sous l'épaisse couverture en patchwork. Jetant un coup d'œil à travers la fenêtre, il vit Orion briller parmi les étoiles. Il s'endormit peu après, rêvant à son grand-père.

La journée suivante débuta avec un magnifique déjeuner en compagnie de madame Alice et de son mari, Edward. Ichabod était toujours au lit, puisqu'il avait passé une bonne partie de la nuit à jouer bruyamment du piano. Étonnée, madame Alice avait spécifié que l'épouvantail passait de moins en moins de temps sur son instrument de musique. Victor soupçonnait avec amusement qu'il était la cause de cette soudaine motivation d'Ichabod, ayant éveillé chez lui une certaine rivalité. Madame Alice leur avait fait savoir avec mécontentement que ses casseroles favorites avaient été volées et qu'elle suspectait Abe, la citrouille, d'avoir fait le coup ; apparemment, ce n'était pas la première fois. Après avoir louangé le repas préparé par madame Alice, Victor demanda à Edward ce qu'il était advenu de son groupe de résistance, qui lui avait autrefois été d'une grande aide.

— Nous sommes encore actifs, admit-il avec aise en mâchant une patate grillée. D'ailleurs, les locaux souterrains ont été refaits par les ouvriers payés par le Consortium, ce qui est un peu ironique et amusant.

— Que combattez-vous, maintenant ? demanda Victor en finissant son verre de jus d'orange. Je veux dire, puisqu'il n'y a plus de...

— Tu sais aussi bien que moi que le mal ne s'arrête pas à une simple organisation, dit Edward en souriant. Il y a encore de l'injustice, que nous tentons de combattre par les moyens qui nous sont offerts.

— Est-ce qu'il y a des gens au sous-sol ?

— Oui, près d'une trentaine. Ils ne s'en plaignent pas, ils sont bien payés.

— C'est Ichabod qui finance tout ça ? déduisit Victor avec un sourire en coin.

— Tout juste, répondit madame Alice dont le visage s'était embrasé de fierté. Tout comme toi, il met son talent musical au service d'une juste cause. Vous êtes de vrais petits combattants du bien.

Victor et Edward pouffèrent de rire.

— Il faut vous encourager, continua Edward en souriant, Alice a raison. Vous auriez pu garder cet argent pour vous-mêmes, toi et Ichabod. C'est très noble de votre part.

Le jeune homme sentit son visage rougir et, pour empirer les choses, madame Alice ajouta :

— Victor, mon chéri, as-tu une amie de cœur ?

Le jeune homme, visiblement mal à l'aise, toussota et balbutia :

— Je... euh... je n'ai pas encore rencontré la bonne personne.

— C'est étonnant, continua madame Alice, un beau jeune homme comme toi !

Edward cacha son visage dans sa main, et Victor savait que le vieil homme riait en silence.

En début d'après-midi, après une bonne douche et un bon dîner, Victor s'apprêtait à quitter la maison de Leafburrow pour retourner à la gare d'Oxford, là où il achèterait un aller simple pour Québec en dirigeable. Edward insista pour qu'un de ses hommes le ramène à Londres en carrosse. Le jeune homme ne put refuser. Dans le hall d'entrée de la maison, Victor serra la main d'Edward et remercia chaleureusement ses hôtes pour leur hospitalité.

— Reviens nous voir plus souvent, l'implora madame Alice, qui le serrait dans ses bras. Tu seras toujours le bienvenu ici, mon chéri.

— Je reviendrai vous voir, dit Victor en lui tapotant le dos avec tendresse. C'est promis.

Madame Alice força Victor à recevoir deux gros baisers sur les joues et le laissa finalement quitter la demeure quelques minutes plus tard, tout en le suivant à l'extérieur en compagnie de son mari. L'après-midi offrait un ciel dégagé et une température agréable. Le moteur d'un carrosse motorisé vrombissait devant la demeure de Leafburrow, et son chauffeur était en pleine discussion, semble-t-il amusante, avec une jardinière. Celle-ci remarqua Victor et lui lança un sourire chaleureux.

— C'est donc vous, Gabriel Lupin ? dit-elle en s'avançant vers Victor, la main tendue.

Le chauffeur sembla vexé et, à la vue de Victor, monta sur le siège du conducteur du carrosse en saluant la jeune dame. Malheureusement pour lui, celle-ci l'ignora.

— Enchanté, répondit Victor en lui saisissant la main avec douceur. C'est bien moi.

— Il est libre, chuchota madame Alice à la jardinière aux cheveux blonds et aux yeux marron.

Edward étouffa un petit rire et Victor sourit avec maladresse, tout en lançant un regard lourd à madame Alice. La jeune femme se mit à rougir et gloussa de rire.

— Je... je dois y aller, dit Victor qui n'avait pas d'autre envie que de quitter cette conversation gênante au plus vite.

Le jeune homme se retourna vers madame Alice et Edward et leur offrit à nouveau ses remerciements les plus sincères, avant de monter à bord du carrosse. À travers la fenêtre, il fit un signe de la main à Leafburrow et à sa femme, jusqu'à ce que le carrosse pénètre dans le chemin de la forêt de Brimstoldën, tracé par les arbres.

— C'est une jolie femme, cette Rebecca, dit la voix du chauffeur à l'avant du carrosse. Ne trouvez-vous pas, monsieur Lupin?

— Mmmh? marmonna Victor, qui jetait des regards à l'extérieur du carrosse. Oh! euh… oui, certes. Une jolie femme.

— Je comptais lui apporter des fleurs en revenant, ce soir, lança le chauffeur d'un air triomphant. C'est une bonne idée, non?

— Si vous voulez la charmer, ricana Victor, je doute qu'un bouquet de fleurs lui plaise. C'est une jardinière, soyez donc plus original.

Victor ne pouvait pas voir l'expression de son chauffeur, mais il savait que celui-ci se sentait un peu bête. Le jeune homme sourit et vit, dans la forêt, une dizaine d'imps portant les casseroles de madame Alice en guise de casques et de boucliers. En tête, Frel et Grel ouvraient la marche en tapant sur des chaudrons comme des tambours. Victor vit Abe, qui les suivait depuis le haut des arbres avec une souplesse impressionnante, s'apprêter à leur lancer des cailloux.

Le chemin jusqu'à Londres prit une heure, tout au plus, et le soleil de l'après-midi était sur le point de se coucher. Le chauffeur laissa Victor à la gare ferroviaire de la ville. Après l'avoir remercié de ses services, le jeune homme alla acheter un billet de train et monta à bord du premier voyage en direction d'Oxford. Durant le trajet, Victor passa le plus clair de son temps à visualiser un clavier de piano et à imaginer les sons respectifs de chacune des touches. Il avait une bonne idée de la tournure de sa nouvelle pièce musicale,

mais il allait devoir attendre son retour à Québec pour l'expéri-
menter. Le ciel avait pris une teinte sombre et orangée lorsque Victor
arriva à Oxford. Le jeune homme salua l'employé du quai, monsieur
Brown, avant de poursuivre sa route.

En raison de sa mésaventure de la veille avec la dame vêtue
de rouge, Victor essaya de se faire discret et de s'assurer que cette
dernière ne s'y trouvait pas. Le petit camelot se trouvait au même
endroit et empilait les quelques journaux qu'il n'avait pas vendus.
Victor s'avança vers lui et lui demanda :

— Alors, la journée ?

Le jeune camelot releva la tête vers Victor et ses yeux devinrent
étincelants.

— Monsieur Gabriel ! lança-t-il d'une voix pleine d'espoir.

Victor leva la main comme pour le saluer, le sourire aux lèvres.

— Tout va bien pour toi ?

— Oh... oui. J'ai vendu beaucoup de journaux, aujourd'hui. Votre
amie, la dame que vous m'avez montrée, est revenue me voir cet
après-midi. Elle était vraiment fâchée. Elle m'a dit des bêtises.

Victor fronça les sourcils et posa un genou par terre.

— Qu'a-t-elle dit ?

— Que j'étais un sale petit menteur, répondit le jeune camelot
d'un air songeur. Ah, et que je ne méritais pas mieux que l'emploi
que j'ai en ce moment... et...

— Ton travail est très important, lui dit Victor d'un ton juste. Ne
laisse personne te dire la valeur des choses à ta place.

— Je le sais, monsieur Gabriel ! répondit le camelot avec une
détermination amusante.

Victor se redressa.

— Où sont tes parents ?

— Morts il y a des années, lui répondit le jeune camelot, comme
si de rien n'était.

Victor regretta sa question.

— As-tu un endroit chaud et salubre pour dormir ?

— Salubre ? répéta le camelot avec confusion. Je ne sais pas ce
que cela veut dire, mais je dors dans une ruelle, tout seul.

— Comment t'appelles-tu ?

— Teddy Price, monsieur.

Victor fourra sa main dans sa poche et en sortit un bout de papier.

— Ça te dirait de vivre à Londres ? lui demanda le jeune homme avec un sourire en coin.

— Oh oui ! répondit Teddy avec enthousiasme. Mais je n'ai pas d'argent pour prendre le train, ajouta-t-il avec désespoir, je dois garder mes sous...

— Un moment, dit Victor, le doigt levé pour interrompre l'enfant.

Il fit volte-face et marcha rapidement vers monsieur Brown, qui vérifiait les billets des quelques derniers passagers qui montaient dans le train menant à Londres.

— Monsieur Brown ! lança-t-il à voix basse. Pourriez-vous faire monter ce jeune homme à bord ?

Victor pointait le jeune Teddy, au loin, à travers les passants de la gare.

— Je crains bien que non, monsieur Lupin, répondit Brown d'une voix désolée. La billetterie est fermée.

Victor sortit son portefeuille et prit quelques pièces qu'il tendit au vieil employé.

— Ça couvrira amplement son billet, je crois, dit Victor avec un sourire en coin.

Brown hésita un instant, mais finit par hausser les épaules et soupirer.

— Bon, c'est d'accord. Simplement parce que c'est vous, monsieur Lupin. Et je me dois de refuser votre argent. Vous en faites bien assez ! Allez chercher le garçon, le train démarre.

Avec une grande reconnaissance, Victor lui serra la main avant de retourner vers Teddy et de l'amener au train.

— C'est vrai ? dit le jeune camelot comme s'il n'en croyait pas ses yeux. Je vais prendre le train ?

— Entièrement vrai, confirma Victor. Arrivé à Londres, tu devras trouver l'orphelinat, c'est très simple, c'est la grosse bâtisse, lorsque tu...

— Je sais où c'est, dit précipitamment Teddy avec une certaine fierté. Mes amis y vivent et ils m'en parlent souvent.

— Parfait, répondit Victor. Tu devras t'y rendre ce soir même, tu diras que c'est Victor qui t'envoie.

— Victor ? répéta le jeune garçon d'un air surpris. C'est d'accord.

— Allez, petit, tu dois monter, dit monsieur Brown en incitant le jeune homme à grimper à bord du train.

— Vais-je vous revoir ? demanda Teddy à Victor alors qu'il s'était mis à monter les marches.

— Assurément, répliqua Victor en souriant. Allez, va.

Le jeune Teddy disparut dans le train et ce dernier se mit en marche.

— Merci infiniment, monsieur Brown.

— N'en dites pas un mot à mes collègues, lui dit Brown à voix basse, comme s'il était complice d'un crime.

Après avoir assuré au vieil employé qu'il tiendrait parole, Victor quitta la gare d'Oxford et se mit en marche vers le quai du large dirigeable qui allait l'emmener vers sa ville. Le soleil disparaissait derrière le toit des maisons londoniennes, dont la plupart des cheminées laissaient échapper une fine fumée. Il était vrai que la température des soirées de septembre était fraîche. Victor traversa les rues d'un bon pas, consultant sa montre à maintes reprises pour s'assurer qu'il n'arriverait pas en retard ; il ne voulait pas manquer son vol. Alors qu'il tournait au coin d'une rue, il vit avec soulagement la haute bâtisse qui donnait accès aux quais des dirigeables. Tout en haut du bâtiment se trouvaient plusieurs tours ornées de larges horloges qui donnaient l'heure locale des diverses destinations offertes. D'ailleurs, plusieurs mastodontes volants partaient déjà dans toutes les directions. Accélérant le pas malgré la douleur à sa jambe gauche, Victor entra finalement dans la bâtisse qui menait aux quais surélevés.

— Un billet pour Québec, dit Victor, le souffle court, à l'employé de la billetterie.

L'employé était un jeune homme du même âge que Victor, au visage boutonneux et fatigué.

— Avec retour ? demanda l'employé d'une voix sans énergie, ne levant même pas les yeux pour le regarder.

— Non merci, répondit poliment Victor.

— Votre nom ? demanda l'employé après un soupir.

— Gabriel Lupin, répondit Victor en souriant.

Les yeux de l'employé s'écarquillèrent de stupéfaction.

— L'homme d'affaires qu'on voit dans les journaux ? dit-il d'une voix basse, la bouche grande ouverte. Celui qui a racheté l'orphelinat ?

— C'est ça, oui, répondit Victor. Pourriez-vous vous dépêcher, monsieur...

— Puis-je avoir un autographe ? lança précipitamment l'employé, qui tendit à Victor une plume et un large cahier.

Sans dire un mot, Victor saisit le cahier de l'homme (c'était un genre d'agenda) et y signa de son faux nom. Le jeune homme prit rapidement son billet et avant de se faire questionner à nouveau, fila vers la cage d'ascenseur qui menait au quai de son dirigeable. Alors que la porte de l'ascenseur se refermait lentement, son regard croisa celui d'un homme au crâne chauve, vêtu d'une sorte de robe blanche, qui se dirigeait d'un pas rapide vers la billetterie. L'homme étrange l'avait remarqué et s'arrêta pour le fixer. Victor eut le temps de voir que l'homme avait un tatouage blanc au niveau du front, avant que la porte se referme entièrement. Ce tatouage lui rappelait fortement quelque chose. Il était certain de l'avoir déjà vu quelque part, et avait d'ailleurs une bonne idée de l'endroit où c'était.

Lorsque Victor parvint à entrer dans le dirigeable et qu'il fut confortablement installé dans son compartiment, le soir était entièrement tombé. L'espace passagers du dirigeable était divisé en plusieurs compartiments de quatre sièges ou de banquettes, très confortables, et la décoration intérieure reflétait un certain luxe. Le compartiment de Victor, qu'il était seul à occuper, était éclairé par une petite lampe à huile, dont il avait réduit l'intensité. Quelques minutes plus tard, une voix annonça le départ du mastodonte volant et celui-ci s'éleva lentement dans le ciel, avant de prendre de la vitesse et de s'éloigner d'Oxford.

Ayant retiré son veston et posé sa canne contre la paroi du dirigeable, Victor s'enfonça dans son siège tout en songeant à l'homme qu'il venait de voir, la tête contre la fenêtre, tandis que son regard se perdait sur la ville d'Oxford, tout illuminée, et qui rapetissait progressivement.

— Quelque chose à boire, m'sieur ? demanda une voix qui fit presque sursauter Victor.

Il chercha du regard son interlocuteur et réalisa qu'on avait ouvert la porte de sa cabine. Un petit être se tenait dans l'encadrement, vêtu d'un habit de serveur traditionnel. C'était un gobelin, mais bien plus petit que la normale. Il fixait Victor de ses yeux rougeâtres avec mépris. Son nez était long, ses oreilles, rondes et décollées, sa peau, d'une teinte verte et son crâne, chauve. Le gobelin se tenait devant un large chariot à boissons.

— Hem ! toussota le gobelin d'un air impatient.

— Oh ! pardon, s'excusa Victor en se redressant sur son siège. Je vais prendre... je vais prendre un jus de canneberge, dit-il après s'être éclairci la gorge.

D'un geste las, le gobelin s'inclina vers son chariot, dévissa une petite bouteille argentée et versa son contenu dans un grand verre qu'il tendit à Victor.

— Une pièce, grommela-t-il en tendant la main.

Victor paya le serveur, qui s'en alla sans prendre la peine de fermer la porte du compartiment, poussant un chariot qui était pratiquement plus haut que lui.

— Un vrai rayon de soleil, celui-là, dit Victor en refermant sa porte.

Lorsque Victor ne vit plus que l'océan à perte de vue depuis la fenêtre de son compartiment et qu'il eut vidé son verre de jus, il le déposa sur une petite table rétractable et retira ses chaussures. Il s'étira longuement avant d'étendre ses jambes sur le siège opposé au sien, tout en faisant attention de ne pas faire de faux mouvements avec sa jambe gauche. Victor étendit son veston sur sa poitrine et ferma les yeux, avant de s'endormir sans trop de difficulté.

Le dirigeable arriva à Québec le matin suivant, vers 9 h 30. Victor quitta l'engin volant une dizaine de minutes plus tard, car il y avait eu un problème lors de l'amarrage au quai. Ce dernier était similaire à celui de Londres, quoique moins large. Une fois arrivé au rez-de-chaussée de la gare des dirigeables, Victor quitta la bâtisse en bâillant.

— C'est bon de revenir chez soi, commenta Victor en regardant sa ville natale.

Québec brillait sous un soleil montant et ses habitants étaient déjà occupés à leur routine quotidienne. Les rues pavées et étroites étaient bondées de carrosses, les trottoirs regorgeaient de piétons et on pouvait entendre le cri des mouettes du port, à quelques pâtés de maisons de là. Victor se mit en marche et traversa les rues de la ville fortifiée à l'aspect un peu médiéval. Il s'arrêta chez le boulanger et acheta quelques croissants frais, avant de reprendre sa route vers sa demeure. Au bout d'un moment, il aperçut sa maison ; c'était une modeste demeure construite en hauteur, avec une petite tour ancrée au toit de celle-ci. Une vaste porte de bois était ouverte, comme à l'habitude, et donnait sur l'atelier de Balter. Victor ouvrit la porte de la maison et entra.

Une odeur agréable lui emplit aussitôt les narines : le doux parfum de son chez-soi. L'intérieur de la demeure était coquet, aménagé en partie au goût de Nika. Malgré son étroitesse, la maison restait chaleureuse et accueillante. À peine eut-il le temps de retirer ses souliers qu'il entendit :

— Victor ! Tu es enfin revenu !

Soudain, quelque chose le plaqua si fortement qu'il faillit en perdre l'équilibre. C'était Clémentine, sa petite sœur d'âme et nièce de Balter. La petite gobeline, qui mesurait maintenant près de 1 m 50, s'était lovée dans les bras de Victor. Ses cheveux brun pâle étaient coiffés en queue de cheval. Même pour une gobeline — qui n'étaient généralement pas reconnues pour être belles —, elle était plutôt jolie.

— Hé, doucement ! dit le jeune homme en ricanant.

— Tu m'as tellement manqué ! répondit Clémentine, qui ne lâcha pas prise avant quelques longues secondes.

— J'ai ramené à manger, ajouta Victor une fois libéré de l'étreinte de sa petite sœur.

— Super ! lança Clémentine d'un ton énergique. Je meurs de faim !

Elle portait un chandail blanc, une salopette, des souliers noirs et des bas à carreaux noirs et blancs.

— Tu mangeras en route pour l'école, dit une voix féminine sur un ton autant amusé qu'impératif. Tu vas arriver en retard.

Nika fit son apparition, vêtue d'un chemisier et d'un pantalon noir. Ses longs cheveux blonds et bouclés tombaient sur ses épaules, et son visage aux traits fins affichait un sourire. Clémentine arracha le sac qui contenait les croissants des mains de Victor, en saisit deux et quitta la maison sans même fermer la porte.

— Bonne journée, lui dit Victor en refermant la porte.

Nika, qui était maintenant un peu plus petite que Victor, s'avança lentement vers lui et l'enlaça dans ses bras. Il la considérait comme sa grande sœur.

— Comment a été ton voyage ? lui demanda-t-elle.

— Très bien, répondit-il. J'ai ramené à déjeuner.

Après avoir retiré son veston, Victor et Nika passèrent à la cuisine. Celle-ci comportait de nombreuses étagères en bois verni, un comptoir et un évier. Plusieurs rayons de soleil éclairaient une table couverte d'une nappe beige. Ils s'installèrent autour de la table et mangèrent, pendant que Victor raconta à Nika son séjour à Londres et surtout, sa visite chez Edward et madame Alice. À la fin de son récit, Victor vit Harry, le chat que Clémentine avait ramené de Norvège, bondir sur la table et s'approcher de sa tasse de café.

— Descends ! lança Nika au chat qui l'ignora bêtement. Descends, méchant chat !

Mais le gros chat la regarda d'un air nonchalant, sans bouger pour autant.

— Harry, voudrais-tu descendre, s'il te plaît ? dit Victor d'un air amusé.

Aussitôt, le chat sauta en bas de la table avant de quitter la cuisine d'un pas lent.

— Tu vois ? Il suffit de demander poliment, ajouta le jeune homme en riant.

— Je ne t'ai même pas entendu arriver ! lança la voix d'un vieillard.

C'était Balter, l'oncle de Clémentine ; un vieux gobelin à la barbe argentée et trop longue. Il était vêtu d'une salopette de travail et était souillé de suie de la tête aux pieds, à l'exception de deux gros cercles autour de ses yeux : la marque de ses lunettes de protection, qui étaient remontées sur son crâne pratiquement chauve.

— Bonjour Balter, dit Victor en mastiquant sa bouchée de croissant.

— Balter ! lança subitement Nika, vous n'êtes pas en état de venir dans la maison ! Combien de fois devrais-je vous le dire ?

— On dirait une vraie femme de maison, hein, Victor ? lança le vieux gobelin d'un ton léger.

— Balter ! protesta Nika d'un air sombre.

— J'ai compris, je retourne à mon atelier, lança le vieillard en riant. Victor, passe me voir avant d'aller travailler, d'accord ?

Victor hocha la tête positivement, alors que le vieux gobelin quittait la cuisine. Le jeune homme vida sa tasse de café et, sans la quitter des yeux, dit, un sourire en coin :

— Alors, toi et Liam ?

Ayant rapidement levé les yeux vers son amie, Victor la vit prendre une teinte pourpre.

— Les choses vont bien, dit Nika d'un ton gêné. Très bien, même. Tu m'aides à faire la vaisselle ? ajouta-t-elle d'un tout autre ton.

Victor pouffa d'un rire moqueur et, après quelques coups de linge à vaisselle assénés par son amie, accepta de l'aider. Au bout d'une heure, lorsqu'il se fut douché et changé, Victor descendit l'escalier et souhaita une bonne journée à Nika, avant de sortir par la porte menant à l'atelier. Ce dernier était rempli d'inventions, de moteurs démantelés, d'étagères regorgeant d'outils étranges, de ressorts et de boîtes de vis. La grosse porte menant à l'extérieur était toujours entrouverte et un épais rayon de lumière éclairait la pièce. Un énorme carrosse se trouvait au centre de l'atelier, sous lequel on pouvait voir une paire de pieds.

— Balter, dit Victor, vous vouliez me voir ?

— Ah ! Victor, mon garçon ! lança la voix du vieux gobelin qui s'extirpa de sous le carrosse. Oui, oui, je voulais te voir.

Le gobelin posa une main sur son dos, qu'il fit craquer, avant de prendre ses lunettes posées sur une table et de les glisser sur son nez crasseux de suie.

— Tu te souviens de mon nouveau projet ? demanda le gobelin.

— Votre source d'énergie ? Comment l'oublier, vous ne faites qu'en parler...

— Peu importe, lança Balter d'un geste las, viens, je veux te montrer quelque chose d'intéressant.

Le vieux gobelin invita Victor à le suivre vers une table, posée au fond de l'atelier. Un petit moteur s'y trouvait, connecté à une machine bizarroïde, parmi de nombreuses pièces de toutes sortes. Intrigué, le jeune homme regarda Balter activer quelques boutons et turbines sur le moteur, avant que celui-ci lui demande de l'aide pour activer un interrupteur trop haut pour lui.

— Voilà, dit Balter, le sourire aux lèvres et les bras grands ouverts, en se reculant de quelques pas. Admire !

Victor contempla un moteur qui ronronnait faiblement. Visiblement, celui-ci fonctionnait et le jeune homme n'y voyait aucun intérêt. Ne voulant pas vexer Balter, Victor consulta machinalement sa montre et dit d'un ton des plus convaincants :

— Balter, je dois vraiment y aller...

Le vieux gobelin se tourna vers Victor et son sourire s'effaça.

— Mais... mais, balbutia-t-il, ne trouves-tu pas ça fantastique ?

Victor se gratta l'arrière de la tête et sourit bêtement, avant d'avouer :

— En fait, je ne vois pas ce qu'il y a d'extraordinaire à voir un moteur en parfait état de marche...

Balter soupira fortement et pointa la source d'alimentation du moteur : une simple fiole en métal. Victor fronça les sourcils et s'en approcha. Au bout d'une trentaine de secondes d'analyse, il resta sans mots, visiblement étonné.

— Alors ? dit Balter d'un ton triomphant.

— Ce moteur est alimenté par quoi, exactement ? Qu'est-ce qui se trouve dans cette fiole ?

— Nous ne l'avons pas encore baptisée, répondit fièrement le vieux gobelin. C'est une particule qui n'avait pas encore été découverte. Mélangée dans des conditions bien précises, elle produit une énergie environ cent fois plus forte que l'énergie électrique ou même celle du plasma utilisé par les horizoniers.

— Comment as-tu découvert ça ? demanda Victor, qui s'était penché vers le moteur.

— Avec l'aide de quelques collègues, mais principalement dans mes rêves, admit Balter d'un ton amusé. C'est bête, non ?

Victor hocha lentement la tête et sourit.

— Balter, tu es un génie, admit-il en lui tapotant les épaules. Je suis vraiment désolé, mais je dois y aller, j'ai un cours à donner cet après-midi.

Le vieux gobelin gonfla la poitrine, ravi du compliment, et fit un signe de la main à Victor, qui quitta l'atelier par la porte entrouverte. Le jeune homme traversa la rue, tout en évitant les quelques poules qui s'étaient sauvées de leur enclos. Tournant au coin de la rue étroite, sous l'ombre de deux cordes à linge, Victor vit des chevaux, montés par quelques paysans de bonne humeur qui vivaient sans doute à l'extérieur de l'enceinte de la ville. Il était commun de voir paysans, marchands et gitans venir commercer dans la ville fortifiée.

En cet après-midi ensoleillé, le jeune homme devait se rendre chez monsieur Lefrançois, un riche marchand vivant dans une vaste demeure, près du marché de la place publique. Victor avait accepté de donner quelques cours de piano au fils du marchand, et évidemment, il était bien payé. Les Lefrançois étaient une famille de graboglins ; ceux-ci étaient parents avec les gobelins, mais bien différents. Ils avaient la taille des êtres humains (même plus grands, dans certains cas), un teint verdâtre tirant sur le beige et une musculature imposante. Cependant, leurs traits étaient beaucoup moins fins que ceux des gobelins. Leur nez était rond et gras, leur mâchoire, large et puissante. Malgré leur stature imposante, il ne fallait pas se fier aux apparences. Les graboglins étaient généralement très cultivés, respectés et se comportaient avec classe.

Victor arriva quelques minutes plus tard en face de la demeure des Lefrançois, qui était si large qu'on aurait dit un petit manoir. Ayant cogné à la porte en chêne, le jeune homme ajusta le col de sa chemise et repoussa la mèche de cheveux qui tombait sur son visage. La porte s'ouvrit. C'était monsieur Lefrançois, vêtu d'une riche chemise lacée et d'un manteau de haute couture. La perruque à boudins blancs de monsieur Lefrançois n'allait pas très bien avec son visage semblable à celui des gobelins, mais jamais Victor n'aurait osé le mentionner. Son regard était dur et posé, comme celui d'un vieux lion.

— Ah, monsieur Pelham ! lança le graboglin en souriant de sa voix grave et mielleuse.

Il tendit sa main (grosse comme une patte d'ours) à Victor, qui la serra en lui rendant un sourire courtois.

— Bonjour, répondit le jeune homme.

— Entrez, entrez, dit monsieur Lefrançois en s'écartant de la porte, invitant Victor d'un signe de main.

Le jeune homme entra et frotta ses souliers et sa canne sur le tapis tandis que le graboglin refermait la porte derrière lui.

— Ne vous en faites pas pour la saleté de vos chaussures, intervint-il aussitôt. Mon domestique doit laver les planchers dans quelques minutes.

Les planchers étaient luisants de propreté.

— Oh, dit Victor, je...

— Allons, allons, un homme tel que vous n'a pas le temps de se soucier de ces petits détails. Gustave vous attend dans la salle de séjour. Voulez-vous quelque chose à boire ? ajouta-t-il en levant le menton d'un air supérieur. Whisky, peut-être ?

— Oh ! non, s'excusa timidement Victor, qui avait peur d'offenser son hôte, je vous remercie, mais je n'ai pas soif.

Monsieur Lefrançois inclina légèrement la tête en guise de compréhension et s'écarta pour montrer au jeune homme la porte à prendre.

Mal à l'aise, Victor sourit timidement et s'engagea dans le vaste hall d'entrée de la maison, passant devant l'intimidant graboglin. On pouvait entendre l'écho du claquement de sa canne sur le sol. Le hall comportait un plancher de dalles blanches et noires, un long escalier menant à l'étage, devant de grandes fenêtres à guillotine. Victor franchit le hall et ouvrit une double porte en bois qui menait à la salle de séjour. La pièce, d'une taille impressionnante, comportait plusieurs étagères remplies de livres, un large foyer, plusieurs hautes fenêtres qui quadrillaient le sol de leur ombre et quelques sofas. En face du foyer se trouvait un piano, posé devant un tapis en peau d'ours. Même un aveugle aurait pu voir la richesse émaner de ce lieu, songeait Victor.

Au bout d'un moment, alors que le jeune homme analysait les livres d'une étagère, il entendit le couinement d'une porte au fond de la salle et Gustave, le fils de monsieur Lefrançois, fit son entrée. Il était le portrait craché de son père, si ce n'étaient de son crâne rasé, dépourvu de la ridicule perruque, et de son regard, qui dégageait une bienveillance amicale, à l'inverse de son père.

— Victor, quelle joie de te revoir, mon ami ! lança-t-il en s'approchant du jeune homme pour l'enlacer comme un frère.

— Bonjour Gustave, répondit-il à demi étouffé par la courte étreinte du graboglin. Prêt pour la leçon ?

— Bien sûr ! J'ai beaucoup pratiqué ces derniers jours, comme tu me l'avais suggéré...

Malgré ses deux mètres de haut et sa carrure impressionnante, qui feraient de lui un combattant redoutable, il était le meilleur élève que Victor avait eu jusqu'à maintenant. La leçon dura quatre heures, durant lesquelles Victor aida son élève à perfectionner sa méthode pour jouer certains passages complexes du grand pianiste Hajek Drahokoupil. Le soleil était presque entièrement couché lorsque Victor quitta la demeure des Lefrançois.

— À la prochaine ! lui lança monsieur Lefrançois en refermant la porte derrière lui.

Victor s'engagea dans les rues pavées de la ville et réalisa qu'il avait le temps d'aller manger un morceau avant de passer au cabaret, là où il devait performer le soir même. Malgré les nombreux restaurants et tavernes de la ville, son choix s'arrêta sur une petite auberge qui faisait d'excellents ragoûts de boulettes de viande. Il en commanda un plat et mangea sous les regards brûlants de la serveuse, une jeune bourgeoise rondelette, tout en lisant la *Gazette de Québec*. En page couverture, on pouvait lire :

Triste décès d'un grand scientifique anglais

Intrigué, Victor tourna les pages jusqu'à l'article annoncé et se mit à lire.

Aleksei Bakeern, scientifique de grande renommée, a été retrouvé mort hier soir dans son appartement, situé dans les luxueux quartiers d'Oxford. L'homme de 52 ans aurait succombé à une crise cardiaque, a déclaré un représentant des forces de l'ordre. Le scientifique travaillait, dans les semaines précédant sa mort, sur une nouvelle source d'énergie. Il devait présenter ses recherches le mois prochain. Suite en page 7.

Victor se rappela que Balter lui avait souvent parlé d'un de ses grands collègues, Aleksei Bakeern. Faisait-il partie de ceux qui avaient aidé le vieux gobelin dans ses recherches ?

— Dommage, se dit Victor, Balter sera peiné par cette nouvelle.

Vers 20 h, il quitta l'auberge et traversa la ville, éclairée par la lueur fantomatique des réverbères, tout en se faufilant entre les carrosses qui circulaient dans les rues. Victor arriva au Cabaret de la Nuit, où il travaillait trois soirs par semaine, et entra par la porte des artistes, qui donnait sur une ruelle mal éclairée et sinistre.

Chapitre 4

Le départ d'un vieil ami

Victor traversa un sombre couloir bondé d'accessoires et d'équipements utilisés pour la scène, tout en prenant bien soin de ne pas trébucher. On pouvait entendre un air apaisant de flûte et de violoncelle qui provenait de la scène. Le jeune homme arriva finalement dans la loge dédiée aux artistes. Elle était assez étroite, mais son plafond était très haut. On pouvait y voir les structures en métal de la scène et quelques projecteurs à huile inutilisés.

— Bonsoir Victor! lui dit Béatrice Duval, une jeune chanteuse et violoniste qui attendait son tour en scène.

Béatrice était blonde et avait le nez retroussé. De plus, elle était une des rares jeunes demoiselles du même âge que Victor qui ne s'intéressait pas a lui, ce qui les avait aidés à tisser une relation amicale très solide. Elle portait une chemise bouffante à boutons, lacée et décolletée, avec un pantalon rouge.

— Ça va? lui demanda Victor en retirant son veston, qu'il accrocha sur un portemanteau.

— Très bien, répondit-elle d'une mine contrariée. Cependant, j'ai le trac pour ce soir.

— Tu vas exécuter ta nouvelle pièce de violon? lui demanda Victor qui débarrassait un tabouret d'une pile de vêtements, pour s'y asseoir.

Béatrice hocha la tête positivement et soupira.

— Je suis persuadée que je vais faire une erreur, dit-elle d'un air découragé.

— Dans ce cas, tu n'as pas à t'inquiéter, ajouta Victor d'un air persuasif et détendu. Béatrice, personne ne s'en rendra compte, puisque c'est la première fois que tu la joues, et puis l'erreur est humaine.

— Mais toi, tu ne te trompes jamais, s'indigna la jeune femme, d'un air encore plus misérable. Même si tu essaies une nouvelle pièce, tu la réussis toujours à la perfection ! Tu ne dois pas être humain.

Victor eut un léger sourire et dit sur un ton complice, à voix basse :

— Je suis un satyre déguisé en humain, mais ne le répète pas...

Béatrice lâcha un petit rire. Elle se leva et enlaça Victor amicalement.

— Tu es un bon ami, Vic, lui dit-elle en le regardant. Et comment se fait-il qu'un garçon de ton envergure soit encore célibataire ?

— Ne commence pas toi aussi, lui répondit Victor d'un air amusé.

— Tes cheveux auraient besoin d'un coup de peigne, dit Béatrice en passant sa main sur la tête de Victor. Attends, je vais te coiffer.

Pendant quelques minutes, Béatrice arrangea la coupe de cheveux de Victor en l'ébouriffant un peu plus.

— Ce n'est pas si mal, jugea-t-il en se regardant dans le miroir.

Soudain, un gros monsieur au ventre imposant et à la grosse moustache fit son apparition dans la loge. C'était Raymond Martin, le propriétaire du cabaret.

— Béatrice, ma chérie, dit Raymond qui paraissait à bout de souffle, c'est ton tour dans quatre minutes.

Effectivement, on n'entendait plus de musique, et Victor vit trois gobelins presque identiques vêtus d'un complet noir entrer dans la loge. C'étaient les frères Leeuwarden. Ils étaient sympathiques.

— Victor, mon garçon, dit le propriétaire en s'épongeant le front. As-tu réfléchi à ma proposition ?

Le jeune homme avait complètement oublié d'y songer. Monsieur Martin lui avait offert de jouer du piano tous les soirs, puisque la salle était toujours pleine lors de ses performances.

— Euh, à vrai dire, monsieur Martin, s'excusa poliment Victor, je suis encore indécis.

— Très bien, très bien, répondit l'homme en souriant.

Ses joues étaient tellement grasses que ses yeux avaient presque momentanément disparu.

— Tu es un homme occupé, je comprends que tu veuilles y songer davantage, ajouta-t-il d'un air trop enjoué. Bon, Béatrice, je vais t'annoncer dans une minute. À tout à l'heure, Victor.

— Bonne soirée à vous deux, leur dit un des trois gobelins en quittant la loge des artistes dans laquelle ils avaient déposé leurs instruments, avant d'enfiler leur manteau.

— À vous aussi, leur dirent Victor et Béatrice.

On entendit Raymond annoncer avec enthousiasme le nom de Béatrice au public.

— C'est à moi, dit la jeune femme, dont le teint était soudain devenu livide.

— Ne t'en fais pas, lui dit Victor en la saisissant amicalement par les épaules. Tout ira bien.

— Je suis présentable ? demanda-t-elle au jeune homme en le regardant avec inquiétude, comme si sa réponse allait changer le cours de l'histoire.

— Tu es superbe, lui dit Victor avec confiance. Allez, vas-y, dépêche-toi !

Béatrice tourna machinalement sur elle-même, saisit son violon et entra sur scène. Victor se glissa dans les coulisses pour écouter son amie. Tout comme il l'avait prédit, celle-ci performa sa pièce musicale avec aisance et le public l'applaudit avec énergie.

— C'est bientôt à toi, lui chuchota Raymond. Dois-je annoncer au public que tu leur joueras une nouvelle pièce ?

Victor acquiesça d'un signe de tête et accueillit son amie à bras ouverts. Le visage souriant de la jeune femme était ruisselant de sueur.

— J'ai réussi ! lui dit-elle d'un chuchotement précipité, en sautillant sur place. Tu as aimé ?

— Oh oui ! admit aussitôt Victor. C'était très beau.

Une fois le rideau de la scène fermé, quelques employés du cabaret amenèrent le piano que Victor utilisait.

Raymond saisit Victor par l'épaule et lui dit :

— Tu vas terminer notre soirée en beauté, n'est-ce pas ?

— Je vais essayer.

— Ne sois pas si modeste, répliqua Béatrice. Tu vas faire tomber les gens de leur siège, comme d'habitude. Je dois rentrer à la maison, ma mère est très malade.

Après avoir souhaité une bonne nuit à son amie, Victor jeta un coup d'œil au miroir de la loge et s'assura qu'il était présentable avant de passer sur scène. Contrairement à Béatrice, Victor n'avait jamais ressenti le trac lors de ses performances musicales. Ce n'était pas dû à une confiance presque arrogante envers ses talents musicaux, mais bien parce qu'il savait ce qu'il pouvait faire et ce qu'il ne pouvait pas faire. Installé sur le petit siège de son piano, sa canne appuyée contre celui-ci, le rideau se leva enfin.

Un projecteur à huile l'éclaira et aussitôt, les voix inaudibles de la salle du cabaret se turent. Pour Victor, peu importait le nombre de personnes qui l'écoutaient ; cela ne changeait rien. Cependant, cette fois, il balaya l'assistance d'un coup d'œil et son regard s'arrêta sur un homme chauve qui quittait la salle. Il aurait juré avoir vu un étrange tatouage sur son front. N'y portant pas plus d'attention, étant donné que le spectacle était commencé, le jeune homme glissa ses doigts sur le clavier du piano. Victor performa, pour la toute première fois, cette nouvelle pièce qu'il avait imaginée. C'était un air coquin, mais profond. Amusante à l'ouïe et ouvrant l'esprit. La foule l'inonda d'applaudissements, lorsque sa pièce fut terminée, et le jeune homme décida (principalement en raison des regards suppliants de Raymond, le propriétaire) de jouer trois autres pièces. Il était environ 22 h lorsque Victor salua Raymond avant de sortir vers la petite ruelle. Victor avait rassuré le propriétaire en lui promettant qu'il lui donnerait une réponse dès la semaine suivante. Raymond avait été ravi, comme toujours, par la performance du pianiste (et des profits amassés grâce à lui).

Consultant sa montre et marchant d'un bon pas, Victor espérait que Nika, Balter et Clémentine ne s'inquiéteraient pas, puisqu'après tout, il était resté au cabaret bien plus longtemps que prévu. Il marchait sur le trottoir, sous les réverbères qui éclairaient les rues pavées et désertes. On entendait, au loin, le claquement des sabots d'un cheval. Un vent froid s'était levé et mouillait les yeux du jeune homme. Il décida de prendre quelques raccourcis et de traverser plusieurs ruelles sinistres, bondées de tonneaux et de bennes à ordure. Entendant le claquement régulier de sa canne, les rats et vermines qui rôdaient dans les ruelles se réfugiaient dans les fissures des bâtiments.

Victor vit sa maison apparaître en sortant d'une ruelle et s'arrêta aussitôt. Les lumières de la demeure étaient éteintes, même celles de sa chambre, dans la petite tour, que Clémentine avait pourtant l'habitude d'allumer en soirée, pour que Victor ne trébuche pas dans la noirceur de la maison, en rentrant tard, après son travail.

— Bizarre, murmura-t-il en reprenant sa marche.

Depuis des années, la maison qu'il occupait avec ses amis était toujours restée éclairée. Le jeune homme ne parvenait pas à se débarrasser de l'impression que quelque chose n'était pas normal. Finalement arrivé à la porte, il l'ouvrit et se glissa à l'intérieur de la maison. Celle-ci était plongée dans l'obscurité, et seuls quelques rayons de lune éclairaient difficilement son intérieur. Victor referma la porte sans faire le moindre bruit avant de s'avancer à pas lents vers la cuisine. Celle-ci était vide, tout comme le salon. Le plancher de bois craquait sous les pas du jeune homme, qui s'arrêta au pied de l'escalier et y passa la tête, jetant des regards à l'étage. Sans être capable d'expliquer pourquoi, Victor ressentit un désagréable frisson lui traverser la colonne vertébrale, comme si on y avait inséré une aiguille glacée. C'est alors qu'il entendit un bruit sourd, comme si quelque chose, ou quelqu'un, était tombé sur le sol, en provenance de l'atelier de Balter.

Victor se dirigea vers la porte de l'atelier et put voir, dans l'entre-bâillement de la porte, la silhouette de quelqu'un.

— Qui est là? lança Victor à voix haute.

Soudain, il entendit un bruit de verre brisé, suivi d'un grognement. Le jeune homme se mit à courir du mieux qu'il le pouvait,
ignorant la douleur de sa jambe, en direction de l'atelier dont
il ouvrit la porte à grande volée. Ce qu'il vit lui donna aussitôt
l'impression que son cœur venait momentanément d'arrêter de
battre. Droit devant, Balter était assis sur le sol, adossé au mur
de l'atelier, inerte.

— Balter! lança-t-il en se précipitant vers le vieux gobelin et se
jetant à ses côtés, sur un genou.

Lâchant sa canne et passant ses mains sur le cou de Balter, Victor
lâcha :

— Balter... non... non...

Le vieux gobelin n'avait plus de pouls. Une inquiétante tache
pourpre se trouvait au niveau de son cœur, il avait les yeux fermés
et son visage semblait serein. Balter était mort. Dans une confusion
presque irréelle, Victor sentit son estomac chavirer et son rythme
cardiaque s'accélérer.

— Oncle Balter? lança la voix de Clémentine. Oncle Balter?

La gobeline venait d'entrer par la double porte qui menait à
l'extérieur, en compagnie de Nika. Toutes deux avaient l'air déso-
rientées. Les visages de ses deux amies furent frappés d'horreur
lorsqu'elles virent le corps de Balter.

— Oncle... Balter? dit à nouveau Clémentine, mais cette fois,
d'une voix coupée par un sanglot.

Clémentine se mit à courir vers son oncle, le visage gonflé par de
chaudes larmes. Victor se releva d'un bond, attrapa sa petite sœur
par les épaules et la blottit contre lui. Prise d'un chagrin immense, la
petite gobeline pleurait et criait des phrases incompréhensibles. Le
jeune homme aurait voulu dire quelque chose, mais il en était incapable. Quant à Nika, elle avait le visage livide, blanc comme neige,
et des larmes coulaient sur ses joues.

— C'est pour ça qu'il nous a... qu'il nous a retenues à l'extérieur,
sanglota Clémentine en grinçant des dents.

La jeune gobeline paraissait soudain prise de rage.

— De qui parles-tu ? lui demanda Victor avec toute l'attention du monde.

Mais Clémentine, qui ne faisait que crier et pleurer, ne parvenait pas à lui répondre quelque chose de compréhensible.

— Cet homme... à l'extérieur, dit Nika d'une voix cassée par le chagrin. Il... il nous a forcées à sortir...

— Quel homme ? lança Victor en fronçant les sourcils.

Cachant son visage derrière sa main, Nika répondit :

— Il est... Je ne suis même pas certaine qu'il nous voulait du mal...

— Où est-il ? demanda précipitamment Victor.

La jeune femme ne put répondre, prise de sanglots.

— Nika, où est-il ? répéta le jeune homme d'un ton plus froid, frôlant le hurlement.

— Il était au coin de la rue, répondit-elle avec toutes les peines du monde.

Sans même prendre sa canne, Victor quitta l'atelier d'un pas claudicant. Il était bouillonnant de rage, mais tentait tant bien que mal de garder son calme. Évidemment, une fois Victor arrivé, personne ne se trouvait au coin de la rue, éclairée par un réverbère. Mais quelque chose attira son attention. Sur le toit de la maison située au coin de la même rue se trouvait une immense silhouette, celle d'un oiseau chevauché par un homme.

— Vous ! hurla Victor à pleins poumons. Vous, sur le toit !

Dans un battement d'ailes, la créature s'envola. Victor était persuadé que son cavalier l'avait fixé dans les yeux pendant un instant. Un cavalier qui lui rappelait quelqu'un. Sans perdre un instant, Victor fit volte-face et se rua dans l'atelier, ignorant la douleur à sa jambe gauche. Nika venait de recouvrir le corps de Balter d'une épaisse couverture, avant de reprendre Clémentine dans ses bras.

— Cet homme, s'est-il nommé ? lança-t-il à Nika d'un ton précipité.

Elle lui fit un signe de tête négatif. Le jeune homme savait ce qu'il lui restait à faire. Sans même dire un mot, Victor poussa une grosse table contenant du matériel d'alchimie qu'utilisait Balter, sans même prêter attention au vacarme qu'il faisait. Une double porte poussiéreuse se trouvait sur le plancher, jadis camouflée par la table. Le jeune homme l'ouvrit et descendit les quelques marches en bois, qui grincèrent sous son poids. Victor alluma la lampe à huile au plafond de la petite pièce qui servait de remise. Une grosse masse difforme se trouvait en son centre, recouverte d'une grande couverture poussiéreuse. D'un geste vif, il tira sur la couverture qui dévoila une immense créature en métal. C'était un scorpion de la taille d'un cheval, et dans sa carapace était incrusté un siège devant lequel se trouvaient deux poignées protégées par des plaques latérales.

D-rxt, identifié ainsi par les premières lettres de son numéro de série, était une sentinelle, ou plutôt une machine de guerre, à laquelle il avait apporté quelques modifications quatre années auparavant. Victor ouvrit une plaque de la carapace du scorpion pour dévoiler un petit écran sur lequel il posa sa main. Soudain, des lumières jaunes s'allumèrent sur la carapace et la tête du scorpion, éclairant un peu plus la pièce. La créature mécanique se dressa sur ses pattes et sa queue se courba par-dessus son corps. On pouvait voir un cercle de poussière sur le sol.

— Drext, j'ai besoin de toi, dit Victor en s'installant sur le siège de la machine et en s'agrippant à ses poignées. Remonte à l'étage.

Victor s'inclina pour ne pas se cogner la tête au plafond de la petite remise tandis que D-rxt montait l'escalier. Nika et Clémentine le regardaient avec désespoir.

— Je vais poursuivre cet homme, dit Victor d'un ton calme, mais décidé. Allez vous réfugier chez Rauk et restez-y jusqu'à ce que je revienne vous voir.

Rauk était un grand ami de Victor et de sa famille, c'était lui qui leur avait trouvé une demeure. Rauk était un marchand d'armes vivant dans le quartier portuaire de la ville et il possédait aussi une taverne.

— Victor... viens avec nous, dit Nika d'une voix implorante.

La sentinelle s'avança près des amies de Victor et s'abaissa, pour laisser son pilote saisir la canne qui se trouvait sur le sol.

— Je ne vais pas laisser cet homme s'enfuir, répondit le jeune homme sur un ton ferme. Il est dangereux de rester ici, rendez-vous chez Rauk et contactez les forces de l'ordre de la ville. Je vous rejoindrai.

Nika hocha la tête et dit, entre deux sanglots :

— Mais, Victor...

— Nika, je t'en prie, intervint aussitôt Victor d'un ton sec, fais ce que je te dis !

La jeune femme acquiesça et Victor dirigea sa sentinelle vers la double porte. D-rxt l'ouvrit aisément d'un coup de pince. Alors qu'il s'apprêtait à quitter l'atelier, Victor entendit Clémentine l'appeler.

— Victor ?

Il tourna la tête vers sa petite sœur et la fixa avec compassion.

— Tue-le, continua-t-elle avec froideur. Fais-le payer d'avoir aidé un meurtrier.

Nika intervint aussitôt.

— Clémentine, voyons…

Victor n'ajouta rien. Il glissa sa canne dans l'emplacement circulaire qu'il avait spécialement créé pour celle-ci, avant de s'accroupir sur D-rxt.

— Prends de l'altitude, lui dit Victor.

La sentinelle décolla du sol dans un nuage de poussière et se propulsa dans le ciel de la cité de Québec. La ville était illuminée par de nombreux petits points lumineux, sous une lune éblouissante.

— Inspecte la ville à la recherche d'une cible volante de ta taille, dit-il à la sentinelle.

La sentinelle s'exécuta et vola au-dessus des nombreuses maisons pendant cinq longues minutes, durant lesquelles Victor tremblait d'une colère à demi maîtrisée. Le vent frisquet qui sifflait sur son visage ne le dérangeait même pas ; le cœur enflammé par le dégoût de l'injustice, il était submergé par l'adrénaline. Lorsqu'il vola près du château Frontenac, illuminé de toutes ses fenêtres, Victor repéra au même moment que sa sentinelle une forme étrange sur son toit de cuivre vert. Le cavalier et son étrange monture s'y étaient posés. Le jeune homme crut voir le cavalier lui faire un signe de la main.

D-rxt fonça vers eux à une vitesse vertigineuse, forçant Victor à plisser les yeux et à s'abaisser encore plus sur sa sentinelle. Alors qu'il se rapprochait dangereusement de sa cible, Victor réalisa que le cavalier se tenait debout près de l'immense oiseau, tous deux immobiles. Il allait les percuter de plein fouet dans un instant, et à cette vitesse, cela leur serait certainement fatal. Mais s'il tuait le cavalier, songea Victor, comment trouverait-il le tueur de Balter? C'est alors qu'il discerna l'homme qu'il pourchassait ; il avait de longs cheveux attachés, bleu foncé, et un visage aux traits fins et au teint pâle.

— Redresse-toi, vite ! lança Victor à la sentinelle.

Celle-ci s'exécuta juste au moment où elle allait renverser l'homme, toujours immobile, qui se tenait sur le toit du château. Victor, s'accrochant fermement aux poignées, hurla à la sentinelle :

— Pose-toi près d'eux !

Le scorpion mécanique fit volte-face d'un vol habile et vint se poser aux côtés de l'étranger et de son oiseau gigantesque. Sentant les battements de son cœur revenir à un rythme normal, Victor posa le pied sur le toit vert du château Frontenac, tout en saisissant sa canne. Il avait devant lui un gros oiseau au plumage d'une couleur bleue mélangée au violet. Le jeune homme tourna froidement son regard vers le cavalier qu'il pourchassait ; un ami de longue date. C'était un demi-gobelin, légèrement plus grand que Victor. Son visage laissait transparaître une grande fatigue, car ses yeux jaune vif étaient lourdement cernés. Il portait une chemise longue dont les manches étaient refermées sur des gants en cuir, ainsi qu'un débardeur. Plusieurs lames de toutes tailles pendaient à sa ceinture, rangées dans leurs fourreaux. Le demi-gobelin regardait Victor avec tristesse, peut-être même avec un certain mépris.

— Qu'est-ce que cela veut dire, Caleb ? lança Victor d'un ton froid. À quoi joues-tu ?

Caleb ne répondit rien, mais à la grande surprise de Victor, sembla par la suite désemparé. Une bourrasque de vent énerva l'oiseau géant, nommé Hol, qui lâcha un cri strident. Son maître le calma en caressant sa nuque gigantesque.

— Je suis désolé pour ton ami, dit finalement Caleb, sans même regarder Victor. Je suppose que tu dois m'en vouloir, n'est-ce pas ?

Victor prit une profonde respiration. Il n'en voulait pas à Caleb, le demi-gobelin peiné qu'il avait rencontré au Caire.

— Ce n'est pas important pour le moment, lui répondit Victor en pesant ses mots. Par contre, tu me dois de sérieuses explications. Qui a tué Balter ?

Caleb hocha lentement la tête et répondit :

— Un assassin, Victor. Je ne sais pas qui, mais je savais qu'un meurtre allait avoir lieu.

Victor sembla aussitôt scandalisé.

— Mais dans ce cas, pourquoi n'as-tu rien fait ? lui lança-t-il avec rage. Pourquoi n'as-tu pas contacté les forces de l'ordre ?

Caleb détourna ses yeux vers la ville de Québec, avant de dire :

— Parce qu'ils ne peuvent pas être stoppés par des pistolets, des épées ou des carabines. Je n'aurais pas pu empêcher ce meurtre sans payer de ma propre vie, répondit Caleb en tournant son regard vers Victor. J'ai fait ce que j'ai pu. J'ai leurré les filles en les emmenant à l'extérieur.

Victor, qui s'était apprêté à lancer une réplique cinglante, garda ses paroles pour lui-même et comprit quelque chose d'important.

— Tu as donc... sauvé les vies de Nika et de Clémentine en les éloignant de la scène ? réalisa Victor en plissant les yeux.

Caleb hocha la tête avec peu d'enthousiasme avant de répondre :

— C'était le mieux que je puisse faire. Je voulais aussi que tu me voies, j'ai donc attendu que tu sortes de l'atelier.

Le demi-gobelin passa sa main sur la tête de son oiseau, Hol, et continua sans le quitter des yeux :

— Nous avions besoin d'un endroit pour parler seul à seul, je voulais donc t'attirer ici. Je savais que tu viendrais sur ta sentinelle. Tu m'en avais déjà parlé, lorsque nous étions en Égypte.

— Tu parles d'une soirée, lâcha le jeune homme en passant sa main sur son visage.

Frappé par une soudaine baisse d'énergie, Victor se laissa tomber en position assise, tout près de D-rxt. Son taux d'adrénaline venait de chuter.

— Qui sont ces assassins ? demanda-t-il d'une voix sans énergie.

— Je te l'ai dit, Victor, je n'en sais rien.

Il y eut un court silence avant que le demi-gobelin ne reprenne :

— Je travaille avec un groupe d'individus qui ont pour but de les arrêter.

— Ils sont plusieurs, ces tueurs ?

— Nous supposons que oui.

Victor hocha la tête. Caleb s'installa aux côtés de Victor et s'assit à son tour. Puis, en détachant sa ceinture d'armes qu'il posa sur le toit, il dit :

— Nous avons découvert, un peu tardivement je dois l'admettre, qu'ils visent des cibles bien précises. Lorsque j'ai appris qu'ils pourraient s'en prendre à Balter, ton ami, je suis venu ici depuis Alexandrie pour les en empêcher. Mais c'était impossible.

Victor regarda Caleb en fronçant les sourcils.

— Ils sont invisibles, continua le demi-gobelin. Ils ont des armes qui nous sont inconnues et peuvent se déplacer à une vitesse phénoménale.

Caleb lâcha un rire amer, et Victor put voir ses longues canines, un peu comme celles des gobelins. Il tourna son regard vers Victor et dit :

— Comprends-tu maintenant pourquoi je ne pouvais directement rien faire contre un tel assassin ?

Victor hocha lentement la tête. Tout cela lui semblait incroyable. Mais après tout ce qu'il avait vu, il avait appris que, dans ce monde, tout pouvait arriver.

— Si je comprends bien, continua Victor, tu as abandonné Balter à son sort, c'est bien ça ?

Le jeune homme regretta aussitôt ses paroles, mais ne trouva pas la force de s'excuser. Caleb resta silencieux pendant un bref moment avant de dire :

— Nous ne sommes pas tous des sauveurs comme toi, Victor. J'ai fait ce que j'ai cru bon et, en toute franchise, si j'avais tenté de sauver Balter, je serais mort aussi.

Victor se releva et marcha quelques pas vers le rebord du toit. Il se retourna et dit sur un ton accusateur :

— Pourquoi as-tu perdu ton temps à m'attendre, au lieu de tenter de percevoir l'assassin et de le suivre ?

Caleb se leva à son tour et replaça sa ceinture autour de sa taille. Lentement, il ouvrit une bourse qui pendait à celle-ci et en sortit un petit objet.

— Une fois que j'ai été en mesure de faire sortir tes amies de votre domicile, expliqua Caleb, j'ai parsemé l'atelier d'une substance chimique que l'on appelle la lueur collante. Cet objet, continua-t-il en le tendant à Victor, permet de suivre la trace de toutes les personnes qui ont été en contact avec le produit.

Victor prit l'objet. On aurait dit le cadran d'une montre, seulement celui-ci était doté d'aiguilles holographiques. Ces aiguilles n'indiquaient pas l'heure, mais pointaient diverses directions bien précises. L'une d'entre elles pointait sur Victor et, même s'il la déplaçait autour de lui, elle ne cessait de le suivre et de le pointer.

— Il y a une aiguille pour tous ceux qui ont été présents, continua Caleb en croisant les bras. Toi, Balter, tes deux amies et l'assassin. Étant donné que Balter est mort, son aiguille a disparu. C'est avec cet objet que nous pouvons déduire qu'il n'y a qu'un seul meurtrier.

En effet, le jeune homme pouvait voir deux aiguilles pointées dans la même direction, tandis qu'une autre pointait au sud.

— Tu as donc gardé une trace de l'assassin ? s'étonna Victor.

Caleb acquiesça d'un signe de tête. Victor fit volte-face et s'apprêta à monter sur D-rxt.

— Il n'est plus dans cette ville, dit la voix calme du demi-gobelin.

Victor se tourna vers Caleb, l'air ahuri.

— Il est inutile de le poursuivre, ajouta le demi-gobelin. Par contre, j'ai un plan pour t'aider à le retrouver.

— Et pourquoi tu veux m'aider ? demanda le jeune homme avec froideur.

Caleb s'avança vers Victor et sourit tristement.

— Parce que c'est ce que ma mère m'a demandé de faire avant sa mort, il y a quatre ans.

Victor se souvint d'Abigail, la dame qu'il avait rencontrée dans son manoir et qui avait sauvé Clémentine des griffes de la mort. Il préféra ne rien dire et hocher la tête lentement.

— Comment fait-on pour savoir la position exacte des gens tracés à l'aide de ce gadget ? demanda Victor. C'est un peu imprécis.

Caleb reprit son gadget, que Victor lui tendait, et dit :

— Pour ça, je dois le connecter à un ordinateur capable de repérer sa position exacte sur une carte du monde.

— Et où trouve-t-on cet ordinateur ?

— À Alexandrie.

Alexandrie est beaucoup trop loin, songea Victor, qui sentit le désespoir l'envahir un peu plus.

— Combien de temps la lueur collante dure-t-elle ?

— Environ une semaine, répondit le demi-gobelin.

À court de questions, Victor dit en se grattant le menton :

— Tu retournes en Égypte, c'est ça ? À Alexandrie ?

Caleb hocha la tête.

— Je viens avec toi, dit simplement Victor. Je ne laisserai pas cet assassin s'en tirer sans rien faire, je ne le supporterais pas.

— Je suis ravi que tu m'accompagnes.

— Quand et comment partons-nous ?

— Comme tu dois t'en douter, Hol ne supporterait pas un autre vol intercontinental et je doute que ta sentinelle ait assez d'énergie pour te porter jusqu'à Alexandrie. Pire, il n'y a pas de vols commerciaux vers l'Égypte avant la semaine prochaine.

Victor soupira de désespoir et d'énervement.

— Cependant, continua lentement Caleb, il reste un moyen. Prendre la prochaine nacelle qui part vers la ville de Ludénome.

— Ludénome? répéta Victor, étonné. La ville gobeline?

— C'est ça. La prochaine nacelle partira dans trois heures. Avant que tu ne le demandes, il y en a une qui est située près d'une ferme, à l'extérieur de la ville. Comme tu le sais, Ludénome est une ville qui se déplace constamment. Nous pourrons la quitter lorsqu'elle sera exactement sous l'Égypte. C'est le moyen le plus rapide qui s'offre à nous en ce moment.

Le jeune homme fixa Caleb pendant un court moment, avant de finalement comprendre que celui-ci n'était pas coupable et qu'il était réellement son allié.

— Je croyais que tu n'étais pas le bienvenu dans cette ville? demanda Victor sur un ton plus doux, car il savait que le demi-gobelin avait été rejeté.

À la grande surprise de Victor, Caleb haussa les épaules et dit simplement :

— Je m'en moque, nous avons une cause bien plus grande que mes problèmes personnels.

Victor et Caleb décidèrent donc de quitter le toit du château Frontenac et de partir en direction de la maison de Rauk. Victor connaissait le chemin à prendre pour atteindre sa destination, mais d'une vue aérienne, c'était plus compliqué. Il laissa donc à Caleb la tâche de retrouver la position de ses amies à l'aide de son détecteur. Tout en survolant la ville illuminée de Québec, sur leurs étranges montures, les deux alliés discutèrent de ce qu'ils allaient devoir faire. Étant donné qu'ils avaient près de trois heures avant de partir, Victor avait décidé d'expliquer à ses amis ce que Caleb lui avait dit. Le jeune homme savait pertinemment que sa petite sœur ne comprendrait pas les réelles intentions de Caleb et qu'elle allait lui en vouloir, malgré tout. Il était donc préférable que le demi-gobelin reste hors de sa portée pendant leur visite. Cependant, ce dernier avait insisté pour affronter la colère de Clémentine, car il tenait à tout prix à s'excuser.

Chapitre 5

L'incroyable et détestable trajet

La maison de Rauk, située juste en face des quais de la ville, apparut au bout de quelques minutes de vol. La demeure semblait étroite, mais haute, un peu comme celle que Victor partageait avec ses amis. Une large verrière éclairée d'une vive lueur jaune, située au rez-de-chaussée, inspirait de bons souvenirs au jeune homme. Lorsque Rauk invitait Victor pour souper, ce qui arrivait fréquemment, ce dernier aimait particulièrement admirer la vue sublime qui donnait sur le fleuve, tout en sirotant une tasse de thé. Un petit jardin clôturé, bondé de fleurs (plantées sur l'insistance de Nika) se trouvait en face de la porte d'entrée. La cheminée de la demeure laissait échapper une fumée épaisse, Rauk était donc éveillé, ce qui était bon signe. Victor et Caleb posèrent leurs montures devant la maison, ce qui incita les trois ou quatre personnes qui passaient dans la rue à changer de trottoir, tout en leur lançant des regards outrés. Afin d'éviter les regards indiscrets le plus rapidement possible, Victor et Caleb dirigèrent leurs montures dans une ruelle ombragée, située juste à côté de la maison.

— Il faudra faire vite, dit Caleb en regardant D-rxt et Hol. S'il advenait qu'on les découvre, je doute que les forces de l'ordre apprécient la présence de nos montures. Les oiseaux géants sont illégaux dans cette ville, quant aux scorpions mécaniques...

— Tu as raison, dit Victor en ouvrant la porte du petit jardin et en se dirigeant vers la porte de Rauk.

C'est d'ailleurs pour cette raison que D-rxt avait passé les dernières années caché sous l'atelier; c'était une machine illégale à Québec. Le jeune homme s'apprêtait à cogner à la porte en bois, mais il stoppa son mouvement. Il tourna la tête vers son ami et dit :

— Caleb, tu es certain de vouloir venir?

— Je m'en voudrais de ne pas présenter mes excuses à une adolescente qui a perdu son oncle, répondit Caleb d'un ton humble. Allons-y.

Après une profonde inspiration, Victor cogna à la porte, tandis que Caleb restait dans le jardin, un peu à l'écart. On entendit le bruit lourd et claudicant de pas s'avançant vers la porte, faisant craquer le plancher sous leur poids. La porte s'ouvrit, dévoilant la silhouette d'un homme imposant. Il avait le crâne chauve, un large nez et une impressionnante barbe grisonnante et hirsute, dont la propreté était douteuse. L'homme portait une chemise blanche bouffante, déboutonnée jusqu'au milieu de son torse, un pantalon noir et ample ainsi qu'une seule chaussure en cuir, puisque son autre jambe était constituée d'une tige de bois.

— Victor! lança l'homme d'une voix bourrue, enlaçant le jeune homme contre sa forte poitrine, un peu grassouillette.

— Je vais bien, Rauk, dit Victor d'une voix étouffée en tapotant l'épaule de l'homme.

Lorsque ce dernier recula d'un pas, Victor vit que ses yeux étaient rougis et humides.

— Pauvre Balter, grogna Rauk en essuyant ses yeux, c'était un bon vieux gobelin.

— Nika et Clémentine sont-elles ici? demanda Victor d'un ton un peu inquiet.

— Oui, oui, elles sont ici, dit Rauk en étirant son cou vers le côté, comme pour voir par-dessus l'épaule de Victor. Et lui, ajouta-t-il d'un hochement de menton, qui est-ce?

— Caleb, répondit Victor. C'est un ami. Il était en Égypte avec nous, il y a quelques années, dans le vaisseau de Liam...

L'air songeur, l'imposant homme répondit d'un ton lent :

— Ohhh... oui, je crois me rappeler son étrange chevelure bleue. Peu importe, entrez!

Caleb sembla vouloir sourire, mais ses lèvres se figèrent à mi-chemin, lui donnant l'impression de grimacer.

— Euh, Rauk ? dit Victor, un peu mal à l'aise. Avant d'entrer dans ta demeure, j'aimerais t'expliquer quelque chose au sujet de Caleb.

L'homme barbu hocha la tête et referma la porte de la demeure, avant de suivre Victor et Caleb à quelques pas, dans la pénombre du petit jardin. Le jeune homme expliqua à Rauk ce qui s'était passé plus tôt dans la soirée.

— Ben ça alors, dit Rauk d'un air affairé, en se frottant le front du revers de la main. Caleb, tu n'as jamais vu ces assassins ?

— Jamais, confirma le demi-gobelin. Moi et mes collègues les cherchons depuis trois années, et nous ne les avons jamais vus.

— Tu parles d'une situation, lâcha Rauk. J'ai contacté les forces de l'ordre, il y a une dizaine de minutes. Ils devraient être chez toi, Victor. Bon, je crois qu'il est temps de rentrer, sinon les filles vont s'inquiéter.

Victor et Caleb suivirent Rauk dans sa demeure. La maison de l'homme n'était décorée qu'au minimum, avec des meubles vieux, mais hauts de gamme. Le plancher de bois, d'apparence usée, n'était pas verni et menaçait de défoncer à tout moment. Une table était située au milieu de la pièce et sur un large fourneau en fonte, dans un coin, se trouvait un gros chaudron bouillant qui devait contenir de la soupe. Soudain, Nika et Clémentine firent leur apparition, sortant d'une pièce voisine, qui était une chambre d'ami. À la vue de Caleb, Clémentine s'élança vers lui, le poing levé. Nika, quant à elle, se laissa tomber sur une chaise, le visage caché dans ses mains.

— Assassin ! Meurtrier ! lança-t-elle avec une fureur démentielle.

Elle donna quelques coups dans le ventre du demi-gobelin, nettement plus grand qu'elle, qui ne broncha pas. Victor s'empressa de la retenir et de l'éloigner.

— Clémentine, dit-il d'un ton doux. S'il te plaît, écoute-moi.

— Il a participé au meurtre de mon oncle ! cria-t-elle en sanglotant.

Son visage était rougi par un mélange de haine et de tristesse, mais elle continuait de se débattre violemment pour se défaire de l'emprise de Victor. Par inadvertance, elle faillit lui donner un coup de poing au menton, qu'il évita par chance.

— Tu n'es qu'un bâtard! hurla-t-elle à l'égard de Caleb.

— Clémentine! rugit Victor d'un ton sec et autoritaire.

Victor savait que traiter de bâtard un être issu de deux races bien différentes était une insulte très grossière. Même Nika et Rauk étaient visiblement stupéfaits de la remarque de la jeune gobeline. Caleb, quant à lui, resta impassible, comme une statue. La petite gobeline se figea et quelques lourdes larmes coulèrent sur ses joues. Victor tira une chaise et y installa la gobeline, avant de s'agenouiller devant elle. Caleb et Rauk restèrent à l'écart.

— Je te demande de m'écouter, continua Victor sur un ton tout aussi impératif. Caleb n'est pas contre nous, d'ailleurs, il vous a sauvé la vie, à toi et à ta sœur.

Clémentine considérait Victor et Nika comme sa famille et adorait faire comme s'ils étaient son frère et sa sœur.

— Victor, dit Nika d'une voix mal assurée, et dont le visage était tout aussi gonflé par les larmes, je dois admettre que moi aussi, j'ai besoin d'explications.

Victor raconta alors sa version des faits, en tentant d'expliquer et de justifier les agissements du demi-gobelin, Caleb. Au bout d'une demi-heure, Clémentine se résigna enfin à admettre que Caleb n'était pas un ennemi, mais on voyait clairement sur son visage et dans son regard qu'elle ne l'appréciait pas du tout. Pour détendre l'atmosphère, Rauk servit un bol de soupe à tout le monde, et insista près de quatre fois pour que Caleb se joigne à eux. Celui-ci finit par s'y résigner et prit place entre Rauk et Victor et mangea en silence.

— Je pars avec Caleb, annonça Victor en terminant sa soupe. Ce soir même.

— Quoi? protesta Nika. Mais, mais... tu ne peux pas nous laisser seules!

— Rauk veillera sur vous, dit Victor en échangeant un regard de gratitude avec Rauk. Je suis certain que Liam viendra vous rejoindre en temps et lieu.

— Et les forces de l'ordre ? continua Nika. Ils te suspecteront, si tu te sauves de la ville ! Tu seras dans un énorme pétrin ! Ils te poursuivront, peu importe l'endroit où tu te trouves !

— Je n'ai pas d'autre choix, rétorqua Victor. Je ne me pardonnerais pas de n'avoir rien fait pour Balter.

Nika, dont le visage affichait une désapprobation totale, répondit avec froideur :

— Crois-tu que c'est ce que Balter aurait voulu ? Que tu nous abandonnes pour lui ?

Le jeune homme ne répondit rien. Elle avait en partie raison.

— N'as-tu donc pas assez donné pour les autres ? continua Nika d'un air implorant.

— Je serai de retour dès que possible. J'assumerai les conséquences de mon départ auprès des forces de l'ordre à mon retour.

Nika soupira fortement et dit, au bout d'un moment de silence :

— Quand comptez-vous partir ?

— Dans une heure, répondit Caleb. Nous allons à la station de Ludénome située en dehors de l'enceinte de la ville.

— La ville gobeline ? dit timidement Clémentine. Vous voulez en sortir à la station située en Égypte ?

— Oui, admit Victor. C'est notre but.

— Victor, tu ferais peut-être mieux de rester avec tes amis, dit Caleb d'un ton honnête. Je crois avoir causé bien assez de problèmes...

— Ne dis pas de bêtises, répliqua froidement le jeune homme. Balter était comme un père pour moi.

À la suite de ces mots, Victor sentit ses yeux s'humidifier. Clémentine se leva et vint le serrer dans ses bras.

— Je t'aime, grand frère, lui dit-elle. Je ne veux pas que tu risques ta vie.

— Voyons, dit Victor en lui jouant dans les cheveux. Rien ne nous arrivera.

Il sourit à sa petite sœur, qui sembla aussitôt convaincue, mais Victor lui-même savait que ses paroles étaient vides. Rauk toussa fortement et se leva.

— Qui veut encore de la soupe ? dit Rauk pour changer de conversation.

— Moi, répondit Victor en lui tendant son bol.

La dernière heure se passa mieux que la première, puisque Victor et ses amis passèrent le plus clair de leur temps à se remémorer de bons souvenirs, histoire de détendre l'atmosphère trop tendue et bourrée de chagrin. Lorsque vint le temps de partir pour Victor et Caleb, Clémentine arrêta son grand frère pour le serrer longuement dans ses bras. Quant à Nika, elle remercia timidement Caleb de son aide, et celui-ci se contenta de lui sourire.

— Bon, eh bien, bon voyage à vous deux ! leur lança Rauk avec une solide poignée de main. Victor, n'oublie pas, je veux ma revanche au pari des gobelins !

— Un jour, lui répondit Victor en souriant.

— Reviens-nous vite, dit Nika à Victor en le serrant contre elle. Nous allons être mortes d'inquiétude, Clémentine et moi.

Elle lui donna un baiser sur la joue et replaça les cheveux sur son visage.

— Essaie donc de rentrer avant ton anniversaire, lui dit-elle.

Son anniversaire était le 22 octobre et dans moins d'un mois, il aurait 21 ans.

— J'essaierai, dit-il en quittant le jardin. Oh ! et, Nika ? Contacte monsieur Martin pour moi, d'accord ? Dis-lui que je ne pourrai pas venir au cabaret avant une longue période.

Nika acquiesça d'un signe de tête. Le jeune homme savait que laisser Nika et Clémentine était quelque chose de difficile, et peut-être même une erreur. Elles étaient bouleversées et sans doute confuses. Cependant, il savait aussi que rester à Québec ne ramènerait pas un assassin invisible. Caleb et Victor sautèrent sur leurs montures et firent une montée vertigineuse vers le ciel, histoire de ne pas se faire repérer par les forces de l'ordre. Une fois hors de portée, les deux amis volèrent l'un près de l'autre, tentant d'endurer l'air froid qui leur fouettait le visage.

— On va redescendre dès qu'on aura un kilomètre de distance avec la ville, cria Caleb pour contrer le bruit fendant de l'air.

Victor hocha positivement la tête. Au bout de quelques minutes, l'énorme oiseau et le scorpion redescendirent jusqu'au niveau du sol, survolant un paysage campagnard et calme. On pouvait voir un long chemin pavé, illuminé de petites lanternes, trancher en deux les centaines de terres en patchwork. Les maisons des paysans, largement séparées les unes des autres, étaient toutes plongées dans l'obscurité. On pouvait voir des carrioles et des charrettes sur les terres, qui seraient sans aucun doute remises à l'ouvrage dès l'aube. Victor remarqua alors qu'Hol perdait radicalement de la vitesse. L'oiseau avait en effet redressé ses ailes pour ralentir, et il se posa sur le chemin qui séparait les terres. Le demi-gobelin sauta à terre et se mit à caresser le cou de l'animal.

— Il est fatigué, dit Caleb à Victor lorsque celui-ci s'avança vers lui, sur sa sentinelle. Il n'a pas dormi convenablement depuis des jours. Je lui en demande beaucoup.

— Peut-être vaudrait-il mieux faire demi-tour, proposa Victor, qui ne voyait pas d'autre solution. Si ton oiseau ne peut pas faire le voyage...

— Il marchera, répondit aussitôt Caleb. Ce sera beaucoup moins fatigant pour lui. Il se reposera pendant le chemin vers Ludénome.

Sans rien ajouter, Caleb tira sur les rênes de l'oiseau, qui se mit à marcher en lâchant quelques cris de mauvaise humeur. Victor descendit à son tour de la sentinelle et saisit sa canne, pour accompagner son ami.

— Tu peux rester dessus, fit aussitôt remarquer Caleb en regardant la monture de son ami. Je veux dire...

Victor savait que Caleb le jugeait inapte à endurer une bonne et longue marche, mais avec les années, il s'y était habitué, et marcher de longues distances n'était plus un problème pour lui.

— Je vais bien, lui répondit simplement Victor. Ne t'en fais pas pour moi, une bonne marche me fera du bien.

Caleb acquiesça d'un signe de tête et regarda autour de lui.

— C'est beau comme endroit. La campagne, ça doit être tranquille et paisible.

Malgré le meurtre de Balter, le jeune homme fit son possible pour retrouver sa bonne humeur. Se morfondre n'aiderait en rien à sa quête. Certes, il était attristé, mais il devait passer par-dessus. Il décida de profiter de l'opportunité donnée par Caleb pour changer de sujet, histoire de se redonner du moral.

— C'est vrai, admit Victor. J'aimerais bien vivre dans un endroit semblable, un jour.

— Vraiment ? Pourtant, Gabriel Lupin peut s'offrir un orphelinat, ajouta-t-il d'un air moqueur.

— Mes priorités financières ne me permettent pas l'achat d'une maison de campagne, rectifia Victor. Et comment connais-tu ma double identité ?

Caleb pouffa de rire.

— Edward m'a tout raconté il y a quelques années. Mais je dois admettre que je ne t'aurais pas reconnu... tu as beaucoup changé.

Victor ne dit rien.

— Je ne sais pas si cette histoire de faux nom m'aura servi à quelque chose, dit-il finalement.

— On ne peut jamais être trop prudent, fit remarquer le demi-gobelin. Mais tôt ou tard, tout finit par se savoir.

Victor lâcha un soupir. Il savait que Caleb avait raison.

— Où allons-nous, exactement ? demanda-t-il.

— Au-delà de la colline, là-bas, répondit le demi-gobelin en pointant au loin.

Au loin, on pouvait voir une large butte de verdure sur laquelle se trouvait un gros pommier, dont les feuilles assombries par la nuit viraient sans doute du vert à l'orange, puisque l'automne s'installait peu à peu.

— Et qu'y a-t-il exactement, au-delà de cette colline ? continua Victor d'un air intrigué.

— Tu n'as jamais mis les pieds à Ludénome ? s'étonna Caleb alors que Victor hochait la tête négativement. Eh bien, pour un aventurier, tu as manqué quelque chose.

— Cela ne répond pas à ma question, rétorqua Victor avec un brin d'amusement.

— Derrière cette colline, expliqua Caleb, il y a une station d'embarquement menant à la ville des gobelins. Ludénome est une ville qui est constamment en mouvement, profondément enfouie sous la terre.

Victor savait déjà tout ça, mais pour ne pas vexer son ami, il le laissa finir. La dernière fois qu'ils avaient eu une longue conversation de ce genre, Caleb n'avait pas très bonne mine et semblait constamment tourmenté par de lourds problèmes familiaux. Victor aimait donc le savoir de bonne humeur.

— On peut utiliser Ludénome, lorsque la ville se trouve à proximité, pour y embarquer et en débarquer dans un autre pays. En Hollande, par exemple.

— C'est pratique, conclut Victor.

Il aurait voulu questionner Caleb à propos de son désir de remettre les pieds dans une ville dans laquelle il n'était pas vraiment accepté, à cause de sa nature, mais il préféra se taire pour ne pas ruiner l'humeur joviale de son ami. Les deux compagnons marchèrent encore pendant une bonne dizaine de minutes, suivis par leurs montures exotiques, avant d'enjamber une clôture en bois qui limitait l'accès à la colline.

— Je crois que c'est un terrain privé, dit Victor à voix basse. Nous pourrions contourner…

— Inutile, contentons-nous de ne pas faire de bruit, répondit Caleb.

À pas feutrés, les deux amis montèrent la colline, malgré le manque de coopération de Hol, qui lâchait continuellement de faibles cris de mécontentement. La lumière d'un réverbère, planté au beau milieu d'une petite plaine de verdure, illuminait une sorte de cabine rouge vif.

— Qu'est-ce que ça fait là ? lança Victor en descendant avec précaution la colline.

— C'est une station menant à Ludénome, répondit Caleb à ses côtés.

Arrivé près du réverbère et de la cabine, Victor regarda cette dernière. Haute de plus de deux mètres et large d'un mètre, elle était fermée par une porte vitrée. Au-dessus, on pouvait difficilement lire « Ludénome » à cause de la noirceur.

— Et les paysans ne se plaignent pas d'avoir une station sur leurs terres ? s'étonna Victor.

— Je n'en sais rien, répondit Caleb en haussant les épaules. J'ose espérer qu'ils ont une compensation financière quelconque. En tout cas, nous allons attendre encore...

Le demi-gobelin consulta sa montre, reliée à une mince chaîne en argent, qu'il avait tirée de sa poche.

— ... 20 minutes, dit-il en la rangeant.

Caleb s'installa au pied de la colline et sortit une tranche de lard séché d'une bourse accrochée à la selle de son oiseau, avant de la lui donner. L'oiseau mâcha bruyamment la tranche de lard. Victor, quant à lui, ordonna à D-rxt de se désactiver, pour qu'il conserve son énergie, et s'installa auprès de son ami.

— Dis-moi, Caleb, tu ne t'imagines quand même pas que Drext et Hol pourront entrer dans cette cabine ? dit Victor en sachant très bien la réponse.

— Bien sûr que non, avoua Caleb en riant. La plateforme est bien plus grande, tu verras.

— Combien de temps cela fait-il que tu es allé à Ludénome ? demanda Victor d'une voix plus douce.

Caleb soupira et baissa la tête, on pouvait voir un sourire amer sur son visage.

— Sept ans, dit-il d'un ton froid. Il m'a fallu trop de temps pour me rendre compte que je n'étais pas le bienvenu dans cette petite communauté.

Victor regretta presque d'avoir posé la question, mais puisque le mal était fait, il décida de continuer :

— C'est très noble de ta part d'affronter cette épreuve à nouveau. De vouloir retrouver cet assassin, ajouta-t-il d'un ton un peu précipité.

— Il faut bien faire face à ses démons un jour ou l'autre, soupira le demi-gobelin.

Victor savait très bien que Caleb avait passé le plus clair de sa vie à fuir. Fuir par rejet de sa mère et de son beau-père, par rejet de son peuple. Bien que sa mère humaine ne l'ait jamais su, le demi-gobelin avait tenté de lui offrir quelques moments de vie supplémentaires avec l'oiseau de feu, une fleur aux capacités médicinales. Le jeune homme savait pourquoi son ami trimbalait autant d'armes ; il devait faire face à la confrontation trop souvent, et sa jeunesse troublante avait dû le rendre ainsi. Mais au fond de lui, Victor était certain que Caleb était une bonne personne. Victor tourna la tête vers son ami. Les yeux jaune vif du demi-gobelin regardaient au-delà des terres paysannes, vers l'horizon.

— Comment es-tu arrivé à Québec ? lui demanda-t-il, pour détendre l'atmosphère.

— Par la voie des airs, sur Hol, répondit Caleb. On vient juste d'arriver.

— Il peut bien être fatigué, avoua Victor. C'est une bonne bête, ajouta-t-il en s'interrogeant sur l'espérance de vie d'une telle créature.

Les minutes s'écoulèrent dans le silence, jusqu'à ce qu'une lumière fit son apparition. Victor, qui contemplait d'un air absent une terre voisine, aperçut la lumière du coin de l'œil.

— C'est l'heure, dit Caleb en se redressant.

La lumière qui s'était allumée était située sur la cabine rouge et elle éclairait le mot « Ludénome ». Victor se leva à son tour et enleva les brins d'herbe de son pantalon, avant de réactiver D-rxt. Caleb tira sur les rênes de la muselière de son oiseau géant, qui refusait catégoriquement d'avancer, et suivit son ami jusqu'à la cabine.

— Hol, ne rends pas les choses plus compliquées ! gronda Caleb d'une voix impérative.

L'oiseau lâcha un cri de mauvaise humeur et renonça à sa résistance.

— Que fait-on, maintenant ? demanda Victor en observant la cabine.

— Peux-tu tenir ceci, un instant ? dit Caleb à Victor, en lui tendant les rênes de l'oiseau.

— Bien sûr, répondit Victor, un peu étonné.

Caleb ouvrit la porte et se glissa dans la cabine, avant de se mettre dos à Victor. Ce dernier put le voir appuyer sur quelque chose. Le demi-gobelin en ressortit quelques secondes plus tard.

— Recule-toi un peu, dit-il à Victor tout en reprenant les rênes de son oiseau.

Victor s'exécuta, ordonnant à la sentinelle de le suivre, et tout à coup, il vit quelque chose d'extraordinaire : la cabine s'était mise à bouger. Ses parois s'étirèrent dans un bruit de compression d'air et se déplièrent, à l'aide d'engrenages qui venaient d'apparaître sous la coque du toit, pour prendre une surface plus large. La cabine devint si grande qu'on aurait dit un petit garage.

— Cette technologie a été créée grâce au savoir des gnomes, expliqua Caleb. C'est une sorte de produit qui étire le métal comme un élastique.

— C'est incroyable ! admit Victor en riant.

Victor, Caleb et leurs montures se glissèrent dans l'énorme cabine et la refermèrent derrière eux.

— Prêt ? lui demanda Caleb, un sourire aux lèvres.

Sachant que quelque chose de bizarre allait se produire, Victor se cramponna à sa canne et hocha la tête. Soudain, on entendit une voix féminine, venue de nulle part, annoncer :

Bienvenue dans la station de Ludénome numéro 537, Québec. Veuillez vous assurer que tous vos membres sont à l'intérieur de la cabine. En cas de malaise, veuillez prendre les sachets prévus à cette fin.

Au même moment, des sachets sortirent du plafond de la cabine et se déplièrent, prêts à être utilisés.

— Charmant, dit Victor d'une voix mal assurée.

Caleb le regarda avec amusement. C'est alors que Victor sentit ses pieds décoller du sol, la cabine s'enfonçait sous terre à une vitesse fulgurante. Au bout de quelques secondes, qui semblèrent interminables à Victor, celui-ci tomba sur les fesses. Il était assis par terre et tout était sombre autour de lui. Une vive lumière jaune apparut soudain en provenance du plafond et la porte de la cabine élargie s'ouvrit, dévoilant un long et large tunnel souterrain, illuminé par des lampes à huile. Victor réalisa qu'il était le seul à avoir perdu l'équilibre.

Merci d'avoir utilisé nos moyens de transport, dit la voix féminine.

Caleb tendit sa main à Victor et l'aida à se redresser.

— Ça m'arrivait aussi, dit-il d'un air complice, dans les premiers temps.

Après avoir essuyé la poussière de son pantalon, Victor quitta la cabine en compagnie de son ami et de leurs montures, s'engageant dans le tunnel. À sa grande surprise, le sol et les parois du tunnel étaient recouverts de planches de bois. Sur les murs se trouvaient plusieurs affiches d'équipes sportives que Victor ne connaissait pas ; il ne savait même pas de quel sport il s'agissait. De larges tableaux étaient fixés au plafond, indiquant la date et les conditions météorologiques de Québec. Au bout du tunnel, Victor et Caleb débouchèrent dans une vaste gare, totalement déserte, avec des sièges et des poubelles. De grosses poutres en bois servaient de fondations à l'endroit. La gare, d'allure plutôt confortable pour un endroit souterrain, était éclairée par de grosses lampes, au plafond. Un tunnel se trouvait devant eux, creusé à quelques mètres de profondeur, partant dans deux directions opposées, éclairées par des lampes. Victor se dit qu'un train devait passer par cette voie ; seulement, il n'y avait pas de rails, seulement de la terre et de la poussière. Caleb avança sur l'un des nombreux quais de la gare. Victor le vit alors appuyer sur un gros bouton, situé sur un piédestal en métal.

— Qu'est-ce que c'est ? demanda-t-il au demi-gobelin.

— J'appelle un taxi, dit-il d'un air concentré. Voilà, il devrait arriver dans... quelques secondes.

À peine avait-il terminé sa phrase qu'on entendit un bourdonnement venant du tunnel auquel Victor tournait le dos. Le jeune homme se retourna et vit deux lumières se diriger vers lui à une vitesse dangereuse. Il réalisa alors que ces lumières étaient en fait les phares d'un véhicule volant. Par prudence, le jeune homme fit quelques pas en arrière alors que l'engin, perdant de la vitesse, se stationnait devant leur quai. Caleb, quant à lui, tentait de maîtriser Hol, affolé.

— Tout doux ! dit le demi-gobelin à son oiseau. Ce n'est qu'un taxi, calme-toi !

Victor s'était protégé les yeux de l'intense lumière de phares. C'est alors qu'il entendit une voix suraiguë demander :

— Z'avez besoin d'une course vers Ludénome ?

Abaissant son bras, Victor vit un petit être — encore plus petit qu'un gobelin —, se tenant debout sur son siège de conducteur, pour arriver à la hauteur du volant. Il devait mesurer à peine 60 centimètres de haut. Le visage de la créature était masqué par de grosses lunettes qui agrandissaient ridiculement ses yeux. Il était chauve, ses oreilles et son nez étaient ronds et son menton, fortement prononcé. C'était un gnome, il en avait déjà rencontré quelques-uns dans un populaire cabaret d'Oxford, là où il avait performé quelques pièces de musique pour une bonne somme d'argent. Le gnome conduisait une sorte de carrosse très bruyant, sans roues et sans toiture, maintenu en lévitation par de puissants moteurs d'une taille imposante, situés à l'arrière du véhicule.

— Vous embarquez ces grosses bêtes en plus ? dit le chauffeur d'une voix déçue.

— Oui, répondit Caleb.

— Bon ! eh bien, soupira le gnome, je fais descendre une barque.

Le petit être appuya sur un bouton de son tableau de bord et soudain, le plafond se fendit au-dessus d'eux ; un gros compartiment en métal descendait, soutenu par des pinces. Celles-ci connectèrent le compartiment au carrosse volant du gnome.

— Installez-les à l'arrière, dit le gnome de sa voix aiguë, en pointant les montures.

Alors que les deux camarades s'apprêtaient à faire monter leurs montures à bord, l'engin vacilla quelque peu. Le moteur émit quelques bruits d'explosion, avant de retrouver sa stabilité, ce qui inquiéta Victor.

— Tu es certain que c'est sécuritaire ? demanda-t-il à Caleb à demi-voix.

— Non, répondit-il d'un air amusé.

— Parfait, conclut sarcastiquement Victor.

Après avoir installé Hol et D-rxt à l'arrière, Caleb et Victor entrèrent dans le carrosse et bouclèrent leur ceinture. Celle de Victor était brisée, il fit donc un nœud autour de sa taille.

— Service de qualité, grommela-t-il à voix basse.

— Z'avez dit ? lança le gnome.

— Rien du tout, sourit Victor.

— Ça vous coûtera 10 pièces pour le poids supplémentaire, dit le chauffeur.

— Ça va, acquiesça Caleb en lui donnant quelques pièces.

— Bon, alors c'est parti ! cria le chauffeur en enfonçant la pédale d'accélérateur.

L'engin volant décolla à une vitesse étonnante, compte tenu du poids tiré, et Victor, pris de vertiges, sentit ses organes se compresser et son visage blêmir. Le carrosse volant traversait les tunnels, tournait dans un tunnel à gauche, puis à droite, jusqu'à ce que Victor en perde le fil. Tout allait si vite ! Le jeune homme se risqua à regarder à l'arrière et réalisa avec soulagement que le compartiment était toujours là. Il comprenait maintenant pourquoi Hol était réticent à l'idée de prendre ce moyen de transport. Soudain, le carrosse volant déboucha dans un gouffre énorme, si profond qu'on ne pouvait même pas en voir le fond. Le carrosse zigzagua entre de grosses et menaçantes stalactites qui pendaient au plafond de l'énorme grotte. Victor était plaqué dans le fond de son siège, clairement mal à l'aise. Même Caleb ne semblait plus aussi confiant qu'au début.

— Pourquoi ne descend-il pas plus bas pour les éviter ? cria Victor à Caleb, pour couvrir le bruit du moteur.

Encore une fois, le carrosse contourna avec agilité une stalactite, mais le compartiment arrière le heurta de côté. La grosse pointe rocheuse se détacha du plafond de la grotte et sombra dans le vide, qui semblait infini.

— Il est fou, dit Caleb qui, lui aussi, s'était enfoncé dans son siège.

Aussitôt, le carrosse volant piqua vers le fond de la grotte. Victor crut sentir son cœur arrêter de battre et s'enfoncer dans sa cage thoracique. C'est alors qu'une vive lumière fit son apparition au fond du gouffre, qui semblait sans fond. Plus ils s'en approchaient, plus la lumière grossissait, jusqu'à ce que Victor puisse en discerner la source : c'était un gigantesque dôme, illuminé par plusieurs centaines de petites lumières. Le dôme semblait se déplacer à une vitesse impressionnante.

— Voilà Ludénome ! annonça le conducteur de sa petite voix aiguë.

Au bout de quelques secondes, Victor distingua nettement les gigantesques rails, illuminés par des lumières rouges. Ces derniers devaient être larges d'une centaine de mètres. Le jeune homme vit d'autres carrosses volants venir de tous les côtés, en direction du dôme. Leur carrosse rattrapa sans peine le dôme qui se déplaçait sur les rails. Au grand étonnement de Victor, le dôme ne faisait presque pas de bruit, si ce n'était d'un frottement d'air. Le carrosse volant était maintenant à une trentaine de mètres du dôme. Ce dernier était entièrement recouvert d'un métal sombre. Il devait être aussi gros que la cité flottante des horizoniers. Le carrosse se dirigea près d'une lumière verte située sur une paroi du dôme. Sans avertissement, la paroi se déplia et le carrosse entra dans l'ouverture, avant que celle-ci se referme.

— Nous sommes arrivés, fit la voix du chauffeur en stationnant son carrosse.

Le cerveau de Victor eut besoin de quelques secondes avant d'assimiler la situation. Regardant autour de lui, il comprit qu'il était dans une sorte de gare et que son carrosse avait accosté. Une demi-douzaine de carrosses volants vinrent se stationner à leurs quais respectifs. La gare, faite entièrement de métal et de briques, était éclairée par des torches et des lampes électriques. Un portail, au loin, donnait sur une rue bruyante et bondée de silhouettes.

— Débarquons, dit Caleb qui, lui non plus, n'avait pas bougé.

Dans un effort colossal, les deux amis se hissèrent en dehors du carrosse, étourdis. Le gnome sauta sur le quai et alla ouvrir le compartiment arrière. Hol en ressortit, poussant de longs cris de fureur, tout en tentant de mordre le gnome.

— Aïe! s'écria le chauffeur en se couvrant la tête. Lâche-moi, sale bête!

— Hol! Ça suffit! ordonna Caleb.

L'oiseau laissa le gnome tranquille, lequel se rua vers le siège de son carrosse. D-rxt sortit du compartiment et ne semblait pas souffrir de malaise; ce qui était complètement normal, se dit Victor. Le compartiment fut alors saisi par une paire de pinces venant du plafond avant de disparaître derrière une plaque coulissante dans un bruit de compression d'air.

— Bonne journée à vous! leur lança le gnome, avant de quitter le quai par la paroi qui s'ouvrit pour le laisser sortir.

— À vous aussi, dit poliment Victor.

La paroi menant à l'extérieur de Ludénome se referma aussitôt.

— Nous sommes arrivés, dit Caleb en soupirant. Toute une aventure, hein?

— Plus jamais, marmonna le jeune homme. Je ne monterai plus jamais dans ces taxis.

Caleb pouffa de rire en s'engageant vers le gros portail, tenant les rênes de Hol. Il tourna la tête vers son ami et dit:

— Tu viens, Victor?

— J'arrive, répondit celui-ci en reprenant ses esprits.

Chapitre 6

Ludénome

Victor réalisa bien vite que Ludénome ressemblait à une vraie petite ville, quoiqu'un peu étouffante. Les rues, souvent trop étroites, étaient bondées d'une foule de gens en tout temps. Les maisons étaient lugubres, et avaient des toits pointus et des cheminées tordues qui crachaient une fumée noire vers le ciel. Ce dernier était en fait le toit du gigantesque dôme et était actuellement parsemé d'étoiles, mais Caleb expliqua vaguement à son ami que le toit changeait d'apparence en fonction de l'heure. Parfois, il y avait même une pluie artificielle. Victor, un peu inquiet par les nombreuses émanations de fumées, fut soulagé d'apprendre par son collègue demi-gobelin que la ville possédait un important système de purification d'air. Gobelins, gnomes, humains et autres races encore inconnues de Victor arpentaient les nombreuses rues de Ludénome, qui baignaient dans un vacarme de voix et de rires. Talonnés par Hol — D-rxt les suivant depuis les toits —, les deux amis tournèrent dans une rue bondée qui semblait être une allée de marchands, puisque d'innombrables kiosques s'y trouvaient. L'attention du jeune homme fut attirée par un vendeur de coquerelles géantes, grosses comme des chats, munies de laisses.

— Faites un peu attention! lança une petite créature que Victor venait de heurter.

— Désolé! dit-il d'un air honnête en ramenant son regard vers son interlocuteur. Je ne vous avais pas vu...

La créature ressemblait à un raton laveur d'un peu plus d'un mètre de haut. Seulement, celle-ci marchait sur deux pattes et avait des mains munies de pouces. Elle portait de grosses bottes démesurées et un énorme chapeau pointu, dont la pointe retombait lâchement vers l'arrière. La créature était plutôt amusante à regarder.

— C'est de la discrimination! grommela la créature.

— Navré, répéta Victor, vraiment, je ne l'ai pas fait exprès...

Le jeune homme se rendit compte que Caleb avait poursuivi sa route, tirant son gros oiseau dans une foule de gens qui se faisaient un peu bousculer par Hol. Après s'être excusé à nouveau auprès de la créature, Victor pressa le pas vers son ami en disant :

— Caleb, attends! Pardon, ajouta-t-il lorsqu'il eut presque renversé une vieille gobeline qui le dévisagea ensuite. Caleb!

Victor réalisa, en rattrapant son ami, que les nombreuses personnes présentes dans la rue dévisageaient Caleb, alors que d'autres chuchotaient en le pointant.

— Attends-moi! lança à nouveau Victor.

Caleb s'arrêta et se tourna vers Victor. Quelques gobelins accoururent vers lui et le bousculèrent, avant de s'enfuir à toutes jambes en lui criant des insultes grossières, et lui faisant un doigt d'honneur.

— Mais qu'est-ce qui leur prend? s'étonna Victor.

— Nous n'avons pas le temps, répondit le demi-gobelin avec une certaine froideur en rangeant son arme. Nous avons un tueur à attraper.

— Ça ne se fait pas, s'indigna Victor en regardant les gobelins qui avaient bousculé Caleb disparaître dans la foule.

— Ils ne m'aiment pas et je ne les aime pas non plus, rétorqua le demi-gobelin.

Victor se sentait intérieurement révolté. Comment est-ce qu'on pouvait dénigrer quelqu'un par sa simple apparence? C'était cruel. Le jeune homme savait très bien que Caleb aurait pu dégainer ses armes ou libérer Hol et faire regretter à quiconque ses paroles déplacées, mais le demi-gobelin était resté parfaitement stoïque. Ce dernier lui avait déjà fait part du fait qu'il n'était pas apprécié, mais Victor était tout de même frappé par la situation.

— Laisse tomber, continua Caleb en affichant un sourire amer. Je suis habitué, c'est d'ailleurs pour cela que j'évite cet endroit, comme je te l'ai souvent dit. Nous y sommes presque, en route.

Victor envoya un regard foudroyant aux gobelins qui se déhanchaient grossièrement de l'autre côté de la rue et se résigna à suivre son ami et son gros oiseau.

— Où va-t-on? demanda Victor, jetant des regards autour de lui.

— Ludénome ne sera pas sous le continent africain avant quelques heures. En attendant, j'ai quelque chose à aller chercher.

— Qu'est-ce? demanda Victor, haussant un sourcil.

— Tu verras bien assez vite.

Victor n'aimait pas la récente habitude du demi-gobelin de ne pas lui formuler de réponses claires. Le jeune homme haussa les épaules et jeta un coup d'œil en hauteur, pour s'assurer que la sentinelle les suivait toujours. C'était le cas. Ils arrivèrent finalement dans une rue encore plus étroite que les autres, située sous un viaduc. La rue, de laquelle émanait une épaisse odeur d'humidité, ressemblait presque à une ruelle, puisque de nombreux tonneaux et bennes à ordures s'y trouvaient. Une lampe, accrochée sous le viaduc, éclairait le centre de la rue d'une lumière défectueuse qui s'allumait par intermittence.

— C'est là, dit le demi-gobelin.

Dans la pénombre de la rue, Victor n'avait pas vu l'endroit dont il s'agissait. Caleb attacha les rênes de Hol à un épais poteau de fer qui servait de support à une maison. Il monta ensuite les trois marches d'un porche et s'arrêta devant une grosse porte de fer d'apparence rouillée sur laquelle il frappa plusieurs coups. Personne ne répondit. Caleb tira deux petites tiges de fer d'une pochette accrochée à sa ceinture et posa un genou par terre, avant de se mettre à crocheter la serrure.

— Que fais-tu? demanda Victor d'un air indigné, regardant à gauche et à droite.

Un déclic annonça la capitulation du loquet de la porte, et Caleb se redressa.

— J'entre chez moi, dit-il à Victor. Ma vieille demeure. Viens.

Avant de mettre le pied dans la demeure, le jeune homme vit un écriteau crasseux sur le mur près de la porte. On pouvait y lire

« Fislek ». Fouillant dans sa mémoire, Victor se rappela que ce nom était le nom de famille de son ami. À l'intérieur de la demeure, l'impression initiale que Victor avait de la demeure se révéla exacte. Lorsque Caleb eut allumé les quelques lampes à huile accrochées sur les divers murs de la demeure, Victor vit en effet que celle-ci baignait dans la poussière et ses fenêtres étaient barricadées. Il était évident que l'on n'avait pas mis les pieds ici depuis bien trop long-temps. La demeure était composée d'une seule et unique pièce, meublée d'un sofa moisi, d'un four, d'un grand lit et de quelques étagères bourrées de livres. Au fond, un escalier en colimaçon menait à l'étage du dessus et du dessous.

— Tu vivais ici étant enfant ? demanda Victor d'une voix pleine de compassion.

— Oui, répondit le demi-gobelin, qui semblait avoir retrouvé sa bonne humeur, puisqu'un sourire sincère était apparu sur ses lèvres. J'y ai vécu jusqu'à mes cinq ans.

Victor réalisa alors avec honte qu'il ne connaissait pas l'âge de Caleb.

— Quel âge as-tu ? demanda-t-il en estimant l'âge de son ami à environ 25 ans.

Il ne lui avait jamais demandé son âge, pas même lorsqu'ils s'étaient rencontrés, en compagnie d'Amon, dans le tombeau égyp-tien qui servait de taverne.

— Vingt-quatre ans, répondit Caleb d'un air absent, parcourant la maison en regardant dans tous ses recoins comme s'il cherchait quelque chose.

Le jeune homme se demandait si Abigail Hainsworth, la mère humaine de Caleb, avait déjà vécu ici. Cependant, il préféra garder cette question pour lui-même.

— Qu'es-tu venu chercher ? demanda Victor, redoutant de rece-voir une réponse vague.

Caleb se tenait devant une étagère et passait ses doigts sur les livres qui s'y trouvaient. Au bout d'un moment, il tira la reliure d'un livre et souffla sur sa couverture poussiéreuse. Il l'ouvrit et par-courut quelques pages avant d'afficher un air satisfait.

— Ceci, répondit Caleb en pointant un glyphe sur une page qu'il montra à son ami.

Soupirant, Victor dit :

— Mais encore...

— Ce dessin pourrait nous en dire un peu plus sur notre tueur, expliqua-t-il. Ou nos tueurs, rectifia le demi-gobelin.

Victor haussa les sourcils et s'approcha de Caleb, qui lui tendit le livre. De petite taille, sa couverture était brune, en cuir vieilli, et n'avait aucun titre. En jetant un œil sur la page montrée par Caleb, le jeune homme vit un glyphe dessiné à la main. Bien que le signe ne lui évoquât rien, il était persuadé de l'avoir déjà vu quelque part. Il continua à feuilleter rapidement une bonne centaine de pages soigneusement écrites à la main. Certaines contenaient des dessins, d'autres des signes ou des équations mathématiques.

— Et ça peut nous aider ? demanda Victor en rendant son livre à Caleb.

— Oui, c'était d'ailleurs mon second objectif, expliqua Caleb en rangeant le livre dans une pochette de sa ceinture.

Victor avait momentanément oublié que son ami travaillait avec un groupe d'individus d'Alexandrie. Soudain intrigué, il demanda :

— Qui t'a envoyé faire tout ça ?

Caleb se contenta de sourire et répondit au bout de quelques secondes :

— Ceux pour qui je travaille.

Il était évident que le demi-gobelin évitait la question. Victor aurait bien voulu lui demander pour qui il travaillait, puisqu'il avait souvent mentionné ses « collègues » mystérieux, mais le jeune homme décida d'éviter la question. Pour l'instant.

— Par contre, continua Caleb, nous devrons aller voir quelqu'un que je connais bien, il pourra nous en dire plus au sujet de ce glyphe, celui que je t'ai montré.

— Où vit-il ?

— Pas très loin, répondit le demi-gobelin en souriant. Il réside ici, à Ludénome.

Au même moment, Victor et Caleb entendirent un cri furieux de Hol, ainsi que des voix étouffées. Sans perdre de temps, les deux amis se ruèrent à l'extérieur. Contrairement à ce qu'il pensait, Victor ne vit pas le gigantesque oiseau en détresse. L'oiseau, toujours attaché, lâchait des cris en direction de D-rxt, sur le sol de la ruelle, qui se tenait au-dessus d'une chose qui se débattait furieusement.

— Lâche-moi, lâche-moi, je te dis! gémit une voix sous la sentinelle.

Cette voix, Victor l'avait déjà entendue quelque part. Après avoir échangé un regard intrigué, les deux amis descendirent les marches du porche et s'approchèrent de D-rxt. Le jeune homme savait que la sentinelle n'attaquerait qu'en cas de danger.

— Drext, recule-toi un peu, ordonna Victor, mais reste à l'affût.

La sentinelle s'exécuta aussitôt alors que Caleb, qui avait dégainé une épée courte, s'approchait de la créature capturée en la pointant de son arme. Malgré la pénombre, Victor reconnut l'énorme chapeau pointu à plume, dont la pointe pendait toujours vers l'arrière, dévoilant ainsi l'identité de la créature. C'était l'humanoïde aux traits qui ressemblaient fortement à ceux d'un raton laveur, assis sur le sol, sa queue touffue entre les jambes.

— Toi? dit Victor d'un air étonné. Que fais-tu là?

La créature, dont le visage féroce fixait l'épée de Caleb, ne répondit pas. Victor fit signe au demi-gobelin d'abaisser son arme, et celui-ci la retira avec lenteur.

— Que fais-tu là? répéta Victor d'un ton plus grave, ce qui parvint à obtenir toute l'attention de la créature.

— Cela ne te regarde pas, répondit bravement l'étrange raton laveur humanoïde. Je n'ai pas à m'expliquer à vous deux.

— Un peu de motivation ne te ferait pas de tort, répliqua Caleb en s'inclinant près de la chose.

Avec une défiance étonnante, la créature fit un signe de main grossier au demi-gobelin. Victor et Caleb échangèrent un regard amusé et tous deux savaient qu'ils pensaient la même chose : pour qui cette créature se prenait-elle? Victor avança de quelques pas vers l'étrange raton laveur et posa un genou à terre, s'appuyant sur sa canne.

— Comment t'appelles-tu ? lui demanda-t-il. Moi, je m'appelle Victor. Victor Pelham.

La créature se redressa lentement et s'inclina.

— Je m'appelle Pakarel, répondit-elle à la surprise de Victor.

— Eh bien ! Pakarel, continua Victor, pourquoi nous épiais-tu ?

La créature regarda vers le haut, l'air pensif. Puis, elle dit :

— Comment sais-tu que je vous épiais ? Je ne te l'ai même pas dit.

— Ma sentinelle ne t'aurait pas attaqué, autrement, répondit Victor avec amusement. Je n'ai jamais vu un être comme toi. Qu'est-ce que tu es, au juste ?

— Je suis un gentleman, répondit fièrement Pakarel en s'inclinant à nouveau, en retirant cette fois son énorme chapeau.

— C'est un pakamu, rectifia Caleb avec mépris. Ce sont des gloutons et des voleurs.

D'un air offusqué, Pakarel répondit :

— C'est faux ! Et si j'étais toi, je m'abstiendrais de me parler sur ce ton !

— Ah bon ? lança Caleb d'un air amusé. Sinon quoi ? Tu vas me mordre le mollet ?

Pakarel se contenta de tirer la langue bruyamment. Victor eut du mal à cacher son sourire. Le pakamu qu'il avait devant lui était presque adorable et mignon. On aurait même dit que son énorme chapeau était plus large que la totalité de son corps.

— Allons, allons, dit Victor en se redressant à l'aide de sa canne. Pourquoi ne m'expliquerais-tu pas pourquoi tu t'es retrouvé à nous épier ? Si tu es honnête, tu pourras t'en aller sans problème, dit-il d'une manière semblable à celle utilisée pour parler aux enfants.

Caleb leva les yeux au ciel, croisa les bras et soupira.

— Je suis monté sur le baril juste là, dit Pakarel en pointant près de la fenêtre barricadée, à quelques mètres de Hol. Je regardais à travers les planches de bois pour voir qui était entré dans la demeure des Fislek.

— Et pourquoi donc ? continua Victor d'un air complice.

— Je connais bien monsieur Fislek, continua fièrement Pakarel en bombant son petit torse. Il me donne beaucoup de tartes.

Victor tourna son regard vers Caleb qui fit un signe de la main en disant, d'un air las, avant de recroiser les bras :

— Mon père aime bien la cuisine.

Victor retourna son regard vers le pakamu et dit, d'un air amusé :

— Mais cela ne répond pas à ma question, Pakarel. Pourquoi nous épiais-tu ?

Ce dernier ouvrit la bouche pour répondre, mais aucun son n'en sortit. Il posa ensuite son index griffu sur sa lèvre inférieure, comme s'il réfléchissait.

— Parce que... personne n'est venu ici depuis longtemps, répondit Pakarel en hésitant. Même pas monsieur Fislek. Il ne vient plus ici. Ça m'a intrigué.

— Je n'en crois pas un mot, dit Caleb d'un air moqueur.

Pakarel ne se laissa pas intimider par Caleb, malgré sa petite taille, et lui lança un regard noir. Victor, quant à lui, regardait le pakamu avec amusement. Il était clair que ce dernier lui cachait quelque chose, mais le jeune homme préférait jouer le jeu, puisqu'il avait l'intuition que ce petit personnage lui serait d'une bonne aide.

— Je te remercie de ta franchise, Pakarel, dit finalement Victor en lui souriant. Tu peux partir.

Caleb laissa paraître son mécontentement d'un sifflement sec, tandis que Pakarel sembla aussitôt confus.

— Partir ? demanda la créature. En fait... je peux rester avec vous, juste un peu ?

— Il en est hors de question, ricana Caleb. Retourne donc manger tes tartes.

Victor se gratta le menton, envahi par la barbe. Quel âge avait Pakarel ? Serait-ce une bonne chose de le laisser les suivre ? D'après son comportement, on aurait dit un enfant. Au bout d'un moment, il haussa les épaules. Après tout, le pakamu ne les suivrait que dans la ville de Ludénome.

— Quel âge as-tu ? demanda Victor.

— Quel est le rapport avec mon âge ? répondit le pakamu d'un air intrigué.

— Si tu veux nous accompagner dans la ville de Ludénome, je dois savoir si tu es assez grand.

— Plus vieux que toi, répondit Pakarel en fronçant des sourcils. Pourquoi ?

Victor haussa les sourcils et répéta :

— Plus vieux que moi ? Allons, ne blague pas, je t'ai posé une question tout à fait légitime.

— Il ne ment pas, intervint Caleb avec lassitude. Les pakamus vivent longtemps. Trop longtemps, d'ailleurs. Mais comme tu vois, leur mentalité ne change pas vraiment...

— Avec une mentalité pareille, répondit Pakarel avec férocité, il est évident que personne ne t'aime, demi-gobelin grognon.

Victor ne put s'empêcher de sourire. Caleb regarda le pakamu avec mépris avant de prendre les rênes de Hol en silence et de se diriger vers la rue.

— Où allons-nous ? demanda Victor au demi-gobelin.

— Acheter de quoi manger durant notre voyage vers Alexandrie, répondit Caleb sans se retourner. Et à boire. Avec ce pakamu, je vais en avoir besoin.

Victor offrit à Pakarel de s'asseoir sur D-rxt, et celui-ci accepta, malgré sa première et mauvaise rencontre avec le scorpion métallique. Comme un enfant, Pakarel marmonnait des bruits d'explosion tout en s'inclinant avec exagération. Caleb avait raison, Pakarel agissait comme un enfant. Les pakamus étaient-ils tous ainsi ? Les compagnons arrivèrent dans une rue bondée, comme toutes les autres, dans laquelle se trouvait, entre deux étroites bâtisses, une énorme taverne.

— Je vais aller nous chercher de quoi manger un peu, dit Caleb.

— Tu es certain de vouloir y aller seul ? lui demanda Victor.

Le jeune homme redoutait que son ami ait des ennuis, surtout dans une taverne pleine de soûlons.

— Il faut bien faire face à ses problèmes, répondit Caleb en montrant un sourire forcé. Je vais survivre. Quant à toi, Victor, peut-être devrais-tu aller t'acheter de meilleures chaussures ?

En effet, les souliers que Victor portait n'étaient pas faits pour des marches prolongées, et surtout pas dans les conditions désertiques, car bientôt, ses pieds seraient couverts d'ampoules.

— Les magasins sont ouverts, à cette heure-ci ? s'étonna Victor qui venait de réaliser, un peu tard, que bon nombre de kiosques étaient bel et bien entourés de clients.

— Bien sûr, répondit Pakarel. Les magasins sont toujours ouverts à Ludénome. Mis à part certains.

— Dans ce cas, dit Victor en remarquant la cordonnerie en face de la taverne, je vais aller m'acheter de meilleures chaussures.

— Et moi, je vais garder vos bêtes ! déclara fièrement Pakarel.

— Vraiment ? s'étonna Victor. Si ça te fait plaisir... alors, bien sûr.

— Ne le perds pas, dit Caleb en tendant les rênes de son oiseau au petit personnage. Et ne te fais pas manger.

Le demi-gobelin entra dans la taverne en lançant un clin d'œil à Victor. Le jeune homme plaça les montures au coin d'une ruelle, pour ne pas déranger la foule de passants, et ordonna à D-rxt de veiller sur Pakarel et Hol. Le petit humanoïde raton laveur, quant à lui, était fièrement installé sur la sentinelle, tenant fermement les rênes de l'oiseau, comme si c'était une tâche noble et courageuse. Victor traversa la rue et se dirigea vers la petite cordonnerie, située entre deux bâtiments au toit pointu. Un large écriteau de bois suspendu à une poutre de fer, qui affichait un dessin de bobine de fil, pendait en haut de la porte d'entrée. Le jeune homme poussa la porte et entra dans la boutique. Celle-ci, comme l'annonçait son apparence, était petite et presque étouffante. Quelques chandelles éclairaient un comptoir vide. Le jeune homme remarqua aussitôt une large étagère, longeant entièrement un mur jusqu'au comptoir, bourrée de chaussures visiblement usées. Il y avait des bottes, des souliers en cuir verni, en peau de loup, et même des bottes couvertes de plaques de fer, comme celles utilisées par les forces de l'ordre. Victor entendit alors un grincement métallique.

— Bonsoir! lança une voix masculine hésitante, marquée par l'âge.

Victor tourna la tête vers le comptoir et vit un vieux gobelin, installé sur un fauteuil roulant à vapeur (dont le moteur était éteint), qui le regardait en souriant. Ce dernier avait le teint verdâtre, tirant sur le brun, le crâne chauve et maculé de taches, ainsi qu'une longue barbe tombant entre ses courtes jambes, lesquelles se terminaient par de larges pieds.

— Bonsoir, répondit Victor en souriant.

Le gobelin lui rendit son sourire, avant de dire :

— Comment puis-je vous aider, monsieur...

— Pelham, dit le jeune homme. Victor Pelham. Je voudrais une nouvelle paire de chaussures.

— Évidemment, répondit le gobelin en ricanant. Que désirez-vous, monsieur Pelham? D'après vos chaussures en cuir verni, vous ne devez pas marcher très souvent. Votre travail ne doit pas vous demander trop de déplacements. À moins que vous ne soyez l'un de ceux qui préfèrent l'allure au confort. Belle apparence, couleur sobre et efficace, mais l'arrière du soulier est un peu trop dur pour vos talons, n'est-ce pas?

— C'est exact, dit Victor d'un air étonné, mais amusé. En fait, je voudrais des souliers confortables pour les conditions plus difficiles.

— Des conditions en particulier? demanda le gobelin d'un air intrigué.

— Désertiques, mais je voudrais qu'elles soient adaptées pour les contrées sauvages comme pour les plaines de verdure.

— Mmmh, je vois, dit le gobelin d'un air songeur, en déplaçant son fauteuil roulant vers l'arrière de son comptoir. Je crois avoir ce qu'il vous faut, monsieur Pelham. Quelle taille chaussez-vous?

— Je n'en sais rien.

— Donnez-moi un de vos souliers, répondit aimablement le vieux gobelin.

Victor s'exécuta et lui tendit sa chaussure gauche.

— Vous vont-ils parfaitement ? demanda le gobelin en fronçant les sourcils.

— Oui, acquiesça Victor.

— Montrez-moi votre pied, dit le gobelin en agitant les doigts avec insistance.

Victor leva son pied droit et le gobelin l'examina, comme si c'était un artéfact archéologique. Ce qui le rendit d'ailleurs mal à l'aise.

— Très bien, très bien, dit finalement le gobelin en lâchant le pied de Victor. Maintenant, votre chaussure me suffira.

Le jeune homme reposa sa jambe par terre et dit :

— Je peux vous poser une question, monsieur...

— Dweedle.

— Monsieur Dweedle, continua Victor, pourquoi entreposez-vous toutes ces chaussures, sur le mur ?

Le vieux gobelin cessa de bouger et releva les yeux vers Victor, puis il sourit.

— Ces chaussures, dit-il finalement, sont comme mes filles.

— Vos filles ? répéta Victor avec politesse.

— C'est exact.

Voyant le regard intrigué de Victor, le gobelin continua :

— Le métier de cordonnier se pratique dans ma famille depuis des générations. À ma naissance, mes parents ont reçu la triste nouvelle de mon handicap physique. Voyez-vous, monsieur Pelham, ma colonne vertébrale ne s'était pas développée comme celle des enfants normaux. Je suis confiné sur un fauteuil roulant depuis ma plus tendre enfance.

À la suite de ces paroles, Victor eut un pincement au cœur. Peut-être, lui aussi, aurait-il pu avoir les deux jambes invalides et se retrouver sur un fauteuil roulant ?

— Mon père, continua le vieux gobelin en se remettant à fouiller sous son comptoir, un brave homme travailleur et courageux, était meurtri par la déception de ne pas voir son fils poursuivre le métier familial. Il a cependant tout fait pour me rendre heureux, en compagnie de ma mère, et m'a donné tout ce dont j'avais besoin pour réussir dans la vie. À mon adolescence, étant donné mon état, on m'avait trouvé un travail comme bibliothécaire, puisque j'avais un amour inconditionnel pour les livres. J'y ai renoncé après quelques semaines.

— Pourquoi ? demanda Victor.

— Pour honorer la tradition familiale ! Je suis donc devenu cordonnier, pensant faire plaisir à mon vieux père fatigué. J'ai découvert, bien trop tard, que peu importe le métier que j'aurais choisi, il aurait été fier, tout comme ma mère. Il est mort cinq ans après m'avoir confié la cordonnerie, voilà bien 70 années de cela.

Victor ne répondit rien, car il était profondément absorbé par le récit du vieux gobelin.

— Pour en revenir aux chaussures, poursuivit le gobelin, je demande à tous mes clients de me les rapporter après en avoir fait usage pendant un certain temps, au lieu de les jeter. Ces chaussures voyagent pour moi.

Le vieux gobelin souriait profondément, perdu dans ses pensées.

— J'adore les livres, dit le gobelin en reprenant son travail, que Victor ne pouvait pas voir, surtout ceux qui m'éloignent de mon quotidien, donc ces chaussures m'en disent beaucoup. J'ai appris à discerner l'usure sur chacune d'elles et à comprendre leur histoire. Les bottes des soldats, des voyageurs, des marins, aussi sales qu'elles peuvent être, c'est toujours un plaisir de les accueillir à la maison après leur périple et de les afficher au mur.

— C'est très touchant, admit Victor. Vous avez des enfants ?

Le vieux gobelin hocha la tête lentement et dit :

— J'ai un fils.

— Est-il devenu cordonnier ? demanda Victor, qui redoutait la réponse.

Le vieux gobelin secoua doucement la tête de gauche à droite, d'un air paisible.

— Il a préféré suivre sa voie.

Victor n'ajouta rien. Le vieux gobelin tira finalement une paire de semelles de sous son comptoir et se mit à confectionner, avec une vitesse étonnante, une paire de bottes. Les yeux du vieux gobelin, ridés et entrouverts, laissaient échapper un regard perçant, attentif et amoureux de son œuvre. Au bout d'une dizaine de minutes, que Victor n'avait pas vues défiler, puisqu'il avait attentivement contemplé l'art du vieux gobelin, celui-ci dit enfin :

— Voilà, elles sont prêtes. Essayez-les !

Victor retira sa seconde chaussure, plus doucement à cause de la faiblesse de sa jambe, et enfila la paire de bottes que lui avait confectionnée Dweedle. Elles étaient étonnamment confortables et s'adaptaient aisément aux mouvements de ses pieds. Il était évident qu'elles avaient été munies d'une bonne semelle, durable et flexible.

— Je suis bouche bée, avoua Victor. Je n'ai jamais vu un tel travail accompli aussi rapidement.

— C'est très gentil à vous, dit le vieux gobelin, l'air satisfait.

— Combien est-ce que je vous dois ? demanda Victor en sortant son argent.

Avec un petit rire, Dweedle répondit :

— Je vous les offre, jeune homme.

Victor resta incrédule.

— Mon fils m'a parlé de vous, continua le vieux gobelin après avoir vu la réaction du jeune homme. Vous en faites déjà assez pour les enfants. Les bonnes actions attirent les faveurs, n'est-ce pas, monsieur Lupin ?

Victor leva la tête, surpris. Comment se faisait-il que le gobelin connaisse son pseudonyme ? Cependant, une autre question le taraudait :

— Votre... votre fils ?

On entendit la sonnette de la porte alors que celle-ci s'ouvrait dans un léger grincement. Caleb entra dans la boutique, un sac à l'épaule.

— Je vois que vous avez fait connaissance ? Bonsoir, papa, dit Caleb en croisant le regard du vieux gobelin.

Victor ne sut trouver de mots, il était stupéfait et ne pouvait s'empêcher de sourire. Caleb l'avait donc envoyé voir son père.

— Es-tu allé chercher le livre que tu voulais me montrer ? demanda Dweedle, d'un air joyeux.

— Oui, papa, acquiesça Caleb en sortant le livre de sa poche. Le voilà.

Caleb tendit le petit livre à son père, qui se mit à le lire avec attention.

— Mon père n'est pas retourné à notre vieille maison depuis bien longtemps, chuchota le demi-gobelin à Victor. Ne lui en parle pas, c'est un sujet très sensible pour lui.

Victor hocha la tête.

— Allez à l'arrière, dit le vieux gobelin en levant ses yeux du livre, je vais fermer la boutique pour le moment et je vous y rejoins.

Ils s'exécutèrent alors que Dweedle retournait l'écriteau de bois sur sa porte pour indiquer la fermeture. Victor et Caleb arrivèrent dans une petite pièce, remplie de boites de chaussure entrouvertes, au milieu desquelles se trouvait un lit. Sur une pile de boîtes se trouvait une lanterne qui éclairait faiblement la pièce. Victor et son ami s'assirent sur une pile de boîtes. Le grincement du fauteuil roulant annonça l'arrivée du vieux gobelin.

— Mon fils, dit Dweedle Fislek en pénétrant dans la pièce, que veux-tu savoir exactement ?

— Comme tu le sais, je pourchasse des tueurs, dit Caleb.

— Ce que je ne te conseille pas de faire, ajouta Dweedle d'un air sévère.

— Ils s'en sont pris à un ami très proche de Victor, continua Caleb sans se soucier de la remarque de son père. C'est d'ailleurs pour cette raison que je tenais à aller le rencontrer moi-même.

— Je suis sincèrement navré, répondit Dweedle en accordant un regard plein de compassion à Victor qui, lui, sentit son cœur se serrer.

Au bout de quelques secondes, Caleb reprit la parole :

— Papa, as-tu regardé les glyphes dont je t'avais fait part ?

— Oui, répondit Dweedle. Je les ai regardés. Ces signes sont d'origine maya.

Cette révélation frappa Victor. Les Mayas étaient le peuple ayant quitté la Terre pour vivre sur Orion. L'origine de ses parents défunts, ainsi que de son grand-père. Cela avait-il un lien ?

— Comment savez-vous cela ? se risqua Victor d'un air poli.

— J'ai passé toute ma jeunesse dans les bibliothèques, expliqua le vieux gobelin, à faire venir des copies des ouvrages les plus anciens pour le simple plaisir de les déchiffrer du mieux que je le pouvais.

Victor hocha la tête en guise de compréhension.

— As-tu retrouvé ce signe près du corps de...

Le jeune homme savait que Dweedle ne voulait pas terminer sa phrase pour ne pas le blesser. Il le remercia mentalement.

— Non, répondit Caleb en soupirant. L'assassin n'a pas eu le temps de marquer la scène de crime.

— De marquer la scène de crime ? répéta Victor. Mais de quoi parles-tu ?

— Tu es arrivé presque aussitôt, continua Caleb. L'assassin n'a pas pu tracer de glyphe sur le sol, près de la victime.

Victor fronça les sourcils.

— Toutes les personnes tuées par ces assassins invisibles laissent une marque derrière eux, ajouta Caleb en voyant la confusion sur le visage de son ami. Ces marques, je les ai reconnues comme étant celles que mon père avait retranscrites dans son livre.

— Je notais dans ce livre tout ce que je n'arrivais pas à déchiffrer, ajouta Dweedle. Dont ces glyphes, par exemple, autrefois tracés par des tribus anciennes après certains sacrifices humains. C'est tout ce que nous en savions, du moins.

— Je voulais m'assurer que j'avais eu raison à propos de ces glyphes, admit Caleb.

Leur quête avait porté ses fruits. Si l'assassin n'était pas Maya, il avait tout de même un lien avec cette race ancienne.

— Donc, si je comprends bien, dit Victor, il semblerait que notre assassin soit d'origine maya ?

— C'est ce que portent à croire les dessins que lui et ses congénères ont tracés, répondit le vieux gobelin.

— S'ils sont plusieurs, car apparemment, personne ne sait à combien d'individus nous avons affaire, fit remarquer Victor.

— Effectivement, ajouta le vieux gobelin. Caleb, comment se passe ton séjour dans Ludénome?

— Bien, répondit Caleb, sarcastique. Les gens sont charmants.

— Qu'est-il arrivé pour que tu te fasses haïr à ce point? demanda Victor.

— C'est de ma faute, avoua Dweedle après un long soupir.

— Ne dis pas ça, papa, rétorqua férocement son fils.

— En épousant sa mère, Abigail, continua le gobelin en ignorant les paroles de son fils, je l'ai condamné à une vie difficile. Sa mère était assoiffée de pouvoir. Elle travaillait au ministère d'Alexandrie et remplissait quelques contrats pour le Consortium. Des contrats qui n'étaient pas toujours légaux. Je l'ai laissée faire. J'étais aveuglé par l'amour.

— Papa, continua Caleb sur un ton plus doux, je t'en prie, ce n'est pas ta faute...

Dweedle soupira et essuya une larme qui venait de tomber sur sa joue. Victor regrettait amèrement sa curiosité.

— Un jour, elle m'a laissé pour un autre homme, expliqua le vieux gobelin qui essuyait maintenant ses yeux rougis par les larmes. Et elle a renié son fils pour ne pas déplaire à ce vil personnage.

— Isaac, murmura Victor.

C'était l'homme qu'il avait été forcé de tuer, quatre ans auparavant. Étrangement, il n'avait jamais éprouvé de remords pour sa mort.

— En reniant Caleb, continua le vieux gobelin, elle a aussi fait voter, à l'aide de la corruption de son nouveau mari, une loi contre la présence permanente des gobelins dans certaines villes européennes. Les gobelins chassés se sont presque tous retrouvés ici, à Ludénome. Tout le blâme est retombé sur moi et mon fils.

Dweedle fondit en larmes et Caleb s'approcha de lui pour le serrer dans ses bras. Victor avait déjà entendu parler, quoique vaguement, du fait que les créatures non humaines n'étaient pas toujours les bienvenues dans certaines villes humaines. Ce n'était pas le cas à Québec.

— Tu n'as rien à te reprocher, papa, lui dit Caleb d'un air doux. Je t'aime.

— Moi aussi, mon fils, bégaya son vieux père, moi aussi.

— Je suis infiniment désolé d'avoir évoqué ce sujet, dit Victor d'un ton humble. C'était déplacé, je le reconnais.

— Non, répondit subitement Dweedle alors que Caleb reculait d'un pas. Vous n'avez pas à être désolé, Victor. Je sais qu'il n'y a aucun mal en vous et que vous avez demandé par simple curiosité.

— Ne t'en fais pas, murmura Caleb à Victor en lui donnant une tape dans le dos, ce qui le réconforta un peu.

— Caleb, Victor, quand comptez-vous partir ? demanda le vieux gobelin au bout de quelques instants en séchant les dernières larmes de son visage.

— Dès maintenant, répondit Caleb en détachant l'élastique de ses longs cheveux bleu foncé qui tombèrent sur ses épaules, si nous ne voulons pas rater l'Égypte avant que l'effet de la lueur collante ne se dissipe.

Victor avait toujours du mal à croire que Ludénome, l'une des centaines de villes souterraines, passait sous le sol océanique à toute vitesse.

— L'as-tu toute utilisée ? demanda alors Dweedle, intéressé. J'aimerais bien récupérer mon flacon.

Caleb hocha la tête et sortit un petit flacon d'une de ses poches. On aurait dit une bouteille de parfum vide. Il la tendit à son père.

— Le verre de Carrow est une matière très dispendieuse, expliqua le vieux gobelin en tenant le flacon à hauteur de ses yeux. C'est le seul matériau qui peut contenir la lueur collante, ajouta-t-il en souriant à Victor. Eh bien, vous deux, je ne vous retiendrai pas plus longtemps.

Dweedle était donc celui qui avait offert à Caleb sa bouteille.

— Merci pour ton aide, papa, dit Caleb en s'inclinant vers son père pour l'enlacer une dernière fois dans ses bras.

Le demi-gobelin faisait pratiquement le double de la taille de son père. C'était étrange, mais chaleureux. Caleb ajusta le sac sur son épaule et fit signe à Victor qu'il était prêt.

— Pakarel doit encore nous attendre, dit Victor en réalisant que leur petit compagnon gardait les montures depuis bientôt une demi-heure. Oh non, il doit être furieux...

— Pakarel? répéta le gobelin d'un air joyeux. C'est une brave petite créature. Je l'aime bien. Il vous accompagne jusqu'à Alexandrie?

— Bien sûr que non, répondit Caleb.

— Peut-être bien que oui, rectifia Victor en riant. Après tout, je crois qu'il est assez vieux pour prendre ses propres décisions.

— Nous en reparlerons en route, grommela Caleb.

— Caleb? intervint son père.

— Oui?

— Reviens-moi en un seul morceau. Quant à vous, monsieur Pelham, j'aimerais bien assister à l'une de vos représentations musicales, un de ces jours. Si vous le pouvez, venez donc jouer dans notre ville.

Victor n'avait, en effet, jamais songé à jouer du piano dans une ville non humaine. L'idée lui sembla tout de même intéressante.

— Je viendrai, répondit-il au vieux gobelin. Lorsque tout ceci sera terminé. Au fait, ajouta-t-il précipitamment, je vous laisse mes chaussures en cuir. Offrez-les à quelqu'un qui en aura besoin, d'accord?

Le vieux gobelin hocha la tête, le visage ravi. Les deux amis quittèrent la cordonnerie et marchèrent en direction de Pakarel et des deux montures. Contrairement à ce que redoutait Victor, Pakarel n'avait pas bougé d'un poil et son visage de raton laveur était rayonnant. En les voyant, le pakamu leur fit un grand signe de la main.

— Je suis là! cria-t-il.

— On le sait, grommela Caleb à mi-voix, que seul Victor entendit.

Victor fit signe à D-rxt de le suivre et Caleb accrocha son sac sur la selle de Hol.

— C'est la nourriture ? demanda Victor.

— Ouais, répondit Caleb. Eau, bœuf, porc, fromage et pain.

— Où allons-nous ? demanda le pakamu qui se dandinait sur le dos de la sentinelle.

— Nous, dit Caleb en se pointant lui-même du doigt ainsi que Victor, allons à Alexandrie. Toi, par contre, tu restes ici.

— Je peux aller où je veux, rétorqua Pakarel d'un air grognon.

— Laisse-le, dit Victor à Caleb. S'il veut venir, il est le bienvenu.

Caleb soupira avec indifférence. Les compagnons marchèrent dans les rues de Ludénome, arpentant les différents quartiers de la ville. Victor apprit, par Pakarel et Caleb, que la ville était, à l'origine, seulement peuplée de gobelins. Au fil des âges, ils s'étaient liés d'amitié avec les gnomes et leur avaient laissé la moitié de l'espace de leurs villes. Gobelins et gnomes s'étaient mis à vivre en parfaite harmonie, comme voisins, partageant les rues et les logis. Plus tard, ils avaient accepté de devenir des villes multiculturelles, invitant toutes les races à y vivre. Chaque année, pour honorer la tradition, le maire des gnomes et le maire des gobelins de chacune des villes souterraines organisent une compétition de tartes et de pelouse. Les plus belles pelouses et les meilleures tartes des gnomes sont mises à l'épreuve contre celles des gobelins.

— C'est une tradition ridicule, dit Caleb avec mépris.

— Je trouve ça comique, moi, fit remarquer Pakarel. J'aime les tartes. C'est tellement bon !

Chapitre 7

Une rencontre inattendue

Caleb, en tête du groupe, ouvrait la route vers ce qu'il avait appelé le « quai d'éjection » de la ville. C'était par là que Victor et ses compagnons pourraient atteindre l'Égypte. Après avoir marché une bonne dizaine de minutes, ils mirent les pieds dans le quartier résidentiel de la 6e Avenue. C'était, aux dires de Pakarel et de Caleb, le quartier riche. La différence était effectivement flagrante. Le quartier, qui s'ouvrait sur une arche éclairée de lanternes, était beaucoup moins crasseux et humide que la partie de la ville dans laquelle Victor était arrivé. Des dizaines de bâtiments, propres et fraîchement peinturés, étaient entourées par de longs chemins pavés. Des cordes à linge pendaient au-dessus des rues illuminées par des réverbères spiralés, qui ressemblaient à des têtes de violon. De nombreux petits jardins clôturés, d'à peine cinq ou six mètres au total, regorgeaient de verdure bien tondue. Bien qu'il trouvât ces espaces verts très restreints, Victor déduisit que les gnomes et gobelins, qui avaient une plus petite stature, devaient s'en contenter.

— Comment est-ce que la végétation pousse dans un tel endroit ? demanda Victor en regardant les fleurs et vignes des jardins.

— Le dôme produit des rayons ultraviolets, répondit Caleb. C'est cool, non ?

Victor eut un petit rire. C'était la seconde fois qu'il entendait son ami employer ce terme, généralement utilisé par les enfants.

— Moi, je trouve ça bien ! lança Pakarel du haut de sa monture robotisée. J'aime bien les fleurs.

— Tu t'entendrais bien avec une bonne amie à moi, répondit Victor d'un air jovial, en pensant à Nika.

Caleb leva le doigt vers le ciel et dit :

— En parlant du loup...

Le dôme prit une teinte orangée, laissant voir le lever du matin. D'ailleurs, grâce à la lumière artificielle du lever du jour, Caleb fit remarquer à Victor qu'on pouvait voir, très nettement, les centaines de milliers de petites plaques de fer qui formaient le dôme.

— Pakarel? lança Victor. Puis-je te poser une question?

Le pakamu hocha la tête en guise d'acquiescement, mais son chapeau chuta vers l'arrière, laissant voir sa petite tête de raton laveur, qui aurait fait craquer n'importe quelle fille.

— Oui, monsieur Victor? répondit Pakarel en rajustant son énorme chapeau.

— Y a-t-il d'autres pakamus à Ludénome?

Pakarel hocha vigoureusement la tête de gauche à droite, cette fois en tenant son chapeau, et répondit :

— Non, monsieur Victor! Les pakamus préfèrent vivre à la surface de la terre. Seuls quelques-uns d'entre nous vivent dans les villes souterraines! Mais pas à Ludénome.

— Par chance, chuchota Caleb de manière à ce que seul Victor puisse l'entendre.

— Pourquoi vis-tu ici? continua Victor sans se soucier de la remarque du demi-gobelin.

— Les tartes de monsieur Fislek sont les meilleures! déclara le pakamu avec énergie.

— Ah bon? dit Victor d'un air surpris et amusé, comme s'il parlait à un enfant. Participe-t-il au concours de tartes et de verdure?

— Malheureusement, oui, répondit Caleb sans le moindre intérêt. Mais bon, si ça l'amuse...

— Monsieur Fislek n'a pas encore gagné pour ses tartes, lança Pakarel en ignorant Caleb. Mais moi, j'ai goûté à toutes les tartes de cette ville, et aucune n'arrive à la cheville des siennes! Aucune!

— On te laisse goûter à toutes ces tartes? s'étonna Victor.

— Non, admit Pakarel d'un air honteux. Je... vole des pointes lorsqu'on ne regarde pas.

Victor pouffa de rire.

— Pakarel, dit-il en souriant, tu es un vrai petit spécimen.

— Merci, monsieur Victor ! déclara le pakamu d'un air victorieux.

— Et ne m'appelle pas monsieur, fit remarquer Victor en levant le doigt. Je ne suis pas si vieux, du moins, pas encore. Victor suffira amplement.

— C'est compris ! répondit Pakarel, qui se mit ensuite à fredonner un air jovial.

Se souvenant que Hol était fatigué, Victor demanda à Caleb :

— Ton oiseau, n'est-il pas fatigué ?

— Oui, répondit Caleb en souriant, mais il se reposera durant notre voyage vers l'Égypte. N'est-ce pas, mon gros ?

Le demi-gobelin tapota le cou de l'oiseau, qui lâcha un petit cri de désapprobation.

Les compagnons arrivèrent, quelques minutes plus tard, au quai d'éjection, lequel ne ressemblait en rien à ce que Victor avait imaginé. Ayant quitté le quartier riche, salués par un écriteau d'au revoir fixé sur une voûte, les compagnons débouchèrent dans une vaste ère dégagée, qui ressemblait à un amphithéâtre. Une bonne trentaine de marches entouraient entièrement une énorme plateforme en bois. Lançant des regards aux alentours, Victor remarqua que ce lieu était construit au centre de la ville de Ludénome. On aurait pu y installer un pâté de maisons. Sur la plateforme se trouvait un immense navire en bois, non pas voilé, mais muni d'un énorme ballon ovale vert et blanc, retenu par plusieurs cordes. De grosses hélices étaient fixées à la coque du navire. Levant les yeux au ciel, le jeune homme vit un énorme trou, aussi large que le quai circulaire, éclairé par de nombreuses lumières qui se perdaient dans l'ascension verticale du tunnel. De nombreuses personnes montaient à bord du navire.

— C'est là, le quai d'éjection, dit Caleb en pointant la scène alors qu'ils descendaient les marches. Le trou que tu vois, continua-t-il en tournant la tête vers Victor, ne s'ouvre qu'au lancement du dirigeable.

Si l'engin que voyait Victor était un dirigeable, il lui paraissait bien étrange. Jamais il n'en avait vu d'aussi archaïque, et monter à bord ne le rassurait pas du tout.

— J'adore les vols! lança Pakarel. C'est tellement agréable de voler!

— Dans quel sens, exactement? marmonna Caleb avec un sourire moqueur.

Victor vit de nombreuses bêtes, aux côtés de leurs maîtres, monter sur la rampe d'embarcation du navire. Il vit des chevaux, des lézards géants et quelques chameaux. Cela le rassurait un peu, car il n'avait pas vu d'autres montures lors de son court séjour à Ludénome et plusieurs passants, probablement mécontents, avaient été contraints de s'écarter pour laisser passer D-rxt et Hol, en raison de leur grosseur. Les compagnons arrivèrent près de la rampe d'embarcation et se faufilèrent dans la file de gens. Lorsque vint leur tour, Victor insista pour payer à tout le monde le voyage jusqu'en Égypte. Caleb sembla mal à l'aise, tandis que Pakarel fut ravi, admettant ouvertement qu'il n'avait pas d'argent. Un employé s'offrit pour emmener D-rxt et Hol dans l'endroit réservé aux animaux et aux montures. On leur donnerait un repas et un compartiment avec un lit de paille. Évidemment, ce service n'était pas gratuit et semblait obligatoire. Victor paya, même pour D-rxt, car il était interdit d'avoir quelque monture que ce soit, animale ou non, sur le pont. Le jeune homme ordonna à la sentinelle de suivre l'employé qui emmenait Hol dans la cale. Préférant rester sur le pont, les trois amis, ainsi qu'une vingtaine de voyageurs, se maintenaient à la rampe entourant le navire. Une vive lumière apparut dans le ciel, traçant l'ombre du ballon sur le pont. Victor et ses amis durent se couvrir le front pour en voir la source.

— La voie est ouverte, dit Caleb en pointant le ciel. Regarde!

En effet, un cercle de lumière était apparu au fond du tunnel vertical.

— La lumière du jour? s'étonna Victor. Mais comment est-ce possible? Je croyais que cette cité était en déplacement permanent.

— Elle s'arrête pendant deux minutes tous les jours, expliqua Caleb.

— Je ne l'ai même pas sentie s'arrêter ! continua Victor.

Mais finalement, il ne l'avait pas plus sentie bouger auparavant.

— Fais attention, dit Caleb, on décolle !

Avec une vitesse surprenante, l'étrange dirigeable s'éleva dans le ciel comme une flèche, sans doute propulsé par ses impressionnantes hélices. Pris de vertige, Victor s'agrippa au bastingage du navire, tandis que Pakarel se retenait à sa jambe, tel un enfant apeuré. Seulement, à la grande surprise de Victor, celui-ci semblait s'amuser.

— On vole ! lança-t-il. Waouh !

Une fine poudre se mit à perler du ciel, que Victor reconnut comme du sable. Le sable de l'Égypte. Le ballon dirigeable s'éleva dans les airs et, dans une lumière éblouissante, déboucha finalement du tunnel pour s'élever dans un ciel bleu, en plein cœur du désert. Perdu au beau milieu des dunes, le tunnel se referma, couvert par une plaque métallique automatisée. Le tunnel disparut sous le sable quelques instants plus tard. Sous le soleil montant, on pouvait voir un large fleuve serpenter dans le paysage ; c'était le Nil. De nombreux monuments égyptiens parsemaient le paysage, des tombeaux, des pyramides, ainsi que quelques petites villes. L'air chaud du désert soufflait doucement dans les cheveux de Victor et de Caleb tandis que Pakarel attachait un cordon sous son menton pour garder son chapeau en place.

— Nous allons arriver dans deux heures, tout au plus, déclara Caleb avec satisfaction.

Il sortit le détecteur de lueur collante et afficha un sourire.

— Parfait, continua-t-il en montrant le gadget à Victor. La lueur tient toujours.

Jetant un coup d'œil, Victor vit qu'en effet, une aiguille pointait toujours au sud-ouest. Sentant soudain les effets de la fatigue, Victor se laissa tomber contre une paroi de bois située sous le mât du bateau, dans une zone d'ombre. Caleb s'installa à sa droite, et Pakarel à sa gauche. Étirant péniblement sa jambe gauche, qu'il avait trop sollicitée durant la journée, Victor déposa sa canne sur le sol en bois du navire.

— Pourquoi allez-vous à Alexandrie? demanda Pakarel, qui se balançait de gauche à droite.

— Nous poursuivons un assassin, répondit Victor. Il a tué un ami à moi, ajouta-t-il d'un ton plus triste.

— Oh! émit le pakamu. Je suis désolé de l'entendre.

Victor afficha un sourire de remerciement envers Pakarel.

— Il se cache à Alexandrie? continua l'étrange raton laveur.

Victor hocha la tête négativement.

— Non, dit-il. Mais des amis de Caleb pourront nous aider à retrouver sa trace.

Victor tourna la tête vers le demi-gobelin; celui-ci regardait le ciel, le visage tourné. Victor se doutait que Caleb n'aimait pas qu'il divulgue leur plan à Pakarel.

— J'ai un petit creux, lança Caleb contre toute attente, tout en tournant la tête vers ses amis.

Il paraissait énormément fatigué, encore plus que lorsque Victor l'avait croisé sur le toit du château Frontenac, quelques heures plus tôt.

— Ça vous dirait de manger un peu? continua le demi-gobelin en souriant.

— Oh oui! s'écria Pakarel. J'adore manger!

Victor pouffa de rire.

— Une vraie petite boule d'énergie, dit-il, le sourire aux lèvres.

Après avoir partagé un repas, les trois amis décidèrent de dormir un peu, histoire de récupérer avant leur arrivée à Alexandrie. Adossé à la paroi, Victor sombra sans peine dans le sommeil, regrettant tout de même de ne pas avoir pu dormir dans son propre lit au moins une fois à son retour de l'Angleterre.

Lorsqu'il ouvrit les yeux, dérangé par la chaleur du soleil, Victor vit Pakarel, accroupi devant lui, le nez plongé dans le petit livre que Caleb avait emprunté à son père. Sans bouger le moindre muscle, Victor regarda le demi-gobelin et vit que celui-ci dormait toujours.

— Que fais-tu ? chuchota Victor à Pakarel, qui sursauta et tomba sur les fesses.

Il paraissait choqué, comme s'il avait été pris en plein délit. Le pakamu balbutia :

— Je... je...

— Donne-moi le livre avant que Caleb ne s'en rende compte, ordonna Victor dans un chuchotement, en tendant le bras. Vite !

Pakarel obéit aussitôt. Lorsque Caleb grogna et ouvrit les yeux, Victor feuilletait le livre.

— Qu'est-ce que tu fais ? demanda le demi-gobelin d'une voix pâteuse.

— Je lis les notes de ton père, répondit Victor d'un ton convaincant.

Pakarel s'installa aux côtés de Victor, laissant un espace cette fois. Il était visiblement perturbé.

— Ah, dit Caleb en secouant ses longs cheveux. Tu as trouvé quelque chose en lien avec le glyphe ?

— Non, pas encore, répondit Victor en refermant le livre.

— On arrive bientôt, annonça le demi-gobelin en bâillant longuement, dévoilant ses longues canines. Dans pas plus d'une demi-heure, d'après la position du soleil.

Victor rendit son livre à Caleb, qui se leva et marcha un peu, pour s'étirer.

— On en reparlera plus tard, murmura Victor à Pakarel sans quitter le demi-gobelin des yeux.

— Je meurs de soif, dit Caleb. Je vais aller nous chercher à boire. J'aurais dû y penser à la taverne...

— Bonne idée, répondit Victor. Tu veux quelques pièces ?

— Je vous l'offre, dit Caleb en entrant dans la cabine du bateau, qui menait à un petit comptoir de friandises et de breuvages.

Le demi-gobelin revint quelques minutes plus tard avec trois gourdes d'eau glacée, qu'il tendit à Pakarel et à Victor. Tout en se rafraîchissant, les trois amis discutèrent de tout et de rien. Étrangement, Caleb semblait avoir complètement oublié son mépris envers Pakarel, puisqu'il lui parlait comme on le ferait avec un bon ami. Le demi-gobelin sortit une pierre à limer d'une poche de sa ceinture et dégaina une de ses lames, qu'il se mit à aiguiser.

— Tu as vraiment besoin de toutes ces armes ? demanda Victor, qui en avait compté quatre.

Deux d'entre elles étaient des couteaux, et les deux autres étaient des épées. L'une était longue et l'autre, courte. Victor reconnut la courte comme étant un glaive, et la longue comme étant une rapière. Le demi-gobelin ne répondit pas à la question de Victor avant un bon moment, mais précisa finalement :

— Elles ont toutes leur utilité. Ma rapière, par exemple, dit-il en empoignant l'arme par son pommeau. Efficace contre une cible sans armure, et elle peut même perforer le plus épais des cuirs. Le glaive, continua-t-il en dégainant la courte épée, est une arme redoutable. Sa courte portée lui permet d'assener un coup beaucoup plus fort et rapide. Un guerrier habile peut fendre un bouclier de bois avec cette arme. Quant aux dagues, termina Caleb en désignant les couteaux avec un mouvement de menton, elles sont efficaces contre les bêtes et même les adversaires portant une armure en métal. Il suffit de viser les articulations.

Victor regarda son ami avec stupéfaction. Sa connaissance des armes blanches était sans aucun doute bien poussée. C'était d'ailleurs ce qui effrayait un peu Victor. Le demi-gobelin leur attirerait-il des ennuis, à lui et à Pakarel ?

— Tu as toujours le glaive que je t'ai donné ? demanda Caleb d'un air intrigué, mais amusé.

— Oui, avoua Victor. Je ne m'en suis jamais vraiment servi, mais...

Le jeune homme s'arrêta et tendit l'oreille. Un vrombissement surgit au loin, un son qui n'appartenait pas celui des moteurs du dirigeable. Pakarel et Caleb l'avaient eux aussi entendu, ainsi qu'une dizaine de voyageurs qui s'étaient installés sur le pont du navire. Au loin, sous les rayons brûlants du soleil d'Égypte, se trouvait une masse sombre. Elle se dirigeait à grande vitesse vers eux. Une femme cria, tout en pointant la silhouette au loin :

— Des voleurs ! Des pirates !

— Pirates ? répéta Victor.

— On va bien s'amuser, dit Caleb avec ironie en s'avançant près du rebord du dirigeable.

En quelques secondes, pendant lesquelles tous les occupants du pont se ruèrent vers la cabine pour se réfugier dans la cale du navire, Victor vit la masse sombre se transformer en un immense navire volant, propulsé par d'énormes réacteurs latéraux qui crachaient une fumée noire, et soutenu par deux gros ballons noirs. Le vaisseau comportait une grande coque de bois munie de canons menaçants. Quelques hommes, certains costauds et d'autres au visage fier, étaient restés sur le pont. Deux employés montèrent sur le pont et leur donnèrent quelques carabines avant de s'enfuir à grandes enjambées vers la cale.

— Caleb, dit Victor en hochant le menton vers le navire qui fonçait sur eux, tu sais qui sont ces gens ?

— Des pirates, répondit le demi-gobelin sans quitter le vaisseau des yeux. Ils ne s'en prennent jamais aux vaisseaux de Ludénome, puisqu'ils ont un accord mutuel. C'est étrange. Victor, dit-il en détournant finalement le regard vers son ami, toi et Pakarel, descendez vous réfugier dans la cale.

— Je reste avec toi, répondit fermement Victor. Ils ne nous auront pas aussi facilement.

Caleb lâcha un soupir et dit :

— Ne sois pas stupide...

— Je suis en âge de prendre mes propres décisions, merci, rétorqua froidement Victor.

Le jeune homme saisit Pakarel et lui dit :

— Va dans la cale, c'est d'accord ?

— Je ne vais nulle part, répondit lentement Pakarel. Je vais rester ici.

À voir la conviction dans les yeux du petit gentleman, Victor comprit qu'il ne réussirait pas à le convaincre.

— Je vais à la cale et je reviens, dit Victor d'une voix rapide.

— Tu devrais plutôt y rester, dit Caleb qui lui tournait le dos et dégainait son glaive.

Sans perdre une seconde de plus, Victor se rua vers la cabine et y pénétra. Le comptoir de friandises et de boissons était vide. Le jeune homme se dirigea vers le large escalier de bois, éclairé par des torches, qui descendait vers la cale. Il attendit quelques secondes, le temps que ses yeux s'habituent à la pénombre, avant de descendre l'escalier qui menait à la cale, tout en prenant bien soin de ne pas trop forcer sur sa jambe gauche. Une paire d'épées l'accueillirent aussitôt, pointées contre sa gorge, maniées par deux employés du dirigeable. L'un d'eux était jeune et boutonneux, l'autre était vieux et chauve.

— C'est moi, balbutia Victor en levant les mains, je suis un passager, voilà... voilà mon billet.

Le jeune homme se risqua à prendre son billet dans la poche de son pantalon et le tendit au vieil employé, la main tremblante.

— Je l'ai vu embarquer tout à l'heure, dit l'employé boutonneux en baissant son épée. Il n'est pas un pirate.

Après un bref coup d'œil au billet de Victor, le vieil employé rengaina son épée et dit :

— Monsieur, allez vous réfugier avec les autres, ils sont juste là-bas...

— Je viens chercher ma sentinelle, dit Victor. Où gardez-vous les animaux ?

— Votre sentinelle ? répéta le jeune employé, visiblement confus.

Soudain, un puissant impact survint, faisant vaciller légèrement le dirigeable. On entendit des cris et des rires, ainsi que des martèlements de pas sur le pont.

— Le gros scorpion métallique, rectifia Victor avec un brin d'impatience. Où est-il ? C'est urgent !

— Au fond, répondit le vieil employé chauve, le visage ruisselant de sueur. Les animaux sont gardés au fond.

Victor enclencha le pas et traversa la cale. Celle-ci était aménagée avec de confortables sièges et éclairée par quelques lampes à huile. Les occupants du vaisseau s'étaient tous réfugiés au fond, dans les dernières rangées de sièges, le visage apeuré. Les bébés pleuraient, les enfants chignaient et les maris consolaient les femmes inquiètes. Victor poussa une lourde porte de bois et pénétra dans une pièce dans laquelle se trouvaient plusieurs animaux installés sur des lits de paille, une large chaîne autour du cou, et reliée au mur. L'endroit était uniquement éclairé par le soleil qui transperçait une trappe en bois quadrillée au plafond. La plupart des animaux rugissaient et criaient, dérangés par le bruit sur le pont. Hol, quant à lui, dormait profondément. Le jeune homme repéra D-rxt entre deux chevaux, au fond de la pièce. Victor s'en approcha et ouvrit l'ordinateur de la sentinelle, avant de mettre la paume de sa main sur son écran. Les lumières jaunes sur le dos du scorpion s'allumèrent tandis que la bête se redressait. Le jeune homme monta sur la sentinelle et rangea sa canne dans son compartiment.

— Sur le pont, Drext, lança Victor. C'est urgent, ne prends pas la peine d'utiliser l'escalier !

La sentinelle bondit au plafond du navire, là où était située la trappe par laquelle on descendait une plateforme pour hisser les montures, et la défonça tout en couvrant Victor de son immense queue. D-rxt retomba sur le pont dans une pluie de copeaux de bois, pendant que Victor lançait un rapide regard autour de lui. Il vit Caleb ainsi que quelques hommes combattre des hommes costauds d'au moins deux mètres de haut, entièrement cachés derrière leur immense robe beige et leur voile. Les coups d'épée résonnaient sur toute la surface du bateau. Le navire des pirates s'était complètement collé au leur avec plusieurs grappins de fer. Sans perdre une seconde, Victor ouvrit un petit compartiment à l'arrière de son siège et en ressortit un glaive. C'était l'arme que Caleb lui avait donnée, quatre ans plus tôt, et c'était aussi avec cette épée que Victor s'était férocement — et futilement — battu contre D-rxt. Le glaive à la main, le jeune homme ordonna à la sentinelle de foncer sur un pirate qui maintenait par la gorge, prêt à l'empaler sur son épée, l'un des hommes qui s'étaient décidés à défendre le navire. D-rxt bondit vers l'avant et, d'un rapide coup de queue, planta son dard dans la poitrine de l'attaquant alors que Victor lacérait son ventre d'un coup de glaive. Le jeune homme regarda son épée et vit, non pas du sang, mais une substance goudronneuse et noire.

— Mais qu'est-ce que c'est que ça ? s'étonna-t-il avec une expression dégoûtée.

Caleb, tout en parant quelques coups avant d'enfoncer son propre glaive dans le ventre d'un des pirates, cria :

— Victor, derrière toi !

Avant même que Victor ait pu donner un ordre à la sentinelle, celle-ci avait bondi en l'air et était retombée derrière deux pirates qui avaient le bras levé, comme pour attaquer. Tous deux se retournèrent, dans une expression de confusion, et la sentinelle referma ses pinces autour de leur nuque. Victor planta son glaive dans la poitrine d'un des attaquants pendant que D-rxt resserrait sa pince autour de la nuque de l'autre, lui coupant aussitôt la tête. C'est alors qu'une voix, puissante et familière, survint au loin.

— Imbéciles ! Bandes de mauviettes incapables ! Faut tout faire soi-même !

Victor tourna la tête ; la voix provenait du navire volant des pirates. Une silhouette au dos arqué, le visage caché par un immense chapeau, était vêtue d'un habit digne d'un capitaine de bateau de pirates : tout en lambeaux. Avant que Victor ait pu discerner son visage, le pirate bondit à une hauteur d'au moins cinq mètres avant de retomber lourdement sur le pont.

Le capitaine éclata d'un rire morbide et forcé :

— Mouah ! ha ! ha ! ha !

Lorsque le pirate se redressa, lentement, sous les yeux de Victor, de Caleb et des autres hommes, le jeune homme remarqua ses membres en métal, comme ceux d'un robot. Aussitôt, Victor ordonna à D-rxt de s'élancer sur le capitaine des pirates. À la grande stupéfaction du jeune homme, le capitaine saisit les pinces de la sentinelle, avec ses grosses mains métalliques, et la lança par-dessus bord, comme un vulgaire insecte, projetant son cavalier sur le sol.

— C'est pas la première fois que j'affronte une bestiole mécanique dans ton genre, dit le capitaine d'un air amusé, sale scorpion !

L'épaule et la jambe gauche endolories, le jeune homme tenta de se redresser avec l'aide de son glaive comme appui. Ses efforts furent aussitôt coupés, puisque Victor sentit une lame faire pression contre sa gorge.

— Ne bouge pas, dit la même voix familière, sinon je te tranche la gorge.

Se tournant sur le dos, Victor ne put voir la silhouette penchée au-dessus de lui, ébloui par les puissants rayons du soleil. Soudain, la pression de la lame sur sa nuque s'estompa.

— Victor ? dit la voix du capitaine. Nom d'un chien, Victor !

Le jeune homme plaqua sa main sur son front, pour contrer le soleil, et vit la figure du capitaine. C'était un crâne métallique marqué par de profondes égratignures, fait d'un métal sombre, et un point rouge scintillait au fond de l'une de ses orbites, alors que l'autre était couverte d'un cache-œil. C'était un métacurseur, le peuple d'Iavanastre. Victor reconnut aussitôt son vieil ami.

— M... Manuel ? balbutia-t-il. Manuel ?

Victor n'en croyait pas ses yeux. La puissante main du métacurseur se tendit vers lui et Victor la saisit. Il fut aussitôt redressé sur ses pieds. Sans canne, le jeune homme reposait tout son poids sur sa jambe droite.

— Fait un bail, hein ? lança Manuel en ajustant son chapeau et en fourrant son énorme coutelas dans son étui.

Malgré son dos voûté, le capitaine était nettement plus grand que ses compagnons. À part les quelques égratignures sur son visage et son cache-œil, Manuel n'avait pas changé du tout et était resté identique aux souvenirs du jeune homme. Le cache-œil couvrait probablement la blessure par balle que Manuel avait reçue en tentant de le sauver des griffes d'Isaac.

— Mais... que fais-tu là ? demanda Victor, le souffle court, toujours surpris.

— J'pourrais te demander la même chose, répondit Manuel avec amusement.

Le capitaine éclata de son habituel rire, ridicule, alors que Victor lançait des regards autour de lui. Caleb et les hommes avaient tous été déjoués, menacés par les épées des pirates. Victor fut soulagé de voir qu'aucun passager n'avait été tué. Par contre, Pakarel n'était pas là. Où était-il ?

— Vous ! rugit Manuel en se retournant vers ses pirates. Regagnez le bateau, je m'occupe du reste.

— Mais, capitaine, protesta l'un des pirates en abaissant son arme, nous n'avons pas retrouvé le...

Manuel fit un pas vers ses hommes qui, du coup, reculèrent, n'osant plus dire un mot.

— On regagne le bateau ! s'écria un des hommes en robe. Dépêchez-vous, bande de moins que rien ! Et ramenez vos camarades démembrés !

Les pirates bondirent sur leur navire en ramassant les restes de leurs camarades, sous les yeux incrédules des hommes qui leur avaient opposé une maigre résistance. Caleb regardait Victor avec un mélange d'inquiétude et de reconnaissance. Manuel s'inclina vers Victor et ajouta :

— Par chance, les blessures corporelles ne nous affectent pas, sinon j'aurais bien moins de pirates à mon service !

Victor se souvint qu'en effet, les métacurseurs ne souffraient pas du démembrement, puisque leur corps était artificiel. Seule leur tête renfermait leurs organes vitaux. Le jeune homme se sentit soulagé de savoir qu'il n'avait tué personne en compagnie de la sentinelle. Soudain, Victor vit la sentinelle se hisser à bord du bateau et s'élancer de nouveau sur Manuel.

— Drext, arrête ! cria Victor qui ne se souvenait que trop bien de la tournure des événements lors du premier duel que Manuel et D-rxt s'étaient livré.

La sentinelle s'immobilisa aussitôt.

— Eh bien ! dis donc, on dirait que vous êtes redevenus amis, constata Manuel d'une voix étonnée, en contemplant la sentinelle. Ce monstre de fer a failli t'arracher la tête, tu t'en souviens ?

C'était une histoire qui était impossible à oublier pour Victor, bien sûr qu'il s'en souvenait !

— C'est une longue histoire Manuel, répondit le jeune homme en s'essuyant le front, maculé de sueur.

Victor fit signe aux hommes du pont de retourner à la cale, ce qu'ils firent sans même regarder derrière.

— Que nous voulez-vous ? dit Caleb en rangeant son épée et en avançant vers Manuel.

— Et c'est qui, lui ? chuchota Manuel à Victor. On dirait un croisement entre une pustule et un homme.

Le capitaine éclata d'un rire moqueur alors que Caleb se contentait de le dévisager avec mépris. Il était évident que Manuel n'avait pas changé d'un poil ; il était toujours aussi cynique, grossier et ricaneur.

— Pourquoi as-tu attaqué ce vaisseau ? répéta Victor, ce qui coupa le rire un peu forcé du squelette métallique.

— Parce que je cherche quelque chose qui m'appartient, répondit le métacurseur, offusqué de s'être fait interrompre. Voilà pourquoi.

— Et que cherches-tu ? continua Caleb, la main sur le pommeau de l'une de ses épées.

— Un diamant gros comme ça, répondit Manuel en formant la taille d'un œuf avec sa main gauche. Euh... non, gros comme ça, rectifia-t-il en écartant ses mains pour représenter la taille d'une pastèque.

— Un diamant... gros comme une pastèque ? répéta Victor en fronçant les sourcils. Tu aurais tué ces gens pour un diamant ?

Manuel abaissa la tête et soupira, puis dit :

— C'est vous qui avez ouvert les hostilités, hein ! Moi et mes hommes, on venait simplement parlementer. Mais ton ami, juste là, ajouta-t-il en pointant Caleb, il nous a attaqués dès que mes hommes ont mis le pied sur votre pont.

Ne sachant quoi dire, Victor échangea un regard avec Caleb et secoua la tête avant de proposer :

— Écoute, Manuel, tu devrais partir, car...

Mais le métacurseur fixa son regard vers quelques barils, à l'extrémité du pont.

— Il est là! rugit-il en pointant du doigt les barils. Ce sale petit voleur!

Avec un puissant élan, le capitaine lança son coutelas en direction des barils et, juste avant l'impact, une petite créature en bondit, un énorme chapeau sur la tête; c'était Pakarel.

— Voleur toi-même! cracha-t-il en direction de Manuel.

D'un pas décidé, le métacurseur se dirigea vers Pakarel, tenant son chapeau d'une main pour l'empêcher de partir au vent, et avança l'autre bras, la main ouverte, comme pour saisir le pakamu.

— Manuel, non! cria Victor.

Le métacurseur interrompit son geste et tourna mécaniquement sa tête vers Victor.

— Cette vermine m'a volé mon diamant, dit-il d'une voix sombre.

Quant à Pakarel, il dévisageait Manuel avec trop de courage pour sa taille. Le pakamu arrivait aux genoux du capitaine et n'avait pas bougé d'un millimètre.

— Laisse-le tranquille, intervint Victor en prenant la défense de Pakarel. Toi et tes amis devez déjà être bourrés de pièces d'or et d'argent!

Manuel se contenta de grommeler quelques jurons avec désapprobation. Victor entendit les voix de personnes qui montaient l'escalier de la cabine; ils avaient dû être intrigués par le long silence depuis le combat.

— Manuel, dit Victor, je t'en prie, va-t'en, sinon tu auras des ennuis avec Ludénome!

— M'est égal! bougonna Manuel. Je veux mon diamant.

Victor, qui allait perdre patience, suggéra rapidement :

— Je te couvrirai en leur expliquant que c'était une erreur, mais tu dois partir! S'il te plaît!

— M'en moque! répondit le métacurseur en croisant les bras.

— Manuel! répéta Victor avec insistance.

Contre toute attente, Manuel grogna et retourna sur son navire volant. Il prit le coutelas des mains d'un de ses hommes et trancha les cordes des grappins qui retenaient leur dirigeable à celui de

Victor. Alors que le bateau volant dérivait au loin, les employés, suivis de quelques hommes, revinrent sur le pont.

— Tu m'en dois une, cria Manuel à Victor. Quant à cette vermine voleuse, elle ferait mieux de bien se cacher !

Le vaisseau du capitaine métacurseur dériva au loin, pendant que Victor expliquait le malentendu aux employés, qui finirent par pardonner l'incident. Le capitaine du dirigeable, un gnome moustachu aux oreilles poilues, vint serrer la main de Victor et de Caleb pour les avoir sauvés des mains des pirates. Quant au trou creusé sur le pont par D-rxt, le capitaine haussa les épaules et jugea que ce n'était pas grave, l'important étant que tout le monde s'en soit tiré sans blessure.

Chapitre 8

L'incomparable ville d'Alexandrie

Une dizaine de minutes plus tard, une tempête avait plongé le désert dans un brouillard de sable, forçant le dirigeable à prendre de l'altitude. Le reste du voyage se passa sans le moindre problème, si ce n'était des regards lourds qu'envoyaient certains passagers à l'égard de Victor et de ses amis, persuadés qu'ils étaient la cause de l'attaque. Pakarel avait appris à Victor qu'il possédait effectivement un diamant, non pas de la taille d'une pastèque, mais bien d'un œuf. Malgré ses nombreuses tentatives pour savoir d'où Pakarel tenait cette pierre précieuse, Victor ne sut rien, incapable de lui soutirer la moindre information. Quant à Caleb, la méfiance qu'il avait éprouvée envers Pakarel était entièrement revenue.

C'est seulement au bout de quelques minutes que Victor et ses amis, toujours sur le pont, virent une étoile scintillante comme un petit soleil, se tenir au sommet d'une énorme tour qui s'élevait au loin. Ce que Victor avait pris pour une étoile n'était en fait que la réflexion du soleil sur l'immense lentille du phare d'Alexandrie. À peine quelques secondes plus tard, Victor put aisément discerner une ville flotter à quelques centaines de mètres du sol, soutenue par d'énormes ballons multicolores. Alexandrie était divisée en plusieurs segments, tous reliés l'un à l'autre par des centaines de ponts en bois. Mis à part le port de la ville, seul le phare d'Alexandrie ne flottait pas, car celui-ci était la porte d'entrée de la cité pour les visiteurs terrestres. Ces derniers devaient monter tout en haut de la tour et emprunter un petit pont qui donnait accès à la ville volante. Le phare d'Alexandrie était, en quelque sorte, le cœur de la cité. Pakarel expliqua à Victor que lors des tempêtes de sable, comme en ce moment, le pont relié au phare était soulevé, rendant la ville inaccessible. Victor, qui avait aperçu la ville d'Alexandrie lors de sa première visite en Égypte, fut tout de même très impressionné par la ville volante. Il se rappelait avoir remarqué les jardins, quatre années auparavant, mais aujourd'hui, à cette distance, c'était impossible. Selon les dires de Caleb, la cité avait autrefois été construite sur les côtes et abritait une importante baie derrière ses impressionnantes murailles. En tout cas, aujourd'hui, c'était bien différent, songea Victor. Le dirigeable accosta, quelques minutes plus tard, sur une plateforme d'atterrissage sur laquelle se trouvait un nombre impressionnant d'appareils volants. Victor remarqua le dirigeable de Manuel, près de la plateforme d'atterrissage, retenu par un important cordage.

— Et moi qui croyais être enfin débarrassé de ton ami, dit Caleb d'un air sombre et sarcastique à la vue du vaisseau des pirates.

— C'était un malentendu, dit Victor sans même regarder le demi-gobelin. N'en parlons plus, nous avons du travail à accomplir.

Une fois leurs montures débarquées de l'appareil, Victor autorisa Pakarel à chevaucher D-rxt, tandis que Caleb tirait un Hol agité et débordant d'énergie.

— Il veut voler, dit Caleb en retenant tant bien que mal les rênes de l'oiseau. Après avoir dormi, il adore se dégourdir les ailes.

— Où allons-nous ? demanda Victor alors que lui et ses amis s'étaient mis en route vers un long pont de bois.

Caleb, qui menait la marche, répondit en se retournant :

— Là où mes collègues se sont installés. Dans quelques minutes, nous pourrons enfin savoir où nos... Pardon, dit-il aussitôt à un passant qui avait failli être mordu par Hol. Comporte-toi bien ! gronda-t-il férocement à son oiseau. Je disais que nous allons là où nous pourrons enfin savoir où notre tueur s'est enfui. Victor, Pakarel, que faites-vous ?

Le jeune homme et Pakarel s'étaient arrêtés en face du pont de bois. Victor ne faisait pas vraiment confiance à ces structures qui se balançaient au moindre courant d'air, et des courants d'air, il y en avait, en pleine tempête de sable !

— Ça ne m'inspire pas vraiment confiance, admit Victor, qui regardait le pont avec une expression de vertige.

— Victor, des centaines de milliers de personnes traversent ces ponts chaque jour, dit Caleb avec un sourire aux lèvres. C'est plus sécuritaire que tu ne le crois.

— Moi, je n'ai pas peur! lança Pakarel, tranquillement assis sur la selle de D-rxt.

— Tu peux bien parler, répondit sarcastiquement Victor qui, après une bonne inspiration, avança lentement sur le pont.

Victor arriva de l'autre côté du pont au bout de quelques minutes, dépassé par une bande de vieillards barbus portant des robes égyptiennes, qui avaient bien rigolé en le voyant.

— C'est ça, riez, bande d'ancêtres! grommela Victor qui essuyait son front luisant de sueur.

— C'est par là, dit Caleb en riant. Venez.

Le jeune homme, qui déboutonna le haut de sa chemise pour mieux supporter la chaleur, suivit Caleb dans des rues pavées de pierres blanches et sur lesquelles se trouvaient de beaux bâtiments décorés de plantes grimpantes. Victor vit, sur presque toutes les parois des bâtiments, de nombreuses torches, allumées même en plein jour, qui dégageaient une odeur agréable. Le jeune homme fut surpris de voir des humanoïdes à l'apparence féline, exactement comme des chats, mais se tenant sur leurs pattes arrière. Ils étaient quatre derrière divers kiosques bondés de clients.

— Monsieur, oui, oui, vous! s'écria l'une des créatures félines lorsqu'elle croisa le regard de Victor.

Elle fit battre ses doigts sur sa paume d'un geste frénétique pour indiquer à Victor de s'approcher. Ce que le jeune homme fit avec malaise. N'avait-elle pas assez de clients? songea Victor en se frayant un chemin dans la foule. Il fallait croire que non.

— Venez, venez! ajouta la créature.

— Ce sont des Skrahs, chuchota Caleb en suivant Victor. Ils sont généralement de riches marchands et de piètres amis. On ne peut pas leur faire confiance, ils sont trop attirés par la richesse.

— Toi aussi, tu fais un piètre ami! lança Pakarel en riant.

Caleb afficha un air morne et n'ajouta rien. Victor arriva devant un kiosque rempli de fioles, de bouteilles et de flasques qui contenaient divers liquides des plus étranges. Certains bouillaient, d'autres tournoyaient lentement dans leur récipient.

— Une potion de rajeunissement ? suggéra le Skrah. Idéale pour les rides ! Ou peut-être un élixir d'hydratation de la peau ?

— Non merci, sans façon, déclina poliment Victor, qui ne parvint à échapper au vendeur que cinq minutes plus tard.

Les compagnons arrivèrent finalement à un grand bâtiment égyptien à pierres pâles, beaucoup plus haut que large.

— Nous sommes arrivés, dit finalement Caleb en libérant Hol. Allez, mon gros, va t'amuser un peu !

— Tu le laisses s'envoler comme ça ? s'étonna Victor en suivant du regard l'énorme oiseau battre des ailes et s'envoler.

— Oui, il n'y a pas de danger. Tu peux dire à ta sentinelle de se rendre sur le toit ? Léonard va lui ouvrir la porte.

— Léonard ? Qui est-ce ?

— Un vieil ami à moi, répondit Caleb sur un ton qui semblait sarcastique.

— Il ne sera pas surpris de voir une sentinelle arriver devant lui, comme ça ?

Caleb pouffa de rire.

— Il nous suit du regard depuis notre arrivée au port, répondit finalement le demi-gobelin. Allez, dis à ta sentinelle de se rendre là-haut, ça nous évitera des ennuis.

Victor haussa les épaules et ordonna à D-rxt de s'envoler sur le toit de la bâtisse, et de suivre le premier individu qu'il rencontrerait.

Pakarel, qui regardait la sentinelle s'envoler, semblait vexé de ne plus pouvoir la chevaucher.

— Ne t'en fais pas ! Tu pourras la monter plus tard, lui promit Victor.

— D'accord, répondit faiblement Pakarel. C'est gentil.

— Après vous, dit Caleb en poussant la porte de bois qui menait à la bâtisse.

Victor, ruisselant de sueur et déjà brûlé par la chaleur ardente du soleil d'Égypte, fut bien content de mettre les pieds à l'intérieur.

Le jeune homme déboucha dans une pièce faiblement éclairée par quelques lampes à huile. Ses yeux n'étant pas habitués à la noirceur soudaine, Victor préféra suivre la silhouette de Caleb. À peine avait-il fait deux pas qu'il se cogna le pied contre une table qu'il n'avait pas vue.

— C'est un vrai désordre, ici, dit Caleb en entendant Victor grogner de douleur. Fais attention, Léonard n'a jamais eu de temps pour le rangement.

La vue du jeune homme s'améliora peu à peu, jusqu'à ce qu'il puisse discerner ce qui se trouvait dans la pièce. Elle était bourrée de tables contenant du matériel scientifique comme des fioles, des brûleurs et des microscopes. Quant aux murs, ils étaient masqués par de longues étagères remplies de livres (dont certains se trouvaient par terre, entrouverts). Pendant au plafond, un étrange appareil rappela à Victor un engin volant ; une paire d'ailes en cuir, soutenues par un cartilage en bois, étaient reliées à une queue qui devait servir de gouvernail. Sur un des murs, le jeune homme vit une longue toile, jaunie et déchirée par les ravages du temps, sur laquelle se trouvait le dessin d'un homme ayant plusieurs paires de bras et de jambes, et qui était encerclé par un trait noir. Dans le bas de la toile, on pouvait lire :

L'homme de Vitruve 1485-1490

— Qu'est-ce que c'est ? lança la voix de Pakarel.

Victor, toujours intrigué par la toile, finit par reporter son attention sur le pakamu, qui regardait une autre toile, à moitié peinte, laquelle représentait le portrait d'un homme ou d'une femme, il ne pouvait pas voir la différence.

— Le vieux Léonard peint lorsqu'il n'a rien d'autre à faire, répondit Caleb. Et quand il est bien saoul. Venez, c'est par là.

Le demi-gobelin ouvrit une porte qui menait à un petit escalier en colimaçon, vivement éclairé d'une lampe à huile. Les trois amis descendirent à peine cinq marches avant de mettre les pieds dans une grande salle, bien éclairée par les rayons du soleil qui traversaient de nombreuses fenêtres. En son centre, un large cercle rouge était peint et de nombreux râteliers d'armes étaient fixés aux murs. Soutenu au plafond par de solides chaînes, se trouvait un énorme chandelier en bois, évidemment éteint. Au fond de la salle, Victor vit plusieurs silhouettes (masquées par la lumière aveuglante qui perçait à travers une fenêtre située juste au-dessus d'elles) installées sur un large sofa.

— Caleb, te voilà enfin ! lança l'une des silhouettes, qui s'était levée et marchait vers eux.

Suivi de près par Pakarel, Victor restait quelques pas en retrait derrière Caleb. La silhouette qui s'était levée quitta la zone d'ombre et apparut sous les yeux de Victor, qui la reconnut aussitôt. Les cheveux blonds en mohawk, des anneaux lui perçant les oreilles, Nathan Blake accueillit Caleb d'une chaleureuse poignée de main. Son visage, déjà fortement meurtri quand Victor l'avait rencontré quatre ans auparavant, semblait l'être encore plus. Quelques rides s'étaient formées près de ses yeux.

— Tu es arrivé à temps ? demanda-t-il au demi-gobelin, l'air soucieux.

— Ils l'ont eu, répondit simplement Caleb.

Nathan hocha doucement la tête en guise de compréhension, puis dirigea les yeux vers Victor et Pakarel. Il était clair qu'il n'avait pas reconnu Victor.

— Qui sont tes amis ? demanda Nathan en souriant.

— Lui, c'est Pakarel, dit Caleb d'un ton las, en indiquant le Pakamu.

— Bonjour, monsieur ! lança Pakarel comme s'il était en face d'un supérieur.

— Un pakamu ? dit Nathan en regardant Pakarel d'un air amusé. Enchanté de te rencontrer, Pakarel.

Il tourna la tête vers Victor et dit :

— Et vous êtes... ?

— Victor Pelham, répondit simplement le jeune homme, un peu amusé.

Les yeux de Nathan s'écarquillèrent avec étonnement, comme s'il venait de voir un fantôme. Puis, un large sourire lui fendit le visage.

— Victor ? répéta-t-il d'un ton enjoué. Mon Dieu ! C'est vraiment toi ?

— C'est bien moi, répondit Victor en riant.

Nathan serra Victor contre lui avant de mettre ses mains sur ses épaules et de l'analyser du regard.

— Tu as changé ! Tu es aussi grand que moi ! Un vrai homme !

— Content de te voir aussi, Nathan, répondit simplement Victor, le sourire aux lèvres.

Deux silhouettes se levèrent et se dirigèrent vers Victor et ses amis. L'une d'entre elles était massive et costaude, tandis que l'autre était de taille normale.

— J'ai bien entendu Victor ? demanda une voix caverneuse.

Marcus, un solide gaillard noir et aux bras énormes, tendit sa grosse main à Victor. Un large sourire s'afficha sur son visage, dont le jeune homme se souvenait comme étant maussade et bougonneur.

— Heureux de te revoir Marcus, dit Victor en souriant.

Aux côtés de Marcus se trouvait Liam, le copain de Nika que Victor avait revu à quelques occasions. La longue chevelure noire de l'homme lui tombait avec élégance sur les épaules. Il était beau, charmant et les années l'avaient embelli. D'ailleurs, Nika n'avait aucunement résisté à ses avances. Malgré leur différence d'âge, Liam la rendait heureuse, et aux yeux de Victor, c'était merveilleux. Le visage de l'homme paraissait triste, mais il sourit faiblement, serra Victor contre lui et lui donna quelques tapes dans le dos.

— Je suis désolé pour Balter, dit-il simplement. C'était un grand homme, il est dommage qu'il vous ait quittés ainsi...

Le cœur du jeune homme se resserra un peu, mais il parvint à sourire et à hocher la tête.

— Et pour Nika et Clémentine ? s'inquiéta Liam en cherchant le regard de Victor. Comment les filles le prennent-elles ?

— Elles sont complètement déboussolées, soupira le jeune homme.

Au même moment, on entendit une porte de bois se refermer à grande volée. Surpris, Victor pivota sur lui-même pour découvrir un petit bonhomme qui se tenait en haut de l'escalier de pierre. C'était un gnome.

— Une sentinelle armée jusqu'aux dents dans mon atelier? rugit le gnome d'une voix furieuse. Caleb, jeune homme, vous me devez une sévère explication! Elle ne devait pas être dangereuse!

Le gnome, visiblement très âgé, avait une moustache impressionnante ainsi qu'une longue barbe, entièrement bouclée, qui traînait sur le sol. Il portait un monocle qui élargissait nettement l'un de ses yeux et son nez était particulièrement long. La petite personne était vêtue d'une robe brune et ample, et portait une paire de sandales. Plusieurs rouleaux de parchemin dépassaient de ses poches. À une vitesse surprenante, surtout d'après son âge avancé, le vieux gnome dévala l'escalier. Il s'arrêta net en face de Caleb et le pointa d'un doigt ballotant, comme on le ferait à un enfant qui n'obéit pas.

— Tu te rends compte des ennuis que je pourrais avoir si, par malheur, un agent des forces de l'ordre venait nous rendre une petite visite et voyait une sentinelle militaire? grommela-t-il d'une voix rapide à Caleb. Je n'ai pas déménagé ici depuis mon Italie tant chérie pour me faire arrêter!

Victor sentit son estomac se resserrer. Il n'avait pas pensé à ça. D-rxt pourrait effectivement attirer l'attention de personnes indésirables. Caleb leva les yeux au plafond, complètement insensible aux commentaires du gnome.

— Les forces de l'ordre les ont-elles suivis? demanda Nathan.

— Je ne les ai pas vues, avoua le gnome d'un air calme. Dieu merci!

— Devrions-nous déplacer la sentinelle? demanda Victor.

— Non, intervint Léonard. Étant donné qu'elle vous a suivis dans toute la ville, tout le monde sait qu'elle est ici. Et, puisque nous sommes dans un établissement autorisé par la ville à posséder du matériel militaire, je crois que ça ira.

Victor souffla de soulagement.

— Alors, il n'y a rien de grave, conclut Caleb d'un air las.

— Nous aurons une discussion là-dessus plus tard, jeune homme ! menaça le gnome. Attendez que je raconte ça à votre pauvre père !

Un court silence s'ensuivit, avant que la vieille créature se tourne vers Pakarel et dise, sur un tout autre ton, cette fois doux et mielleux :

— À qui ai-je l'honneur ?

— Pakarel, monsieur ! répondit le pakamu, qui était encore plus petit que le gnome.

— Enchanté de faire votre connaissance, répondit ce dernier.

Il se tourna vers Victor et demanda sur le même ton :

— Et vous êtes...

— Victor Pelham, répondit le jeune homme. Enchanté, monsieur.

De près, le gnome paraissait encore plus vieux. On aurait dit une vraie antiquité prête à s'écrouler à tout moment, mais pourtant, sa voix était vive et ses gestes énergiques.

— Léonard de Vinci, répondit le gnome en s'inclinant, laissant paraître de grosses taches sur son crâne. Je suis scientifique, artiste, ingénieur, botaniste, sculpteur, architecte, urbaniste, philosophe, poète, écrivain, et j'en passe ! Si vous ne me connaissez pas, vous n'êtes probablement pas très instruit...

Victor haussa un sourcil et contempla le petit personnage avec amusement.

— J'ai connu votre ami, Balterforth-Ulrich Anselm von Liechtenstein, ajouta Léonard d'un air triste. Il a été l'un de mes nombreux élèves. Il était doué pour les sciences.

Pendant un instant, le gnome sembla perdu dans ses pensées, le regard dans la lune.

— Je suis navré d'apprendre son décès, ajouta-t-il finalement.

Encore une fois, Victor sentit un pincement au cœur, mais se contenta de recevoir les condoléances du gnome.

— Léonard, dit Caleb en lui tendant le détecteur. Vous pourrez trouver la trace du tueur avec ceci.

— A-t-il bien été marqué? répondit le gnome en saisissant le détecteur. Il est bien passé dans la lueur collante?

Caleb hocha la tête.

— Très bien! J'aurai les résultats dans quelques heures, répondit le gnome. Monsieur Pelham, dit-il en lui souriant, faites comme chez vous.

Sans ajouter un mot, le vieux gnome fit volte-face et escalada l'escalier à une vitesse impressionnante. Victor vit la porte de bois du deuxième étage s'ouvrir et se refermer. Une main se posa sur l'épaule du jeune homme, qu'il reconnut comme étant celle de Liam, et ce dernier dit :

— Pourquoi ne viendrais-tu pas nous raconter cette mésaventure? Tu as forcément besoin de parler.

Victor acquiesça, bien qu'il ne ressentît pas vraiment l'envie de parler de ce qui s'était passé plus tôt. D'ailleurs, il aurait préféré qu'on cesse de lui rappeler la mort de Balter; c'était très pénible à supporter. Liam conduisit Victor, Pakarel et Caleb à travers un voile servant de porte qui menait à une cuisine débordant de vaisselle sale. Il leur servit ensuite un bon bol de soupe chaude. Lorsque Nathan et Marcus vinrent retrouver Victor et ses amis, le jeune homme trouva la volonté de raconter son récit, car après tout, ces gens étaient ses amis. Il raconta donc en détail tout ce qu'il s'était passé depuis la nuit précédente, à partir du moment où il rentrait à la maison. Tous l'avaient écouté, pendant près d'une demi-heure, avec beaucoup d'attention.

— J'irai voir Nika dès demain, conclut Liam. Je leur transmettrai de tes nouvelles. Quant aux forces de l'ordre de la ville de Québec, je suis prêt à parier qu'ils vont finir par te retrouver, même ici. Tu devras forcément leur faire face.

Victor hocha la tête lentement. Il savait que Liam avait raison et qu'un jour ou l'autre, il allait devoir expliquer son départ subit.

— Nika sait-elle que le Consortium existe toujours et que tu travailles encore sous sa bannière? demanda le jeune homme.

Liam parut mal à l'aise.

— Je… Non. Je ne lui ai pas tout dit, avoua-t-il.

Victor hocha la tête. Il n'avait rien à ajouter à cette déclaration, puisque ça ne le concernait aucunement. Nathan poussa sa chaise et retira les bols de soupe vides de la table pour les mettre sur l'impressionnante pile de vaisselle sale.

— Je vais tenter de contacter le groupe envoyé en Islande, dit-il ensuite. Ils ne nous ont pas recontactés à l'heure prévue.

— Bonne idée, ajouta Marcus. C'est inquiétant.

Nathan fit un bref signe de tête et quitta la cuisine. Sa remarque engendra une série de questions dans la tête de Victor.

— Liam, Marcus ? dit-il. Où sommes-nous, exactement ?

— Au quartier général du Consortium, répondit Liam.

Comment avait-il pu être si bête ? Il avait sous le nez trois des membres de cette maudite organisation et n'avait même pas songé à cette éventualité ! Son visage affichait d'ailleurs sa stupéfaction.

— Nous n'avons gardé que les bonnes personnes, rectifia Liam en riant. Ce qui est très peu. Nous sommes une trentaine, tout au plus.

— Et que faites-vous, exactement ? demanda Victor, toujours aussi surpris.

— Nous tentons de combattre la corruption de notre monde. En d'autres mots, nous tentons d'éliminer les trafics d'armes illégaux et de mettre fin aux activités clandestines de certains ministres pourris jusqu'à l'os. Nous sommes des mercenaires dédiés au bien.

Victor n'ajouta rien. Depuis toutes ces années, il avait utilisé un pseudonyme pour se protéger spécialement du Consortium. Maintenant, il était assis dans leur quartier général, après avoir dégusté une bonne soupe.

— Le Consortium a été démantelé après la chute d'Isaac, reprit Liam. Abigail, la mère de Caleb, est ensuite parvenue à réunir tous ceux qu'elle croyait dignes de confiance. Avant son... départ, dit-il d'une voix plus douce en évitant le regard de Caleb, elle nous a fait promettre de poursuivre notre combat contre l'injustice.

— Et c'est ce qu'on fait ! intervint Marcus, les bras croisés et le torse bombé, fier comme un taureau.

— Edward Leafburrow et ses hommes travaillent avec nous, ajouta Liam. Ne te l'a-t-il pas dit ?

Victor fit signe que non.

— Pourquoi ne m'as-tu pas dit la vérité ? soupira Victor à l'intention du demi-gobelin.

Ce dernier sourit si faiblement qu'on aurait presque dit une grimace, et dit :

— Je ne croyais pas que le moment était bien choisi pour t'annoncer une nouvelle comme celle-là avant d'arriver ici. Ça aurait empiré les choses ; je doute que tu m'aies alors perçu comme un allié.

Victor hocha la tête, car il était évident que Caleb avait eu raison de ne rien lui dire. Savoir qu'il courait droit vers le quartier général du Consortium l'aurait fait rebrousser chemin. Mais maintenant, c'était différent. Malgré ses craintes initiales, le jeune homme voyait bien qu'il était en bonne compagnie et qu'il pouvait faire confiance à ses amis. Si Edward travaillait avec eux, c'était bon signe.

— Tu vas pouvoir reprendre ton identité, fit remarquer Pakarel. C'est chouette !

Haussant les sourcils, Victor tourna la tête vers le Pakamu qui, bien qu'installé sur sa chaise sous trois épaisseurs d'oreillers, ne laissait entrevoir que sa tête et son énorme chapeau. Même si la possibilité d'abandonner le nom de Gabriel Lupin pouvait être envisageable, il allait devoir y penser plus d'une fois. Avoir un pseudonyme l'aidait à maintenir sa vie privée.

— Il a raison, fit remarquer Marcus.

— Comment... comment sais-tu que j'ai une double identité ? demanda lentement Victor à Pakarel.

Ce dernier ne répondit pas et plaqua ses mains sur sa bouche, comme s'il en avait trop dit.

— Pakarel ! dit Victor avec insistance. Dis-moi la vérité.

— Tu me l'as dit !

— Je ne te l'ai pas dit, rétorqua Victor d'un ton doux. Ne me mens pas.

Le pakamu finit par répondre, après un long silence :

— J'adore ta musique.

Victor savait que Pakarel se sentait mal à l'aise, car il cachait maladroitement son visage avec son chapeau.

— Je l'ai souvent entendue à travers la radio de monsieur Fislek, ajouta-t-il en dévoilant son visage, d'une petite voix.

— Ah bon? continua le jeune homme, amusé.

— Selon moi, tu es le meilleur pianiste au monde! rétorqua Pakarel avec enthousiasme.

Victor rit légèrement.

— C'est très gentil à toi.

Au même moment, la porte de la cuisine s'ouvrit à grande volée. Léonard se tenait, du haut de sa petite stature, dans le cadre de porte.

— Vous tous! lança-t-il d'un air important. Venez à l'étage avec moi!

Après avoir échangé un regard interrogateur, Victor et ses amis se levèrent et montèrent à l'étage. En haut de l'escalier, Léonard demanda à Victor d'un air songeur :

— Qu'as-tu à la jambe, mon garçon?

— Malformation de naissance, lança Victor en souriant.

Il préférait dissimuler la vérité, car le jeune homme croyait fermement que sa jambe affaiblie était ce qui l'avait immunisé contre les maladies de la Terre. Était-ce vrai? Il n'en avait aucune idée.

— Je vois, conclut Léonard. Nous en reparlerons plus tard.

Léonard ouvrit la porte de bois et bouscula pratiquement Marcus, qui devait faire sept fois son poids, pour pénétrer dans la pièce le premier. Victor et ses amis arrivèrent dans une salle bondée d'équipements et de matériel scientifique. Un immense télescope était installé au milieu de la salle, tout juste sous un petit dôme doré. Le jeune homme remarqua une porte ouverte sur l'extérieur, par laquelle soufflait un vent chaud qui faisait balloter le voile qui la recouvrait. À travers les battements de la voile, Victor vit D-rxt et Hol, tous deux installés sur le toit de la bâtisse.

— J'ai découvert l'emplacement de votre tueur, dit Léonard d'une voix sombre qui attira l'attention de Victor.

Léonard était installé sur un petit tabouret, devant un moniteur qui semblait être un radar, une paire d'écouteurs gigantesque sur les oreilles.

— Où s'est-il rendu ? demanda Caleb avec empressement.

Le gnome tournait frénétiquement les molettes de l'écran d'un air concentré.

— Léonard, dites-le-nous ! lança le demi-gobelin en serrant les poings.

Avec lenteur, le gnome regarda Victor et ses amis par-dessus son épaule et dit :

— Amérique centrale. Là où vivaient les Mayas, il y a des centaines de milliers d'années.

— Exactement ce que papa nous avait indiqué dans son livre ! dit Caleb en tapant dans sa paume. Léonard, regardez.

Le demi-gobelin tira le livre de sa poche, trouva la page des glyphes et le tendit au gnome.

— Mais comment pouvons-nous être certains qu'il se trouve réellement en Amérique centrale ? demanda Marcus. Soyez logique, cela fait une bonne distance à traverser entre les meurtres, hein !

— Ils ne se déplacent pas comme nous, fit remarquer Liam, tu le sais bien, Marcus.

— Et comment pourrions-nous être certains que nous allons trouver quelque chose, là-bas ? continua Marcus.

— C'est bien la première fois que vous suivez la trace de l'un de ces tueurs ? demanda Victor, l'air songeur.

— Oui, affirma Caleb. C'est notre premier essai.

— Dans ce cas, comment pouvons-nous être sûrs de cette information ? continua le jeune homme.

Au même moment, une porte que Victor n'avait pas remarquée s'ouvrit, entre deux grosses machines. Nathan fit irruption dans la pièce, l'air désemparé.

— L'équipe de l'Islande est en route, dit-il sans énergie. Ils ont perdu Burke, ajouta-t-il en passant ses doigts sur son front.

— Et la scientifique Anna Thordisardottir ? demanda Léonard. Sont-ils parvenus à elle à temps ?

Nathan fit signe que non.

— Ont-ils été en mesure d'appliquer la lueur sur l'assassin ? continua le gnome.

Hochant la tête positivement, mais d'une allure clairement contrariée, Nathan répondit :

— Ouais... ouais, ils ont réussi.

— Dans ce cas, nous attendrons leur retour, lança vigoureusement Léonard. Comme l'a fait remarquer ce jeune homme, ajouta-t-il en indiquant Victor d'un geste de tête, deux preuves valent mieux qu'une.

— J'ai besoin de manger un morceau, dit Nathan.

— Je t'accompagne, lança Marcus. Tu n'as pas l'air dans ton assiette. Parler te fera du bien.

Nathan ouvrit la porte de bois et quitta la pièce, suivi de Marcus. Liam tira une chaise et s'y installa en sens inverse, le regard perdu.

— Un autre scientifique en moins, marmonna-t-il.

— Que veux-tu dire ? demanda Victor.

Liam poussa un profond soupir et tourna son regard vers Victor.

— Tous ces meurtres que nous tentons tant bien que mal d'empêcher, dit-il, ils ont tous un point en commun. Les victimes sont des scientifiques.

Cette remarque déclencha une révélation dans la tête de Victor. Il se souvint avoir lu un journal, la veille, qui racontait la mort inexpliquée d'un scientifique. Et puis il y eut Balter et maintenant, cette Islandaise, Anna Thordisardottir.

— Monsieur de Vinci ? demanda Victor sans même chercher son regard. Quand avez-vous quitté l'Italie ?

— Il y a quelques mois, répondit le gnome. Pourquoi donc ?

Il y eut une longue pause.

— C'est pour cela que vous avez quitté l'Italie, dit Victor d'un air distrait.

— Pardon ?

Le jeune homme dirigea son regard vers le vieux gnome.

— Vous êtes venus ici pour qu'on vous protège, ajouta-t-il d'un air accusateur. Vous étiez au courant...

— Certes, admit Léonard sans difficulté.

— Pourquoi ne pas avoir avisé tous les scientifiques de renom qu'ils étaient en danger de mort ?

Cette fois, le gnome ne répondit rien. Ses yeux s'étaient agrandis. Après un léger toussotement, il avoua enfin :

— Car il était... imprudent, pour ma propre sécurité, de divulguer une telle information...

— Vous êtes un sale égoïste ! lança furieusement Victor en pointant le gnome de sa canne. Pour qui vous prenez-vous ?

— Pour l'homme le plus brillant du monde, répondit le gnome avec assurance.

— Vous êtes misérable, dit Victor avec dégoût. Vous ne méritez même pas d'être protégé.

Clairement offensé, Léonard bondit de son tabouret et pointa Victor du doigt.

— Si ce monde venait à me perdre, les technologies d'aujourd'hui cesseraient d'avancer !

Le visage de Victor prit une expression intriguée.

— Gyrocoptères, sous-marins, portails énergétiques, dit Léonard d'un air furieux, qui crois-tu qui les a inventés ?

— Vous ? gloussa Victor d'un air moqueur. Ces inventions existent depuis des centaines d'années !

— Victor, intervint Liam, il ne ment pas. C'est bien lui.

Incrédule, Victor regardait tour à tour Léonard et Liam.

— Quoi ? dit-il finalement. Tu veux rire, Liam ?

— Il va bientôt atteindre les 400 ans, dit Caleb.

D'un rire forcé et moqueur, Victor fit volte-face et se dirigea vers la porte. Pakarel, qui était resté silencieux jusque-là, lui demanda :

— Victor, où vas-tu ?

— Loin de ce petit personnage égocentrique, rétorqua Victor avec un signe du menton vers Léonard.

— Je viens avec toi ! lança Pakarel en rattrapant Victor qui venait de quitter la pièce et descendait maintenant l'escalier.

— Pour qui se prend-il ? grommela Victor en marchant vers un sofa au fond de la salle.

Le jeune homme, une fois assis, ferma les paupières, prit une longue inspiration et expira lentement, comme pour évacuer sa colère. Malheureusement, ces efforts n'aboutirent qu'à retourner ses pensées vers la mort de Balter.

— Je connais des moyens pour se changer les idées, lança Pakarel, comme s'il avait lu dans ses pensées.

Victor ouvrit les yeux et vit le pakamu, installé à ses côtés, sa queue touffue entre les jambes, qui se balançait d'avant en arrière. Il se mit à hocher la tête et ajouta :

— Oui, oui ! Ça fonctionne ! Tu veux essayer ?

Victor ne put s'empêcher de sourire et leva la main comme par lassitude.

— Allez, bien sûr.

Ravi, Pakarel sortit un petit paquet en carton de sous son chapeau. C'était un jeu de cartes.

— Connais-tu le pari des gobelins ? demanda-t-il à Victor.

Ce dernier acquiesça d'un signe de tête, le visage souriant ; bien sûr qu'il connaissait ce jeu. D'un air enjoué, parce que Victor l'écoutait avec attention, Pakarel dit :

— C'est similaire à la version du bras de fer, mais avec des cartes. Regarde, je vais t'expliquer. J'espère que tu as de bonnes insultes en banque !

Au bout de quelques minutes d'explications, Pakarel et Victor firent plusieurs parties, échangeant de nombreux rires. Tout comme l'avait dit le pakamu, Victor oublia bien vite sa mauvaise humeur. Caleb et Liam les avaient rejoints un peu plus tard, à peu près en même temps que Nathan et Marcus. Tous acceptèrent de participer au jeu de cartes de Pakarel qui, lui, semblait déborder de joie. Cependant, les rires ne durèrent pas très longtemps, puisqu'au coucher du soleil, l'équipe envoyée en Islande arriva. Trois solides gaillards, les vêtements déchirés, le visage crasseux et les cheveux en broussailles, avaient l'air complètement vidés de toute énergie. Nathan et Marcus étaient allés à leur rencontre et les avaient menés à travers une porte de bois située face à celle de la cuisine.

— Dis-moi, lança Victor en tournant la tête vers Caleb, pourquoi Léonard se sent-il en sécurité, ici ? Je veux dire, on dirait une demeure parfaitement normale, sans aucun système de sécurité...

— Détrompe-toi, répondit le demi-gobelin en souriant. Cette maison est inaccessible aux intrus. Léonard surveille cet endroit comme un paranoïaque, et si jamais quelqu'un s'y introduit, il pourrait être tué par l'une des trentaines de tourelles automatisées incrustées dans les murs.

Victor, quoique légèrement surpris, ne regretta pas pour autant d'avoir insulté le gnome scientifique.

— Regarde au-dessus de nous, continua Caleb en pointant le plafond de son doigt. Tu vois cette petite trappe ?

Victor acquiesça d'un signe de tête.

— Eh bien, il y a une tourelle là-dedans.

— Je vois.

— Caleb, pourquoi est-ce que Léonard est toujours en vie ? demanda Pakarel, intrigué. Les gnomes ne dépassent jamais les 200 ans, n'est-ce pas ? Et... et on a mentionné qu'il allait bientôt atteindre 400 ans...

— Il trompe la mort, répondit simplement Caleb.

— Que veux-tu dire par « il trompe la mort » ? intervint Victor, lui aussi intrigué.

— Alexandrie est une ville réputée, non pas pour sa capacité à flotter dans le ciel, expliqua Caleb, mais bien pour ses alchimistes, comme tu as pu le voir avec le Skrah qui a voulu te vendre ses élixirs. Cela dit, Léonard est parvenu à concocter un liquide qui a pour effet de lui rallonger la vie.

— C'est faisable ? lança Pakarel, stupéfait.

Caleb hocha la tête en guise d'acquiescement.

— Bien sûr, répondit-il ensuite en tournant son index près de sa tempe, comme pour indiquer la folie dans la tête de Léonard. Il est trop imbu de lui-même pour se résoudre à une mort naturelle.

— Que contient ce liquide ? demanda Victor, curieux.

Une voix, qui fit sursauter tout le monde, répondit :

— Des microrobots qui reconstruisent mes structures cellulaire, musculaire et même cervicale. De ce fait, je repousse la date de ma mort.

Léonard se tenait à présent droit devant eux, un long morceau de soie à la main.

— J'incorpore le liquide à plusieurs de mes recettes, continua-t-il d'un air amusé, mais je préfère les petits gâteaux.

— Comment êtes-vous arrivé là ? gronda Liam, la main sur son cœur, visiblement encore sous le choc de son arrivée subite.

Le gnome tendit le morceau de soie devant lui ; il était maintenant invisible, laissant seulement le bout de ses doigts et la moitié de sa tête flottant dans l'air.

— C'est ma toute dernière invention, dit-il fièrement. Elle est bourrée de microcapteurs qui réfléchissent la scène autour de nous, me rendant donc complètement invisible. Cela dit, ajouta-t-il en pliant la soie qu'il fourra dans la poche de sa robe, je vais aller voir le groupe qui vient d'arriver et tenter d'apprendre ce qui est arrivé à cette pauvre Anna.

Victor et ses amis regardèrent, les yeux écarquillés, le gnome quitter la pièce par la porte qu'avaient empruntée Nathan et Marcus.

— Il est fou, marmonna Liam.

Chapitre 9

Thomas Dujardin

Tôt dans la soirée, Victor et ses amis apprirent, par le groupe envoyé en Islande, que l'assassin s'était inexplicablement retrouvé en Amérique centrale, là où aurait vécu le peuple maya, selon les renseignements obtenus. Caleb, Victor et bien entendu Pakarel s'étaient tous mis d'accord pour partir vers l'Amérique centrale dès l'aube. La noirceur étant entièrement tombée, on avait allumé le chandelier de la salle, plongeant celle-ci dans une agréable atmosphère. D'ailleurs, comme l'avait soupçonné Victor, la salle dans laquelle ses amis et lui séjournaient était en fait une aire de duel. Nathan et Marcus s'entraînaient, dans l'enceinte du cercle rouge, avec des épées qu'ils avaient prises dans les râteliers d'armes.

— Tu n'aurais pas dû l'insulter ainsi, dit Caleb à l'intention de Victor alors qu'ils étaient seuls avec Pakarel, confortablement installés sur le sofa.

Victor ne répondit pas tout de suite. Il était perdu dans ses pensées à tenter de découvrir la raison des meurtres de scientifiques. Au bout d'un certain temps, le jeune homme toussota et se redressa un peu, avant de dire d'un ton las, mais ferme :

— Il le méritait.

— Je ne te contredis pas sur ce point, continua Caleb, mais Léonard n'est pas du genre à laisser tomber. Il est très rancunier. Il m'en veut encore d'avoir bousillé l'une de ses inventions.

— C'était quoi ? demanda Pakarel, qui mâchait une pomme que lui avait offerte Liam.

— Un petit télescope, ou quelque chose du genre.

Victor, quant à lui, était retombé dans ses pensées aussitôt. Il n'écoutait plus ce que Caleb et Pakarel disaient, car quelque chose en lui le forçait à réfléchir. Mais quoi ? Où était donc le sens de ces meurtres ? Ils avaient forcément quelque chose en commun. Certes, des scientifiques, pensa aussitôt le jeune homme. Mais pourquoi tuer des scientifiques ? Pourquoi... C'est alors qu'une lumière s'alluma au fond de son esprit. Avant sa mort, Balter travaillait sur une nouvelle source d'énergie, simple, mais très efficace. L'avait-on tué pour cette raison ? C'était ridicule. Soudain, Victor fut tiré de ses pensées.

— Victor ? Tu m'écoutes, mon vieux ?

— Hein ? Euh, excuse-moi, dit le jeune homme en battant des paupières, j'étais... j'étais perdu dans mes pensées.

Le visage de Caleb s'adoucit, et il dit d'une voix sincère :

— Je suis désolé pour ton ami. C'est épouvantable.

— Ça va.

Liam, qui avait quitté la pièce pour aller chercher quelque chose à grignoter, revint des cuisines avec du fromage et du pain.

— Quelqu'un a faim ? demanda-t-il en déposant le tout sur une table, près du mur.

— Moi ! lança Pakarel en bondissant vers la table qui s'avéra être trop haute pour lui. Monsieur, levez-moi ! dit-il fermement à Liam.

Avec une expression amusée, Liam leva Pakarel pour lui permettre de se servir. Au même instant, un tintement métallique attira l'attention de Victor et de Caleb. L'épée de Marcus était tombée sur le sol, alors que Nathan le pointait de la sienne.

— Désarmé ! cria-t-il. Ah ! Ah !

— Ce n'est pas juste ! grommela Marcus. Tu sais très bien que je déteste les épées !

— Tu t'es bien débrouillé avec le glaive que je t'avais donné, dit Caleb à Victor, pendant que Nathan et Marcus étaient en plein débat. Je ne t'aurais pas cru aussi doué.

— Merci, dit Victor en haussant les épaules. À vrai dire, j'ai simplement improvisé.

— Il n'y a rien de pire que la léthargie, lança soudainement Caleb en se levant et en craquant le bas de son dos. Viens, je vais te montrer quelques coups.

— Oh! Caleb, protesta Victor, je ne suis pas un guerrier et je n'aime pas vraiment me battre...

Mais c'était cause perdue; le demi-gobelin ne l'écoutait même pas, il s'était rendu aux râteliers d'armes et avait choisi deux épées d'une bonne longueur.

— C'est un bon épéiste, lança Liam en indiquant Caleb. Tu devrais voir ce qu'il peut t'apprendre, en plus, c'est amusant.

— Allez Victor! lança Pakarel, la bouche pleine de fromage.

Avec un manque de conviction évident, Victor prit sa canne et rejoignit Caleb.

— Allez argumenter plus loin, dit le demi-gobelin à Nathan et Marcus. Je prends l'aire de duel avec Victor.

Tout en continuant de se disputer au sujet de qui avait triché, Nathan et Marcus s'installèrent sur le sofa. Pakarel eut la bonne idée de leur donner du fromage et du pain, ce qui les fit taire.

— Prends celle-ci, dit Caleb en tendant une épée à Victor par la poignée.

Ce dernier la saisit et fut surpris de sa légèreté. Il la balança devant lui, fendant l'air librement; elle répondait beaucoup mieux à ses mouvements que le glaive rangé dans la coquille de D-rxt. Malgré son mauvais jeu de jambes, restreint par sa faiblesse, le jeune homme parvint à parer, à dévier et même à faire perdre l'équilibre à son ami. Au bout du compte, Victor avait appris quelques manœuvres simples à exécuter, mais bien utiles, puisque maintenant, la vue d'une épée ne l'intimiderait plus autant qu'autrefois.

— Bien joué! lui lança Caleb reprenant une bonne goulée d'air. Tu te débrouilles bien!

Victor ne put s'empêcher d'afficher un large sourire, tout en essuyant son front luisant. Sa jambe lui faisait un peu mal, car il l'avait inévitablement sollicitée, mais c'était très tolérable.

— Moi, je dis que Victor est meilleur que Caleb! cria Pakarel en levant son petit poing.

Tous éclatèrent de rire, y compris Marcus et Nathan. Le jeune homme et le demi-gobelin se serrèrent la main avant de ranger leur épée dans le râtelier.

— Victor, dit Liam alors que Caleb et lui revenaient vers le sofa, il y a une chambre libre que tu pourras utiliser pour la nuit, à condition que tu veuilles bien la partager avec Pakarel.

— Ça m'est égal, avoua le jeune homme, ravi d'être invité, car à vrai dire, il n'osait pas demander logis.

— En parlant de sommeil, fit remarquer Nathan en bâillant, je vais aller dormir.

— Moi de même, ajouta Caleb. La journée a été longue.

À la suite de ces paroles, Victor sentit la fatigue monter en lui, l'envahissant doucement. Il n'avait eu que quelques heures de sommeil, à bord d'un dirigeable, et avait été désagréablement réveillé par la chaleur suffocante du soleil. Quelques minutes plus tard, tout le monde avait décidé d'aller au lit, et Victor fut conduit à sa chambre, située de l'autre côté de la porte de bois qu'avait empruntée le groupe de l'Islande, en face de la cuisine. La porte débouchait en fait sur un long couloir éclairé par des chandelles, qui donnait sur une bonne quinzaine de chambres. Le jeune homme et Pakarel avaient eu la toute dernière au fond, en face de celle de Caleb. Une fois à l'intérieur, le jeune homme balaya la chambre du regard ; elle comportait un grand lit et une table de chevet poussiéreuse, et de nombreuses toiles d'araignée couvraient les recoins de la pièce. De plus, une forte odeur d'humidité flottait dans l'air.

— J'espère que les araignées d'Alexandrie ne sont pas dangereuses, dit Victor en retirant ses chaussures qui s'avéraient bien utiles, puisqu'il n'avait pas mal aux pieds.

Le jeune homme remercia mentalement Dweedle, le père de Caleb, pour le cadeau qu'il lui avait fait ; des chaussures comme ça devaient valoir une fortune.

— Je vais dormir à droite, dit le raton laveur. Sinon, je fais des cauchemars.

— Comme tu veux, dit Victor en haussant les épaules, ça m'est égal.

— Regarde, Victor, il y a une porte, là ! dit Pakarel, qui trotta jusqu'à celle-ci, puis l'ouvrit.

Victor et le raton laveur au grand chapeau furent tous deux surpris de voir qu'ils avaient accès à une salle de bain, juste pour eux.

— Chouette ! dit le Pakamu en tapant dans ses mains. J'avais vraiment envie d'aller aux toilettes, quand je n'y vais pas, je ne peux pas me retenir...

Pakarel se lava le premier, avec l'insistance de Victor qui n'avait pas du tout envie d'avoir une mauvaise surprise en plein milieu de la nuit. Le pakamu laissa la place à Victor une demi-heure plus tard. Une fois savonné, les cheveux bien propres et épongés, le jeune homme se dirigea vers son lit. Pakarel était roulé en boule sur son oreiller et dormait paisiblement. Le jeune homme s'attendait presque à le voir dormir avec son chapeau, qu'il avait en fait déposé sur la table de chevet. Victor eut la soudaine envie de prendre le chapeau et de fouiller son contenu, mais renonça rapidement à l'idée. Il s'allongea dans le lit, qui grinça sous son poids, et s'endormit. Peu après, Victor sentit de petites mains tirer sur son bras gauche, et entendit des sons étouffés. Les sons se transformèrent rapidement en voix qui disait :

— Victor ! Il y a quelqu'un ici ! Victor, réveille-toi !

Grommelant et ouvrant les yeux, le jeune homme vit Pakarel debout sur le lit, son chapeau sur la tête.

— Quoi ? dit Victor d'une voix endormie.

— Il y a quelqu'un ici ! répéta Pakarel d'un ton sec.

— Mais où ? continua le jeune homme en frottant ses yeux de ses jointures.

— Dans la salle de duel ! répondit Pakarel. Ce n'est pas une personne que je connais et elle t'a mentionné !

— Comment sais-tu ça ? demanda Victor, légèrement alarmé.

— J'ai une bonne ouïe, répondit le pakamu.

Victor enfila ses vêtements, prit sa canne et alluma une chandelle, avant de quitter sa chambre à pas feutrés, en compagnie de Pakarel. Arrivé à la porte qui donnait sur l'aire de duel, Victor souffla sa chandelle et ouvrit légèrement avant de scruter dans l'entrebâillement de la porte. Pakarel fit de même, se glissant à côté de sa jambe. Ils virent arriver, par l'escalier en colimaçon qui montait à l'établi de l'inventeur, trois hommes et un gnome. Ce dernier était en fait Léonard, vêtu d'une robe de nuit et d'un bonnet, portant une chandelle à la main.

— Quel est votre nom, monsieur ? demanda Léonard.

— Thomas Dujardin, dit l'homme qui était en tête, d'une voix profonde, lente, mais pesée. Officier.

Il était grand, costaud et avait les cheveux coupés à ras. Il était vêtu d'un habit que Victor reconnut comme étant celui des officiers de la ville de Québec. Sa tenue laissait entrevoir son torse musclé et ses larges bras. Son visage était féroce, et ses mâchoires carrées étaient grisées par une barbe naissante. Un pistolet et une courte épée pendaient à sa ceinture. Avec sa voix caverneuse et son apparence intimidante, cet homme ne devait pas avoir de problèmes à faire régner l'ordre.

— Vous deux, ordonna Thomas en regardant ses deux compagnons, remontez à l'étage et fouillez les lieux une deuxième fois.

— Oui, monsieur, répondit l'un des hommes, et tous deux s'exécutèrent.

Les deux autres hommes qui l'accompagnaient portaient de courtes robes, des sandales et des lances pneumatiques. Ces armes, que Victor avait déjà vues à l'échoppe de Rauk, étaient alimentées par une source de vapeur portable et actionnées par un petit moteur qui leur permettait de s'agrandir et de se réduire avec un simple bouton. Ces lances, munies d'un canon à courte portée, étaient communément utilisées par les forces de l'ordre égyptiennes.

— Je vous le dis et vous le répète, lança Léonard, ce garçon n'est pas ici, monsieur Dujardin !

— Vous voulez me faire croire que la sentinelle sur le toit de votre demeure n'est pas la sienne ? rétorqua l'agent de sa même voix caverneuse.

Victor grimaça. Il regrettait amèrement d'avoir amené D-rxt.

— Je l'ai commandée il y a quelques jours à peine pour l'une de mes inventions, intervint aussitôt Léonard d'un air plutôt convaincant. Comme vous le savez sans doute, je reçois souvent des machines et inventions de tous genres pour les vérifier. Comme la sentinelle sur le toit.

Thomas fixa le gnome dans les yeux pendant un long moment. Victor savait que, si l'agent avait vu sa sentinelle — qu'il n'avait d'ailleurs jamais montrée au grand public — auparavant, il l'aurait tout de suite reconnue. La selle incrustée dans la coquille de D-rxt aurait trahi Victor, puisque les sentinelles n'étaient pas faites pour être chevauchées ; seule la sienne avait été modifiée de la sorte.

— Alors, vous ne verrez pas de mal à ce que je continue ma petite balade dans votre demeure, puisque Victor Pelham n'est pas ici, n'est-ce pas ?

Le jeune homme fut à moitié soulagé ; l'agent n'avait donc jamais vu sa sentinelle, lorsqu'il était à Québec.

— Dois-je vous rappeler que vous n'avez aucune autorité chez moi, monsieur..., intervint Léonard avec vigueur.

— Dujardin, répondit l'officier avec un brin d'agacement. Les activités du Consortium ne nous regardent pas, je vous l'accorde, mais Victor Pelham est un suspect crucial dans notre enquête. De nombreuses personnes confirment avoir vu à Ludénome un jeune homme marchant avec une canne, ainsi qu'à Alexandrie.

— Et... ? ajouta le gnome. Les jeunes hommes avec des cannes, c'est très courant de nos jours ! Vous savez, la mode...

— Ne me prenez pas pour un idiot, gronda Thomas avec un sourire sarcastique.

— Alors, n'agissez pas de la sorte ! rétorqua Léonard. Si vous ne voulez pas vous attirer les foudres de cette organisation, ce qui pourrait fortement nuire à votre piètre carrière, je vous conseille de ne pas me pousser à bout, ma patience a des limites.

Thomas Dujardin parut surpris, mais amusé. Au même moment, les deux agents égyptiens revinrent dans la salle de duel, hochant la tête négativement :

— Rien, monsieur, dit l'un d'eux. Monsieur Pelham n'est pas ici.

« Gagné ! » songea Victor.

— Il reste une porte que nous n'avons pas vérifiée, dit machinalement Thomas en foudroyant Léonard du regard. Par la suite, nous pourrons partir.

Le jeune homme souffla un juron.

— Le dortoir ? lança Léonard. Vous voulez vraiment réveiller une vingtaine d'hommes, dont certains qui viennent de passer à travers de sales épreuves ?

— Oui, approuva Dujardin. J'ai un mandat contre vous, monsieur de Vinci. Vous me devez cette dernière visite.

— Et vous vous en irez par la suite ? ajouta Léonard, d'un air presque amusé.

Thomas hocha la tête positivement. Alors que le gnome pivotait sur lui-même, Victor referma la porte. Léonard avait tenté, sans que Victor comprenne ses motivations, de le protéger du mieux qu'il le pouvait, mais maintenant, il ne pouvait plus rien pour lui. Le jeune homme tapa sur l'épaule de Pakarel et lui murmura de le suivre vers leur chambre.

— Qu'allons-nous faire ? dit Pakarel à voix basse lorsque Victor eut refermé la porte, les enfermant dans la chambre.

— Je ne sais pas, répondit le jeune homme en lançant des regards un peu partout, pour trouver une cachette ou une issue.

— Cachons-nous sous le lit, suggéra Pakarel.

— Ou derrière un rideau, peut-être ? chuchota Victor, sarcastique. Un homme dans son genre va certainement jeter un œil sous le lit, Pakarel.

On pouvait entendre des voix s'élever ; les hommes se faisaient réveiller par l'inspecteur. Allaient-ils le dénoncer ? Le jeune homme se sentait vaincu, et même s'il n'appréciait pas Léonard, ce dernier aurait de vrais ennuis si Thomas trouvait Victor Pelham dans une des chambres. Sans dire un mot, Pakarel retira son chapeau et en tira une fine toile de soie que Victor reconnut, même dans la pénombre, comme étant celle que Léonard avait utilisée pour disparaître.

— Avec ça, dit fièrement Pakarel, il ne te verra pas.

— Tu l'as volée au vieux Léonard ? lança Victor à voix basse.

Pakarel fit un signe de tête négatif et dit :

— Il me l'a donnée lorsque tu t'entraînais avec Caleb.

Léonard était donc au courant de la visite d'un agent québécois ! Le jeune homme prit la toile et l'analysa.

— C'est bien trop petit ! rétorqua Victor avec désespoir.

— Pas si tu te glisses sous le lit et que tu te recroquevilles contre le mur, répondit Pakarel avec amusement.

— Et comment devient-elle invisible, cette toile ?

— Il y a un petit bouton situé sur une plaque en fer, juste là, lui montra Pakarel du bout du doigt. Elle fonctionne pendant près de deux minutes, et après elle devient vraiment chaude. Léonard dit qu'elle pourrait prendre feu, si tu l'utilises trop.

Sans ajouter un mot, Victor se glissa sous le lit et rampa jusqu'au fond. Le jeune homme détestait les endroits clos et avait déjà l'impression d'étouffer. Il s'assura de glisser sa canne derrière lui, près du mur. Il serait trop bête de la laisser paraître aux yeux de Thomas Dujardin ! Avec un effort considérable, le jeune homme plia son genou gauche, qui lui fit grincer des dents de douleur, avant d'étendre le voile devant lui, sous le lit, tout en s'assurant que ses doigts ne trahissent pas sa cachette. Il appuya sur le bouton et vit la toile disparaître. Au même moment, Victor vit le bas de la porte de la chambre s'ouvrir. Pourvu qu'il soit réellement camouflé derrière la toile ! Le jeune homme vit deux paires de jambes ; celles de Léonard et celles de Thomas ?

— Qui es-tu ? lança la voix de Pakarel qui feignait la somnolence.

— Inspecteur Thomas Dujardin, répondit la voix caverneuse de l'homme.

La position de Victor était très inconfortable, mais c'était mieux que de se faire capturer après tout ce voyage. Il y eut un long silence, que Victor trouva bien pénible.

— Satisfait ? dit finalement la voix de Léonard.

L'inspecteur ne répondit rien, et s'agenouilla. Le cœur de Victor s'arrêta lorsqu'il vit l'homme regarder dans sa direction. Les yeux de Thomas transpercèrent le corps de Victor avec un air agacé. Au grand soulagement du jeune homme, Thomas se redressa. La toile avait donc fonctionné !

— Encore navré pour le dérangement, dit Dujardin sur un ton qui trahissait son mécontentement.

Lorsque l'agent québécois et ses deux acolytes égyptiens eurent quitté le quartier général du Consortium, les hommes qui avaient été tirés de leur sommeil étaient tous retournés au lit, certains grincheux et d'autres furieux. Victor les comprenait. Avant qu'il rejoigne sa chambre, Léonard était venu le voir pour récupérer sa toile. Le jeune homme aurait bien voulu s'excuser pour son comportement, ou encore remercier le gnome, mais ce dernier partit dès qu'il eut récupéré sa toile, ne laissant pas le temps à Victor d'ajouter un mot. Malgré ses tentatives pour retrouver le sommeil tant convoité, le jeune homme ne fit que se retourner sans cesse aux côtés de Pakarel qui, lui, ronflait. Au bout de quelques minutes, il finit par céder au désir de se lever et de se rhabiller ; peut-être trouverait-il le sommeil plus tard ?

Une fois vêtu de sa chemise, de son débardeur, de son pantalon et de ses chaussettes, il enfila les bottes que lui avait données Dweedle et quitta sa chambre, une chandelle dans une main et sa canne dans l'autre. Victor traversa le couloir et se rendit dans la salle de duel, encore illuminée par le chandelier du plafond. Il allait s'installer sur l'un des sofas, mais opta finalement pour aller voir la sentinelle, puisqu'il ne l'avait pas fait durant la journée. Le jeune homme gravit l'escalier et traversa la salle des communications, simplement éclairée par quelques voyants lumineux des machines de communication et par la lueur de la lune qui pénétrait par le voile fixé sur l'ouverture qui donnait sur l'extérieur, qui ballotait au vent. Victor se glissa à l'extérieur et fut aussitôt accueilli par un faible cri de Hol.

— Comment ça va ? dit-il à l'oiseau en lui grattant la gorge.

Une faible brise vint chatouiller la nuque du jeune homme, le faisant sourire aussitôt. Regardant autour de lui, Victor fut estomaqué de voir la beauté de la ville d'Alexandrie. Les immenses ballons qui soutenaient les bâtiments de la ville flottaient devant une pleine lune d'allure grandiose. Le phare de la ville, tout en bas, était illuminé et brillait vivement. Ramenant son regard sur le toit, Victor vit D-rxt, relié à des machines par quelques câbles. Les lumières jaunes sur la coquille de la sentinelle s'allumaient et s'éteignaient à intervalle régulier. Le jeune homme réalisa que Léonard faisait recharger les batteries de D-rxt, ce qui était une bonne chose, car Victor ne le faisait jamais. À vrai dire, il n'avait même pas activé son scorpion mécanique depuis deux ans. Le système de rechargement automatique de la sentinelle, que Victor avait fréquemment utilisé lors de ses voyages précédents, lui redonnerait quelques heures d'utilisation, mais rien ne valait le traitement que le gnome lui avait accordé. D-rxt serait bon pour plusieurs journées d'activité complètes.

— Tu ne dors pas ? dit la voix de Caleb, qui fit presque sursauter Victor.

Le demi-gobelin venait de traverser la porte voilée.

— Je n'ai pas sommeil, avoua Victor.

— Moi non plus, répondit Caleb en s'installant sur la corniche du bâtiment.

— Tu crois qu'il va revenir ? demanda Victor en s'installant près de son ami.

— L'agent québécois ? répondit Caleb en attachant ses cheveux en queue de cheval. Aucune idée. Ce qui est certain, c'est qu'il doit être déterminé à te retrouver, pour venir déranger tous les hommes du Consortium en pleine nuit.

Victor grogna en guise d'acquiescement.

— J'ai été un peu étonné de voir qu'aucun des hommes ne m'avait dénoncé.

— C'est normal, ajouta Caleb, un peu surpris. Tu es perçu comme un héros, Victor !

Le jeune homme ne répondit rien. C'est alors qu'il ressentit un frisson lui parcourir la colonne vertébrale, comme si on l'avait transpercé avec une aiguille de glace. Il reconnut cette sensation déplaisante ; il l'avait ressentie lorsqu'il était chez lui, à Québec, juste avant le meurtre de Balter...

— Hé! dit Caleb alors que Victor s'était levé d'un bond. Qu'est-ce qu'il y a?

Victor ne répondit pas et s'empressa de retourner dans la salle des communications, puis devant la porte de bois qu'il ouvrit pour dévaler l'escalier vers l'aire de duel. Caleb l'avait rattrapé.

— Victor! lança-t-il.

— Où dort Léonard? demanda le jeune homme avec rapidité. Où?

Caleb, un peu déboussolé, répondit finalement :

— Tout en bas de l'escalier en colimaçon... Hé, attends!

Sans ajouter un mot, Victor s'engagea dans l'escalier en colimaçon, non pas pour monter à l'atelier de Léonard, mais pour descendre au niveau inférieur. Tout en bas, Victor arriva devant une épaisse porte de fer. Caleb arriva sur ses talons.

— Tu veux bien m'expliquer? gronda-t-il, impatient. Et n'essaie pas d'ouvrir cette porte, elle est bloquée en perman...

Avant même que le gobelin ait pu terminer sa phrase, Victor avait tourné la poignée et ouvert la porte.

— Léonard est en danger, dit Victor d'un ton urgent. L'assassin, il est ici!

Victor et le demi-gobelin s'engagèrent dans un long couloir, décoré de peintures et de vases sur des tabourets, et fortement illuminé par de nombreuses ampoules électriques. Tout au fond se trouvait une porte qui se refermait lentement, ne laissant qu'un entrebâillement. Caleb dégaina son glaive et s'élança à toute vitesse vers la porte, suivi de Victor qui avançait d'un pas claudicant. Le demi-gobelin enfonça la porte de son épaule et se rua à l'intérieur. Le cœur battant, et maudissant son handicap, Victor le rattrapa avec quelques secondes de retard. À peine avait-il franchi la porte pour émerger dans une chambre luxueuse qu'il vit Caleb traverser la pièce et s'effondrer sur le sol, lâchant son glaive, qui tomba dans un tintement métallique. Victor vit Léonard, maintenu en l'air par un homme chauve en robe blanche. Il tenait le gnome d'une seule main, serrant dans l'autre une arme dont la lame bleutée semblait faite en verre, et de laquelle émanait une froideur sinistre. L'homme tourna la tête vers Victor ; il n'affichait aucune expression.

— Non ! cria Victor en s'élançant vers l'assassin.

Dans son élan, le jeune homme attrapa le glaive de sa main gauche et assena un coup sur l'épaule de l'assaillant, qui lâcha sa victime en grognant. L'assassin se retourna, l'air ahuri, et plongea son regard dans celui du jeune homme. Victor remarqua alors l'étrange signe peint en blanc sur son front. C'était l'homme qu'il avait vu à deux reprises durant les deux dernières journées. La première fois, à la gare des dirigeables d'Oxford et la seconde, au cabaret.

Sans même réfléchir, Victor enfonça de toutes ses forces son glaive dans le ventre de l'assassin qui le regardait toujours avec stupéfaction, la bouche entrouverte. Marmonnant des paroles dans un langage incompréhensible, l'homme échappa sa dague et s'effondra sur le sol, avant de disparaître, laissant quelques épaisses taches de sang sur le sol.

— Monsieur de Vinci ! s'exclama Victor, qui lâcha le glaive de Caleb et s'avança en titubant vers le gnome qui se relevait avec difficulté. Vous allez bien ?

— Je... Oui, balbutia le gnome, visiblement troublé.

Victor fit volte-face et vit Caleb assis, adossé contre la bibliothèque. Une dizaine de livres étaient éparpillés sur le tapis. Le jeune homme avança vers son ami et tomba à ses côtés. Le visage du demi-gobelin était encore plus blême que d'habitude et il respirait faiblement, sa main plaquée contre ses côtes, maculées de sang.

— Merde ! marmonna Victor en se retournant vers Léonard. Allez chercher de l'aide, Bon Dieu !

Le gnome quitta la pièce à toute vitesse, sans ajouter un mot.

— Caleb, tu m'entends ? demanda Victor, l'air inquiet, le cœur battant toujours la chamade.

— Ouais... ça ira, répondit le demi-gobelin en essuyant son front luisant de sueur.

— Qu'est-ce qui s'est passé ? grogna Caleb dans une grimace de douleur alors qu'il se replaçait.

— L'assassin, dit Victor en écartant la main de son ami de sa blessure pour plaquer la sienne et exercer une bonne pression. Je l'ai eu.

— L'assassin ? répéta Caleb. De quoi parles-tu ?

Le jeune homme précisa, l'air surpris :

— L'homme en robe blanche qui maintenait Léonard, je l'ai blessé et il a disparu.

Caleb n'ajouta rien, il se contenta de froncer les sourcils, l'air confus.

— Victor... il n'y avait personne, dit-il finalement.

— Personne ? Mais bien sûr, voyons, l'homme qui avait soulevé Léonard et le tenait d'une seule main...

— Il flottait dans le vide, coupa aussitôt Caleb.

— Tu ne l'as pas vu ?

Caleb fit signe que non.

— Je me suis arrêté dans mon élan, car je croyais que ce vieux fou nous...

Il s'arrêta pour grimacer de douleur, avant de poursuivre :

— ... je croyais qu'il nous faisait l'une de ses blagues idiotes... et c'est là que j'ai reçu un coup au ventre.

L'air perdu dans ses pensées, Victor marmonna :

— Tu ne l'as donc pas vu...

— Non, confirma Caleb. Il était invisible, et si tu dis qu'il a disparu, eh bien, c'était probablement lui, l'assassin de Balter.

À cet instant, une nuée d'hommes armés entrèrent dans la pièce. Deux d'entre eux, munis d'une mallette médicale, se ruèrent vers Caleb. Pakarel accourut entre les hommes pour rejoindre ses amis. Le demi-gobelin fit signe à Victor de retirer sa main, ce qu'il fit pour laisser la place aux spécialistes. Quelques minutes plus tard, Liam, Léonard, Pakarel et Victor s'étaient rassemblés dans la salle de duel. Le jeune homme leur raconta tout dans les moindres détails.

— Tu l'as pressenti ? lança Pakarel à Victor, interloqué. Comment cela se fait-il ?

— Nous n'en avons aucune idée, répondit Léonard. Monsieur Pelham a été victime d'un phénomène que, même moi, je ne peux élucider. C'est navrant.

— Cet homme, pourquoi l'aurais-je vu et pas vous ni Caleb? demanda Victor à Léonard. C'est insensé!

— Hélas, je n'ai pas la réponse à cette question. Ce qui me déconcerte le plus est bien le fait qu'il ait déjoué tous mes systèmes de sécurité.

— Peut-être s'est-il infiltré en même temps que cet inspecteur désagréable? suggéra Liam. Vous avez désactivé votre système pour le faire entrer.

— J'en doute fort, avoua Léonard. Un homme dans son genre a une motivation zélée envers le bien et la justice. Jamais il n'aurait permis cela.

— Que devrions-nous faire avec cette dague étrange? demanda Liam.

L'arme que l'assassin avait tenté d'utiliser contre Léonard avait été récupérée par Victor, qui avait pris le temps de l'analyser. Sa lame bleutée, qu'on aurait dit être faite de verre, était transparente. Elle émettait une constante lueur bleue et froide. Son pommeau était fait d'un métal inconnu, bleu foncé. Un glyphe jaune lumineux se trouvait sur le manche de l'arme, mais il n'évoquait rien du tout à qui que ce soit dans le groupe. Ayant espoir de le trouver parmi les glyphes inscrits dans le livre de Dweedle, Victor chercha, mais ne le trouva pas. Le jeune homme éprouva soudain un fort dégoût pour l'arme, puisqu'elle avait probablement tué son vieil ami, Balter.

— Quoi que nous en fassions, il est évident que les autorités ne parviendraient pas à en sortir le moindre indice, répondit Léonard. Gardons-la. En vérité, je crois qu'elle pourrait nous être utile.

Léonard regarda fixement la dague avant d'ajouter :

— Cette arme est composée de métaux qui me sont inconnus, ce qui me laisse d'ailleurs amèrement déçu ; je croyais tout connaître de notre monde.

La dague utilisée par l'assassin avait été glissée dans un fourreau en cuir et, même confinée, elle continuait à dégager une douce sensation de froideur.

— Dans ce cas, je vais l'emporter avec moi, soupira Victor à contrecœur. Mieux vaut que les forces de l'ordre ne mettent pas la main dessus.

— C'est une bonne idée, admit Caleb.

— Je crois que c'est une excellente idée, ajouta Léonard.

— Moi aussi, déclara Liam. Le froid que dégage cette arme ne me rend pas très à l'aise, j'aime mieux la garder loin de moi.

— C'est réglé, soupira Victor en saisissant l'étui qui de la dague avec dégoût. Quoi qu'il en soit, dit-il en regardant le gnome, vous n'êtes plus en sécurité ici.

— Je crains malheureusement que s'il a pu pénétrer dans cet endroit hautement protégé, répondit Léonard, je ne sois en sécurité nulle part ailleurs. Je resterai donc ici, en espérant avoir encore de la chance.

— Monsieur! lança la voix d'un homme qui dévalait l'escalier. Selon les registres de votre système de sécurité et le traceur placé sur l'assassin, il semble que celui-ci se soit dirigé en Amérique centrale, au Belize plus précisément, dans la région de Lamanai!

Léonard avait fait placer un système similaire à la lueur collante dans ses propres appartements, au cas où l'on tenterait quelque chose contre lui. Victor, Caleb et l'inventeur lui-même avaient tous été tracés.

— Évidemment, répondit Léonard d'un air sombre, nous sommes donc maintenant certains que quelque chose se trame à cet endroit. Merci à vous, ajouta-t-il à l'homme qui regagna l'étage.

Victor se leva, passa la main dans ses cheveux puis déclara :

— Je n'attendrai pas l'aube pour me rendre en Amérique centrale. Si c'est à Lamanai que nous devons nous rendre, alors c'est là que je me rendrai. Je pars maintenant.

— Quoi? lança Pakarel.

— C'est insensé, Victor! s'opposa Liam.

— Vous allez devoir contacter les forces de l'ordre tôt ou tard, expliqua Victor. Plus vite ce sera fait, mieux les choses iront. Ils retarderont forcément le voyage vers l'Amérique centrale et s'ils me trouvent avec vous, nous aurons de graves ennuis. Et ça, je ne peux pas le concevoir.

— C'est un fait, admit Léonard, l'air songeur.

— J'irai voir Manuel, déclara Victor. J'ai vu son dirigeable, accosté au port. Je trouverai un moyen de le convaincre de me faire traverser l'océan.

— Manuel ? répéta Liam. Ce métacurseur fou à lier ? Il est ici ?

— Oui, répondit Victor. S'il ne peut pas m'emmener, j'irai me cacher quelque part dans la ville jusqu'au moment de votre départ.

— Je ne sais pas si c'est une bonne idée, avoua Liam. Franchement, Victor, toute cette histoire va un peu trop loin... tu devrais rentrer à Québec et...

Mais Victor s'était déjà embrasé et répliqua en pointant Liam :

— Ne viens pas me dire quoi faire ! Ce salopard a tué Balter ! Il était pour moi le père que je n'ai jamais eu ! Je lui dois ces efforts, il le mérite, Liam !

— Arrête d'essayer de sauver tout le monde ! rétorqua Liam sur un ton plus doux. Tu n'es pas un justicier !

— Non, je ne suis pas un justicier. Mais la dernière chose à faire est de laisser le mal s'étendre. Et l'inaction me dégoûte.

Sur ces mots, Victor alla dans sa chambre, se débarbouilla rapidement, puis se dirigea dans la chambre de Caleb. L'idée de porter les mêmes vêtements depuis bientôt trois jours l'écœurait, mais ses caprices ne l'empêcheraient pas de poursuivre son but. Il prit le sac de provisions que Caleb avait achetées la veille, y enfouit la dague et retourna dans la salle de duel.

— Je viens avec toi ! lança Pakarel alors que le jeune homme s'apprêtait à gravir l'escalier menant à l'étage.

Victor fit volte-face et vit Pakarel, les poings sur les hanches, l'air résolu. Alors qu'il allait exprimer son désaccord, Pakarel lança :

— Je ne veux pas que tu me dises quoi faire, toi non plus ! Je t'accompagne, un point c'est tout !

— Alors, allons-y, se résigna Victor. Nous partirons avec Drext. Il doit être chargé, monsieur de Vinci ?

— Oui, répondit le gnome depuis le bas de l'escalier, auprès de Liam.

— Victor, dit Liam en s'avançant. Attends.

L'homme monta l'escalier et s'arrêta devant Victor.

— Fais attention. Nous te rejoindrons dès que nous le pourrons.

— Ne devais-tu pas retourner voir Nika ? lui demanda Victor.

— Pas dans ces circonstances.

Liam détacha ensuite un gadget de sa ceinture. C'était une radio portative, qu'il tendit à Victor.

— Au moins, dit-il, nous serons en contact.

— Merci, dit Victor en la saisissant. Ne tardez pas trop, d'accord ?

— Tu as ma parole, répondit Liam en souriant.

Chapitre 10

Jorba

L e système de défense du quartier général du Consortium, installé par Léonard, avait laissé Victor perplexe. Lors de sa visite, il n'avait rien remarqué, mis à part les trappes pointées par Caleb. C'est lorsqu'il fut sur le toit en compagnie de Pakarel, le raton laveur à l'attitude héroïque, que Victor vit réellement le potentiel du système de défense. De nombreuses tourelles munies de canons et d'arbalètes se déplaçaient tout autour du toit, sur des rails, pointant machinalement dans tous les sens. Le pire était à venir.

Il lui avait fallu près de cinq minutes pour récupérer ses affaires, qui se trouvaient dans la coquille de D-rxt, car un robot (à l'intelligence très douteuse) montait la garde sur le toit. Le jeune homme et son ami raton laveur avaient dû lui répéter environ 20 fois leur nom, leurs intentions, leur taille et leur poids, car le robot n'enregistrait jamais les bonnes informations. Ce dernier était pratiquement plus large que haut, avec des bras et des épaules intimidants, ce qui avait découragé Victor de s'impatienter. Un seul œil, d'un orange lumineux, situé sur ce qui lui servait de tête, arrivait à la taille de Victor. Son corps, arqué vers l'avant comme celui d'un gorille, était bourré d'engrenages de toutes formes qui lui sortaient des articulations et du dos.

C'est finalement grâce à la venue de Léonard lui-même que les deux amis furent débarrassés du robot. Le gnome était remonté à l'étage pour aviser le jeune homme que Pakarel et lui devraient partir par le toit. Ce ne serait pas facile, songea Victor, mais ce n'était pas la première fois qu'il descendait le long d'une bâtisse en utilisant un tuyau. Jugeant imprudent de voler à dos de sentinelle, au cas où Thomas ou les forces de l'ordre égyptiennes les remarqueraient, le duo opta pour les rues. Le vieux Léonard avait rassuré le jeune homme en lui disant que D-rxt ne serait pas une nuisance et qu'il veillerait à ce qu'il soit déplacé et entreposé ailleurs. Le jeune homme récupéra une sacoche en cuir qui contenait quelques affaires et la glissa dans le sac de provisions qu'il portait sur son l'épaule. Alors que Victor attachait la ceinture du fourreau contenant son glaive à sa taille, Léonard lui demanda :

— Victor, puis-je te poser une question avant ton départ ?

— Bien sûr, répondit le jeune homme alors que Pakarel, juste derrière lui, analysait le tuyau qu'ils allaient devoir descendre.

— Balter, il travaillait sur un projet, n'est-ce pas ?

— Oui. Il travaillait sur une nouvelle source d'énergie.

— Quelle est cette source ?

— Je ne saurais vous dire.

— Cette source d'énergie, quel est son potentiel, exactement ? demanda le gnome d'un air inquiet, comme s'il connaissait déjà la réponse.

— Une simple fiole de métal suffisait à faire fonctionner un moteur de carrosse.

— Je vois, répondit tristement Léonard. Il semble bien que cette découverte soit la cause de nos ennuis.

— Que voulez-vous dire ?

— Tous ces meurtres sont forcément liés. Ce n'est pas une coïncidence. Maintenant, vous devez partir. Liam et Nathan ont contacté les forces de l'ordre d'Alexandrie il y a quelques minutes. Ils seront ici dans peu de temps. Garde ta radio allumée, nous en parlerons. Soyez rapides et ne vous faites pas prendre !

Malgré sa curiosité et son envie d'en savoir plus, le jeune homme ne savait que trop bien qu'il serait idiot de rester plus longtemps. Il hocha donc la tête en guise de compréhension et fit un signe de la main au gnome. Victor regarda au loin, pour s'assurer que le bateau de Manuel se trouvait toujours accosté à un quai — ce qui était le cas —, avant de glisser sa canne dans sa ceinture et de s'accroupir près du tuyau. Il quitta le toit avec précaution et descendit le long du tuyau alors que Pakarel se retenait à son cou, l'étranglant presque.

Une fois à terre, le jeune homme prit une bonne goulée d'air, tout en se massant la nuque.

— On recommencera ? lança Pakarel, l'air amusé.

— Une autre fois, répondit Victor en toussant.

Il jeta un dernier regard vers le quartier général du Consortium, avant de se diriger vers un endroit bien précis.

— Où va-t-on ? demanda le pakamu, qui trottait derrière Victor.

D'un geste de la main, le jeune homme invita Pakarel à se taire alors qu'il épiait la rue depuis le coin du mur. Se concentrant sur son ouïe, Victor discerna un bruit de pas se dirigeant vers le quartier général du Consortium.

— Viens, dit-il à Pakarel en se dirigeant vers la rue.

— Où va-t-on ? redemanda Pakarel. Voir le méchant pirate ?

— Oui.

— Où se trouve-t-il ?

— Pas très loin, répondit le jeune homme en souriant.

Le jeune homme savait où aller, sans même avoir mis les pieds dans la ville une seule fois. C'était simple, il n'avait qu'à se diriger vers le brouhaha des rires et des chants.

— Tu crois que Caleb sera fâché que nous n'ayons pas pris la peine de lui dire au revoir ? lança Pakarel.

— Je ne crois pas, mentit Victor.

À vrai dire, il regrettait de ne pas avoir pris une minute ou deux pour le saluer avant de s'élancer vers un nouveau périple.

— Nous y sommes, dit Victor au bout de cinq minutes de marche.

Le jeune homme fut ravi de ne pas avoir eu à traverser l'un des ponts de bois suspendu au-dessus du vide pour atteindre sa destination.

— Je ne vois rien ! répondit Pakarel.

Victor leva sa canne et pointa un bâtiment, de l'autre côté de la rue, duquel émanaient des cris de joie, des rires trop forts et de la musique.

— Une taverne ? lança Pakarel en regardant Victor d'un air surpris.

— Il n'y a pas de meilleur endroit pour dénicher les pirates que le pub de la ville, expliqua Victor.

Les deux amis traversèrent la rue, contournant un cavalier grassouillet vêtu d'une robe, de riches colliers et de bagues, et monté sur un lézard géant. La pauvre bête, dont la langue pendait de travers, avait l'air abattue par la charge qu'elle soutenait.

— Avance, espèce de lâche ! lança le cavalier. Et vous deux, faites attention, vous m'avez coupé la route ! Petits ingrats !

Fronçant les sourcils, Victor reconnut l'homme. C'était Buikhu, le marchand qu'il avait rencontré dans le désert égyptien, près d'une oasis, alors qu'il se promenait à dos de dromadaire avec un Manuel sans corps, quatre années plus tôt.

— Gardez votre langue sale pour vous, gros monsieur ! rétorqua Pakarel dans toute sa splendeur.

L'air outré, probablement incapable d'avaler qu'un nabot raton laveur l'ait confronté, Buikhu reprit sa route. Victor et Pakarel arrivèrent devant la taverne ; la porte était grande ouverte et des odeurs d'alcool et de fumée en ressortaient. Après avoir respiré une dernière fois l'air pur, les deux amis entrèrent dans l'établissement. À peine avait-il mis les pieds dans le pub que le jeune homme remarqua, au fond de la salle bondée de fêtards et d'ivrognes, une bande de métacurseurs ; ces robots à l'apparence squelettique. Manuel était là, assis à une table. Soudain, Victor reçut un violent coup sur la tête, et l'obscurité l'envahit.

Lorsque Victor se réveilla, il était sur le balcon d'une étrange structure et voyait au loin un continent flottant, soutenant des pyramides blanches et des bâtiments méconnaissables. L'immense cité flottait à une centaine de mètres d'un océan calme, qui se perdait jusqu'à la ligne d'horizon. Le jeune homme leva la tête et vit deux immenses lunes, au loin. Une aurore boréale d'une teinte tirant sur le rose éclairait un ciel chargé de nuages bombés et lumineux. D'étranges oiseaux, rouges et possédant trois têtes, volaient et criaient autour de lui. Cette vision fut brusquement interrompue par une masse froide qui recouvrit le visage de Victor, lequel se mit à tousser.

— Réveille-toi, petit rat! lança une voix lugubre et grincheuse.

— Victor! lança une voix qu'il connaissait bien, celle de Pakarel.

Lorsqu'il ouvrit les yeux, le jeune homme vit d'abord une rangée de barreaux de fer, puis un toit et un plancher de bois sales, moisis et couverts de poussière. Une lanterne maintenue de l'autre côté des barreaux projetait l'ombre d'un sinistre personnage sur la paroi de bois derrière lui.

Victor vit un métacurseur dont le visage de squelette était criblé d'égratignures et dont les orbites affichaient de petits points blancs. Sa mâchoire, décrochée, pendait vers la gauche, ce qui lui donnait un air encore plus malveillant. Il portait une longue robe brune, sale et usée, idéale pour les conditions désertiques. D'une main, rappelant celle d'un mort, le métacurseur tenait un seau et de l'autre, une lanterne. Victor réalisa alors qu'il était emprisonné dans la cale d'un bateau et qu'on l'avait aspergé d'eau glaciale. Pakarel se tenait à côté de lui, mais sans son chapeau, on aurait dit que sa taille avait diminué de moitié. Seul un petit baril se trouvait dans leur cellule, et d'après l'odeur, Victor déduisit qu'il servait à recueillir les besoins des occupants de la cellule et qu'il n'avait pas été vidé depuis longtemps.

— La princesse s'est réveillée? grogna le métacurseur.

— Qui es-tu? grommela Victor, la tête bourdonnante. Où suis-je?

Le sinistre personnage se contenta de rire lentement, comme si le moment l'amusait. Réalisant qu'il n'avait plus sa canne, son sac de provisions et son glaive, Victor se redressa péniblement, prenant soin de ne pas forcer sur sa jambe faible, et lança un regard furieux au métacurseur.

— Il vous a posé une question, répondez, espèce de tas de ferraille! lança furieusement Pakarel.

— Inutile, intervint Victor en regardant autour de lui. Nous sommes dans la cale du bateau de Manuel.

Le jeune homme repéra, près de l'escalier, une table éclairée d'une chandelle et un tabouret sur lequel se trouvait le chapeau de Pakarel. Son glaive ainsi que sa canne étaient posés contre la table, juste devant le sac dans lequel se trouvaient ses affaires et ses provisions.

— Perspicace, pour un rat ! répondit le métacurseur avec un étonnement amusé. Mais le capitaine n'est pas là en ce moment. D'ailleurs, je vais notifier ton réveil à Jorba.

Sur ces mots, le métacurseur fit volte-face et emprunta un escalier menant sans doute au pont.

— Tu connais ce Jorba ? questionna Pakarel en tirant sur le pantalon de Victor, pour attirer son attention.

— Jamais entendu parler, répondit le jeune homme en analysant la salle.

C'était la seule cellule de la cale, bondée de caisses et de tonneaux. Victor remarqua tout de même une plaque de fer située près de l'escalier, sur laquelle étaient fixés deux gros anneaux reliant de lourdes chaînes qui retenaient une masse assise sur le sol. Victor parvint à voir qu'il s'agissait en fait d'un métacurseur, adossé au mur. Il portait une longue robe noire effilochée, et un capuchon masquait entièrement son visage.

— J'ai essayé de lui parler, dit Pakarel comme s'il avait lu dans les pensées de Victor. Il n'a rien dit et n'a même pas bougé un doigt depuis une heure !

— Une heure ? répéta Victor.

Le pakamu hocha la tête.

— Ils t'ont assommé à l'entrée du bar et m'ont capturé, dit Pakarel avec une expression de dégoût sur le visage. Si j'avais été sur mes gardes, je les aurais empêchés !

— Qui ça, ils ?

— Les pirates ! Ils m'ont enfermé dans un sac. C'est nul d'être aussi petit...

Se retournant, le jeune homme vit un hublot sur la paroi de bois de sa cellule, évidemment condamné par une grille, à la hauteur de son visage. Il y jeta un œil et vit, au loin, le phare brillant d'Alexandrie. Le bateau volait au-dessus d'une plaine désertique parsemée de dunes, tandis que le soleil se levait.

— Oh non ! dit Victor en constatant la situation.

— Je sais, commenta Pakarel d'un air déçu. J'ai essayé de te réveiller durant une demi-heure...

Victor, furieux, agrippa les barreaux de la cellule et, sachant très bien que ça ne servirait à rien, tira quelques coups. La cage ne bougea pas d'un millimètre.

— Nous devons sortir d'ici, dit Victor en grinçant des dents.

— Pour aller où ? demanda Pakarel.

— Le dirigeable ne vole qu'à une dizaine de mètres de hauteur, dit Victor en faisant les cent pas dans sa cellule. Si l'on pouvait sortir d'ici, on pourrait trouver un bon endroit pour sauter en bas de cet engin et tomber dans le sable, ce qui amortirait notre chute.

— Bonne idée ! Alors, qu'attendons-nous ?

— Eh bien, dit Victor d'un air un peu déçu, nous allons devoir attendre que cette grille s'ouvre et agir au moment opportun.

Le jeune homme s'adossa aux barreaux de la cellule et ajouta :

— Si jamais quelqu'un vient l'ouvrir, bien sûr.

— Je peux l'ouvrir, moi, répondit Pakarel, comme si de rien n'était.

— Vraiment ? dit un Victor un peu perplexe, croisant les bras.

Avec une agilité surprenante, le pakamu escalada la grille comme l'aurait fait un singe, et sortit une petite épingle à cheveux de sa queue touffue, qu'il montra à Victor avec fierté. Puis, il passa un bras de l'autre côté des barreaux et se mit à crocheter la serrure sans même voir ce qu'il faisait. Victor, sceptique, fut agréablement surpris d'entendre le déclic de la serrure.

— Ta-dam ! lança Pakarel avec amusement, tout en poussant la grille. Liberté !

— Pas si fort, dit Victor, tentant de contenir sa joie, on risque de nous entendre !

En effet, il n'avait pas du tout envie de rencontrer le dénommé Jorba. Après avoir récupéré son sac et attaché la ceinture du glaive à sa taille, Victor saisit sa canne. Lorsque Pakarel enfila son chapeau, quelque chose en glissa et tomba sur le sol. Plus rapide que le pakamu, Victor se pencha et le saisit ; c'était le livre de notes de Dweedle, que Caleb avait ramené de Ludénome. Le regard accusateur, Victor fixa le raton laveur.

— Tu lui as volé ? dit-il d'un ton bas, mais sec.

— Ce n'est pas ce que tu crois, répondit timidement Pakarel.

Au même moment, un craquement de bois survint à l'étage. Alarmés, les deux amis lancèrent des regards autour d'eux et se résignèrent à se cacher derrière quelques grosses caisses, au fond de la cale. Victor grimaçait en silence d'avoir plié son genou gauche trop rapidement, tandis que Pakarel écrasait inutilement son chapeau contre sa tête. C'était une cachette ridicule, mais c'était mieux que rien. Les marches de bois craquèrent une à une sous le poids des pas qui descendaient dans la cale.

— Merde ! lança une voix grave et lente qui devait être celle de Jorba. Où sont ces vers de terre ?

Victor voulut se risquer à jeter un coup d'œil rapide pour identifier Jorba, mais il y renonça lorsque ce dernier se mit à gronder des jurons en renversant quelques tonneaux. Les battements de cœur du jeune homme s'intensifièrent, et il dégaina doucement son glaive de son fourreau.

— Ils ne sont pas ici, Jorba, dit une voix faible.

— Hé ? lança la voix de Jorba. Tu as retrouvé la parole ?

L'autre voix ne répondit pas, on entendit plutôt un bruit de chaînes et un grognement qui n'était pas celui de Jorba.

— Tu vas me dire où ils se sont sauvés, vieillard, tonna la voix de Jorba.

Jugeant le moment opportun, Victor s'inclina et jeta un œil rapide à la scène ; il vit un énorme métacurseur, aussi grand que Manuel, accroupi. Le métacurseur portait une toge à moitié déchirée, ainsi qu'une paire de bottes. Le jeune homme remarqua aussitôt une arbalète contre son dos, retenue par une bandoulière de cuir. Son crâne de métal paraissait petit à côté de ses énormes bras, dont les muscles étaient composés de câbles et de fils. Il tenait dans l'une de ses immenses mains le collet de la robe noire du métacurseur qui était enchaîné. Ce dernier ne tentait même pas de se débattre.

— Je n'en sais rien, répondit simplement le métacurseur captif. Je dormais. Mais je crois les avoir entendus monter sur le pont.

Il n'était pas facile de discerner les états émotifs des métacurseurs, puisqu'ils n'avaient pas d'expression faciale, mais il était évident pour Victor que le squelette métallique lié au mur ne prêtait pas beaucoup attention à son assaillant, Jorba.

— Ne me fais pas perdre mon temps, vieillard ! rugit Jorba en cognant férocement la tête du métacurseur contre le mur.

— Tu manques sérieusement de bonnes manières, répondit le métacurseur captif d'un air passif.

Épiant la scène du coin d'une caisse, Victor et Pakarel virent tous deux que la mâchoire du métacurseur lié au mur pendait et n'était retenue que par un câble. Par chance, se dit Victor, ces êtres ne souffraient pas des blessures corporelles. Sauf aux yeux, songea le jeune homme en se remémorant la balle que Manuel avait reçue au visage par Isaac, ce qui l'avait fait hurler de rage.

— Il vaudrait mieux pour toi qu'ils soient réellement sur le pont, grogna Jorba.

Puis, il fit volte-face et s'avança en direction de l'escalier d'un pas furieux. Victor le vit prendre une lanterne qui était posée sur la première marche, qu'il avait sans doute amenée avec lui. Se dissimulant de nouveau derrière la caisse, le jeune homme et Pakarel échangèrent un regard complice, tous deux visiblement soulagés d'entendre les pas résonants gravir l'escalier de bois. Soudain, Victor entendit quelqu'un dévaler l'escalier.

— Veux-tu bien me dire où sont leurs affaires ? cria Jorba d'une voix grave et effrayante.

— Pourquoi se seraient-ils enfuis sans leurs biens ? répondit doucement le métacurseur enchaîné.

Après une réplique de jurons, les pas résonnèrent à nouveau dans l'escalier, indiquant que Jorba était retourné sur le pont.

— Il va alerter tout le monde, chuchota Victor à Pakarel. Nous devons sauter en bas du vaisseau à partir de la cale !

— Par où ? demanda Pakarel à voix basse.

Avant même que Victor ne puisse répondre, la voix du métacurseur captif dit :

— Derrière la cage de l'escalier, il y a une trappe utilisée pour déverser les déchets. Vous pouvez sortir, il ne reviendra pas de sitôt.

Le jeune homme sortit de sa cachette en compagnie de Pakarel. Tout en rangeant son glaive, Victor s'approcha du métacurseur lié au mur en ne quittant pas des yeux l'escalier de bois.

— Merci de nous avoir aidés, dit Pakarel en s'inclinant devant le métacurseur. Je m'appelle Pakarel.

— Enchanté, petite boule de poils, répondit le métacurseur. Victor, pourrais-tu déverrouiller mes liens ?

Étonné, le jeune homme fronça les sourcils et s'apprêta à lui demander où il avait entendu son nom, mais la mémoire lui revint. Le métacurseur captif était le propriétaire du cimetière d'Iavanastre, Hector, que Victor avait rencontré quatre années plus tôt. Lors de leur dernière rencontre, il l'avait trouvé un peu fou et dérangé.

— Hector ? dit Victor d'un air ébahi. C'est bien vous ?

— Oui, jeune homme. Vous voyez cette masse ?

Le métacurseur pointa de l'une de ses mains une masse adossée contre une paroi.

— Prenez-la et brisez mes chaînes.

Victor aurait bien voulu le bombarder de questions, mais ce n'était pas le moment. Il s'exécuta donc et ramena la masse. Déposant sa canne, le jeune homme saisit la masse à deux mains. Alors qu'il s'apprêtait à frapper sur l'un des anneaux qui retenaient les chaînes, le métacurseur leva le doigt pour lui faire signe d'arrêter.

— Le raffut que vous ferez alarmera nos amis là-haut, fit remarquer Hector. Frappez de toutes vos forces. Si par malheur vous ne parvenez pas à me libérer, sauvez-vous par la trappe que je vous ai indiquée.

Victor hocha la tête et échangea un regard complice avec Pakarel, qui se dirigea vers la trappe. Le pakamu ouvrit le lourd panneau de bois avec difficulté. Une fois la trappe ouverte, un vif courant d'air pénétra dans la cale. Pakarel maintenait la trappe ouverte avec le poids de son corps, retenant son chapeau de ses deux mains. De toutes ses forces, le jeune homme abattit la masse sur l'un des anneaux, ce qui fit plier la plaque de fer dans une position bien alarmante; elle allait céder.

— Plus fort, mon garçon! lança Hector, la mâchoire qui pendait toujours.

Dans un effort colossal, Victor frappa de nouveau. Cette fois, l'anneau céda. Il n'en restait qu'un. Au même instant, on entendit les marches craquer sous les pas qui les martelaient.

— Victor! s'écria Pakarel.

Ses bras renforcés par l'adrénaline et son cœur battant fortement dans sa poitrine, le jeune homme assena un coup de masse sur l'anneau restant, qui se décrocha d'un seul coup de la plaque de fer. À peine avait-il eu le temps de saisir sa canne que Victor se fit aussitôt renverser par quelque chose qui le traîna comme un sac de patates et traversa la pièce en direction de la trappe. Il vit un bras métallique saisir Pakarel au passage, et soudain, ils tombèrent dans le vide, éblouis par les rayons du soleil matinal. L'information se rendit enfin au cerveau de Victor; Hector avait bondi avec une vitesse phénoménale et les avait attrapés, lui et Pakarel, avant de se jeter dans la trappe. Victor entendit un tintement déchirant avant de sentir une forte pression contre son ventre, qui lui coupa le souffle.

Ouvrant les yeux, le jeune homme réalisa qu'il était tombé sur une dune, non loin de Pakarel. Hector, quant à lui, était suspendu par les chaînes qui reliaient toujours ses poignets; elles avaient dû se coincer dans la trappe. Victor aurait voulu crier quelque chose, mais à cause de l'impact qui bloquait en partie sa respiration, il parvint seulement à grogner quelque chose d'incompréhensible. Pakarel s'était mis à trotter vers Victor, tenant son chapeau d'une main.

— Tu vas bien? lui dit le pakamu en posant une main sur son épaule.

— Je vais bien, répondit Victor, mais pas lui, ajouta-t-il en pointant du menton le métacurseur.

Hector était, en effet, toujours suspendu dans le vide comme une marionnette. Soudain, dans un bruit de déchirement métallique, les chaînes lâchèrent inexplicablement, et le métacurseur tomba dans une dune, créant un nuage de sable. Au grand étonnement du jeune homme, le dirigeable ne s'était pas arrêté et continuait sa course. Victor se leva péniblement et fit quelques pas vers sa canne, tombée à quelques mètres de lui, mais Pakarel s'élança pour aller la chercher et lui rendit, le visage souriant.

— Merci, lui dit Victor en se massant le cou. Allons voir Hector.

— Comment connais-tu son nom ? demanda Pakarel en trottant dans le sable près de lui.

— Longue histoire. Hector, vous allez bien ? demanda-t-il au métacurseur qui se redressait, sa toge noire recouverte de sable.

— Je vais bien, dit-il en replaçant sa mâchoire. Cependant, tout n'est pas terminé.

— De quoi parlez-vous ? l'interrogea Pakarel.

Mais Victor avait compris ce qu'Hector voulait dire. Une masse était tombée du dirigeable qui s'éloignait toujours et s'était écrasée dans le sol. Portant sa main sur son front, pour couper la lueur éclatante du soleil, le jeune homme vit Jorba foncer vers eux d'un pas d'athlète, comme si le terrain sablonneux ne le ralentissait pas.

— Pakarel, sauve-toi ! lui cria Victor.

Le pakamu ne bougea pas d'un poil. Il lançait un regard furieux à Jorba. Hector marcha devant Victor et se plaça dos à lui. Même s'il n'avait pas la faux qu'il avait entre les mains à Iavanastre, le métacurseur avait toujours l'air du faucheur (cette figure fantaisiste de la mort en personne), en partie à cause de sa longue toge noire, délabrée, et de son long capuchon qui retombait en pointe sur son dos.

— Je t'aurais bien suggéré de te sauver en courant, lui dit poliment Hector sans se retourner, mais je crois que cette option n'est pas possible. Faisons face à cette épreuve tous ensemble.

L'épreuve, songea Victor, consistait à affronter un métacurseur costaud et furieux. Si ce dernier avait la force de Manuel, qui pouvait repousser D-rxt sans le moindre effort, Victor et ses amis seraient bientôt morts.

Avec la cadence d'un taureau, Jorba fonçait droit sur Hector. Victor recula de quelques pas et dégaina son glaive. Dans un impact à en réveiller les morts, Jorba s'écrasa contre Hector, qui fut projeté à un mètre à peine, avant de tomber sur le côté. Quant à Jorba, il semblait vaguement étourdi et tentait de garder son équilibre. Au bout de quelques secondes, les points rouges dans les orbites de Jorba se tournèrent vers Victor.

— Toi, dit-il d'un air menaçant. Nous n'avons pas la même impuissance face à toi que notre capitaine !

Il s'élança sur Victor et tenta de lui assener un coup de poing, que le jeune homme évita par chance en s'abaissant. Profitant de l'ouverture, Victor enfonça son glaive dans le ventre du métacurseur. Avec étonnement, le jeune homme réalisa qu'il l'avait transpercé avec une facilité remarquable, comme s'il avait perforé de la chair humaine. Une épaisse substance noire dégoulinait lentement sur la lame de son arme.

— Bravo, dit Jorba en ricanant.

De l'une de ses mains, Jorba agrippa Victor par les cheveux et le traîna sur le sol, avant de le propulser à un mètre de distance. Malgré l'intense douleur qu'il ressentit au niveau du cuir chevelu, le jeune homme fut surpris de la force de Jorba. Il était loin d'être aussi fort que Manuel. Ils avaient peut-être une chance, après tout. Tout en se relevant, Victor vit que Jorba tenait sa canne dans ses mains.

— Je vais briser ta canne, sale infirme ! Tu vas être beaucoup moins menaçant, sans ton appui !

Mais Hector était à nouveau passé à l'attaque, donnant un coup de pied dans le ventre de Jorba, qui dégoulinait toujours de cet épais liquide noir. Jorba lâcha la canne et, sans montrer de signes de douleur, saisit Hector par la tête et le renversa sur le sol, lui enfonçant le visage dans le sable, avant de l'enfoncer encore plus par de puissants coups de pied.

— Tu... vas... rester... bien... ancré... au sol ! cria-t-il entre chacun des coups.

Au même moment, quelque chose bondit sur la tête de Jorba. C'était Pakarel, qui lui planta ses doigts dans les yeux. Avec rage et douleur, Jorba se mit à hurler des jurons tout en tentant de se débarrasser du raton laveur. Avec rapidité, Pakarel bondit sur le sol avec, entre les mains, l'arbalète de Jorba.

— Victor, Victor! cria Pakarel en trottant vers son ami. Tire-lui dessus!

Sans se faire prier, le jeune homme saisit l'arbalète et, grâce à sa connaissance remarquable des armes à feu, tira une gâchette latérale qui, dans un tintement métallique, arma un carreau. Portant le viseur de l'arbalète sous son œil, Victor tira vers Jorba. Contrairement à ses attentes, puisque les arbalètes étaient normalement silencieuses, Victor entendit une importante explosion, comme celle d'un canon. Le corps de Jorba se fractura en deux parties ; le torse se déconnecta du bassin.

Ne se laissant pas emporter par son étonnement, Victor fit quelques pas d'une démarche claudicante, pointa son arme vers le visage de Jorba et tira à nouveau sur la gâchette latérale pour actionner un carreau.

— Tu es un petit malin, hein? lui dit Jorba d'un air moqueur. Que vas-tu faire, maintenant?

Victor ne répondit rien, il se contenta de rétablir sa respiration à un rythme normal. C'est à ce moment qu'il vit l'ombre géante du dirigeable des pirates tracer sa silhouette sur le sable. Le jeune homme leva la tête, ébloui par le soleil, et vit une silhouette portant un chapeau, la cape dans le vent, traverser le désert à la course dans sa direction. C'était Manuel, portant son habit de capitaine délabré. Sans dire un mot, il ralentit la cadence, marcha en direction de Jorba, le dos voûté, et écrasa son pied sur son visage. Sa tête s'était écrabouillée sous son imposante botte de cuir. Victor savait que ce coup lui avait été fatal, puisque les organes vitaux des métacurseurs se trouvaient dans leur tête.

— Saleté de menteur! rugit Manuel. Ça t'apprendra à m'induire en erreur! Et à voler mon dirigeable!

Victor, dégoûté par la masse de liquide noire sur le sol, détourna le regard et abaissa son arme.

— Ça va, l'humain ? lança Manuel.

Le jeune homme, réalisant que Manuel lui parlait, tourna son regard vers lui.

— Je crois qu'il a tué Hector, répondit-il.

Muet, Manuel marcha vers la dépouille du métacurseur à la toge noire et s'agenouilla près de lui.

— Bah ! Le vieux est encore en vie, dit-il d'un air las. Il lui faudra récupérer, il est dans un sale état.

Comme s'il ne pesait rien, Manuel leva Hector et le mit sur son épaule, avant de se tourner vers Victor.

— Attendez-moi ici. Je vais revenir avec des explications. Je déteste me faire prendre pour une crevette, et surtout, je déteste me faire voler ce qui m'appartient !

Avec une force incroyable, Manuel bondit à bord de son navire, la carcasse d'Hector sur l'épaule.

— Il a l'air de mauvaise humeur, fit remarquer Pakarel en fixant le navire flottant.

— Il l'est, confirma Victor, qui était habitué à un Manuel immature, excentrique, égoïste et manipulateur. D'ailleurs, c'est étrange, je ne l'avais jamais vu dans un tel état. Je plains son équipage…

Ce qui était vrai, Victor n'aurait pas voulu être à la place des pirates de Manuel.

— Peut-être devrions-nous nous sauver ? suggéra Pakarel.

— Nous sommes trop loin d'Alexandrie, dit Victor en regardant autour de lui. Avec la lumière du jour, ils nous rattraperaient sans effort. Et puis, avec ma canne, je ne peux pas courir comme toi.

Pakarel haussa les épaules.

— Ce n'est pas grave. Tu as tout de même vaincu Jorba avec cette arbalète ! C'est incroyable, bien joué !

— Grâce à toi et à Hector, ajouta Victor en s'asseyant sur une dune. Tu veux de l'eau ? Il y en a dans le sac de provisions.

— Oh oui ! répondit Pakarel avec énergie.

Après avoir laissé le raton laveur s'abreuver, Victor porta la gourde à sa bouche.

— Tu as déjà vu de telles armes ? demanda Pakarel, qui s'était accroupi près de l'arbalète, l'analysant du regard.

— J'ai déjà vu des arbalètes, dit Victor, mais jamais comme celle-ci. Elle ne propulse pas seulement des carreaux avec la tension de la corde, mais aussi avec une explosion de poudre à canon. Je ne savais pas que c'était possible.

Victor prit l'arbalète et l'analysa. Elle faisait près d'un mètre de long. Elle était faite d'un bois verni d'une teinte rouge vin, presque brune. Une plaque de fer recouvrait le manche, décorée de motifs. Un barillet, sans doute activé par le mécanisme des quelques engrenages qui ressortaient à moitié de celui-ci, et contenant des carreaux, était fixé près du manche et de la gâchette. Ce n'était pas une corde qui propulsait les projectiles, réalisa Victor, mais bien un fil de fer noir et épais. À force de regarder l'arme, Victor compris qu'il pouvait activer, ou non, le mécanisme de poudre à canon, à l'aide d'une molette latérale.

— Tu devrais la garder, suggéra Pakarel.

— Je ne sais pas trop, admit le jeune homme.

Réalisant qu'il était complètement trempé de sueur, Victor déboutonna sa chemise et retira son débardeur, qu'il fourra dans son sac. C'était si inconfortable, songea le jeune homme, d'être en plein désert avec les vêtements qui lui collent à la peau. Pakarel, quant à lui, ne semblait pas incommodé par la chaleur.

— Je suis habitué à ces températures, dit Pakarel. Je trouve ça confortable, moi.

— Avec le parasol que tu as sur la tête, tu es constamment à l'ombre ! fit remarquer Victor avec un sourire.

Maintenant qu'il savait que le pakamu n'avait pas chaud, Victor ne ressentait plus le besoin d'être à son niveau. Sans remords, il ouvrit son sac et saisit son régulateur, ce gadget qui lui avait été donné par les horizoniers. Sous les yeux écarquillés de Pakarel, le jeune homme glissa l'aiguille du gadget dans la plaque située dans le bas de son dos. Les yeux de Victor roulèrent vers le haut, sa bouche entrouverte. La sensation fut incroyablement jouissive ; la chaleur suffocante et pesante venait de le quitter entièrement, laissant place à une température agréable, plus froide que tiède.

— Ça ne te fait pas mal ? s'étonna Pakarel.

Victor, portant la gourde à sa bouche, lui fit signe que non.

— Au contraire, dit-il après avoir avalé une gorgée, c'est apaisant. Ça régule la température. Je te raconterai plus tard.

Pakarel hocha la tête et demanda aussitôt :

— Pourquoi nous ont-ils capturés ?

— On n'a qu'à le lui demander, répondit Victor en se levant, pointant Manuel du menton.

En effet, le capitaine venait de sauter sur le sable, marchant vers eux, le dos voûté et l'air menaçant.

Chapitre 11

La traversée

— **P**ourquoi tes copains nous ont-ils capturés ? demanda Victor à Manuel, qui marchait vers Pakarel et lui.

— Jorba a entendu parler de notre histoire de diamant, gronda Manuel. Lorsque j'ai eu le dos tourné, occupé à raconter mes exploits à de jolies filles, il est parti avec mon dirigeable.

Tout concordait, songea le jeune homme. Jorba était donc persuadé que Pakarel et lui étaient en possession d'un diamant. Ce qui n'était pas faux.

— Eh bien, ajouta le capitaine au dos voûté, ça lui apprendra à me voler mon navire !

— Votre équipage ne vous aime pas, dit Pakarel d'un ton froid, c'est évident.

— Tiens, un chat qui parle ! dit Manuel d'un air moqueur.

— Je ne suis pas un chat ! rétorqua Pakarel. Je suis un pakamu !

D'une voix amusée et l'air songeur, le métacurseur ajouta :

— De mon point de vue, on dirait un chat.

— Bon, ça va, vous deux ! intervint Victor alors que Pakarel s'apprêtait à répliquer. Je n'ai pas le temps d'endurer vos chamailleries !

— C'est lui qui a commencé, dit Manuel d'une voix innocente.

— Menteur ! lança Pakarel.

— Assez ! hurla Victor, à bout de nerfs. Taisez-vous ! Plus un mot !

Pakarel se contenta de hausser les épaules, l'air indifférent, tandis que Manuel, lui, croisa les bras et détourna le regard, l'air boudeur. Après un court soupir qui lui redonna son calme, Victor demanda :

— Manuel, nous avons besoin de ton aide.

Avec énergie, le métacurseur se mit à rire d'une manière forcée.

— De mon aide ? Je n'aiderai pas ce petit voleur qui se tient à tes côtés.

Tentant d'avoir l'air convaincant, Victor dit :

— Manuel...

— Je ne vous aiderai pas !

— Et si je vous donne ceci ? intervint Pakarel, brandissant le diamant dans sa main droite.

— Je le savais ! Voleur ! Voleur ! hurla Manuel en pointant Pakarel.

La situation était ridicule, songeait Victor. Manuel aurait pu écrabouiller Pakarel d'un seul doigt s'il l'avait voulu, et pourtant, il ne faisait que le pointer comme l'aurait fait un enfant.

— Vous n'en voulez pas ?

— Je... euh…, balbutia Manuel.

Le capitaine eut un instant de silence avant de dire, d'un ton enjoué :

— Je ferais tout pour mes amis ! Que vous faut-il ?

— Pakarel, dit Victor d'un air navré, ne tombe pas dans son petit jeu...

Sans l'écouter, le pakamu répondit :

— Nous voulons atteindre l'Amérique centrale. Pouvez-vous nous y mener, avec votre dirigeable ?

— Bah ! ouais, répondit Manuel sans quitter le diamant des yeux. Facile.

Pakarel retira son chapeau et y remit son diamant. Choqué, Manuel fit un pas vers le raton laveur, le bras tendu comme pour saisir quelque chose qui venait de disparaître.

— Je vous le donnerai quand nous serons arrivés à destination, dit Pakarel.

Manuel resta silencieux, mais Victor savait qu'il devait être profondément agacé.

— Si je voulais, dit Manuel d'un air sombre, je pourrais te réduire en bouillie. Maintenant.

— Et si vous tentez de me faire du mal, rétorqua Pakarel d'un air de défi en le pointant de son petit index, vous perdrez ceci.

Un collier, fait d'une mince chaîne dorée retenant un médaillon en forme d'arbre argenté, pendait de la main gauche du pakamu.

— J'ai mille et une cachettes en tête, ajouta le raton laveur avec un sourire espiègle. Surtout en plein désert, comme en haute mer. Le retrouver sera une tâche ardue.

— Quoi ? s'étonna Manuel en posant sa main sur sa nuque. Mais... comment ? ajouta-t-il d'un air déboussolé. Attends, tu me l'as volé !

Victor dut lutter pour ne pas rire.

— Ainsi que cela, dit Pakarel en montrant une grosse bague en argent, sertie d'un rubis.

— Ça va, ça va, se résigna Manuel. Je ne tenterai rien contre toi, ajouta-t-il d'une voix forcée. Mais avant tout, je veux savoir ce que tu as à faire en Amérique centrale, dit-il à l'intention de Victor.

— C'est une longue histoire, soupira Victor. J'aimerais autant te la raconter en route.

Après un grognement d'insatisfaction, Manuel prit l'arbalète de Jorba, qui se trouvait toujours dans le sable, et dit d'un ton morne :

— Tenez-vous l'un contre l'autre.

Victor s'apprêtait à lui demander pourquoi, mais Pakarel trotta vers lui et se colla fermement contre sa jambe droite, ce qui lui coupa la parole, le laissant avec un air surpris. Manuel saisit Victor par le collet et bondit sur le pont de son dirigeable, qui flottait toujours à une dizaine de mètres du sol.

Arrivé sur le pont, Victor fut surpris d'y voir quelques robots à vapeur (comme celui qui faisait office de garde sur le toit du quartier général du Consortium), alors qu'aucun métacurseur ne s'y trouvait. Pas même le désagréable geôlier qui l'avait réveillé avec un seau d'eau. Regardant tout autour de lui, Victor vit quelques robots qui lavaient le pont avec une brosse et une éponge, tandis qu'un autre, clé à molette à la main, s'occupait à réparer un des moteurs. D'ailleurs, ces moteurs latéraux étaient fort bruyants, et l'épaisse fumée noire qui s'en échappait était malodorante.

— Mettez le cap vers l'Amérique centrale, gronda Manuel à l'égard d'un robot qui maintenait la barre, située tout en haut de la cabine principale, que l'on pouvait atteindre par deux escaliers, situés de chaque côté.

— Où exactement ? demanda le robot.

Plusieurs tuyaux ressortaient du dos du pilote et crachaient une fumée ocre.

— L'Amérique centrale, répondit Manuel.

— Cette destination est incorrecte, monsieur, lança le robot. Voyez-vous, l'Amérique centrale, découverte en...

— Ça va ! l'interrompit Manuel. Non, mais ! Qu'est-ce que j'en ai à faire de tes babioles !

En tournant son regard vers Victor et Pakarel, il leur demanda :

— Où on va, exactement ? Une réponse précise, cette fois, je n'ai pas envie de me faire raconter l'histoire du monde par ce tas de ferraille.

Levant la main, comme pour prendre la parole, le raton laveur dit :

— Je ne vois pas la différence entre vous et ce...

Victor toussa fortement, coupant la parole à Pakarel, et précisa :

— Au Belize. Dans la région de Lamanai.

— Belize, Lamanai ! gronda Manuel.

— Bien, monsieur ! rétorqua le robot, qui tourna la barre sans effort, ce qui était étonnant compte tenu de la taille de l'immense roue.

Sans avertissement, le dirigeable pivota doucement vers la gauche avant de prendre de la vitesse.

Le capitaine se dirigea vers la cabine et ouvrit la grosse porte de bois, avant de regarder par-dessus son épaule.

— Vous venez ? lança-t-il à Victor et à Pakarel.

Échangeant un regard complice, Pakarel et Victor rejoignirent Manuel dans sa cabine. Ayant mis les pieds à l'intérieur, le jeune homme ne put que hausser un sourcil en voyant la décoration. Éclairés par un chandelier ancré au plafond, et qui valsait au rythme du dirigeable, les murs étaient décorés par des affiches d'équipes sportives locales. Victor remarqua aussi de nombreuses boîtes de gomme à mâcher empilées dans un coin. Un grand lit, aux couvertures froissées, se tenait près de la porte. Au centre de la pièce, une longue table, avec deux sièges ; l'un était vide, et l'autre était utilisé par... un ourson en peluche couronné d'un chapeau d'anniversaire. C'était ridicule, songeait Victor. S'il ne s'était pas vraiment attendu à quelque chose en particulier, il n'aurait jamais cru que la cabine de Manuel comporterait autant de choses inutiles. Retirant son chapeau et sa cape, qu'il accrocha sur un porte-manteau, le squelette métallique redressa le dos et s'étira. Chose qui étonna le jeune homme.

— Et moi qui croyais que tu avais un problème au dos, fit remarquer Victor en retirant son régulateur, qu'il fourra ensuite dans son sac.

— Hein ? Ah, mais non ! Le dos voûté, c'est pour le style ! lança Manuel qui venait de déposer l'arbalète de Jorba sur la table, tout en riant fortement. C'est la même chose pour ce cache-œil, ajouta-t-il en le retirant de son crâne, révélant le point rouge au fond de son orbite, en parfait état.

Victor étouffa un rire et hocha la tête de gauche à droite.

— On aura tout vu, dit-il d'un air amusé.

Pakarel, quant à lui, venait de prendre l'ourson et le déposa par terre.

— Hé ! s'écria Manuel en se ruant vers l'ourson. Ne touche pas à monsieur Spookie !

— Monsieur qui ? répéta Pakarel, interloqué.

— Laisse tomber, grommela Manuel en déposant l'ourson sur le grand lit.

— C'est ta chambre ? demanda Victor en regardant tout autour de lui. Je dois dire que ça ne te ressemble pas vraiment.

— Ce n'est pas ma chambre ! répondit Manuel avec agacement.

— À qui appartient-elle, dans ce cas ?

— Ce ne sont pas tes affaires ! rétorqua Manuel en s'installant au bout de la table, sur une chaise.

Sans se faire inviter, Victor haussa les épaules et s'installa sur la chaise opposée, précédemment occupée par monsieur Spookie. Quant à Pakarel, il monta sur la table et s'y assit près du rebord, ses petites jambes pendant dans le vide.

— Où est ton équipage précédent? demanda Victor. Ces robots ne sont pas réellement ceux qui s'occupent du navire?

— Dans la cale, répondit Manuel en croisant ses jambes sur la table, montrant ses grosses bottes sales. Décapités.

— Quoi? s'étonna Pakarel, d'un cri aigu.

— Quant aux robots, continua Manuel sans se soucier du pakamu, ils sont la main-d'œuvre de rechange.

— Tu les as tous décapités? répéta Victor, grimaçant de dégoût.

Le jeune homme savait que les métacurseurs pouvaient survivre sans leur corps, puisque leurs organes vitaux se trouvaient exclusivement dans leur tête. Manuel lui-même avait passé de nombreuses années dans cet état.

— Ils n'ont pas hésité à me dérober mon dirigeable et à partir avec! rétorqua Manuel en frappant du poing sur la table. Ça leur apprendra.

— Qu'adviendra-t-il d'eux? demanda Victor, ne sachant pas vraiment s'il voulait le savoir. Je veux dire... de leurs têtes?

— Je les balancerai dans l'océan en cours de route.

— C'est beaucoup trop cruel! s'indigna Victor. Quel genre d'être es-tu?

— Manuel, le pirate sanguinaire! répondit Manuel en se redressant fièrement, comme s'il attendait ce moment depuis longtemps.

Victor hocha la tête en guise de déception.

— Et qu'adviendra-t-il d'Hector? demanda Victor, qui préféra abandonner le sujet précédent.

— Un robot le répare en ce moment, répondit Manuel en se rasseyant.

— Que faisait-il menotté dans la cale? demanda Pakarel, qui semblait retrouver l'usage de la parole.

— J'avais demandé à mes bons à rien de compagnons de le retrouver et de me le ramener, répondit Manuel en haussant les épaules. Je n'avais pas précisé de l'enchaîner.

— Et que lui veux-tu, à ce pauvre Hector ? continua Victor, croisant les bras.

— C'est mon papa, dit Manuel en grommelant de sa voix rauque.

Victor haussa les sourcils. Jamais il n'aurait cru entendre ces paroles de la bouche de Manuel.

— Tu dis que tes amis sont partis sans toi du pub, c'est bien ça ? demanda Pakarel, l'index sur la lèvre inférieure, l'air songeur.

— Ouais, pourquoi ?

— Comment es-tu revenu à nous aussi rapidement ? continua le raton laveur.

— Magie, répondit Manuel d'un air dégagé.

Victor était habitué à ce que Manuel réponde par ce genre de réplique idiote et inutile. La vérité, c'était que Manuel courait vraiment vite.

— Par magie ? répéta Pakarel, visiblement impressionné. Vraiment ?

— Laisse tomber, Pakarel, intervint Victor. N'essaie pas de comprendre, tu perds ton temps. Crois-moi.

Pakarel abaissa les épaules, l'air déçu. Au même moment, la porte de la cabine s'ouvrit brusquement, laissant paraître la silhouette d'une petite créature. À demi aveuglé par le soleil, Victor plissa les yeux. Lorsque la porte fut refermée, Victor vit une fillette d'à peine huit ans, une épaisse chevelure en bataille d'un roux vif lui tombant sur les épaules. Elle était pieds nus et portait une robe turquoise. Elle avait dans une main une poupée et dans l'autre, une épée en bois miniature.

— Manuel ! cria-t-elle en s'élançant vers le capitaine squelettique.

— Oh, oh ! rétorqua Manuel en serrant la fillette contre lui. Carmen, la guerrière des océans !

— Ils sont gros, les océans ? demanda la fillette d'une voix douce.

— Oh ouais ! répondit Manuel en hochant la tête. Gros comme le monde !

L'air ravie, Carmen se détacha de Manuel et dit :

— Hector est remis sur pied ! Il veut te voir.

— Allons le rejoindre, dit Manuel en se levant.

Soudain, le sourire de la fillette s'effaça, laissant place à des pommettes rougies par la gêne. Elle venait de remarquer Victor.

— C'est qui, lui ? demanda-t-elle timidement.

— Ça, c'est Victor, dit Manuel. Un parasite.

— Enchanté, dit Victor en s'efforçant de sourire à Carmen, car il n'appréciait pas de se faire nommer « ça ».

Évidemment, la petite fille ignora Victor.

— Oooooooh ! gloussa Carmen en voyant Pakarel. C'est un toutou ?

— Non, ça, c'est un parasite encore plus néfaste, grogna Manuel.

— Je m'appelle Pakarel, dit le raton laveur en traversant la table, avant de s'incliner pour tendre la main à la fillette. Enchanté.

D'un geste brusque, la fillette tira sur la main de Pakarel et le serra dans ses bras, l'air amoureuse.

— Aïe, mes côtes ! souffla le pakamu, le visage grimaçant. Vi... Victor, aide-moi !

— Allons, allons ! dit Victor en retirant Pakarel des bras de la fillette. Ce n'est pas une peluche, lui dit-il en riant.

Clairement offensée, Carmen lança un regard noir à Victor, avant de faire volte-face et de quitter la pièce, sans dire un mot.

— Tu lui as brisé le cœur, dit Manuel d'un air navré.

— D'où sort-elle ? lança Victor en regardant la fillette disparaître par une porte tout au bout du pont, qui menait sans doute à la cale.

— C'est une orpheline, dit Manuel en contournant la table vers Victor. Lorsque je l'ai trouvée, il y a trois ans, elle pleurait sur la dépouille de ses parents. Depuis ce jour, elle nous accompagne dans nos périples. Enfin, ça va changer à compter d'aujourd'hui, comme tu le sais, les autres métacurseurs ont été décapités !

Choqué, Victor se mordit la lèvre inférieure. Il ne pouvait pas croire que Manuel servait de figure parentale. Cela devait être catastrophique.

— C'est désolant, dit-il d'un air sincère.

— Mais non ! lança Manuel avec un geste désinvolte. On s'en moque de ses parents. Ils sont morts.

Un peu dégoûté, Victor n'ajouta rien. Pakarel semblait aussi partager le mépris de Victor, puisqu'il envoyait au capitaine des regards sombres. Alors qu'il allait sortir de la cabine, Manuel pivota sur lui-même, le doigt levé comme pour indiquer qu'il allait parler.

— L'arbalète, dit-il à Victor. Garde-la.

Un peu surpris, Victor leva un sourcil.

— Une arbalète ne me serait pas vraiment utile, Manuel. Je suis pianiste.

— Pianiste ? répéta Manuel. Tu fais des pianos ?

Victor allait rire, mais son sourire s'effaça lorsqu'il s'aperçut que Manuel était sérieux. Pakarel, se trouvant derrière le métacurseur, riait dans un silence plus que nécessaire, la main lui couvrant la bouche, car Victor ne voulait pas imaginer la fessée que Manuel lui aurait donnée s'il l'avait remarqué.

— Euh... je... Pourquoi devrais-je garder l'arbalète ? balbutia Victor, s'efforçant d'oublier le commentaire précédent.

— Tu en auras besoin, là où tu vas, dit Manuel. L'arbalète risque de prolonger ta vie de quelques instants.

— Que veux-tu dire ? s'inquiéta Victor, légèrement alarmé.

— L'Amérique centrale. C'est un endroit sauvage. Dangereux. Les jungles y sont denses et meurtrières.

— Et comment sais-tu cela ? demanda Victor, qui doutait depuis toujours des capacités mentales du métacurseur.

— Assez parlé, le coupa Manuel d'un geste de main. Les discussions, ça m'ennuie. Allons rejoindre Carmen et Hector. Et toi, dit-il à Pakarel en pointant vers lui son long doigt menaçant, si je te reprends à rire dans mon dos, j'arrache les os de ton corps de matou, c'est bien compris, le chat?

Pakarel cligna des yeux, sans voix. Victor savait qu'il était plus impressionné par le fait que Manuel avait découvert qu'il se moquait de lui que par les menaces en elles-mêmes.

— Prends l'arme avec toi, lui ordonna Manuel. Ne la laisse pas dans la chambre de Carmen.

Victor s'exécuta, plus par bon sens que par obéissance. Il glissa la bandoulière de l'arbalète sur son torse, laissant l'arme pendre à son épaule, puisque son sac recouvrait son dos. Les trois camarades quittèrent la cabine et traversèrent le pont, toujours occupé par quelques robots qui remplissaient à merveille leur rôle de matelots. Jetant un coup d'œil au loin, le jeune homme vit le Nil serpenter jusqu'à l'horizon. Ses berges, d'un vert vif, témoignaient de son abondante végétation. De l'autre côté, on pouvait voir d'immenses façades rocheuses, à moitié ensevelies sous de longues nappes de sable. Le vaisseau étant maintenant hors de portée d'Alexandrie, puisqu'on ne voyait même plus son phare scintillant. Victor se sentait un peu plus en sécurité. Cependant, au fond, il regrettait de fuir les forces de l'ordre. Était-ce réellement une bonne chose?

Lorsque Victor et Pakarel descendirent l'escalier menant à la cale dans laquelle ils avaient été prisonniers à peine 30 minutes plus tôt, ils découvrirent un bien triste spectacle. Une pile de crânes métalliques se trouvait dans le coin de la cellule. Ceux-ci criaient des bêtises, des jurons et des menaces à l'égard de Manuel. Pakarel, lui, semblait stupéfait, la bouche entrouverte.

— Ils ne sont pas morts? murmura-t-il sans même quitter la scène des yeux.

— Non, le rassura Victor en mettant sa main sur son épaule. Ne leur accorde pas trop d'attention.

Manuel était au fond, tenant Carmen dans ses bras, près d'une caisse. Victor vit qu'Hector avait été couché sur l'une d'elles, alors qu'un robot s'apprêtait à lui ressouder la mâchoire. Cette mâchoire n'était vraiment pas solide, songea Victor avec amusement.

— Tu t'es allié avec ces pauvres larves ? lança d'un air moqueur une voix provenant de la pile de crânes.

Victor reconnut la voix comme étant celle du geôlier qui l'avait traité de rat. Dirigeant rapidement son regard vers Manuel, le jeune homme ne le vit pas réagir. Victor fit signe à Pakarel de rester à ses côtés, près de l'escalier.

— Et cette enfant, tu lui accordes beaucoup trop de temps ! lança un autre crâne. On aurait dû la vendre au marché des esclaves !

— Ouais ! confirma une autre voix.

Cette fois, Manuel déposa Carmen par terre, se retourna et se dirigea vers la cellule. Au lieu d'arracher la grille, comme l'aurait cru Victor (étant donné son tempérament assez difficile), le méta-curseur se contenta de l'ouvrir doucement à l'aide d'un trousseau de clés.

— Oooh ! il est fâché, le Manuel ! lança la voix haineuse et agaçante du geôlier.

Manuel tassa les crânes de la pile à l'aide d'un simple geste de son index. Au bout de quelques crânes, le capitaine saisit de ses longs doigts métalliques un crâne qu'il porta près du sien.

— Tu vas me jeter par-dessus bord ? lança le crâne, que Victor reconnut comme celui du geôlier. Comment vas-tu diriger ce navire sans nous, hein ? Sans moi, en particulier ?

Manuel ne fit qu'incliner la tête sur le côté, paraissant intrigué, fixant toujours le crâne dont les points au fond des orbites étaient blancs, contrairement aux autres métacurseurs.

— Ces robots que tu as mis en marche pour faire notre travail, continua le crâne d'un air plus inquiet, ils devront bien se reposer !

Manuel ne répondit rien, et Victor devinait bien ce qui allait suivre.

— Ne sois pas idiot ! gronda le crâne du geôlier.

Le capitaine se mit à rire si soudainement que Victor et Pakarel sursautèrent. Refermant solidement ses doigts sur le crâne du geôlier, Manuel l'écrabouilla avant de le lancer par-dessus son épaule, comme un vulgaire fruit.

— Si j'entends encore l'un de vous dire quoi que ce soit, dit lentement Manuel en direction de la pile de crânes, je vous écrase tous un par un, comme de vulgaires coquerelles !

Personne n'osa dire un mot, et Manuel referma la grille derrière lui.

— Venez, dit Manuel à Victor et à Pakarel, les invitant d'un geste de la main.

S'approchant doucement d'Hector, toujours étendu sur une caisse, Victor souleva Pakarel et le déposa près du métacurseur. Tous deux furent choqués de voir le vieil Hector, le crâne à moitié ouvert, n'ayant plus qu'une seule orbite intacte. On pouvait y entrevoir, à travers d'autres organes, un petit bulbe rougeâtre battre frénétiquement comme le ferait un cœur.

— Ah ! Victor et boule de poils ! lança Hector. Je dois en déduire que vous avez vaincu Jorba ?

— Oui, monsieur ! répondit subitement Pakarel. Souffrez-vous ?

— Je ressens un léger picotement près de l'œil gauche, dit Hector en ricanant.

En fait, il n'avait plus du tout d'œil gauche, mais Victor s'abstint de le lui faire remarquer. Cette phrase plongea tout le monde dans un silence gênant.

— Du moins, là où était mon œil gauche ! ajouta Hector. Mes amis, dit-il d'une voix sereine, je vous remercie de m'avoir sauvé la vie. Quant à toi, Victor, j'aimerais bien savoir si la fleur que je t'ai donnée, l'oiseau de feu, t'a été utile ?

Victor n'avait pas oublié le cadeau que lui avait fait Hector, lors de leur première rencontre.

— Nous avons pu sauver la vie de quelqu'un, mentit-il.

Il n'avait pas envie de préciser la nature de la maladie de la mère de Caleb.

— Oh, je suis ravi de l'entendre ! lança Hector.

Alors que Victor lui envoyait un sourire chaleureux, un bruit semblable à une sonnette survint. Il fallut quelques secondes à Victor pour que l'information se rende à son cerveau, et qu'il réalise que c'était la sonnerie de sa radio portative. Déposant rapidement sa canne et son arbalète contre la caisse, il fit glisser son sac de ses épaules et fouilla rapidement dedans, avant d'en sortir la petite radio.

— Ce sont nos amis ! fit remarquer Pakarel.

Victor alluma la radio et la porta à son oreille. Il ne put qu'entendre une faible voix, brouillée par des interférences.

— Un instant, dit-il à la radio, sans savoir si on l'avait entendu. Je monte à l'étage pour tenter d'avoir une meilleure réception, dit-il à Manuel. Bon rétablissement, ajouta-t-il à l'intention d'Hector.

Ayant remis son sac sur son dos, Victor pris sa canne et glissa son arbalète sur son épaule avant de se diriger, sa radio à la main, vers l'escalier menant au pont.

— Attends, attends ! lança la voix de Pakarel qui courait vers lui.

Les deux amis gravirent l'escalier et arrivèrent sur le pont. Une légère brise s'était levée et envoyait quelques grains de sable à bord du dirigeable. Comme Victor l'avait espéré, la réception fut bien meilleure, même parfaite. Le jeune homme s'assit sur l'un des escaliers qui montaient aux commandes du navire.

— Oui, je suis là, dit-il, la radio portative à moitié collée contre l'oreille pour permettre à Pakarel d'écouter la conversation.

— Victor, c'est Liam. Es-tu à bord du vaisseau de Manuel ?

— Oui, acquiesça Victor. Oui, je suis à bord. Nous sommes en route pour l'Amérique centrale.

— Dujardin ne t'a pas retrouvé ?

— Non, il aurait dû ?

— Bien sûr que non ! Mais dis-moi, tout s'est bien déroulé ?

— Euh... oui, répondit Victor en s'éclaircissant la gorge. Oui, tout s'est bien déroulé, ajouta-t-il en massant la bosse sur sa tête. Enfin... je vous raconterai tout ça une autre fois.

— D'accord. Tu as bien fait de partir par toi-même. Dujardin et les forces de l'ordre d'Alexandrie sont revenus peu après ton départ. En fait, on a craint pendant un moment qu'ils... qu'ils t'aient croisé, ajouta-t-il en prononçant le dernier mot avec insistance.

— J'ai vu les forces de l'ordre accourir vers le quartier général, confirma Victor, mais Pakarel et moi avons emprunté les rues opposées pour les éviter.

— Bien joué, dit Liam en riant. Pour en revenir au sujet principal, je voulais te dire que nous allons te rejoindre en fin de journée.

Victor regarda le soleil et tira sa montre de poche ; il était 8 h du matin.

— C'est parfait, dit-il avec peu d'enthousiasme, puisqu'il avait espéré que ses amis l'aient devancé, surtout avec le retard que les métacurseurs de Manuel lui avaient fait prendre.

— Je dois couper la ligne, dit Liam. Quelques agents sont toujours ici, et je ne veux pas qu'ils découvrent que nous avons été en contact. Ce serait trop imprudent. Je te recontacterai en soirée pour te confirmer notre départ.

— Je comprends, répondit Victor. Mais comment comptez-vous partir ?

— Avec le vaisseau que nous utilisons toujours. Tu te souviens ? Tu es monté à bord lors de notre dernière visite en Égypte.

Victor se remémora instantanément l'étrange engin volant en forme de frelon qu'avaient utilisé Nathan, Liam et Marcus quatre années auparavant, lors de sa quête pour atteindre la Fleur mécanique.

— Ah ! oui, je me souviens. Mais où se trouve-t-il ? demanda Victor, qui avait du mal à s'imaginer où pouvait se poser un tel vaisseau dans la ville d'Alexandrie.

— Nous avons un hangar auquel nous pouvons accéder en volant sous la ville flottante.

— J'aurais bien aimé le voir, ce hangar. Peu importe, je te souhaite...

— Ah, j'oubliais un détail important ! le coupa Liam. Pour des raisons de sécurité, Léonard a déplacé D-rxt dans le hangar, à l'abri des forces de l'ordre, chose qu'on aurait dû faire plus tôt. Évidemment, le hangar est bien caché et ils n'en connaissent pas l'existence. Cependant, il y a un problème.

— Lequel ?

— Dujardin. Il a remarqué l'absence de la sentinelle...

— ... et il est persuadé que je me suis enfui avec Drext, termina Victor. Ce qui est à moitié vrai.

— Lorsqu'il l'a appris, ajouta Liam, il était furieux. Par chance, les forces de l'ordre égyptiennes lui ont interdit de nous arrêter, comme il l'aurait voulu. Cependant, il est parti à ta recherche. Sois sur tes gardes, d'accord ?

— C'est d'accord, répondit Victor. Au revoir.

Une fois la ligne coupée, Victor glissa la radio au fond de son sac à dos.

— En fin de soirée, dit Pakarel avec un air songeur, un peu déçu. C'est long.

— Je sais, soupira Victor en saisissant des provisions dans son sac à dos. Veux-tu déjeuner ?

— Tu parles ! répondit Pakarel avec une humeur revigorée.

Les deux amis, toujours installés dans l'escalier montant au poste de commande, mangèrent en silence les provisions qui avaient été achetées par Caleb dans une taverne de Ludénome. Victor et Pakarel furent étonnés de réaliser que le jambon, le bœuf, le fromage et le pain avaient gardé une certaine fraîcheur et une excellente saveur, malgré le temps passé au fond d'un sac. Au bout de 10 minutes, il n'en restait plus rien. Malgré sa petite taille, Pakarel avait mystérieusement englouti près du double de ce que Victor avait mangé, ce qui était énorme considérant l'appétit vorace du jeune homme.

— Je me demande où toute cette nourriture se rend, dit Victor en regardant Pakarel d'un air amusé.

Après un rot sonore, Pakarel essuya vigoureusement son museau à l'aide de son avant-bras et répondit :

— Dans mon estomac, voyons !

Alors que Victor attachait ses cheveux en une petite queue de cheval, son regard passa sur son sac à dos ouvert, qui laissait entrevoir le pommeau de la dague de l'assassin. Piqué par l'intérêt, le jeune homme saisit son étui et l'examina. C'est alors qu'il comprit.

Bien confinée au fond du sac de Victor, la lame avait gardé les aliments au froid! Il avait complètement oublié qu'elle s'y trouvait.

— C'est à cause de la dague que la nourriture était fraîche! fit remarquer Victor, un sourire au visage.

— Je l'avais déjà déduit, répondit Pakarel dans un haussement d'épaules. C'était évident, non?

— Quoi? Mais..., s'indigna Victor, l'air misérable.

Pendant un instant, il se sentit un peu stupide, mais un bruit lointain semblable à un bourdonnement de mouche attira son attention. Intrigué, Victor se releva à l'aide de sa canne et lança des regards autour de lui. À part leur vaisseau volant dans le ciel égyptien, il n'y avait rien d'autre.

— Tu as entendu? demanda Victor, qui fronçait les sourcils, tentant de discerner la source du bourdonnement.

— J'ai entendu, acquiesça Pakarel, installé sur le pont de tout son long, les mains posées sur son ventre gonflé de nourriture. Ça doit être une nuée d'insectes. Ou quelque chose du genre. De gros insectes, ça, c'est certain.

Soudain, un monstre volant surgi de nulle part se faufila à toute vitesse entre les deux ballons latéraux qui soutenaient le dirigeable et se posa dans un impact sonore sur le pont. Horrifié, Victor réalisa que c'était un immense scarabée, aussi gros que D-rxt. Une longue corne, d'environ deux mètres, se trouvait sur la tête de la bestiole, pointant vers le ciel. Le scarabée était surmonté d'une créature au long museau moustachu (rappelant un rongeur) et vêtue d'une robe du désert, qui brandissait une longue épée courbée, que Victor reconnut comme étant un cimeterre, une arme populaire en Orient.

— Des Kobolds! s'écria Pakarel d'un air non pas apeuré, mais plutôt fâché. Je les déteste!

Intrigué, Victor fronça les sourcils. Il avait déjà rencontré des Kobolds en Norvège, plus précisément dans des tunnels souterrains. L'air furieux, Pakarel s'élança, brandissant une dague bleutée vers l'immense scarabée et son cavalier. Pris au dépourvu, Victor réalisa que le raton laveur lui avait dérobé sa dague à la lame de verre.

— Pakarel, non! cria Victor, le bras tendu vers son ami.

Le jeune homme dégaina son glaive et s'élança d'une démarche claudicante sur les talons de son ami.

Chapitre 12

Le vent, la mer et la tortue

Dévalant les dernières marches de l'escalier sur lequel il était assis quelques secondes plus tôt, Victor vit Pakarel éviter avec facilité un coup de corne de l'énorme scarabée, avant de sauter sur son cavalier. Ne sachant pas trop quoi faire, Victor recula de quelques pas alors que Pakarel et le Kobold, tous deux engagés dans une lutte de petite taille, tombèrent sur le pont. Victor se dirigea vers son ami, mais un reniflement bruyant attira son attention. Le scarabée marchait sur ses courtes pattes et inclinait sa tête vers l'avant, pointant sa corne vers Victor.

— Oh non ! marmonna Victor. Ne me dis pas que tu...

Après un second reniflement, la crainte du jeune homme se confirma. L'énorme insecte se rua vers lui comme l'aurait fait un bélier. Le cœur lui martelant la poitrine, Victor se projeta sur le côté, tombant lourdement sur le pont. Un violent craquement de bois survint et Victor vit, depuis sa fâcheuse position, que le rebord du vaisseau avait été défoncé, ne laissant que quelques morceaux de bois brisés. Le scarabée s'était élancé dans le vide, cependant, compte tenu de sa faculté à voler, il allait probablement revenir vers son maître.

Victor se redressa à l'aide de sa canne, avec l'idée de prêter main-forte à Pakarel. Il arriva alors nez à nez avec trois autres scarabées montés de Kobolds. L'une de ces créatures, vêtue d'une robe du désert, pointait un arc vers Victor. À nouveau, le jeune homme plongea sur le pont, cette fois derrière un baril situé à côté d'un des escaliers montant vers l'étage. Cette manœuvre, bien qu'éprouvante pour sa jambe faible, venait probablement de lui sauver la vie, car il entendit le bruit perçant de la pointe en fer de la flèche se planter dans la surface du baril.

Devant lui, à la hauteur du dirigeable, le scarabée qui avait plongé dans le vide venait d'apparaître, l'air furieux. Inclinant la tête pour pointer sa corne vers le jeune homme, la bête s'élança.

— Ce n'est pas vrai! se plaignit Victor en s'élançant à nouveau sur le pont, à découvert, tandis que le scarabée venait de se fracasser contre le baril, brisant quelques marches de l'escalier dans l'impact.

— Hé, ho! cria la voix de Manuel. On ne brise pas mon dirigeable, sales bestioles!

À bout de souffle et ébloui par le soleil montant, Victor vit la silhouette de Manuel qui retenait un scarabée à bout de bras. Dans un déchirement dégoûtant, le capitaine sectionna le scarabée en deux, projetant un épais liquide verdâtre qui se répandit sur le sol. Victor vit un Kobold voler au-dessus de lui et plonger dans le vide, dans un cri aigu de terreur. Tandis qu'il tentait de se relever, un autre Kobold, dont les petits yeux étaient injectés de sang, s'élança vers lui, brandissant son cimeterre comme un pieu, pour lui planter dans le ventre.

Serrant les dents, encore étendu sur le sol, Victor para le coup à l'aide de son glaive. De son autre main, il assena un coup de canne au Kobold, en plein visage. Furieux et meurtri par la douleur, le Kobold se mit à bondir, se tenant la tête. Un scarabée passa à toute allure et son cavalier attrapa le Kobold que Victor venait de frapper par le col de sa robe, avant de s'envoler vers l'horizon.

— Revenez! s'écria Manuel, le poing levé, couvert de liquide verdâtre. On ne faisait que commencer!

— Ça va, Victor? demanda Pakarel, qui tenait son bras sévèrement écorché et qui dégoulinait de sang.

— Beaucoup mieux que toi, répondit le jeune homme en se redressant. Ton bras, ils t'ont coupé?

— Ça ira, répondit Pakarel, souriant, l'air étrangement enjoué.

Malgré une douleur stridente à sa jambe gauche, qu'il avait beaucoup trop sollicitée, et quelques égratignures, Victor n'avait pas de blessure majeure.

— Ce soir, on mange du scarabée-rhinocéros! déclara fièrement Manuel en brandissant devant lui la partie inférieure de l'insecte.

Une heure plus tard, la majorité des dégâts du pont avaient été réparés par les robots étonnamment compétents qui remplaçaient l'équipage de Manuel. Pakarel eut son bras bandé et désinfecté par Carmen, qui s'était autoproclamée infirmière pour raton laveur. Malgré sa réticence, le pakamu avait fini par se laisser faire.

Pendant que Carmen s'occupait à soigner Pakarel, Victor avait fait comprendre à Manuel, qui s'apprêtait à balancer ses anciens confrères par-dessus bord, que de les lancer en pleine mer serait trop cruel. Manuel se résigna donc à les lâcher en plein désert, à l'aide de la trappe d'évacuation. Victor aurait préféré qu'il ne les abandonne pas, mais le désert était déjà plus peuplé que le fond marin, ce qui accordait une chance aux métacurseurs décapités.

— Et leurs membres ? demanda Victor une fois que Manuel eut lancé le dernier crâne. Je ne les ai pas vus, où sont-ils ?

— Entreposés dans des caisses, déclara Manuel en riant. S'ils les veulent, ils devront me les payer. S'ils parviennent à sortir du désert, mouah ! ha ! ha ! ha !

Ayant été fortement encouragé par Victor à éviter les attaques de pillards du désert, comme les Kobolds (et surtout pour la sécurité de Carmen), Manuel avait ordonné à ses robots de changer de cap et d'augmenter la vitesse du dirigeable. Il ne leur fallut que quelques heures pour rejoindre la mer Méditerranée. Malgré la chaleur du désert, Victor n'avait pas réutilisé son régulateur, car en abuser amenait de bien néfastes effets secondaires, et ça, il s'en souvenait. Or, le vent marin faisait un bon contrepoids au soleil, rendant la température presque agréable. Une fois bien éloigné des côtes, le dirigeable perdit graduellement de l'altitude jusqu'à ce qu'il se pose doucement sur l'eau. Leur énergie épuisée, les robots avaient tous été envoyés dans la cale et avaient été désactivés pour leur permettre de récupérer un peu.

Le métacurseur avait déclaré qu'il serait impossible de faire voler l'engin par lui-même, par contre, le faire flotter était simple. Après être parvenu à dégonfler de moitié les ballons, Manuel activa un levier qui hissa une longue voile blanche entre les ballons ; ils étaient maintenant poussés par le vent de l'après-midi et flottaient sur la mer. Victor et Pakarel s'étaient ensuite installés sur le pont, cette fois assis contre la cabine de Carmen, pendant que Manuel et la fillette manœuvraient le bateau en chantant des chansons vulgaires. Le jeune homme n'avait pas choisi cet endroit au hasard, au contraire, Victor avait bien l'intention de discuter avec Pakarel, en privé.

— Tu en as long à m'expliquer, Pakarel, déclara Victor en retirant l'étui de son glaive de sa ceinture et le posant près de lui.

Pakarel baissa la tête et ne répondit pas.

— Premièrement, tu nous espionnes à l'ancienne maison de Dweedle, continua le jeune homme sur un ton doux, deuxièmement je te prends le nez dans le livre de Caleb. Ensuite, tu lui voles le livre. Parlant de vol, tu as dérobé les bijoux de Manuel, ainsi que la dague de l'assassin.

Le raton laveur n'ajouta rien, encore une fois.

— J'aimerais que tu me témoignes du respect et que tu me dises la vérité, l'incita Victor d'un air amical.

— D'accord, répondit timidement Pakarel en hochant la tête. Je suis désolé, Victor.

— Je ne t'en veux pas. Je veux simplement savoir la vérité. Pourquoi as-tu volé le livre de Caleb?

— Parce que...

Le raton laveur semblait déchiré à l'idée d'avouer la vérité. Mais après un long soupir, il continua:

— ... parce qu'on m'a chargé de le ramener.

— Qui t'a demandé de le ramener?

— Quelqu'un que tu rencontreras forcément, répondit Pakarel d'un air honteux.

Haussant les sourcils, Victor répliqua:

— Attends une minute... Tu n'as pas décidé de nous accompagner par hasard. Tu avais la ferme intention de voler le livre de Caleb et de le ramener?

L'air abattu, Pakarel acquiesça d'un timide hochement de tête.

— Et où dois-tu le ramener, ce livre?

— La personne à qui je devais le donner se trouve en Amérique centrale.

— Qui est cette personne ? demanda Victor en tentant d'avoir l'air plus patient qu'il ne l'était vraiment.

— C'est une alliée ! Elle va nous aider ! Elle connaît le moyen d'atteindre les ruines mayas !

Victor fronça les sourcils.

— Elle ?

— Oui, c'est une fille. Elle connaît bien la région de Lamanai.

— Pourquoi n'as-tu pas mentionné ces détails, lorsque nous étions avec les autres ? lança le jeune homme sur un ton irrité. Nous aurions pu nous diriger vers l'Amérique centrale bien avant de nous rendre à Alexandrie !

— Elle ne fait pas confiance à Caleb et à ses amis, avoua Pakarel.

— Pakarel ! C'est complètement insensé ! s'emporta Victor en se levant. Bon Dieu !

Victor marcha vers le rebord du dirigeable et y posa la main, tentant de maîtriser sa colère et sa confusion.

— Comment savoir si tu es vraiment avec nous ? lança-t-il froidement à Pakarel, en se retournant vers lui. Qu'est-ce qui me dit que tu n'as pas ton propre plan visant à nous nuire ?

Le pakamu fixa Victor et sa mâchoire se mit à trembler tandis que ses yeux s'humectèrent. De chaudes larmes se mirent à couler sur ses joues poilues. En silence, Pakarel pleurait et cachait son visage de ses petites mains. Abattu par le remords, Victor revint près de son ami.

— Je suis désolé, dit-il d'une voix sincère. Je n'aime pas qu'on me mente. J'ai mal réagi.

— Tu... tu as dit que tu ne m'en voudrais pas, sanglota Pakarel. Tu as menti...

— Non, je ne t'ai pas menti, lui dit Victor d'une voix douce. Je ne t'en veux pas.

Le jeune homme posa sa main sur l'épaule de Pakarel pour le réconforter.

— Nous rencontrerons ton amie. Si tu dis qu'elle peut nous aider, alors… je te fais confiance.

Après quelques sanglots, Pakarel se sécha les yeux avec ses avant-bras et hocha la tête en répétant :

— Je m'excuse, Victor, je m'excuse.

— C'est réglé, dit le jeune homme d'un air convaincant. J'aurais aimé que tu m'en fasses part plus tôt, mais bon, ça ira. À l'avenir, tente de jouer franc jeu avec moi, d'accord ?

Pakarel hocha la tête en guise d'acquiescement. Au bout de quelques minutes, la tension entre Victor et le pakamu disparut entièrement. Le vaisseau de Manuel flottait allègrement sur une mer calme, tout en croisant de temps à autre des navires marchands ainsi que des bateaux grecs. De nombreux oiseaux vinrent se poser sur le navire, annonçant leur arrivée en criant, laissant leurs fientes un peu partout, ce qui rendait Manuel fou de rage. Quant à Victor et Pakarel, ils riaient dans leur barbe. La Grèce, pays d'origine d'Eirenaios, se trouvait de l'autre côté de la mer, songeait Victor, qui se demandait comment se portait son ami, ce guerrier satyre.

Un peu avant la tombée de la nuit, le dirigeable avait regonflé ses ballons et suivait maintenant les côtes du continent africain à faible altitude, en direction de l'océan Atlantique Sud. On pouvait voir les feux de bon nombre de petites villes s'allumer graduellement alors que l'horizon n'était plus qu'une longue ligne rosée. Victor, quant à lui, était plutôt préoccupé par l'attente — qui lui semblait interminable — de l'appel de Liam. Ses amis, toujours à Alexandrie, avaient-ils eu des problèmes ?

— Il avait dit en fin de soirée, lança Pakarel à Victor, fixant sa radio d'un regard vide. Je suis sûr qu'il va te contacter.

— J'aimerais bien pouvoir le contacter, moi, répondit Victor en regardant sa radio avec déception.

— Mais ce serait risqué, continua Pakarel, surtout si les forces de l'ordre sont toujours au quartier général...

— Exactement, soupira le jeune homme.

Pour s'éviter une attente interminable, Victor décida finalement de remettre, à contrecœur, sa radio dans son sac.

— Dis-moi, Pakarel, je peux te poser une question ?

— Oui. Qu'est-ce qu'il y a, Victor ?

— Ce matin, lors de l'attaque des Kobolds, dit-il en pesant ses mots, tu as dit les détester. Pourquoi ?

Pakarel prit quelques secondes avant de répondre, d'un air sincère :

— Je ne veux pas te mentir. Je vais donc simplement te dire que je ne veux pas te donner la raison maintenant.

— C'est personnel ? ajouta Victor, d'un ton doux.

Pakarel hocha la tête positivement.

— D'accord, répondit le jeune homme. Je comprends et j'apprécie ta franchise.

Le raton laveur sourit largement, ravi du commentaire de son ami.

— Hé ! cria la voix de Manuel, qui montait de la cale. Je vais nous préparer ce succulent scarabée-rhinocéros, ça vous dit ?

— Ce n'était pas une blague ? s'étonna Victor avec une expression de dégoût.

— Bah ! Moi, je meurs de faim ! déclara le capitaine avec un geste nonchalant de la main. Si vous n'en voulez pas, ça en fera plus pour moi et Carmen !

— Je veux bien goûter, lança Pakarel.

— Et comment comptes-tu le faire cuire ? demanda Victor, intrigué.

— Avec du feu, quoi d'autre ? répondit Manuel en ricanant. L'âge t'a fait perdre de l'intelligence ou quoi ?

— Faire un feu sur un dirigeable, continua Victor d'un ton complice et sarcastique, c'est très brillant. Ce n'est certainement pas dangereux avec ce qui se trouve dans les ballons !

S'ils avaient été sur un dirigeable plus moderne, songea Victor, faire cuire des aliments n'aurait pas été dangereux, ni compliqué, mais sur le navire en bois de Manuel, c'était idiot.

— Tu verras ! lança le capitaine avec agacement.

Après avoir échangé un regard, Victor et Pakarel contemplèrent Manuel à l'œuvre. Il descendit à la cale et remonta en tenant d'une main le bout de scarabée-rhinocéros, et de l'autre une épaisse corde. Tout en chantonnant des chansons grossières, Manuel entoura la corde autour du gros morceau de chair d'insecte et l'attacha solidement au rebord du navire.

— Manque plus qu'une seule petite chose, déclara-t-il en se redressant. Ton arbalète.

Il pointait Victor avec ses deux index, avec un peu trop d'enthousiasme. Ne voyant pas où Manuel voulait en venir, le jeune homme lui tendit son arbalète, ne pouvant s'empêcher d'afficher un sourire sceptique.

— Arrête de sourire comme un bouffon! gronda Manuel en saisissant fortement l'arbalète.

— D'accord, d'accord, déclara Victor après un petit rire. Pardon.

Manuel saisit le morceau de chair et le balança par-dessus bord avec une force étonnante. Au lieu de sombrer vers la mer, le morceau s'était élancé comme un projectile en ligne droite, la corde enroulée sur le pont défilant à une vitesse alarmante. Tous deux étonnés, Pakarel et Victor s'approchèrent du bord pour mieux contempler ce que faisait le métacurseur. Portant l'arbalète sous son œil, Manuel tira. Une détonation de poudre à canon survint, et le morceau de scarabée prit feu. Comme une boule enflammée, le morceau de chair fila vers la mer. Au dernier moment, le capitaine posa fermement sa botte sur la corde, bloquant la chute du morceau de chair enflammé, qui se balançait au-dessus de la mer.

— Ton arbalète, dit Manuel en la tendant à Victor qui la remit sur son épaule, sans dire un mot.

Le reflet du feu sur l'eau indiquait que le morceau se trouvait à un mètre de celle-ci.

— Encore un peu, dit Manuel en regardant la boule de feu. Encore un peu... Voilà!

Il retira son pied et la boule de chair tomba dans l'eau de mer, s'éteignant aussitôt.

— Poussez-vous, dit Manuel à Victor et à Pakarel en les écartant d'un geste du bras.

Le capitaine tira sur la corde et fit remonter la chair fumante qui dégoulinait d'eau de mer. On aurait dit une grosse roche noire. Carmen sortit de sa cabine et vint rejoindre les autres sur le pont, vêtue d'une robe de nuit et tenant son ourson.

— Je ne veux pas manger par terre, dit-elle d'un ton ferme.

Manuel, qui s'apprêtait à faire remonter la nourriture à bord, arrêta son mouvement et regarda la jeune fille pendant un moment, avant de tendre la corde à Victor.

— Tiens ça ! Je vais chercher une table.

Victor faillit se faire entraîner par la corde ; le poids de la chair de scarabée était beaucoup plus lourd que Manuel le laissait voir. Ce dernier revint de la cale quelques minutes plus tard (qui parurent éternelles pour Victor qui ruisselait de sueur, les muscles endoloris) avec une grosse table sous le bras. En guise de sièges, ils avaient improvisé et utilisé des barils de petite taille qui se trouvaient déjà sur le pont. Une fois installés devant leur assiette contenant un morceau de viande fumant et calciné, Victor et Pakarel échangèrent un regard dégoûté. N'ayant pas d'ustensiles, ils allaient devoir manger avec leurs doigts, ce qui ne gênait ni Manuel ni Carmen. Quant à Victor, il n'osa pas faire de commentaire désapprobateur.

— Bon appétit ! lança Carmen avant de se mettre à dévorer à pleines dents son morceau de viande.

Manuel avait presque englouti sa portion avant que Victor succombe aux gargouillis de son estomac ; il était affamé. Après sa première mastication, un peu méfiante, le jeune homme fut agréablement surpris de goûter une viande qui rappelait le poulet. Encouragé par Victor, Pakarel s'était finalement décidé à manger. En moins de 10 minutes, le gros morceau de viande fumante avait disparu, ne laissant que quelques miettes dans le plat. Carmen, dont les paupières luttaient pour rester ouvertes, souhaita bonne nuit à tout le monde (sauf à Victor) et se dirigea vers sa cabine. La chandelle qui illuminait cette dernière s'éteignit quelques instants plus tard.

— C'est la première fois que je vois un robot manger, lança Pakarel à Manuel qui se curait les dents avec ses doigts.

— J'suis pas un robot ! Dis, Victor, ajouta-t-il en tournant la tête vers le jeune homme, pourquoi tu les choisis aussi stupides, tes amis ?

Une dispute complètement immature éclata à nouveau, au cours de laquelle Pakarel et Manuel se livrèrent à des insultes de plus en plus grossières. Victor, quant à lui, se contenta de les ignorer. Ce fut Carmen qui, quelques minutes plus tard, émergea de sa cabine pour les faire taire, le visage sombre.

— Plus un mot ! lança-t-elle avec férocité. Sinon je vous fais descendre de mon dirigeable, tous les deux !

Puis elle retourna dans sa cabine en claquant sa porte.

— Dis-moi, Manuel, intervint rapidement Victor, qui profitait du moment pour adoucir l'atmosphère. J'ai remarqué que tu avais une force... euh... extraordinaire, surtout comparée à celle des autres métacurseurs. Comment ça se fait ?

— Je suis simplement meilleur, répondit Manuel, trop flatté.

Pakarel laissa paraître sa désapprobation d'un rire étouffé, que Manuel ignora. Victor ne voulait en aucun cas flatter Manuel, mais il était tout de même curieux de connaître la vérité.

— Il doit bien y avoir une raison, rétorqua-t-il.

— Son corps est modifié, déclara une voix venue de la cale ; c'était celle d'Hector.

Le vieux métacurseur marchait vers eux d'une démarche lente, se retenant contre le rebord du navire. Son crâne était maintenant entier, et une cicatrice soudée lui traversait l'orbite gauche, qui n'était pas illuminée d'un point rouge. Manuel tourna la tête et lâcha un grondement d'insatisfaction, puisque son moment de gloire était ruiné.

— Hector ! dit Victor en se levant à l'aide de sa canne. Laissez-moi vous aider.

— Oh, merci ! lança Hector. C'est très gentil à toi, jeune homme.

— C'est ça, marmonna Manuel d'un air grognon.

Une fois Hector installé à la place qu'avait occupée Carmen plus tôt, Victor retrouva la sienne.

— Modifié ? répéta Victor. Que voulez-vous dire ?

— Par ailleurs, c'est l'une des raisons pour lesquelles il a été banni d'Iavanastre, déclara Hector en riant. Voyez-vous, jeunes amis, mon fils n'avait pas cette force à sa naissance. Sa résistance physique est similaire à celle d'un carrosse de guerre !

— Voilà qui explique bien des choses, dit Victor d'un air amusé.

— J'en ai aussi une, question, pour toi, Manuel ! lança aussitôt Hector à son fils, d'un ton jovial. Pourquoi m'as-tu convoqué ? Je me plaisais bien dans mon cimetière.

La manière dont le croque-mort avait parlé laissait deviner qu'il prenait la vie à la légère, songea Victor avec une certaine inquiétude. Blaguer sur un mauvais traitement qui nous a menés à nous faire écrabouiller la tête était bien morbide. À force d'y penser, Victor se fit la réflexion que, lorsqu'il avait rencontré Hector, quelques années plus tôt, il lui semblait mentalement instable.

— Je voulais t'emmener chez moi, répondit Manuel sans enthousiasme, laissant transparaître son mécontentement. Pour te montrer que j'avais réussi à vivre par moi-même, et que ma demeure est 100 fois plus belle que la tienne !

— Tu vis de l'autre côté de l'océan ? s'étonna Hector.

— Je vis en Égypte ! Bien confortablement, dans une caverne bien entretenue au beau milieu du désert !

— Une caverne ? C'est ce que tu appelles une demeure ? Alors que faisons-nous en pleine mer ? continua Hector en regardant autour de lui.

— Ces deux vermines m'ont arnaqué, grommela le capitaine en pointant Victor et Pakarel du menton. Ils m'ont dérobé mes bijoux et me forcent la main.

— Mais c'est faux ! s'indigna Victor. Je n'ai rien à voir là-dedans !

Hector s'était contenté de rire, ignorant les propos de Victor.

— Tu as toujours escroqué tout le monde autour de toi, Manuel ! lui lança son père. Tu mérites ce que ces jeunes gens te font traverser !

— Non, mais… je…, balbutia un Manuel clairement incapable de trouver quelque chose d'intelligent à répondre.

— C'est ça, c'est ça ! ria Hector en faisant un geste nonchalant de sa main. Je vais me coucher. J'ai mal partout !

— Laissez-moi vous aider, s'offrit Victor, sous le regard sombre de Manuel.

Pour laisser recharger les robots qui œuvraient en tant que matelots, Manuel avait fait descendre le dirigeable au niveau de la mer, pour le laisser flotter durant la nuit. Il avait cependant laissé les moteurs activés, propulsant ainsi le navire, quoique moins rapidement que par voie aérienne, dans la bonne direction. Étant donné que Manuel et Hector étaient des métacurseurs, le confort d'un lit ne les affectait pas ; ils dormaient donc sur le pont, adossés à la paroi du navire. Carmen avait pour elle seule l'unique lit du dirigeable. Quant à Victor et Pakarel, ils allèrent se coucher une demi-heure plus tard, lorsqu'il fut 23 h. Incapable de s'abandonner au triste sort de dormir sur des planches en bois, Victor trouva un filet de pêche inutilisé dans la cale, et l'installa sur le pont, avec l'aide de Pakarel. Une fois étendus l'un à côté de l'autre, les deux amis bâillèrent profondément.

— Tes amis te contacteront bientôt, lui assura le raton laveur.

— Je l'espère, murmura Victor, qui avait déposé sa radio sur son ventre, entre ses mains. Bonne nuit, Pakarel.

— À demain, lui répondit le pakamu.

Bien installés dans leurs lits en hamac, Victor et Pakarel fermèrent l'œil et s'endormirent aussitôt, bercés par les vagues et le vent. Aux premiers rayons du soleil annonçant le jour, Victor se fit réveiller par le bruit des robots matelots. Ankylosé par l'inconfort du filet de pêche, le jeune homme eut du mal à se déplier les vertèbres. Réalisant que Pakarel n'était plus à ses côtés, Victor lança des regards autour de lui tout en se grattant la joue.

Sous un ciel matinal mélangeant le vert et le rose, le dirigeable avait repris une bonne altitude. Ils dépassaient maintenant une série d'îles aux montagnes gigantesques, recouvertes de végétation. De gros et majestueux nuages, un peu dorés par les rayons du soleil, entouraient les plus hautes îles, leur donnant une allure paradisiaque. Victor fut frappé de voir à quel point l'eau de la mer était claire, d'un turquoise vif. Près des plages sablonneuses des îles, l'eau était si transparente qu'elle laissait paraître de vastes coraux multicolores. La vue était si magnifique que Victor se frotta les yeux pour s'assurer qu'il ne rêvait pas.

— Comment trouves-tu les caraïbes ? lança la voix de Pakarel.

Victor ramena son regard sur le pont et vit Pakarel qui tenait un plateau contenant du pain et du fromage, ainsi que deux gobelets d'eau.

— C'est beau, il n'y a aucun doute, admit Victor en hochant la tête pour appuyer ses paroles.

— J'ai trouvé un peu de pain et du fromage, déclara Pakarel en montrant son plateau. C'est Carmen qui nous laisse les restes de son déjeuner.

— Ça tombe bien, répondit Victor en se frottant le ventre.

Les deux amis allèrent s'installer sur l'un des escaliers du pont et mangèrent tranquillement. Hector, le père de Manuel, était toujours étendu sur le plancher, de l'autre côté du pont. Ce dernier était dans une position si tordue qu'il était inconcevable pour Victor qu'Hector puisse véritablement dormir.

— On le croirait véritablement mort, fit remarquer Pakarel.

— Hé ! lança la voix de Manuel, venant de nulle part, et qui fit sursauter Victor et Pakarel.

Ils se retournèrent et virent Manuel, de toute sa stature, se tenir en haut de l'escalier, les poings sur les hanches, vêtu de son habit de capitaine délabré.

— On va arriver dans une heure, continua-t-il. Je veux que vous me rendiez mes affaires.

Victor ne voyait pas de mal à ce que Pakarel lui rende ses bijoux. Alors qu'il s'apprêtait à donner son accord, Pakarel lança :

— Pourquoi je te les rendrais maintenant, hein ?

Écartant les bras pour montrer le panorama les entourant, Manuel rétorqua :

— J'ai l'air de vous avoir arnaqués ? Regardez où nous sommes ! J'ai tenu ma promesse. Je veux qu'on me paie.

— Ça attendra jusqu'à l'arrivée officielle, répondit Pakarel en mâchant son morceau de pain, les joues bien gonflées. Je ne vois pas les plages du Belize sous mes pieds.

Dans un élan de frustration, Manuel lança une série d'insultes fulgurantes à l'intention du pakamu.

— Hé ! intervint Victor, juste avant que la situation ne dégénère. Cessez de vous disputer ! Manuel, ajouta-t-il d'un ton autoritaire en le pointant du doigt, dois-je te signaler que tu as une enfant à bord ?

— Et alors ? répondit le métacurseur d'un air sombre.

— Alors, surveille ton langage ! Vivre seul ou en compagnie de bandits t'a peut-être sali la langue, si bien sûr tu en avais une, mais je crois que tu es capable de faire preuve d'un peu de bon sens !

L'air renfrogné, Manuel grogna pour manifester son désaccord, mais n'ajouta rien.

— Quant à toi, Pakarel, continua Victor en se tournant vers son ami, rends-lui ses avoirs.

Étonné, Pakarel voulut protester.

— Mais, Victor...

— Non, Pakarel, Manuel m'a sauvé la vie auparavant et je déteste voir mes amis se tenir à la gorge comme vous le faites.

— Amis, répéta Manuel à voix basse, d'un ton moqueur.

— Rends-lui ses bijoux, insista Victor.

Sans rien répondre, Pakarel retira son chapeau et y plongea la main, avant de redonner les bijoux qu'il avait « empruntés » au capitaine.

— Et le diamant ? protesta Manuel, qui ne montrait pas grand intérêt pour ses propres bijoux. Où il est, le diamant ?

— À la fin du voyage, répéta Pakarel avec un petit sourire vicieux.

Étant donné que les robots matelots avaient grand besoin de se recharger (l'un d'eux, son énergie épuisée, s'était désactivé et avait failli tomber à la mer), Manuel avait fait descendre le dirigeable au niveau de l'eau. Ils allaient naviguer jusqu'à destination, qu'ils atteindraient dans une demi-heure. Déjà, le jeune homme pouvait voir une petite butte de terre, bien au loin et à moitié dissimulée par les nuages, qui devait être le Belize.

— Comment vas-tu nous mener à terre ? s'étonna Victor. Tu ne pourras pas franchir les bas-fonds.

— Tu nageras, lui rétorqua Manuel en ricanant. Tu feras attention, les requins sont nombreux par ici.

— Tu es un vrai camarade, Manuel, lui répondit Victor avec un ton ironique. Je m'en souviendrai.

Alors que Pakarel et Victor discutaient avec Hector, qui s'était finalement réveillé, Carmen s'écria :

— Il y a quelque chose sous l'eau ! Je l'ai vu, je l'ai vu !

Intrigués, Victor et Pakarel s'excusèrent auprès d'Hector et allèrent rejoindre la fillette, qui pointait quelque chose sous l'eau.

— Qu'est-ce qu'il y a ? demanda Victor.

— Sous l'eau, rétorqua la jeune fille en lui envoyant un regard plein de détresse. Il y a quelque chose !

— Tu as sans doute vu un poisson, la rassura le raton laveur.

— Non, non ! nia la jeune fille. C'était gros !

Balayant la mer du regard, Victor ne vit qu'un cratère sombre dans la mer bleu turquoise.

— Qu'est-ce que c'est ? demanda le jeune homme. Ce trou, dans l'eau ?

— C'est un trou bleu, dit Pakarel d'un air assuré. Le Belize est connu pour ses cavernes sous-marines. C'est probablement ce que Carmen a vu…

Soudain, Victor vit une silhouette sombre prendre de plus en plus d'espace, comme si elle montait vers la surface. Ça n'avait rien à voir avec le trou bleu que l'on voyait un peu plus loin.

— Qu'est-ce que c'est que ça ? marmonna le jeune homme, plissant les yeux pour mieux voir.

Un incroyable impact survint alors, et Victor perdit l'équilibre. Pris de vertige, ce qu'il craignait se réalisa : il venait de passer par-dessus bord. Le jeune homme prit une dernière goulée d'air avant de sombrer dans l'eau tiède. C'est alors qu'il vit une horreur qui lui fit presque expulser l'air qu'il avait dans les poumons. Malgré le contact de l'eau sur ses yeux, il pouvait très bien voir une immense bête ovale, de la taille d'une petite maison. S'il l'avait tout d'abord vue comme une tortue géante, Victor ravala vite cette idée en l'analysant d'un regard rapide. Deux grands yeux jaunes, situés de chaque côté de sa longue tête, le regardaient avec appétit. Son museau, comparable à celui d'un gros lézard, comportait de longues dents jaunies et directement ancrées dans sa chair épaisse et brunâtre. Sa carapace, d'une couleur qui rappelait le charbon, était munie de longues pointes. Sa queue épaisse et écailleuse, que Victor pouvait voir de côté, était longue d'au moins cinq mètres. Battant de ses pattes musclées, la créature s'élança vers le jeune homme à une vitesse qui défiait toute logique. Fermant les yeux par réflexe, Victor sentit de longues pointes lui transpercer la peau du torse, du dos et du bras droit, avant d'être secoué violemment de gauche à droite.

Lorsqu'il ouvrit les yeux, alarmé par un rugissement grave, mais étouffé par l'eau, Victor réalisa que la bête le maintenait dans sa gueule. Après un second rugissement, la bête referma son étreinte sur le jeune homme qui tressaillit de douleur, mais parvint à retenir son souffle. Il comprit pourquoi la bête avait rugi ; quelque chose lui avait fait mal, car une substance orangée embrumait l'eau. Se faisant retourner brusquement dans un autre sens, Victor vit Manuel, à travers les rayons de soleil déformés par l'eau, qui tenait une large griffe de la bête entre ses mains. Le métacurseur reçut un coup de queue en pleine poitrine, qui l'envoya s'écraser dans des coraux, dans une crevasse marine.

Les espoirs de Victor d'être secouru moururent aussitôt, car la bête s'était élancée à une vitesse fulgurante plus profondément dans la mer. Jetant un regard embrouillé vers la surface, Victor réalisa qu'il était hors de portée du navire. Ayant reçu une transformation pulmonaire, Victor pouvait retenir sa respiration sous l'eau pendant des heures, en fonction de la profondeur. Dans le cas actuel, et malgré l'étreinte de l'animal, il pourrait la retenir encore bien longtemps.

Il fut traîné ainsi pendant près de cinq longues minutes, qui lui semblèrent interminables. Le jeune homme songea à abandonner, à respirer de l'eau pour s'étouffer, mais mourir ainsi serait trop bête. Malgré la peur de se faire dévorer vivant, il ne put se résigner à la mort. Un moment plus tard, la bête avait atteint le fond de mer, sablonneux, qui était seulement à une centaine de mètres de la surface. Elle continua cependant son chemin. C'est seulement lorsque Victor vit un cratère que la bête sembla ralentir. Son nid était-il dans un trou bleu ? se demanda le jeune homme. De fait, la bête s'y élança, descendit une bonne vingtaine de mètres avant de dévier vers la droite, dans une crevasse rocheuse. C'était sans doute l'entrée de son repaire. Ses chances de survie étaient minces, songea Victor. Confirmant ses craintes, la bête se faufila sans peine dans une longue galerie sous-marine, où il était presque impossible de voir quoi que ce soit. Malgré tout, le jeune homme parvint à visualiser les parois, plus foncées. C'est alors qu'il vit, un peu en hauteur, une source de lumière valser dans les ondulations de l'eau. Une seconde plus tard, la bête surgissait de l'eau et lançait son gibier sur le sol.

Malgré la douleur qu'il éprouvait, Victor n'osa pas bouger un muscle. Il s'était retrouvé sur le côté, sur une surface bien inconfortable. La petite lueur qu'il avait vue s'avéra être une crevasse au plafond, qui laissait passer un rayon de soleil. Un rugissement attira soudain son attention ; la bête s'était recroquevillée dans un coin et léchait sa plaie avec son énorme langue. Il lui manquait l'une de ses énormes griffes, arrachée par Manuel.

Analysant ce qu'il lui était possible de voir dans cette position, Victor vit qu'il était dans une caverne assez spacieuse et, juste à sa droite, dans la paroi rocheuse de la caverne, s'étendait ce qui semblait être un tunnel assez étroit. Mal à l'aise, Victor ramena son regard sur le sol. Sous lui reposait un tas d'ossements et de crânes humains. Il allait donc être le prochain repas de la bête. Celle-ci ne lui portait pourtant aucune attention. C'est alors qu'il comprit, en voyant les crânes humanoïdes, que la bête avait auparavant mangé des hommes ou des gobelins assez infortunés pour tomber à l'eau, et c'était la noyade qui était venue à bout d'eux. La créature croyait donc qu'il était mort noyé.

Quelques secondes plus tard, la bête se redressa (ce qui coupa la respiration de Victor) et pivota sur elle-même, avant de s'installer dos à son repas. Une forte et lente respiration survint, indiquant au jeune homme que la bête s'était endormie. C'était le moment de fuir.

Chapitre 13

Le Belize

Lorsque l'opportunité de fuir se présenta, Victor tenta de se lever, mais y renonça rapidement. Le bruit causé par les ossements qui roulaient sous son poids risquait de réveiller la bête endormie. Serrant les dents pour s'empêcher de gémir de douleur, car tout son corps lui faisait mal, Victor se redressa en position assise et se traîna doucement sur le sol de pierre mouillée. Maintenant que la peur de se faire dévorer s'était un peu dissipée, Victor réalisa combien l'odeur de l'endroit l'écœurait. Malgré la faible luminosité, les yeux du jeune homme s'étaient habitués à la pénombre et il put sans problème discerner le chemin à emprunter pour atteindre la crevasse dans le mur rocheux.

N'ayant pas sa canne et ne pouvant se permettre de faire le moindre bruit, Victor se leva péniblement et resta immobile pendant un instant, car la bête s'était tournée dans un autre sens.

« Pourvu que ce tunnel mène quelque part », songea Victor, qui s'avança vers la crevasse, d'une démarche boiteuse, pesant chacun de ses pas pour éviter les bruits inutiles. Et si le tunnel n'en était pas vraiment un ? Qu'il s'agissait en fait d'une simple crevasse qui menait à un mur ? Il devrait tenter de se sauver à la nage, même si cela était risqué, et même idiot. La bête nageait à une vitesse époustouflante, alors que lui, blessé, ne pourrait que nager à une vitesse médiocre. Si elle réalisait la fuite de sa proie, elle s'élancerait probablement à ses trousses et Victor n'aurait aucune chance. La crevasse était donc la meilleure possibilité, pour l'instant. Lorsqu'il l'atteignit, il réalisa qu'elle était très étroite. Ses épaules étaient trop larges, il devrait donc passer de côté. Tentant de contenir son envie de s'enfuir le plus rapidement possible, Victor s'engouffra doucement dans le tunnel, qui baignait dans une noirceur complète. Se guidant à l'aide des parois et prenant bien soin de ne pas trébucher sur les irrégularités du terrain, Victor sentit son cœur reprendre un rythme normal.

C'est seulement lorsqu'il jeta un dernier coup d'œil par-dessus son épaule qu'il vit deux yeux le fixer, depuis la caverne. Pris de panique, Victor réalisa que la créature s'était réveillée et qu'elle le contemplait patiemment, sans montrer de signe de colère. Dans une expiration sonore, la bête expulsa une buée nauséabonde de ses narines, laquelle atteignit Victor à la main. Une sensation de brûlure envahit sa main, qu'il essuya fortement contre son pantalon, avant de se remettre en route du plus vite qu'il le pouvait.

Paniqué, le jeune homme ne cessait d'espérer que la crevasse mènerait quelque part. La crevasse tourna à gauche, ce qui le fit disparaître du champ de vision de la bête, puis à droite, et continua tout droit. Ses craintes se dissipèrent lorsqu'il réalisa que l'étroit chemin devenait de plus en plus clair. Au bout de quelques instants, il émergea finalement dans une lumière aveuglante. Son pied se prit dans quelque chose, le faisant trébucher, mais il parvint à contrôler sa chute et tomba en position assise. Plissant les yeux, qui n'étaient plus habitués à la lumière du jour, Victor réalisa qu'il se trouvait au beau milieu d'une jungle.

Une sensation de sécurité le pénétra, lui permettant enfin de chasser ses craintes. Alors que l'adrénaline s'estompait peu à peu, le jeune homme eut le douloureux souvenir qu'il était blessé. Déboutonnant sa chemise tachée de sang avec soin, Victor compta six lacérations peu profondes sur son torse, causées par les dents de la créature, et probablement quelques-unes dans son dos, qui était très sensible. Son bras droit n'avait qu'une longue égratignure qui avait résisté au saignement.

— Tu es encore en une pièce, se dit-il avec douleur pour se convaincre que la situation aurait pu être pire. C'est déjà un bon début, mon vieux, c'est un bon début.

Pivotant sur lui-même, il vit qu'il venait d'émerger d'une crevasse presque entièrement dissimulée par la végétation. La crevasse se trouvait tout en bas d'une butte rocheuse, recouverte de mousse, qui disparaissait dans le feuillage touffu des arbres. Ces arbres, réalisa-t-il avec stupéfaction, étaient gigantesques. Leurs racines faisaient presque la taille d'un cheval.

— Moi qui croyais avoir tout vu au sujet des arbres exotiques, marmonna Victor en contemplant les géants qui se tenaient devant lui, tout en se remémorant les arbres de la forêt de Brimstoldën.

Un cri aigu, celui d'un oiseau, ramena Victor sur terre en le faisant sursauter. Que faisait-il là, à contempler les arbres comme un idiot? Il devait retrouver ses amis! Ce n'était pas le moment de faire le touriste, surtout pas avec ce monstre qui tenterait probablement de le retrouver. Pourvu que la bête ne puisse pas flairer sa trace, pensa Victor. Jetant des regards autour de lui, le jeune homme ne voyait qu'une jungle dense, bourrée de végétation et de lianes qui pendaient des arbres. Il devait trouver la côte, et elle ne devait pas être bien loin. Peut-être le dirigeable flottant de Manuel serait-il à portée de vue? Nourri par une soudaine motivation, Victor entreprit, d'un pas boiteux, sa marche à travers la jungle, suivant la paroi rocheuse de laquelle il avait émergé.

Victor ne parvenait cependant pas à se débarrasser de la désagréable impression que la bête parviendrait à le retrouver, et si c'était le cas, il n'était pas mieux que mort. Cette pensée lui rappela combien le fait d'être complètement désarmé et dépourvu de sa canne le rendait vulnérable. La motivation de Victor à retrouver la côte ne l'empêcha pas de tomber dans une humeur maussade. La température lui était quasiment insupportable. L'air était lourd et humide, et une constante brume flottait dans la jungle, illuminée par les rayons du soleil qui perçaient le feuillage des arbres.

Soudain, il entendit un bruit qui le fit s'arrêter. C'était le son des vagues. Il était près du but. Essuyant son front ruisselant de sueur, Victor redoubla d'efforts pour traverser la jungle, s'aidant de ses mains en s'appuyant sur les surfaces qui se présentaient à lui, comme les arbres et les racines. Si ses pensées étaient justes, il allait atteindre la côte depuis une certaine hauteur, puisque le toit de la caverne de la créature laissait pénétrer quelques rayons du soleil. Cette hauteur lui permettrait peut-être d'avoir une certaine sécurité face au monstre énorme. «Pourvu qu'il ne soit pas aussi agile sur terre que sous l'eau», pria Victor.

Tassant de lourdes fougères avec ses mains, Victor découvrit un panorama fantastique, dévoilant l'océan turquoise, des oiseaux jaune et vert volaient juste au-dessus, criant avec joie. Seulement, cette vision n'apporta aucun réconfort au jeune homme, puisque le navire de Manuel avait disparu. Faisant quelques pas en avant pour agrandir son champ de vision, Victor sentit son pied glisser. Se retenant de justesse à une liane qui refusa de céder sous son poids, le jeune homme découvrit qu'il avait eu raison; il se trouvait en haut d'une énorme paroi rocheuse. Son pied avait glissé sur une pierre mouillée.

Se laissant tomber en position assise près du précipice, Victor posa son front dans sa main droite. Ses amis l'avaient abandonné. Pas étonnant, songea-t-il aussitôt, qui aurait cru qu'il ait pu survivre à l'attaque d'un monstre marin, alors qu'il n'avait jamais refait surface? Et puis, retrouver les ruines mayas ne faisait pas partie de leurs préoccupations. Quelle idée de se lancer dans une telle aventure, il aurait pu être tranquillement installé dans son petit confort personnel, à apprendre le piano à des filles de familles fortunées qui n'avaient pour seul intérêt que de le dévorer du regard! Il aurait pu être là, à l'enterrement de Balter, pour soutenir ses deux sœurs. Sans compter qu'il serait probablement débarrassé des problèmes liés à sa fuite de la scène de crime. Soupirant, Victor ferma les yeux et tenta de se ressaisir.

Au bout de quelques minutes, il décida finalement de se lever. Non pas parce qu'il savait où aller, mais bien parce que les moustiques exotiques, de la taille grotesque d'un œuf, lui faisaient perdre patience. Voulant savoir l'heure, Victor tira sa montre de sa poche. Comme il l'avait craint, celle-ci ne fonctionnait plus, l'eau avait bousillé le mécanisme.

— Merveilleux, gronda-t-il avec ironie.

Maintenant en mouvement, il se décida de longer la plage, depuis le haut de la falaise rocheuse, mais pas de trop près, par prudence. Le jeune homme marcha pendant environ une heure, cherchant une canne artisanale sans succès.

— En pleine jungle et il n'y a pas un seul bout de bois convenable pour m'en faire un bâton, ce n'est pas croyable ! marmonna Victor, dont le moral avait radicalement chuté depuis peu.

En plus de la chaleur insupportable, il avait mal partout et la soif lui irritait la gorge. Quelques minutes plus tard, le terrain s'inclina vers le niveau de la plage, ne laissant pour parois rocheuses que quelques grosses pierres. Le jeune homme arriva à une rivière qui lui barrait le chemin. Cette dernière était peu profonde, environ deux mètres, puisqu'il pouvait voir son fond rocheux. Soit il se mouillait et traversait, soit il la suivait en s'enfonçant dans la jungle.

— Pas question de m'enfoncer là-dedans, marmonna Victor en jetant un regard vers la jungle.

Lorsqu'il mit les pieds dans l'eau, Victor vit, de l'autre côté de la rive, une sombre carapace pointue émerger lentement de l'eau. Une bonne centaine de mètres le distançait de la bête. Prenant ses jambes à son cou, Victor s'élança d'une démarche titubante à travers les arbres et la végétation, tout en longeant la rivière. Était-ce la même bête ? L'avait-elle flairé ? Peu importe, il devait la distancer. Après avoir parcouru une bonne centaine de mètres, jetant des regards vers la rivière, Victor ne vit pas la bête. Elle n'aurait pas pu se tapir au fond de la rivière ; elle était bien trop large pour s'y dissimuler complètement. Quelque chose attira le regard de Victor, suspendu sur la rivière. Tassant une fougère de la main, il vit un pont en bois, retenu par des cordes, traversant la rivière. Il y avait donc des êtres intelligents qui étaient passés dans le coin, déduisit Victor avec soulagement.

Il se dirigea vers le pont et s'arrêta devant. Par quel côté aller ? Rester sur la rive présente ou traverser ? Une idée lui vint en tête. Si quelqu'un était passé dans le coin récemment, il y aurait forcément des traces, et ce serait une bonne idée de les suivre. Victor n'avait aucun talent en pistage, mais déterminer le sens des traces ne devrait pas être sorcier. Analysant le sol sous ses pieds, il vit, avec satisfaction, que l'herbe avait été aplatie par des traces qui traversaient la rive. S'il voulait avoir une chance de survivre, car ses talents de survie en pleine nature frôlaient la nullité, surtout sans équipement, il allait devoir trouver la population locale et espérer qu'on l'aide.

Avec précaution, Victor traversa le pont rapidement ; il n'avait aucune envie de rester au-dessus de l'eau, à portée de vue d'une bête sauvage comme celle qui l'avait attaqué. De l'autre côté de la rive, Victor fut accueilli par un petit sentier, probablement tracé par un passage régulier qui n'avait pas laissé de chance à la végétation de le reconquérir. Persuadé qu'il allait dans la bonne direction, Victor suivit le sentier pendant près d'une quinzaine de minutes, du moins, c'est ce qu'il estimait, car il était bien difficile de discerner le temps, surtout en pareille situation. Le sentier s'était maintenant estompé, ne laissant qu'un sol terreux, recouvert de fougères et d'arbustes. Victor évita de se décourager ; il y aurait forcément des traces quelque part.

C'est alors que Victor vit quelque chose qui attira son attention, droit devant lui, à travers le feuillage de la jungle. C'était de la fumée. Tout en s'avançant avec prudence, tassant une fougère de sa main, Victor découvrit l'origine de la fumée. Quelques mètres plus bas, il y avait un tas de brindilles de bois qui flambaient dans un feu rougeoyant. Devant le feu, mais dos à Victor, un petit être était assis. Il portait un gros chapeau dont la pointe tombait vers l'arrière, et sa queue touffue était allongée sur l'herbe.

— Pakarel ? lâcha Victor avec joie et étonnement alors qu'il descendait avec prudence la petite colline.

Le raton laveur se retourna, les yeux grands ouverts, la mâchoire tombante.

— Victor ? répondit-il avec le même étonnement.

Les deux amis bondirent l'un sur l'autre ; Victor tomba à genoux, ignorant la douleur de sa jambe gauche, attrapant Pakarel contre sa poitrine. Dans un mélange de rires et de souffrance, le jeune homme repoussa doucement le raton laveur.

— J'ai mal, ricana-t-il. J'ai été mordu sévèrement.

Pakarel le regardait, le visage rayonnant, sans dire un mot.

— Je suis tellement heureux de te voir, dit Victor à son ami en frottant son poing sur sa joue amicalement. Tu n'en as pas idée !

Les idées se chamboulant dans sa tête, Victor n'arriva pas à placer un mot. Ce fut Pakarel qui prit la parole :

— Comment as-tu survécu ? C'est incroyable ! Installe-toi et raconte-moi !

Victor ignora les propos de son ami, car il avait vu quelque chose, par-dessus l'épaule de Pakarel, qui étira ses lèvres en un profond sourire ; ses affaires étaient là, au pied d'un arbre.

— Ce sont mes affaires ! déclara-t-il avec stupéfaction en saisissant sa canne, son sac à dos, son glaive et son arbalète.

— Ta canne m'a été utile comme bâton de marche, expliqua le raton laveur. Pour le reste, je ne voulais pas qu'un gros robot idiot comme Manuel en hérite, surtout lorsque je te croyais mort.

Trop enjoué pour parler, Victor ne faisait que contempler ses affaires avec sourire.

— J'ai pris un peu de poudre à canon de l'arbalète pour faire le feu, déclara Pakarel. Mais s'il te plaît, raconte-moi tout !

Victor s'exécuta donc, s'installa près de Pakarel et lui raconta, dans les moindres détails, comment il était parvenu à survivre à l'assaut de la créature, tandis que son ami faisait griller un serpent dépecé sur le feu, à l'aide d'une branche. Pakarel fut plus que surpris d'apprendre que Victor pouvait retenir sa respiration comme un mammifère marin. Le jeune homme avait aussi appris, par son ami, que la créature qui l'avait attaqué était une tortue-dragon, un mammifère marin particulièrement agressif. Pakarel expliqua que Manuel avait tenté de sauver Victor, mais sans succès. Par la suite, le raton laveur avait insisté pour se faire débarquer sur la plage, car il devait tout de même rencontrer son amie. Manuel, quoique déçu de la tournure des événements, était simplement reparti en sens inverse.

— Sans trop savoir pourquoi, je n'avais pas abandonné espoir de te revoir, expliqua le raton laveur à Victor. C'est pour ça que j'ai amené tes affaires avec moi.

— En temps normal, fit remarquer Victor, personne n'aurait survécu à un tel assaut. Alors, qu'est-ce qui t'a fait croire que je survivrais ?

Pakarel haussa les épaules.

— Parce que tu es Victor. Tu as quelque chose de spécial. Tu n'es pas comme les autres.

Le jeune homme ne répondit rien, se contentant de sourire pour ne pas vexer son ami. Mais au fond de lui, cette remarque lui rappelait qu'il n'était pas un homme comme les autres. Chose qui l'avait longuement irrité.

— Arrivé sur la plage, continua Pakarel en mâchant son serpent, je me suis dirigé vers le pont, puisque c'est là que je devais rejoindre mon amie. Mais elle n'y était pas. Donc, j'ai fait un feu pour attirer son attention.

— Depuis le début, conclut Victor, tu savais exactement que tu devais te rendre ici, à cet endroit précis ?

Pakarel hocha la tête. Le jeune homme, qui était bien trop heureux de revoir son ami, haussa les épaules et ria.

— Au fond, c'est pas si mal, admit-il. On n'a qu'à attendre ton amie, c'est ça ?

Pakarel hocha la tête et tendit son serpent à Victor.

— Tu en veux ? dit-il en masquant sa mastication de sa main.

En temps normal, Victor aurait refusé avec dégoût, mais en ce moment, l'anxiété lui avait creusé l'appétit. Il acquiesça donc et mordit dans le serpent cuit.

— Pas mauvais, dit-il en mâchant. Cha rappelle le porc.

Soudain, une pensée traversa la tête du jeune homme. Et si le feu attirait la créature ? Après avoir avalé, Victor demanda d'un ton inquiet :

— Le feu... ça ne peut pas attirer la tortue-dragon ?

— Non ! Elles n'aiment pas le feu, ça les éloigne. Comme la plupart des animaux, d'ailleurs.

Victor hocha la tête, sans pour autant être convaincu par les paroles de Pakarel.

— Et si ton amie ne vient pas ?

— Elle viendra, répondit simplement Pakarel. Il n'y a pas de doute.

— Ce pont, il a été bâti par les gens qui vivent ici ?

— Ouais, acquiesça nonchalamment Pakarel.

Une vague d'incertitude venait de traverser Victor. Et si ces gens n'étaient pas amicaux ? Rester à proximité d'un sentier, devant un feu, était risqué. Lorsque Victor tourna son regard vers Pakarel, ce dernier fixait quelque chose, par-dessus son épaule. Un impact survint, comme un tremblement de terre, qui s'estompa aussitôt. Pivotant machinalement sur lui-même, le jeune homme vit, juste en haut de la petite colline, la tortue-dragon. Elle avança de quelques pas ; qui firent trembler la terre à chaque impact, et se mit à descendre la pente avec une grâce terrifiante. Cette bête n'avait rien d'une tortue, songea Victor.

Se croisant du regard, les deux amis se levèrent et s'élancèrent à toute vitesse en direction de la jungle. Victor avait eu le temps de saisir son sac et son glaive tandis qu'il claudiquait sur les traces d'un Pakarel qui avait déjà pris une vingtaine de pas de distance. Ce dernier lança un regard derrière lui et ralentit la cadence.

— Ne t'arrête pas ! lui cria Victor à toute haleine. Fonce, Bon Dieu !

Pakarel obéit, et quelques instants plus tard, il disparut du court champ de vision que Victor avait dans la jungle étouffée par la végétation. Sachant qu'il se ferait attraper d'un moment à l'autre, le jeune homme lança des regards rapides pour trouver un arbre qu'il pourrait escalader. Malheureusement, avant qu'il ait pu trouver un arbre convenable, les pas qui martelaient le sol s'étaient bien trop rapprochés. De toute sa longueur, Victor plongea sur le côté et s'écrasa par terre, dans une mare d'eau entourée de boue et de fougères. Tandis qu'il se retournait, la tortue-dragon continua sa course et manqua de frapper un arbre, avant de le contourner et de marcher lentement vers Victor. Comme un prédateur, la tête baissée et une épaisse salive lui coulant entre les dents, elle fixait sa proie comme si rien d'autre au monde n'importait.

La queue de la créature raclait le sol de gauche à droite, comme l'aurait fait un chat énervé.

Fuir dans un tel état était futile. Surtout pas avec sa jambe affaiblie. Il devrait donc se défendre avant de succomber. Manier un glaive, couché par terre, était une affaire risquée, songea le jeune homme. La dernière fois qu'il l'avait fait, c'était contre D-rxt, et il avait failli y laisser sa peau. Une lame plus courte lui donnerait de meilleurs résultats. La bête ne pourrait pas en venir à bout d'une seule morsure, il allait donc souffrir, mais pas sans lui avoir donné du fil à retordre. S'il devait vendre sa peau, eh bien, il la vendrait cher ! Victor plongea la main dans son sac à dos et en tira sa dague, qu'il dégaina aussitôt de son étui. Une vague de froid lui envahit la main en un instant.

Sans se soucier des gestes de sa proie, le monstre avança à pas feutrés vers Victor, tendant son long museau vers ses pieds. Le jeune homme recula brusquement, ce qui eut pour effet d'énerver la créature. Rugissant si fort que la terre en trembla presque, un jet de vapeur fut propulsé de sa bouche et fit noircir les feuilles et fougères qui pendaient près de Victor.

Son courage l'abandonnant, Victor sentit sa dague trembler dans ses mains alors qu'il déglutissait avec peine. La bête avança vers le jeune homme et tenta de le mordre, mais celui-ci l'évita de justesse. Repérant une souche à proximité, Victor abandonna son glaive, son sac et sa canne, puis rampa dans le tube de bois, tenant solidement la dague dans sa main droite. Se faufilant à l'intérieur, il entendit le claquement sonore des mâchoires se refermant dans le vide. Victor se rappela aussitôt le souffle de la bête et se traîna hors de la souche, par l'autre extrémité, tandis qu'un jet de vapeur frôla ses semelles.

S'aidant de la souche pour se redresser avec énergie, puisqu'une vague de motivation venue de nulle part l'avait incité à réagir, Victor s'élança en direction de la tortue-dragon, la dague levée, mais la bête fut plus rapide. Elle recula d'un bond, laissant le jeune homme s'affaisser sur le sol, avant de tenter de le mordre. Cette fois, Victor s'était retourné et d'un geste large, il trancha l'air de sa dague. Le cri de la bête lui annonça qu'il l'avait atteinte au niveau du museau. En effet, de lourdes gouttes orangées perlaient sur ses dents avant de tomber sur le sol. Blessée et enragée, la tortue-dragon se retourna précipitamment, sa queue manquant de peu de fouetter Victor dans le mouvement, avant de disparaître dans la végétation de la jungle. Le tremblement des pas qui devenait de plus en plus faible confirma à Victor qu'il n'avait plus rien à craindre.

La respiration haletante, la bouche entrouverte, Victor se laissa tomber en position assise, maculé de sueur et de boue. D'un geste las, il essuya la boue qui se répandait sur son front. Un détail étrange attira aussitôt son attention : la dague n'était pas souillée par le sang de la bête. Au contraire, elle était tout aussi belle et sa couleur bleutée était plus éclatante que jamais. La technologie des Mayas était bien impressionnante, songea Victor. Il resta assis pendant une bonne trentaine de secondes, écoutant le chant des oiseaux exotiques, avant de se relever, persuadé que la bête ne reviendrait plus vers lui.

Le jeune homme tituba en direction de sa canne, de son sac à dos et de son glaive. Après avoir rangé sa dague au fond de son sac, remis son sac sur son dos et attaché la ceinture de l'étui de son glaive à sa taille, Victor entendit une voix caverneuse et familière :

— Identifiez-vous.

Remontant son regard vers une dizaine de pas devant lui, le jeune homme vit Thomas Dujardin, vêtu de son habit des forces de l'ordre, noir et boutonné. Par une telle température, il devait être écrasé par la chaleur et d'ailleurs, la sueur qui imbibait son crâne chauve le confirmait. Cependant, son attitude inflexible laissait croire que celui-ci s'en moquait. Dujardin était accompagné de deux autres hommes, que Victor reconnut comme étant les deux agents égyptiens qu'il avait vus au quartier général du Consortium.

— Victor ! s'écria la voix de Pakarel, qui était menotté et retenu au bout d'une laisse par un Égyptien.

Le pakamu voulut faire quelques pas vers Victor, mais l'Égyptien le tira vigoureusement en arrière, ce qui le fit trébucher et tomber sur le sol. Les deux Égyptiens rirent silencieusement, fiers de leur coup. Ils tenaient dans leurs mains une lance pneumatique, pointée vers le haut.

— Victor, répéta Dujardin, dont les lèvres s'étirèrent en un sourire. Quelle joie de faire votre connaissance. Ou devrais-je vous nommer Gabriel Lupin ?

Victor ne répondit pas. Une boule de haine lui serrait la poitrine. D'un regard froid et perçant, il dévisagea l'Égyptien qui maintenait Pakarel en laisse. Dujardin reprit aussitôt la parole :

— Je ne sais pas quelle raison vous a entraîné à fuir dans un lieu aussi…

Il s'arrêta et regarda autour de lui.

— … désolant. Quoi qu'il en soit, mes ordres sont simples : vous ramener à Québec pour votre procès.

— Et dire qu'il vous a fallu huit jours pour amener de l'eau aux paysans dont les terres avaient été incendiées, à un kilomètre de Québec, fit remarquer Victor avec froideur et ironie. Vous êtes venus jusqu'ici pour me retrouver… en trois jours seulement ? C'est une amélioration.

— Votre sens de l'humour est bien médiocre, monsieur Pelham, répliqua Thomas avec amusement, certainement pas au même niveau que vos talents au piano.

Dujardin posa sa main sur le pommeau de la courte épée qui pendait sur sa ceinture. Victor remarqua de nombreuses cicatrices sur ses mains musculeuses. Ce qui laissait deviner que l'officier Thomas Dujardin était probablement habile au maniement d'armes tranchantes. Le provoquer en duel serait cause perdue.

— À moins que vous ne vouliez rendre les choses plus personnelles entre vous et moi… ce que je ne vous suggère pas, ajouta-t-il en baissant la voix. Je vous demanderais de me rendre votre épée et votre sac, sans protestations.

Les menaces de Thomas étaient inutiles ; sa taille imposante et son visage déterminé suffisaient à décourager quiconque de lui désobéir. Le jeune homme détacha donc la ceinture qui soutenait son arme. Dujardin fit un signe de tête vers Victor et un de ses hommes avança. Saisissant l'étui de son glaive et faisant glisser son sac à dos sur son bras, Victor les tendit à l'homme. Ce dernier fit signe à Victor de lui donner sa canne.

— Nous ne sommes pas des hommes sans cœur, intervint aussitôt Thomas de sa voix lente, pesée et caverneuse. Laissez-lui sa canne. Non, ajouta-t-il alors que l'Égyptien s'apprêtait à menotter Victor. Inutile de le menotter. Il aura besoin de ses mains pour marcher.

— Mais monsieur, intervint l'homme qui avait désarmé Victor.

— Usez de votre cervelle, dit lentement Thomas en détournant son regard puissant vers l'homme. Vous préférez le traîner sur vos épaules ?

— Non, monsieur, répondit l'Égyptien.

— Alors en route, dit Thomas en présentant le chemin à Victor, d'un signe de main. Après vous.

La direction que montrait Thomas se perdait dans la jungle. Il devait savoir où aller, songea Victor qui obéit à l'ordre et marcha en tête du groupe, suivi de près par Dujardin et les deux agents égyptiens.

Victor marcha à travers la jungle pendant un bon moment, lançant des regards noirs derrière lui pour vérifier l'état de son petit compagnon, qui se faisait traîner comme un vulgaire chien. Contrairement à ce qu'il croyait, Thomas et ses hommes le menaient dans la direction opposée à celle de la plage. Pourquoi s'enfonçaient-ils ainsi dans la jungle ? Après avoir traversé un terrain inégal, couvert d'immenses racines, de lianes et de fougères, le petit groupe arriva à une petite étendue d'eau, dans laquelle chutait une cascade d'environ 50 mètres de haut. Un arc-en-ciel se formait devant la chute. Dans une autre situation, le lieu aurait pu inspirer une certaine tranquillité.

— Faisons une pause, déclara Dujardin. Cinq minutes, le temps de se rafraîchir.

Contrairement aux deux hommes qui s'élancèrent en direction du bassin d'eau pour boire un bon coup, Dujardin s'éloigna un peu, donnant l'impression qu'il cherchait quelque chose. Victor entendit alors un gémissement semblable à un étranglement. Alarmé, il tourna la tête vers le bassin ; l'un des hommes au visage moqueur maintenait Pakarel la tête sous l'eau.

— On voulait boire de l'eau sans demander, sale petit animal crasseux ? rugit l'Égyptien alors que son compagnon riait fortement.

Victor pressa le pas vers les hommes. Il saisit sa canne par le pied et d'un geste bien préparé, puisque les deux hommes étaient trop occupés à rigoler, il frappa l'étrangleur de son ami en plein visage. Le pommeau de la canne de Victor représentait une tête de wyverne en argent, et ses détails étaient abrupts et presque pointus, ce qui en faisait une bonne matraque. De fait, l'homme lâcha prise et tomba dans l'eau comme une masse, abasourdi.

Sous les yeux ébahis de l'autre agent, Victor tira son ami hors de l'eau et lui rendit son chapeau, qui était tombé par terre. Toussant et crachant de l'eau, les yeux injectés de sang, Pakarel hocha la tête pour indiquer à Victor qu'il allait bien.

— Hé ! s'écria l'homme, qui venait de réaliser ce qui s'était passé sous ses yeux.

Il pointa sa lance pneumatique vers Victor et s'apprêta à le frapper.

— Je te suggère d'abaisser ton arme, intervint la voix de Dujardin, qui venait d'apparaître aux côtés de Victor.

Rouge de colère, l'homme voulut répliquer :

— Mais il a...

— J'ai vu la scène, le coupa lentement Thomas. Aide ton coéquipier à se redresser.

L'homme que Victor avait frappé se relevait péniblement, le nez visiblement cassé, tâché de sang mélangé avec l'eau. Lâchant quelques jurons, il faillit tomber à nouveau, mais son ami le retint.

— Pakamu, déclara Thomas. Bois un peu d'eau, tu en auras besoin pour le voyage.

Évidemment, Pakarel ne bougea pas. Victor dut intervenir et l'inciter à se désaltérer, ce qu'il fit lui aussi. Quelques gorgées de l'eau de source leur firent le plus grand bien.

— On lui prend sa canne, grommela l'homme au nez cassé dont la voix, amusante, indiquait un problème nasal. Il est dangereux !

— Qui diable t'a donc chargé de donner des ordres, ici ? intervint Dujardin d'un ton froid.

— Personne, répondit l'homme d'un air renfrogné.

— C'est bien ce que je me disais, conclut Thomas. Remettons-nous en route.

— Où allons-nous ? demanda Victor, d'une voix assez forte pour attirer l'attention de Thomas.

Ce dernier marcha vers Victor et s'arrêta à un pas de son visage.

— Je vous ramène pour votre procès, répondit Thomas. Notre gyrocoptère se trouve plus loin, à un kilomètre au sud-ouest.

— Un procès ? s'enflamma Victor. Ce n'est pas comme ça que fonctionne notre justice !

— La justice, je la connais, ainsi que mon boulot, lui rétorqua Thomas. Mais merci de vous en soucier. Je dois vous avouer que dans votre cas, monsieur Pelham, la justice sera rendue différemment. Ça ne me plaît pas, mais c'est comme ça. Voyez-vous, les hommes et femmes de science de plusieurs nations ne se sentent plus en sécurité. Malheureusement, les autorités de plusieurs pays font pression sur nous. Ils veulent un coupable pour dormir tranquillement sur leur oreiller, même si selon moi, tout cela n'a pas de sens. Cela dit, cette pression, c'est sur vous qu'elle va retomber. Vous êtes perçu comme coupable, et vous serez jugé en conséquence.

L'officier avait parlé sans aucune émotion. Une chose était sûre : Dujardin semblait plus que motivé à le ramener, coûte que coûte.

— Et Pakarel ? ajouta Victor en grinçant des dents, désignant son ami raton laveur d'un signe de tête. Laissez-le tranquille ! Il n'a rien fait.

— Il a avoué être votre complice, répondit Thomas avec un sourire en coin. C'est bien assez pour l'emmener, lui aussi.

— En laisse, comme un chien ? C'est illégal.

Thomas le regarda d'un air indéchiffrable et froid. À ce moment même, le jeune homme avait simplement envie de lui cracher au visage.

— Ce n'est pas illégal, le contredit l'officier d'un ton lent. J'aurais préféré devoir le convaincre autrement. Mais il a tout un caractère, ce petit bonhomme. Votre ami a essayé de s'enfuir à plus d'une reprise. La laisse, quoique barbare, s'avérait la méthode la plus efficace pour le maintenir près de nous. Maintenant, avancez, monsieur Pelham.

Bien qu'exprimées dans un langage raffiné, les paroles de Thomas étaient solides et bien pesées. Victor avait la nette impression que cet homme ne parlait pas pour rien dire, et qu'il devait avoir l'habitude de se faire obéir au doigt et à l'œil. Un sifflement, fendant l'air, se fit soudain entendre. C'était le bruit d'une flèche. Avant même qu'il eût réalisé ce qui se passait, Victor se sentit propulsé sur le sol. L'homme qui trimbalait les affaires de Victor tomba sur le sol, une flèche plantée dans la gorge. Il déglutit difficilement, crachant du sang.

— À couvert! hurla Thomas qui s'était caché, en traînant Victor par le collet avec lui, derrière un rocher.

Une pluie de flèches s'abattit sur le rocher, leur pointe ricochant sur la surface de pierre à quelques centimètres de Victor.

— Oubastet! s'écria l'homme au nez cassé, qui avait tiré Pakarel près de lui, tous deux cachés derrière un autre rocher.

L'homme qui avait été atteint à la gorge, dénommé Oubastet, était maintenant mort. Dégainant un pistolet rangé à sa ceinture, Thomas tira quelques coups de feu en direction de la jungle. L'homme des forces de l'ordre égyptiennes s'était agenouillé, pointant sa lance pneumatique vers la jungle. De puissantes détonations survinrent, créant une explosion de feu et de fumée au bout de l'arme. Victor comprit que la lance pneumatique était munie d'un canon intégré.

Comme effet des coups de feu tirés à l'aveuglette dans la végétation de la jungle, la volée de flèches avait cessé. Victor, qui lança un coup d'œil vers Pakarel pour s'assurer qu'il allait bien, fut intrigué par une ondulation à la surface de l'eau. Avec une vitesse impressionnante, une tête grisâtre en ressortit la première, suivie d'une paire d'épaules massives. Une demi-seconde plus tard, l'Égyptien fut poignardé d'une lame qui transperça son torse. Il tomba raide mort sur le sol, le cœur perforé.

— Lâche ton arme, humain, menaça une voix féroce sortie de nulle part.

Thomas et Victor se retournèrent et tombèrent face à face avec une créature imposante. Son corps et son visage étaient couverts de poils gris, drus et mouillés. Son visage était semblable à celui d'une hyène et ses oreilles étaient percées par de nombreux anneaux. Son cou musclé était entouré d'un collier serti de petits crânes d'animaux. Sa gueule, démontrant une rangée de dents menaçantes, dégageait une odeur infecte de sang et d'humidité. Vêtue d'un pagne orangé et garni de motifs indigènes, la créature, haute d'au moins deux mètres bien qu'elle eût le dos voûté, avait de nombreux tatouages tribaux. Elle pointait vers Thomas une longue lance sertie de crânes et de plumes, qu'elle tenait fermement de ses puissantes mains griffues. Ses jambes rappelaient celles d'un chien, mais elle se tenait debout, comme les satyres.

— Lâche ton arme, répéta la créature qui dégoulinait d'eau.

Au même moment, la créature qui avait tué l'Égyptien vint les rejoindre, tenant Pakarel par le col. Des pas froissant les feuilles survinrent, et cinq de ces créatures émergèrent de la jungle, pointant leur arc vers Victor et Thomas. Les deux hommes furent relevés, tandis qu'une des créatures traîna les corps des Égyptiens tués dans la jungle, hors de portée de vue.

— Les humains ont un traité de paix avec vous, dit Thomas à la bête qui le désarmait.

— Les gnolls et les humains ne sont plus en paix, déclara simplement la créature.

Ces bêtes étaient donc des gnolls, songea Victor. Il en avait souvent entendu parler, mais il n'en avait jamais croisé. D'après ce qu'il savait, ils vivaient dans les pays nordiques. Victor ignorait que les gnolls vivaient aussi dans les régions tropicales.

— Depuis quand ? continua Thomas, qui plissa les yeux, l'air agacé.

Analysant les gnolls autour de lui, Victor déduisit que celui qui faisait la conversation avec Thomas était leur chef, car il était le seul à être vêtu ainsi ; les autres n'avaient qu'un simple pagne brunâtre, deux ou trois anneaux aux oreilles et des armes rudimentaires, telles que des haches et des épées, en mauvais état. Probablement volées.

— Depuis que vous avez rompu votre part du traité, répondit simplement le gnoll tatoué.

— Ils sont à moi, déclara une voix féminine.

Tout le monde, gnolls inclus, se tourna en direction de la jungle, devant l'étendue d'eau. Une jeune femme s'y trouvait, vêtue d'un pantalon brun, d'un chemisier, de bottes et de gants en cuir. Une arbalète, que Victor reconnut comme étant la sienne, était appuyée sur son épaule, pointée vers le ciel.

— Nous les avons trouvés avant toi, rétorqua le chef de gnolls, d'un air amusé.

Victor n'en resta pas moins surpris.

— Dans ce cas, partageons ! répondit vivement la jeune femme.

Victor avait discerné un léger accent dans la voix de la femme. Subtil, mais présent. Elle ne parlait pas sa langue maternelle. La jeune femme s'avança vers Victor et ses compagnons. Ses cheveux bruns et frisés tombaient sur ses épaules, son visage blême était masqué de quelques taches de rousseur. De ses yeux bruns, elle remarqua l'état de Pakarel et son sourire s'estompa.

— Détache-le ! rugit-elle.

Pakarel, dont la nuque était toujours retenue par une laisse, fut libéré par le gnoll.

— On l'a trouvé comme ça, dit le chef des gnolls. Ça lui va bien, une laisse, à ce Pakarel.

Victor fronça les sourcils. Le chef des gnolls connaissait Pakarel ? Il était maintenant évident que le raton laveur était déjà venu ici. Une fois Pakarel convenablement libéré, elle s'agenouilla et le serra contre elle. Il n'y avait pas de doute ; c'était l'amie que le raton laveur avait mentionnée.

— Je vous laisse les deux autres, dit la jeune femme en dévisageant Victor et Thomas d'un regard sombre.

— On ne part pas sans Victor! s'opposa Pakarel. Il m'a aidé. Il est mon ami!

— Victor? répéta la jeune femme en levant les yeux vers le jeune homme.

Leurs regards se croisèrent, et à cet instant, la jeune femme entrouvrit la bouche, l'air stupéfait. Quant à Victor, quelque chose s'était réveillé au fond de lui. Il avait reconnu la jeune femme. C'était impossible.

Chapitre 14

Les gnolls de l'Amérique centrale

— Très bien, ajouta la jeune femme d'une froideur soudaine. Je le prends, lui aussi.

— Nous gardons le chauve, déclara le chef des gnolls.

Il lança quelques phrases dans un dialecte étranger, qui devaient être des ordres, et les gnolls se rassemblèrent près de leur chef. Deux gnolls ligotèrent Thomas avec la corde qui avait servi à traîner Pakarel. Victor croisa le regard vide de toute émotion de Thomas, qui resta silencieux, avant qu'il se fasse bousculer par les gnolls qui marchaient vers la jungle.

— Tu restes avec eux ? demanda le chef.

La jeune femme hocha la tête en guise d'acquiescement.

— Très bien. Avance, l'humain ! lança-t-il à l'intention de Dujardin.

Dévisageant le chef de son habituel regard puissant, Thomas se mit en marche. Au bout de quelques secondes, ils avaient tous disparu, laissant seuls Victor, Pakarel et la jeune femme, qui décida tout bonnement de s'asseoir sur un rocher et de retirer ses bottes. Après que Victor et Pakarel eurent échangé un regard, ce dernier demanda :

— Que faisons-nous ?

— On monte le camp ici, déclara la jeune femme en trempant ses pieds nus dans l'eau, assise sur une roche.

— Monter le camp ? répéta Pakarel avec appréhension. Mais c'est dangereux !

Victor non plus n'était pas chaud à l'idée de monter un camp dans un endroit souillé par la mort des deux Égyptiens. La jeune femme rit un peu et fit un geste nonchalant de la main.

— Mais non! déclara-t-elle. Nous sommes sur les terres des gnolls. Personne ne peut s'y aventurer sans avoir affaire à eux.

— Je t'ai apporté le livre, ajouta Pakarel d'un air plus sombre, presque honteux.

— J'y jetterai un œil plus tard, répondit la jeune femme d'un air jovial.

— Mais nous avons à faire, insista Pakarel. Nous devons...

— Pakarel, le coupa-t-elle. Sans l'aide de mes amis, nous ne parviendrons à rien. Ils viendront ce soir.

Pakarel n'ajouta rien. Victor, quant à lui, n'était pas contre l'idée de prendre une petite pause. Cependant, quelque chose le tracassait.

— Et les créatures? intervint Victor en se rappelant l'affreuse tortue-dragon. Ne pourraient-elles pas nous attaquer ici?

Surprise d'entendre sa voix, la jeune femme chercha ses mots, avant de répondre :

— Ces monstres sont chassés par les gnolls. Ils adorent leur chair. Et puisque ce sont des animaux intelligents, les tortues-dragons ne restent pas à proximité des gnolls.

Victor et Pakarel n'étaient pas convaincus de la sécurité de l'endroit. Mais la jeune femme, quant à elle, semblait ne pas s'en soucier. À voir ses cheveux, jugea Victor, les nombreuses taches de boue sur ses vêtements et ses doigts crasseux, elle semblait habituée à la région.

— Ce bassin d'eau est sécuritaire? demanda Pakarel qui s'en était approché, penché juste au-dessus. Il n'y a pas de gnolls cachés là-dedans?

— Je viens souvent ici, déclara la jeune femme. J'adore nager. C'est sécuritaire, ajouta-t-elle en voyant le froncement des sourcils de Victor.

Rassuré, Pakarel retira ses bottes trop grandes pour lui, sa chemise, ses gants et son chapeau. Il garda son petit pantalon et sauta à l'eau. Comme un enfant, il se mit à jouer et à éclabousser la jeune femme, qui se mit à rire. Victor, qui n'avait pas bougé, réalisa que l'amie de Pakarel avait tourné la tête vers lui.

— Viens t'asseoir, lui dit-elle en déplaçant son poids vers la gauche, laissant une place pour lui. Allez, ajouta-t-elle, puisque le jeune homme n'avait pas bougé d'un millimètre.

Étirant un sourire forcé, Victor retira ses bottes et ses chaussettes.

— Un peu de rafraîchissement ne me fera pas de mal, dit-il à contrecœur, tentant d'avoir l'air convaincant.

Il prit place auprès de la jeune femme. Aussitôt, comme s'il avait pénétré une sorte de bulle invisible, Victor se sentit mal à l'aise, pris de bouffées de chaleur. Il déboutonna donc quelques boutons de sa chemise et retroussa ses manches.

— Je suis heureuse de te revoir, Victor, lui dit-elle. Tu te souviens de moi ?

Elle le regardait droit dans les yeux, un sourire en coin, le visage radieux. Malgré les quelques taches de boue sur son visage, elle était jolie. Après un instant, Victor détourna vivement la tête et dit, tentant de ne pas avoir l'air de trop s'en souvenir :

— Euh, oui, je me souviens. Maeva, c'est bien ça ?

Elle hocha la tête.

— Que fais-tu ici avec Pakarel ? lui demanda-t-elle.

— C'est une longue histoire, répondit Victor en s'efforçant de sourire.

— Et vous êtes amis depuis longtemps ?

— Trois jours, répondit Victor en regardant le raton laveur combattre des ennemis invisibles à grands coups d'éclaboussures. Environ trois jours.

Maeva leva un sourcil et sourit.

— Seulement trois jours ? C'est surprenant. Il t'apprécie beaucoup.

— C'est surprenant ?

Elle hocha la tête.

— Pakarel ne se lie pas facilement d'amitié avec les gens. Il ne leur fait pas confiance.

— Ah bon ? Pourquoi donc ?

— C'est une longue histoire, dit Maeva, reprenant les paroles de Victor.

Tous deux se mirent à rire.

— Je suis heureuse de te revoir, dit-elle en posant sa main sur l'avant-bras de Victor. Tu as beaucoup changé.

Si Victor croyait qu'il faisait déjà assez chaud, il s'était trompé. Sa température corporelle avait doublé d'intensité.

— La dernière fois, tes cheveux n'étaient pas aussi longs! ajouta-t-elle. Et tes joues n'étaient pas recouvertes de cette petite barbe!

— Euh... je... je n'ai pas eu le temps, balbutia Victor, de... de me raser. Depuis quelques jours.

— Ça te va bien. Les filles doivent être à tes trousses! ajouta-t-elle en ricanant.

— Oh! euh, pas vraiment, mentit Victor en se grattant l'arrière de la tête.

Soudain, une vague d'eau atteignit Victor et Maeva en pleine figure, les prenant totalement au dépourvu.

— Venez jouer! déclara Pakarel, qui s'était mis des algues sur la tête, en guise de cheveux. Je vous déclare la guerre! cria-t-il d'un ton jovial.

— Oh, tu crois! lança Maeva en se laissant tomber dans l'eau, sans prendre la peine de retirer ses vêtements. Attends que je t'attrape, petit monstre marin! Victor, viens me donner un coup de main!

— Oh! oui, Victor, viens! l'encouragea Pakarel.

Soupirant et souriant, Victor posa sa canne sur le rocher et se laissa glisser dans l'eau. Après tout, ne s'était-il pas plaint de son hygiène? Un peu d'eau lui ferait le plus grand bien.

À la tombée du soir, lorsque tout le monde se fut plus ou moins séché, Victor alla rejoindre Maeva, qui ramassait du bois en prévision d'un feu. Propre, le jeune homme se sentait beaucoup mieux. Maeva lui semblait encore plus jolie, maintenant qu'elle n'était plus marquée par la boue.

— Ces amis que tu as mentionnés, lui demanda-t-il en ramassant quelques bonnes branches, qui sont-ils?

— Des coualts, répondit Maeva en lui accordant un bref sourire, avant de continuer sa tâche.

Ce mot rappelait quelque chose à Victor. Serait-ce en lien avec le nom de la ville flottante des horizoniers, descendants du peuple ancien des Aztèques, qu'ils avaient nommée Quetzalcóatl? Maeva, qui avait remarqué l'air pensif du jeune homme, ajouta :

— Ce sont des êtres bien spéciaux. Tu les rencontreras cette nuit.

Tiré de ses pensées, Victor s'étonna :

— Cette nuit?

Maeva hocha la tête et tendit la main vers lui.

— Tu veux bien me donner ces branches?

— Oh! je peux t'aider à les ramener, lui dit Victor.

— C'est bien aimable à toi, ajouta-t-elle en souriant.

Le silence s'étant installé, Maeva se contenta de chantonner tranquillement alors qu'ils revenaient vers l'étendue d'eau, tout en contournant la végétation dense de la jungle. Brisant le silence, Maeva dit finalement :

— Alors...

— Alors quoi? répéta Victor, amusé.

— Est-ce qu'il y a une madame Pelham dans votre vie, monsieur? continua-t-elle en riant.

Victor et Maeva se mirent à rire.

— Alors? poussa Maeva d'un ton de taquinerie. Dis-moi. Elle est gentille?

Victor garda un sourire plaqué au visage et ne répondit pas.

— Allez! insista la jeune femme. Dis-moi!

— Il n'y a personne dans ma vie.

Maeva haussa un sourcil et se mit à rire à son tour.

— Ne te moque pas de moi! lâcha-t-elle d'un air amical.

— Je ne me moque pas de toi! Il n'y a pas de madame Pelham dans ma vie.

— C'est étonnant, répondit Maeva au bout de quelques secondes, comme si elle ne s'attendait pas à cette réponse.

— Et pourquoi donc? J'aime peut-être le célibat?

— Peut-être, admit Maeva.

À ce moment-là, ils arrivèrent à portée de vue de Pakarel qui leur fit un signe de la main. Le raton laveur avait été chargé de trouver quelque chose à manger et il était déjà revenu avec trois gros serpents dépecés, plantés sur des tiges de bois.

— Encore du serpent, réalisa Victor, amèrement.

— C'est mieux que des tarentules, lui assura Maeva.

Durant l'heure qui suivit, Victor raconta à Maeva la raison de sa présence en Amérique centrale. La jeune femme les écouta, Pakarel et lui, avec un silence de moine.

— Je suis navrée, dit-elle finalement lorsque Victor eut terminé. J'espère pouvoir t'aider à retrouver ceux qui ont fait ça.

— Ton français s'est beaucoup amélioré, fit remarquer Victor. C'est ton père qui t'a appris ?

Maeva acquiesça d'un lent signe de tête.

— Et toi, pourquoi es-tu ici ? lui demanda Victor. C'est à ton tour.

— Pour les mêmes raisons que toi, répondit tristement Maeva. Ils ont tué mon père.

Regrettant la remarque au sujet du français de Maeva, Victor déglutit difficilement. Leif Björnulf, le père de Maeva, était un scientifique qu'il avait rencontré en Égypte, à la cabane de Lee Burton, le fanfaron radiophonique.

— Tu ne pouvais pas savoir, ajouta-t-elle en souriant faiblement. Je ne suis pas offensée.

— Pourquoi l'ont-ils tué ? se risqua Victor.

Soupirant, Maeva répondit :

— Un beau matin, lorsque j'avais 16 ans, mon père s'est levé en me déclarant que nous devions quitter la Norvège pour nous rendre en Amérique centrale. C'était il y a trois ans. À l'époque, j'aurais tout fait pour quitter mon pays natal. J'étais donc ravie à l'idée de l'accompagner, lorsqu'il me l'offrit. Évidemment, au bout de quelques mois, je me suis mise à douter de sa santé mentale, car il ne cessait de marmonner qu'il allait bientôt trouver ce qu'il cherchait.

— Que cherchait-il ? demanda Pakarel.

— C'est ce que je lui ai demandé à maintes reprises, répondit Maeva, et à chaque fois, il me disait sans cesse «Je ne peux pas te l'expliquer, ma fille, c'est encore trop flou pour moi-même!».

— Mais qu'est-il arrivé? demanda Victor.

— L'an dernier, il a finalement découvert ce qu'il cherchait. En décryptant les glyphes inscrits sur une ruine maya, à l'aide du livre que Pakarel m'a ramené, il est parvenu à démystifier la particule d'Ixzaluoh, avec l'aide de ses collègues.

Frappé par la nouvelle, Victor resta bouche bée. C'était ça. Leif était l'un des scientifiques qui travaillaient en collaboration avec Balter. Des liens s'étaient finalement formés entre plusieurs mystères. Ils travaillaient sur une source d'énergie utilisant une particule bien précise. Cette particule, cet élément avec lequel Balter avait fait fonctionner son petit moteur avait maintenant un nom.

— La particule d'Ixzaluoh, répéta le jeune homme en murmurant, le regard dans le vide.

Voilà finalement un nom lié à la découverte de Balter.

— Ses collègues? demanda Pakarel. Je croyais que vous viviez seuls, dans la jungle, toi et ton papa.

— Oui, c'était le cas, admit-elle. Mais nous avions de l'équipement de communication radiophonique. Il passait ses nuits à discuter avec d'autres scientifiques à qui il rapportait ses découvertes.

— Comment a-t-il pu déchiffrer les glyphes avec un livre qu'il n'avait pas? demanda Victor, le regard perdu sur la surface de l'étendue d'eau.

— Leif notait les glyphes des ruines et, le soir, il contactait un certain Fislek qui lui traduisait leur signification.

Le père de Caleb, conclut mentalement Victor. Il en savait plus que ce qu'il avait laissé paraître. Mais pourquoi?

— J'adore ses tartes! déclara Pakarel. Elles sont si bonnes!

Pendant quelques minutes, la conversation dériva sur plusieurs autres sujets. Victor restait silencieux et rassemblait tous les liens qu'il pouvait faire au sujet du projet scientifique de Balter. Qu'est-ce que c'était, exactement? Une source d'énergie, oui, bien sûr. Mais pourquoi voulait-on tuer les hommes et femmes de science qui travaillaient sur ce projet ? Pourquoi ?

— Tu sembles contrarié, lui dit Maeva.

Victor leva les yeux vers elle.

— Tu peux nous le dire, lui assura-t-elle.

— Il semblerait que cette découverte ait été la source des ennuis de bien des hommes et femmes de science.

— Que veux-tu dire ? répondit la jeune femme en fronçant les sourcils.

— La particule d'Ixzaluoh, continua-t-il. Balter avait découvert son utilité. Les personnes qui ont étudié cette forme d'énergie se sont toutes fait tuer. Léonard me l'a même confirmé.

Une question surgit alors dans le cerveau de Victor.

— Maeva, as-tu vu le tueur de ton père ? ajouta-t-il aussitôt en insistant sur le mot « vu ».

— Non, dit-elle en hochant la tête de gauche à droite. Je n'ai rien vu. Il n'a pas même laissé une trace. Et pourtant, la blessure de mon père a été causée par une lame. C'était tellement... invraisemblable. Il est mort sous mes yeux, nous mangions un bol de soupe... et il s'est affaissé sur la table, raide mort.

Le visage de la jeune femme blêmit.

— Peut-être les gnolls ? suggéra Pakarel.

— Non, répondit Maeva en hochant frénétiquement la tête de gauche à droite. Ils s'entraidaient beaucoup. Ils adoraient mon père.

Victor se leva et alla chercher son sac à dos, près de son glaive et de son arbalète, adossé à un rocher. Sous les regards intrigués de ses amis, il revint avec la dague.

— Je suis prêt à parier que ton père a été tué avec quelque chose de semblable, déclara Victor en lui tendant l'arme.

— C'est... c'est froid, dit Maeva en tenant l'arme d'une main tremblante, comme si elle en avait peur. Où l'as-tu trouvée ?

— Je l'ai prise à l'assassin qui a tenté de tuer Léonard de Vinci, un autre scientifique. Cependant, il n'a pas réussi.

— Tu l'as vu ? s'étonna Maeva.

Victor approuva d'un signe de tête. Il avait oublié de préciser ce détail à son amie, en racontant son histoire.

— Je ne sais pas pourquoi je l'ai vu, puisqu'ils sont apparemment invisibles, mais c'était un Maya en robe blanche, affirma-t-il. Il s'est sauvé et est arrivé ici même, au Belize.

— Peut-être... s'est-il rendu aux ruines, conclut Maeva, donnant l'impression qu'une lumière s'était allumée au fond de ses yeux.

— Peut-être, répéta Victor, satisfait qu'elle en soit venue à cette conclusion. Pourquoi n'irions-nous pas y jeter un œil ?

— C'est pour cela que nous avons besoin de l'aide des coualts, expliqua Maeva. Les ruines ne se trouvent pas. Elles sont inaccessibles.

— Tu voulais le livre de Fislek pour voir et comprendre ce que ton père étudiait, lorsque les coualts te montreront la route ? déduisit Victor.

Maeva sourit et hocha la tête.

Lorsque la nuit tomba, ils allumèrent un feu. Victor, qui avait prévu de ne rien manger ce soir-là, se laissa tenter, rongé par une faim qu'il n'était pas parvenu à contrôler.

— Bon, d'accord, dit-il alors que Pakarel lui passait un gros morceau de serpent cuit.

C'était beaucoup plus goûteux que celui qu'il avait mangé en début de journée, admit mentalement Victor.

— C'est presque bon, fit remarquer le jeune homme entre deux bouchées.

— C'est une belle arme, cette arbalète, mentionna Maeva en pointant du menton l'arme adossée au rocher. Où l'as-tu trouvée ?

— Sur la dépouille d'un métacurseur qui a tenté de nous tuer, Pakarel et moi, répondit Victor.

— Oh oui ! ajouta Pakarel avec énergie. Victor l'a vaincu comme un vrai guerrier !

— N'en fais pas trop, ricana Victor.

Soudain, une faible sonnerie retentit dans l'air. Elle provenait du sac de Victor. C'était sa radio ! Il fouilla fébrilement dans son sac et en retira le gadget, le visage rayonnant. Pakarel accourut aux côtés du jeune homme pour écouter la conversation qui allait suivre. Victor porta l'appareil à son oreille.

— Oui ?

— Victor, c'est Nathan. Où es-tu ?

— Je suis arrivé à destination, au Belize. Et vous, où êtes-vous ?

— Nous sommes partis en matinée. Nous avons été retardés par quelques officiers désagréables et un magistrat égyptien. Ils veulent bannir l'organisation du Consortium d'Alexandrie.

— Vous vous en êtes tirés ? dit Victor, mal à l'aise.

— Oui, enfin, pour l'instant. Caleb, Liam, Marcus et moi sommes en route vers toi et Pakarel.

— Comment allons-nous nous retrouver ? s'inquiéta Victor. Le territoire est immense...

— Ta radio, nous pouvons la suivre sur nos radars.

— Alors, pourquoi demander si je suis arrivé à destination ? demanda le jeune homme d'un air amusé.

— Pour être certain que le matériel n'est pas défectueux, admit Nathan.

Levant les yeux, Victor vit que Maeva mangeait silencieusement, le regard fixé sur le sol. Il était évident qu'elle pouvait entendre la conversation. Le jeune homme se rappela que Pakarel lui avait dit qu'elle ne faisait pas confiance à Caleb et à ses collègues.

— Au fait, comment va Caleb ? demanda le jeune homme.

— Il s'en sortira, répondit Nathan. Selon moi, il aurait dû rester au lit. Mais c'est un entêté.

Victor échangea un sourire avec Pakarel ; ils étaient tous deux contents de savoir que leurs amis allaient bien.

— Et quand allez-vous arriver ?

— À l'aube, répondit Nathan. D'ici là, tu devrais trouver un endroit propice à l'atterrissage de notre vaisseau. Tu te souviens de quoi il a l'air et de ses proportions ?

Victor se souvenait très bien de l'engin, qui lui rappelait un énorme frelon.

— Oui, répondit-il. Je me souviens. Je tenterai de trouver.

— Et reste sur place lorsque tu l'auras trouvé, si possible, ajouta Nathan. Inutile de courir des risques inutiles. Ah! j'oubliais, nous avons vu sur nos radars le vaisseau de l'officier Dujardin. Ça te dit quelque chose?

— Il a tenté de nous arrêter, Pakarel et moi, expliqua Victor. Mais une amie est venue nous aider juste à temps, dit-il en regard son amie.

— Une amie? répéta Nathan.

— Oui, je vous raconterai les détails une autre fois. Dujardin s'est fait capturer par des gnolls et ses deux hommes, les Égyptiens, ont été tués.

— Des gnolls, tu dis? répéta Nathan d'une voix surprise. Au Belize?

— C'est ça.

Il y eut un court silence, puis Nathan ajouta :

— Dans ce cas, il serait peut-être préférable de le retrouver.

— Je sais, admit Victor alors que Maeva levait son regard froid, presque outré, vers lui.

— Nous nous sommes tous mis dans de beaux draps en cachant ta présence, continua Nathan. Nous sommes accusés de complicité. C'est mauvais pour notre réputation, déjà qu'elle ne plafonne pas vraiment...

— Retrouver Dujardin nous donnerait la chance de nous expliquer, continua Victor. Nous le retrouverons.

— Content de te l'entendre dire, répondit Nathan. Je dois couper la communication. Je te recontacterai quelques minutes avant notre arrivée.

— D'accord. Faites attention à vous.

Soupirant de soulagement, il ne put s'empêcher de sourire. Pakarel semblait partager ses sentiments. Maeva, par contre, démontrait tout l'inverse.

— Tu veux sauver l'homme qui t'a capturé et qui a maltraité Pakarel? lança-t-elle d'une voix pleine d'accusations.

Victor rangea sa radio sans rien dire avant de lever les yeux vers son amie. Seul le crépitement du feu brisait le silence.

— Je ne fais pas confiance à ces gens, déclara Maeva d'un air abattu. Je l'ai entendu, ils sont du Consortium.

— Qui, exactement ? demanda Victor qui voulait gagner du temps pour formuler une raison valable.

— Tes amis, vraisemblablement ! répondit-elle avec un geste de la main. Ils font partie d'une organisation de criminels !

Victor comprenait ce dont Maeva avait peur, mais les choses avaient bien changé depuis le temps.

— Ils sont gentils ! se risqua Pakarel, qui fut ignoré par la jeune femme.

— Ils ne sont plus les mêmes qu'autrefois, tenta Victor d'un air convaincant, pour renforcer la remarque du raton laveur. Ils sont un petit groupe, à peine une vingtaine, qui ont gardé le même étendard pour laver le nom de leur organisation... qui autrefois, était noble et aidante.

— Noble et aidante ! répéta Maeva avec dégoût.

— Je sais ce qu'ils ont fait, déclara Victor d'un ton catégorique. Ils ont ruiné la vie de beaucoup d'enfants, la mienne incluse, ajouta-t-il en se remémorant l'origine de l'Institut qu'il possédait maintenant. Ils ont détruit la vie de beaucoup de gens, continua-t-il d'une voix normale, mais je crois en la bonté des hommes qui cherchent la rédemption. Ils veulent nous aider.

— Pourquoi voudraient-ils t'aider ? demanda Maeva d'une voix inquiète. Qu'ont-ils à gagner ?

— Ce sont mes amis. Ils m'ont promis un coup de main, pas seulement par solidarité, mais par devoir !

En entendant ses propres paroles, Victor se sentit un peu naïf. La naïveté n'avait-elle pas eu raison de lui plusieurs fois ? Avait-il appris de ses erreurs ? D'un autre côté, faire confiance aux gens, même les plus tordus, lui avait permis de survivre et de se faire des alliés hors du commun.

— Quoi qu'il en soit, continua Maeva, nous aurons trouvé les ruines mayas avant leur arrivée. Vous irez secourir votre ami par la suite, mais ne comptez pas sur mon aide. Je ne risquerais pas ma position au sein du village gnoll pour des gens comme tes amis.

Le jeune homme fut déçu d'entendre ces propos, mais il s'y pencherait en temps et lieu.

— Et toi, que feras-tu? demanda Victor, qui venait de réaliser qu'il n'avait même pas demandé à son amie la raison de sa présence au Belize. Lorsque tout cela sera terminé, ne voudrais-tu pas quitter ces lieux?

— Je ne sais pas, répondit-elle. Je vis ici depuis longtemps.

— Où vis-tu exactement?

— Dans un des villages des gnolls. J'ai mes appartements. Ils me procurent tout ce dont j'ai besoin. Et puis, ils commercent avec les caravanes de marchands toutes les semaines; je n'ai donc jamais manqué de quoi que ce soit.

— La vie en dehors de la jungle, ça ne te plairait pas?

— Non, répondit fermement Maeva en faisant un signe de négation avec sa tête. Pas du tout, à bien y penser.

Étrangement, Victor se sentit un peu contrarié par cette remarque. Qu'avait-il espéré?

— Dormons une heure, suggéra Maeva. Les coualts ne viendront pas avant encore une heure et demie.

— Venir où? Ici? demanda Pakarel, la bouche pleine, qui était resté muet jusqu'à présent, occupé à finir les serpents de tout le monde.

— Oui, ils viendront à nous, acquiesça Maeva.

Sur cette réplique mystérieuse, les trois amis se couchèrent autour du feu, sur l'herbe moelleuse du sol. Victor avait fait un oreiller de son sac à dos, et s'était installé sur le dos, les yeux plongés dans les étoiles. Le jeune homme resta ainsi pendant près de 40 minutes. Évidemment, il ne trouvait pas le sommeil, bien trop absorbé par ses pensées. Pourquoi Maeva était-elle réticente à l'idée que le Consortium vienne leur prêter main-forte? Et puis, était-ce si important...

— Tu n'as pas encore fermé l'œil, dit Maeva à voix basse.

Victor tourna la tête vers la droite et vit son amie, couchée sur le côté, lui souriant. Pakarel, un peu plus loin, ronflait avec énergie.

— Le confort d'un lit te manque? ajouta Maeva d'un air moqueur. Ou est-ce la présence d'une fille couchée près de toi qui te rend ainsi?

Victor sourit et rit en silence.

— Je l'admets, mentit-il, le confort d'un lit me manque.

— Que fais-tu pour gagner ta vie? Tes vêtements démontrent une certaine classe sociale. Enfin, à l'origine, puisque maintenant, ils sont bien souillés. Et ces bottes, qui ne vont pas du tout avec le reste, démontrent que tu n'as pas de goût pour la mode actuelle.

Victor ne put s'empêcher de pouffer d'un rire silencieux.

— Je suis professeur de piano, répondit-il. On me paie pour mes leçons.

— Vraiment? Ce n'est pas commun. Un jour, tu devras m'apprendre à jouer.

— Si tu veux, mentit le jeune homme, qui doutait de la revoir quand leur aventure serait terminée. Et toi, que fais-tu dans la vie?

— Moi, je m'occupe des tâches manuelles de mon village.

— Manuelles?

— Ne me regarde pas comme ça! lui lança-t-elle en riant. Je suis habile avec le bois, je construis des habitations et des meubles.

Pourtant, les mains de la jeune femme étaient encore bien féminines, et non pas grosses et charnues comme celles des menuisiers masculins, songea Victor.

— Comment nous as-tu retrouvés, Pakarel et moi? demanda le jeune homme, qui venait de se rappeler que ce détail lui échappait toujours. Ou plutôt, comment est-il advenu que Pakarel accepte de traverser le monde pour te ramener un simple livre?

— Pakarel a longtemps vécu ici. Sa tribu vivait en Amérique du Sud et ils avaient de bonnes relations avec les gnolls. Il venait souvent me voir. Seulement...

La jeune femme s'était interrompue pour jeter un œil vers le raton laveur, qui dormait toujours. Elle se rapprocha de Victor, pour s'étendre à quelques centimètres de lui. Victor sentit sa bulle de protection mentale éclater. La température agréable de la nuit s'était soudainement réchauffée.

— Ses parents, ses amis, ses semblables ont tous été tués, dit Maeva, la mine sombre, d'une voix éteinte. Il y a une cinquantaine d'années.

Haussant les sourcils, Victor, toujours étendu sur le dos, se tourna vers son amie.

— Quoi ? dit-il, l'air outré. Il y a 50 ans ?

Maeva sourit.

— Je vois qu'il ne t'a pas parlé de son âge. Il le fera en temps et lieu. Alors, il y a 50 ans, des Kobolds ont attaqué son village et l'ont réduit en cendres, continua Maeva. Il est le seul et unique survivant.

— Ça explique pourquoi il les déteste, réalisa Victor avec tristesse, toujours intrigué par l'âge du pakamu. Mais pourquoi les Kobolds ont-ils fait cela ? Ils sont maléfiques ?

Maeva secoua fit non de la tête.

— Les gnolls croient que les Kobolds étaient attirés par les richesses des pakamus vivant dans cette région, expliqua-t-elle, puisqu'ils creusaient la terre pour trouver des pierres précieuses. Mais en fait, ils ont tout laissé. Pakarel a erré sur les terres incendiées pendant 50 années avant de finalement partir.

— Pourquoi ? s'indigna Victor, qui ne pouvait pas se faire à l'idée de rester près d'un lieu aussi chargé d'émotions négatives.

— Il voulait protéger les richesses de son peuple défunt. Il a lui-même enterré toutes les victimes de son village.

— C'est horrible. Pourtant, il me semblait si joyeux... si... innocent, dans le bon sens du terme.

— Les pakamus n'atteignent l'âge adulte qu'après avoir traversé un rite spirituel, continua Maeva. Ils doivent manger un fruit unique, qui pousse en Alaska. Ce voyage leur ouvre la voie vers la vie adulte. Ce n'est qu'une tradition, assura Maeva en voyant l'expression de son ami. Mais Pakarel s'est décidé à ne jamais manger le sien.

— Pour éviter d'avoir à faire face au chagrin qui l'attend depuis longtemps, déduisit Victor.

Maeva hocha la tête tristement.

— Pour en revenir à ta question, ajouta-t-elle, Pakarel est venu me voir il y a quelques mois. Quelqu'un avait pillé son village. Les pilleurs étaient parvenus à dérober un seul diamant avant de fuir, pourchassés par des tortues-dragons.

C'était Manuel, conclut mentalement Victor. Voilà donc pourquoi Pakarel lui avait « volé » son diamant.

— Et puisque l'idée de ne jamais retrouver le tueur de mon père me rendait folle, il m'a proposé de retrouver le livre tout en pourchassant les malfrats. Cette quête était idiote, mais pas pour Pakarel. J'ai donc accepté de le laisser partir. Avant de s'en aller, il m'a dit qu'à son retour, il irait faire un feu près du pont suspendu, pour annoncer sa présence. Comme tu le sais, Victor, nous n'avons pas le luxe d'avoir des technologies de communication... Enfin bref, lorsque j'ai vu la fumée — je vérifiais tous les jours —, j'ai accouru sur place. J'y ai découvert une arbalète, un feu, et des traces de tortue-dragon. J'ai suivi la piste à partir de ce moment.

— Pourquoi n'est-il pas retourné directement au village des gnolls ? demanda Victor, qui ne comprenait pas la logique.

— C'est horrible à dire, mais les gnolls n'ont jamais voulu de lui. Le maire de notre village ne l'a jamais apprécié, pour une raison qu'on ne m'a jamais confiée.

— Ça explique pourquoi ils ne semblaient pas ravis de le revoir, tes copains les gnolls.

— Ne lui parle pas de cette histoire, lui demanda Maeva.

— Ça va de soi, répondit Victor.

Un court silence s'installa, qui fut brisé par Maeva :

— Je suis heureuse que Pakarel soit tombé sur toi au cours de son voyage. C'est un hasard incroyable...

— C'est vrai, admit Victor. Les chances qu'on se croise à nouveau étaient minces...

Les paroles du jeune homme furent coupées par Maeva qui lui effleura la joue du revers de la main. Victor sentit tout son corps s'embraser. Jamais il n'avait été si mal à l'aise en compagnie d'une fille ! Qu'est-ce qui lui arrivait ? Petit à petit, Victor sentit son malaise s'apaiser, puis disparaître. Son amie lui envoya un sourire doux, qu'il lui rendit. Soudain, un bruissement de feuilles annonça un vent brusque.

— Ils arrivent, dit Maeva en se redressant. Pakarel, réveille-toi !

Le pakamu grommela et se leva.

— Fatigué, grogna-t-il en se frottant les yeux.

Victor et Maeva étaient déjà debout lorsqu'ils les virent : deux majestueuses créatures volaient vers eux depuis le ciel étoilé.

Chapitre 15

Ja'zièq

Ce que Victor voyait le stupéfiait. Deux immenses serpents, possédant de longues ailes blanches à plumes, comme celles des aigles, planaient en leur direction. Leur tête était couverte de quelques plumes hérissées, d'un rouge flamboyant, très discernable même en pleine nuit. Arrivés près d'eux, les deux serpents s'arrêtèrent, volant à quelques mètres du sol. Ces créatures étaient aussi grosses qu'un homme, et leurs écailles, mêlant le rouge, le rose et le vert, reluisaient sous les rayons lunaires.

— S'il vous plaît, montrez-nous les ruines, leur demanda aussitôt Maeva.

D'un air intrigué, l'un des coualts pencha sa tête de reptile vers celle de Maeva. Les yeux de la bête, d'un bleu vif, tombèrent alors sur Victor.

— Je vous en prie, implora Maeva en levant la main vers eux. Montrez-nous le chemin.

Les coualts s'élevèrent en spirale et disparurent au-delà des arbres. Ne comprenant pas vraiment ce qui se passait, Victor s'abstint de faire une remarque.

— C'est tout? demanda Pakarel, la voix pâteuse, exprimant à voix haute les pensées de Victor.

— Ils nous ont ouvert la voie, déclara Maeva en emboîtant le pas vers la jungle, en sens inverse de la venue des coualts. Venez!

— Tu vois un chemin quelque part? demanda Pakarel à Victor.

Tous deux haussèrent les épaules. Victor attrapa ses affaires et suivit son amie. À la lisière de la jungle dense, Maeva saisit un sac (que Victor n'avait jamais vu) qu'elle ouvrit. Elle en saisit une torche et un briquet à amadou.

— Depuis quand tu as ce sac? fit remarquer le raton laveur.

— Je ne traverse jamais la jungle sans mon sac à dos, lui répondit-elle en lui accordant un bref regard.

Ils pénétrèrent dans une partie de la jungle qui devait mener plus au sud, estima Victor. Même avec la torche, on ne voyait pas grand-chose, et Victor songeait avec inquiétude qu'il serait très facile et très imprudent qu'ils se perdent en pleine nuit. Étrangement, un doux courant d'air, assez subtil pour être à peine discernable, soufflait dans le dos de Victor. Ce vent suffisait à faire vaciller la flamme de la torche de Maeva, qui menaçait de s'éteindre d'un moment à l'autre. D'ailleurs, les bruits de la jungle n'étaient guère rassurants. De temps à autre, on entendait des cris stridents de singes, les rugissements bas de prédateurs et le froissement frénétique de la végétation, comme si quelque chose y rôdait. Maeva marchait cependant tranquillement, chantonnant allègrement, comme si de rien n'était. Au bout de quelques minutes, Victor demanda :

— Maeva, sais-tu où nous allons ?

— Bien sûr, répondit-elle. Je suis le chemin indiqué.

— Quel chemin ? continua Victor, d'un air qui trahissait son manque de confiance en cette situation.

Maeva s'arrêta et pivota sur elle-même, pour faire face à Pakarel et à Victor. Ce dernier crut qu'il avait frustré son amie, mais au contraire, elle répondit calmement :

— Ne sentez-vous pas le courant d'air chaud qui se dirige dans la direction que nous suivons ?

— Je l'ai remarqué, oui, admit Victor en jetant des regards autour de lui.

— C'est le chemin indiqué par les serpents emplumés ? lança Pakarel.

— Aie un peu de respect, lui rétorqua Maeva.

Ils reprirent leur route, suivant le courant d'air chaud.

— Pourquoi avoir demandé leur aide, au juste ? demanda Pakarel. Des ruines... ça ne change pas d'endroit tous les jours.

— Parce que je n'y suis jamais allée, avoua Maeva. Mon père ne m'y emmenait pas.

— Et comment se fait-il que les coualts soient venus, comme ça, sans appel? ajouta Victor.

— J'ai apporté quelques fruits à leurs nids, hier soir, expliqua Maeva. Je leur ai laissé un bout de vêtement déchiré pour qu'ils me retrouvent. Les coualts sont des créatures très intelligentes, ils connaissent la jungle par cœur. Ils ont aussi une compréhension incroyable de nos langues. C'est mon père qui les a dressés. Ils lui étaient fidèles.

— Je vois, répondit Victor en hochant la tête. Ça a du sens.

— Ils parlent notre langue? s'étonna Pakarel.

— Non, répondit Maeva en tassant une fougère de la main, mais ils comprennent.

— Pourquoi es-tu allée les voir hier soir? ajouta Victor d'un air suspicieux. Pourquoi pas avant?

— Pakarel m'a contacté par radio avant-hier. J'étais au courant de sa venue, avec le livre. Par contre, il ne t'avait pas mentionné. Ce fut une belle surprise, ajouta-t-elle en lui envoyant, par-dessus son épaule, un sourire coquin.

Le pakamu se mit à siffloter innocemment.

— Tu as utilisé le matériel radiophonique du Consortium? s'étonna Victor, jetant un regard à son ami poilu. Tu es un vrai petit fouineur, toi!

Cela expliquait le manque de surprise de la part de Maeva en retrouvant Pakarel. Le jeune homme lui fit comprendre que ça lui était égal, d'un court rire et en haussant les épaules. Le raton laveur émit à son tour un petit rire aigu et plutôt forcé, qui marquait son soulagement.

— Comment se fait-il que ces ruines soient inaccessibles? demanda Victor, intrigué par cette question. Comment ton père a-t-il pu les étudier, dans de pareilles circonstances?

— Elles ne sont pas physiquement inaccessibles, répliqua Maeva. Le peuple qui les défend jalousement tient à l'écart tous ceux qui osent s'y aventurer.

Pourquoi fallait-il toujours qu'on ne lui dise que la moitié des choses ? pensa vigoureusement Victor, qui se força pour ne pas faire la remarque.

— Qui défend ces ruines ? s'enquit-il d'une voix un peu mécanique, alors qu'il tentait de paraître naturel et passif.

— Des centaures, lui dit Maeva.

Victor avait déjà entendu parler de ces êtres, mi-homme, mi-cheval. Il n'en avait rencontré qu'un seul et c'était un capitaine de bateau fortement étrange. Il était venu au port de Québec pour y décharger sa cargaison. Pendant le déchargement, le centaure s'était promené dans la cité, la bouteille de grog à la main, ivre, en lançant des jurons aux passants les plus proches. Finalement, il s'était endormi dans une fontaine publique, après avoir uriné dedans.

— Et ils vont nous laisser passer ? fit remarquer Pakarel. Parce que je n'ai pas envie d'être réduit en charpie...

— Avec le livre que tu m'as apporté, ça devrait aller, lui assura Maeva. Du moins, c'est ce qui les avait convaincus de laisser travailler mon père en paix.

Au bout de cinq minutes de marche à travers la jungle dense, les trois amis arrivèrent face à ce qui semblait être l'entrée d'une grotte, située au beau milieu d'un mur de végétation. De grosses stalactites pendaient du plafond, comme des crocs menaçants. Victor, Pakarel et Maeva s'étaient tous trois arrêtés. Seul le son des insectes nocturnes de la jungle brisait le silence qui s'était installé.

— Eh bien, qu'attendons-nous ? dit Maeva en se tournant vers ses amis.

L'air désapprobateur, Victor dit :

— Euh... Je ne crois pas que nous devrions aller par là.

L'idée de se retrouver face à face avec une créature du genre des tortues-dragons ne lui disait rien du tout.

— Moi non plus, approuva Pakarel.

— Nous devrions contourner, suggéra Victor.

— Le courant d'air entre directement dans cette caverne, fit remarquer Maeva.

— Je ne vois pas de mal à contourner une simple grotte, insista Victor. Et puis, je doute que les ruines ne soient accessibles que par cet endroit.

Soupirant, Maeva succomba aux objections de ses amis.

— Bon, comme vous voulez, dit-elle.

— Allons voir par là, suggéra Pakarel en ouvrant la marche.

Poussant les fougères de ses petits bras, Pakarel mit le pied dans le vide. Par chance, Victor le rattrapa par sa queue touffue. Le raton laveur était suspendu tout en haut d'une colline qui chutait radicalement d'une centaine de mètres. La jungle continuait tout en bas, à moitié camouflée par les arbres feuillus et nappée d'un important brouillard. Plus loin, on voyait d'énormes montagnes recouvertes de végétation. Une autre montagne, plus à droite, était sans aucun doute un volcan éteint.

— Aidez-moi! cria Pakarel, dont les petites jambes ballotaient frénétiquement dans le vide.

Victor tira son ami sur la terre ferme et tous reculèrent de quelques pas, pour revenir près de la grotte.

— On ne va pas par là, souffla Pakarel. C'est... c'est un peu trop haut.

— La prochaine fois, lui suggéra Victor, laisse la personne qui a la torche éclairer la route.

Le jeune homme se tourna vers Maeva et lui demanda :

— Tu n'es jamais venue par ici?

— Non. J'ai toujours été respectueuse des règles que mon père m'imposait. Et puis, les gnolls ne me laissaient pas aller où je voulais.

Victor aurait bien voulu poser la même question à Pakarel, puisqu'il avait vécu dans ce pays pendant longtemps, mais ce serait trahir la confiance de Maeva. De toute manière, il était clair que Pakarel n'avait jamais mis les pieds ici.

— La grotte, alors, indiqua Victor.

Personne ne s'y opposa. Maeva entra la première, suivie de près par Victor et Pakarel. Elle s'arrêta brusquement.

— Mais qu'est-ce que...

Lui prenant la torche des mains, Victor fit quelques pas en avant pour mieux voir.

— C'est bien ce que je pensais, dit-il.

Ils faisaient face à une cage en bois, suspendue par un système de poulie. Le tout était recouvert de poussière et de toiles d'araignée. Victor repéra un levier dans un coin.

— C'est une cage d'ascenseur, leur dit-il.

— Ça fonctionne encore ? demanda Pakarel.

— Aucune idée, répondit le jeune homme. Nous n'avons qu'à essayer. Venez.

Les trois amis se glissèrent dans la cage en bois et Victor rendit sa torche à Maeva.

— Voyons voir, marmonna Victor en tirant le levier.

Dans un roulement de pierres, la cage s'ébranla avant de s'enfoncer dans le sol. Une forte poussière s'égraina des parois murales, rendant l'air lourd et difficile à respirer. Tout le monde toussa d'ailleurs un bon coup. Tandis que l'ascenseur en bois descendait, l'air devenait de plus en plus lourd, voire putride. Quelque chose de pourri se trouvait forcément près d'eux.

— C'est infect, commenta Maeva en se bouchant le nez, les larmes aux yeux.

— Beuark ! lâcha Pakarel.

La cage de bois descendit pendant quelques minutes, et comme Victor s'en doutait, elle ne les amena pas dans la jungle vue depuis le haut de la colline, mais bien dans une caverne. La noirceur était totale, mis à part le halo de lumière rougeoyante émis par la torche de Maeva. La flamme de la torche s'inclinait doucement vers l'avant, poussée par le courant d'air chaud, leur indiquant le chemin.

Victor entendit Maeva déglutir, puis celle-ci s'avança à pas lents.

— Restons près les uns des autres, suggéra-t-elle.

— Attendez, dit Victor à ses amis.

Maeva et Pakarel s'arrêtèrent, tous deux un peu crispés par les ténèbres.

— Maeva, prends mon arbalète et donne ta torche à Pakarel.

Il fit glisser son arbalète de son épaule et lui tendit, tandis que la jeune femme donnait sa torche au pakamu.

— Tu sauras t'en servir ? demanda le jeune homme à Maeva.

— Oui, approuva-t-elle d'un signe de tête.

— Pakarel, tiens la torche à une bonne hauteur, d'accord ? s'assura Victor.

— Oui ! répondit-il avec la vigueur d'un chevalier.

Au moins, l'un d'entre eux avait retrouvé le moral, songea Victor, qui dégaina son glaive. Pakarel ouvrit donc la marche, lentement, suivi par Maeva, qui maintenait son arbalète d'un air tendu, et Victor, qui jetait des regards presque aveugles autour de lui. Le sol rocheux était glissant et on pouvait entendre l'écho de gouttes d'eau qui perlaient du plafond.

Maeva poussa alors un cri à en réveiller les morts, qui fit sursauter Victor et Pakarel. Maintenant alertes, les deux amis lancèrent des regards affolés dans tous les sens.

— Là ! gémit la jeune femme en pointant son arbalète sur quelque chose.

Pakarel illumina l'endroit de sa torche, et tous découvrirent une stalagmite aux formes étranges, plutôt rondelettes.

— C'est une stalagmite, soupira Victor, dont le cœur reprenait une cadence normale.

— Ça a bougé ! insista Maeva d'une voix apeurée. Je l'ai vue bouger !

Pour ne pas vexer son amie, Victor s'approcha de la stalagmite et la tâta du bout de son glaive.

— C'est bien une structure rocheuse, confirma-t-il.

— Je ne suis pas folle ! rugit Maeva. Je l'ai vue bouger !

— La lumière de la torche a peut-être fait bouger l'ombre de la stalagmite, tenta Pakarel.

Maeva ne répondit rien, mais Victor pouvait deviner qu'elle n'était pas satisfaite de leurs explications. Les trois amis poursuivirent leur route dans la caverne, qui paraissait de plus en plus grande.

— La fin de cette maudite caverne devrait apparaître bientôt, lança la jeune femme, dont la voix indiquait son anxiété.

Victor ne voulut pas le dire tout haut, mais au fond, c'était elle qui avait insisté pour venir dans cet endroit.

Si le petit groupe avait traversé une bonne partie de la caverne avec quelques mètres de distance les uns des autres, maintenant, c'était bien différent. Il semblait que Maeva avait tant ralenti que Victor avait du mal à mettre le pied devant sans écraser celui de Pakarel.

Un bruit survint alors, un roulement de petites pierres.

— Vous avez entendu ? déclara Maeva d'une voix suraiguë.

— On l'a entendu, assura Victor, qui sentit aussitôt une brise fraîche lui hérisser les poils de la nuque.

Le jeune homme cessa de bouger et se retourna vers l'obscurité ; quelque chose avait bel et bien bougé, puisqu'une masse s'était déplacée dans son champ de vision.

— Il y a quelque chose ici, dit Victor à voix basse. Ne bougez plus.

Sa dernière phrase était un peu inutile, puisque Pakarel et Maeva s'étaient tous deux arrêtés bien avant qu'il ne l'ordonne. Immobile, Victor se concentrait sur son ouïe. Il put clairement entendre de nouveaux roulements de cailloux.

— Ça vient de là, chuchota-t-il à ses amis en pointant vers l'obscurité à l'aide de son glaive.

D'un courage inflexible, Pakarel fit quelques pas bien décidés vers la provenance du bruit. Il arriva nez à nez avec une stalagmite.

— Nous sommes dans une caverne, dit Pakarel, les roulements de pierres ne sont pas rares !

Au même moment, ce que Victor avait pris pour une stalagmite se mit à bouger ; deux ailes se déplièrent dans un bruit de glissement rocheux, dévoilant le corps de la créature.

La bête possédait deux petits yeux blancs, bien au fond de ses orbites, et sa gueule était bourrée de petites dents noires. Ses pattes étaient composées de trois doigts qui se terminaient par des griffes.

La créature poussa un rugissement semblable à celui d'un fauve, dont l'écho frappa contre toutes les parois de la caverne. Dépliant ses longues ailes, semblables à celles des chauves-souris, le monstre secoua son corps comme le ferait un chien mouillé. Ce qui frappa Victor ne fut pas de voir un tel monstre, mais bien la couleur de sa peau, des pierres en tombaient encore.

— Victor, recule-toi! hurla Maeva.

Avant même qu'il ait pu faire un mouvement, une puissante détonation survint et atteignit la bête en pleine poitrine. Maeva avait fait feu sur la bête.

— Bon Dieu! s'écria le jeune homme qui couvrit son visage par réflexe.

— Par là! cria la voix de Pakarel, qui tenait sa torche à une dizaine de mètres de ses deux amis.

Dans l'obscurité la plus totale, Victor et Maeva se hâtèrent de rejoindre leur compagnon poilu qui tenait la seule source de lumière de la caverne. Des cris et des rugissements survinrent à nouveau, suivis d'écroulements de roches. La peur de trébucher sur le sol instable de la caverne hantait Victor, si bien qu'il allait à une vitesse beaucoup moins impressionnante que son amie Maeva. Le jeune homme pouvait sentir dans son dos le courant d'air causé par le battement d'ailes des monstres.

— Ici! Ici! cria Pakarel d'une voix surexcitée. Dépêchez-vous!

Le jeune homme vit Pakarel au centre de ce qui semblait être une cage d'ascenseur faite de structures de bois, identique à celle qu'ils avaient empruntée plus tôt. Soudain, quelque chose se resserra sur les épaules de Victor, comme si on l'avait griffé jusqu'à en déchirer sa peau. Accablé par la douleur, le jeune homme trébucha et tomba sur le sol. Une détonation d'arbalète survint et cette fois, Victor comprit que Maeva avait fait feu sur son assaillant.

Le jeune homme profita de cet instant pour se relever et foncer vers ses deux amis, sans même porter un regard derrière lui. Une fois les trois amis arrivés sur la plateforme, Pakarel tira le levier et l'ascenseur se mit à prendre de l'altitude. Au même moment, la grosse tête cornue de l'une des créatures apparut à la hauteur de la cage. Pris d'un sursaut, Pakarel lâcha la torche, qui chuta vers le niveau inférieur. Sans même hésiter, Maeva tira deux dards en direction du monstre.

La cage d'ascenseur s'arrêta aussitôt.

— Je ne comprends pas ! s'exclama une Maeva affolée. Pourquoi ne monte-t-elle pas plus haut ?

— Parce que nous avons atteint le plafond, fit remarquer Victor en réalisant lui-même la situation. Par là ! s'écria-t-il en pointant un long tunnel devant eux, qui menait vers une petite lueur bleutée.

Les trois compagnons quittèrent la plateforme d'ascenseur et se ruèrent vers la lueur qui grandissait au fur et à mesure qu'ils s'en approchaient. Par chance, le sol n'était pas aussi mouillé et glissant, leur permettant de se déplacer rapidement sans trop de risques. Au dernier moment, Victor comprit que la lueur n'était en fait que les rayons de la lune qui traversaient une vieille porte en bois fendue à quelques endroits. Arrivé devant la porte, Pakarel tenta d'en ouvrir le battant, mais celui-ci refusait de céder.

— C'est bloqué ! Ça ne s'ouvre pas ! cria-t-il.

Le raton laveur laissa passer Victor qui s'était élancé de toutes ses forces pour enfoncer la porte de son épaule. Celle-ci s'ouvrit sous le choc. Le jeune homme trébucha et roula par terre. Ouvrant les yeux, il vit Maeva refermer la porte et la bloquer avec une longue planche de bois qui se trouvait juste à côté. Quelques rugissements de frustration survinrent depuis l'autre côté de la porte et, contrairement à ce que Victor redoutait, les monstres ne l'enfoncèrent pas. Les cris s'éteignirent aussitôt. Pakarel et Maeva vinrent rejoindre Victor et l'aidèrent à se relever.

— Merci, leur dit-il en s'essuyant le front de son avant-bras.

Balayant l'endroit du regard, Victor réalisa que ses amis et lui étaient arrivés au pied de la colline. Un peu plus bas, loin devant eux, s'étendait la lisière d'une jungle dense, plongée dans une nappe de brouillard. On pouvait voir, au loin, une immense montagne trouée en son sommet ; c'était le volcan qu'ils avaient aperçu depuis le haut de la colline.

— Oh mon Dieu, tes épaules ! lança Maeva d'une voix faible, regardant Victor d'un air inquiet.

— Ça ira, grommela-t-il, sentant malgré tout la douleur lui lacérer les épaules.

— Eh bien ! lança une voix masculine sortie de nulle part. Que cela vous serve de leçon !

Les trois amis tournèrent la tête et virent, non loin d'eux, un humanoïde à la peau brune, d'une forte musculature, au nez et aux oreilles exagérément longs et pointus, d'au moins 30 centimètres. Ses cheveux attachés, noirs comme du charbon, étaient coiffés en *dreadlocks* et lui tombaient dans le bas du dos. La créature était vêtue d'une robe tribale rouge et bleu et portait des sandales artisanales. Elle avait aussi un cache-œil sur l'orbite gauche et portait un bâton à la main. Même si Victor n'avait jamais vu une telle créature, il ne faisait aucun doute que c'était un mâle. De toute sa hauteur, l'humanoïde était légèrement plus grand que Victor.

— Qui êtes-vous ? lui demanda Victor, la mine sombre.

— Je me nomme Ja'zièq. Et vous ?

— Je m'appelle Victor.

— Et vous deux, ajouta Ja'zièq d'un air autoritaire en regardant Maeva et Pakarel, que je ne vous reprenne plus à descendre dans cette grotte ! J'y élève mes gargouilles !

Ils se connaissaient donc, déduisit Victor. Il sentit que ses bras étaient engourdis, peut-être était-ce dû à la fatigue ? Le jeune homme n'y attacha pas plus d'importance.

— Vos gargouilles ? répéta Pakarel avec dégoût. Ces monstres ?

— Ce ne sont pas des monstres ! répéta Ja'zièq d'un air offensé.

D'un air plus doux, il ajouta :

— Ce sont des animaux, parfois mal compris. De toute façon, ajouta-t-il sur un ton maintenant colérique, que diable faisiez-vous là-dedans ?

— Nous suivions le souffle des coualts, répondit Maeva, il traversait cette grotte, ajouta-t-elle en pointant la porte barrée.

— Et dans quel but, jeune fille ? demanda Ja'zièq d'un ton presque grondeur, plissant l'œil qui lui restait pour afficher un air méfiant.

— Atteindre les ruines mayas, répondit Maeva en soupirant, après avoir roulé ses yeux vers le haut.

— Si ton père savait ça ! lança Ja'zièq en la pointant de son long index. Utiliser ses pauvres coualts, maintenant sans maître... Il serait bien déçu !

— Il est mort ! rétorqua froidement Maeva.

— Mieux vaut pour lui d'être mort que d'être déçu par la défiance de sa fille ! répondit Ja'zièq en montant le ton d'un cran.

Alors que Maeva s'apprêtait à répondre, les mains de Victor lâchèrent la canne et le glaive, qui tombèrent tous deux sur l'herbe.

— Maeva ? dit Victor à voix basse. Je ne sens plus mes bras.

Le jeune homme, pris au dépourvu, ne put retenir son équilibre et vacilla sur le côté. Par chance, Maeva le retint.

— Qu'est-ce que tu as ? lui demanda-t-elle d'un air inquiet.

Victor, pris d'étourdissements, ouvrit la bouche pour répondre, mais sa vision devint trouble.

— Me sens pas très bien, grommela-t-il.

Malgré son malaise, il vit la silhouette de Ja'zièq s'approcher de lui à grands pas. Ses grandes mains lui saisirent alors le menton.

— Ses pupilles sont dilatées, déclara-t-il.

— Oh mon Dieu ! lança Maeva, qui aidait toujours Victor à se tenir debout. Ses épaules !

Ja'zièq pencha la tête pour mieux voir et dit d'un air agacé :

— Les gargouilles l'ont blessé, il sera bientôt paralysé.

Sur cette remarque, Victor tenta du mieux qu'il put de faire fonctionner ses bras, mais en vain.

— Emmenez-le chez moi, déclara Ja'zièq en leur tournant le dos. Je lui confectionnerai un antidote.

Le chemin vers la maison de Ja'zièq fut fort déplaisant pour Victor. Après un moment, il ne pouvait même plus dire un mot, sa tête n'avait plus la force de se tenir sur son cou et ses pieds raclaient le sol. Par chance, Maeva n'avait pas trop de peine à le soutenir. Il était évident que la jeune femme était en très bonne forme. Quant à Pakarel, il trimbalait l'arbalète de Maeva et la canne de Victor, qu'il utilisa comme matraque contre les hordes de fougères qui osaient se mettre en travers de leur chemin.

— Arrête un peu! lui chuchota sèchement Maeva.

— Tu n'es pas drôle, répondit Pakarel en cessant son combat imaginaire.

— Ce n'est pas la question! rétorqua la jeune femme. C'est la canne de Victor. Ne l'abîme pas!

Les trois amis arrivèrent finalement devant un petit marécage au milieu duquel se trouvait une vieille cabane en bois. Un pont fait de cordes et de bois reliait l'entrée de la cabane jusqu'à la terre ferme, là où attendait un Ja'zièq qui tapait du pied. Deux hautes torches étaient plantées à l'entrée du pont, et toutes deux étaient encerclées de nuées d'insectes, voltigeant autour des flammes.

— Dépêchez-vous, jeune fille! dit-il à Maeva. Votre ami pourrait perdre l'usage de ses membres!

Victor aurait bien voulu dire à l'étrange personnage que son amie avait fait de son mieux, mais sa langue refusait catégoriquement de coopérer. Maeva se contenta de lancer un regard noir à Ja'zièq, qui avait traversé le pont devant eux et leur tenait la porte de sa cabane grande ouverte.

— Entrez! leur lança-t-il alors que Victor et ses amis arrivaient finalement à hauteur de la porte.

Une fois qu'ils eurent pénétré dans la cabane, Victor découvrit avec dégoût son mobilier; quelques bibliothèques remplies de livres ternis, une grande armoire sur laquelle était posé un bol dans lequel résidait une tarentule, des têtes réduites suspendues au plafond, et quelques oiseaux morts suspendus la tête à l'envers et cloués au mur près d'une fenêtre. De gros masques faits en os étaient accrochés aux murs, décorés de plumes. Plusieurs chandelles éteintes étaient disposées un peu partout, même sur le plancher. Ce Ja'zièq vivait décidément à l'écart des technologies modernes, songea Victor. Le jeune homme remarqua aussi qu'une marmite était installée au-dessus d'un trou scié dans le plancher de bois, dans lequel se trouvaient les restes d'un feu de camp. D'ailleurs, l'étrange créature s'agenouilla près de la marmite et l'alluma avec un briquet à amadou qu'il avait tiré de sa robe.

— Installez-le là, dit Ja'zièq en désignant un lit miteux dont Victor aurait préféré ne pas s'approcher.

Malheureusement, Victor fut allongé sur le lit par Maeva, sur le côté. À peine avait-il été déposé qu'une épaisse odeur de moisi lui emplit les narines.

— Pouvez-vous vraiment faire quelque chose pour lui? s'inquiéta Maeva en essuyant son front luisant.

Ja'zièq ne répondit pas, il se mit plutôt à fouiller dans sa grande armoire. Il en ressortit une flasque remplie d'un liquide noir, une poche brune et tachetée ainsi qu'une bouteille. Maeva s'installa par terre sur ses genoux, près de Victor, et lui prit la main. Bien que Victor ne sentît rien du tout, son rythme cardiaque accéléra.

— À quoi ça sert, tout ça, monsieur? demanda Pakarel, qui avait avancé sa main pour atteindre les oiseaux morts.

— Ne touche pas à ça et va plutôt t'asseoir près de ton amie! lui lança Ja'zièq en refermant violemment son armoire, ce qui fit vaciller le bocal de la tarentule.

Pakarel vint alors s'asseoir par terre, au pied du lit de Victor, l'air insulté.

— Ja'zièq est un shaman, chuchota Maeva à l'oreille de Victor. Il est spécial, mais il saura t'aider.

Victor sentait quelque chose grouiller dans ses cheveux, probablement un insecte, songea-t-il, ce qui ne serait pas étonnant en voyant l'insalubrité du lieu...

— Un shaman? répéta Pakarel. Non, non, c'est un vieux sorcier-docteur! Il pratique la magie!

— Il ne pratique pas la magie, répondit sèchement Maeva. La magie n'existe pas!

— Et alors? lança Pakarel en tirant la langue.

— Taisez-vous! gronda Ja'zièq, qui avait capté la fin de la conversation, laquelle manquait de subtilité. Vous me cassez les oreilles!

Le shaman déversa la flasque remplie de liquide noir dans la marmite; Victor avait la désagréable impression que c'était du goudron. Ja'zièq porta alors la bouteille à sa bouche et tira le bouchon de ses dents noircies avant d'avaler son contenu à grandes gorgées. Une forte odeur d'alcool vint faire grimacer Maeva et Pakarel. Après avoir lâché un rot sonore, il posa la bouteille sur le plancher et vida la pochette brune dans la marmite. Victor crut voir de petites boules noires pleines de pattes frétillantes tomber dans celle-ci.

— Que contenait cette poche? demanda Pakarel, en volant les pensées du jeune homme.

— Des boulapattes, répondit Ja'zièq qui touillait avec énergie le contenu de la marmite avec une grande cuillère sale.

— Et qu'est-ce que c'est? ajouta Pakarel, dont les joues venaient de gonfler d'écœurement.

— Des boules pleines de pattes! répondit le shaman, comme si c'était évident. On les trouve souvent cachées sous les oreillers.

Si Victor avait pu bouger, il se serait enfui en se frottant frénétiquement la tête, défonçant la porte sur son chemin. Fort heureusement, Maeva comprit peu après et installa Victor en position assise sur le lit, contre le mur. Puis, elle passa vigoureusement ses mains dans les cheveux du jeune homme.

— Voilà, ça ira mieux, dit-elle en souriant. Ah! la voilà...

Maeva attrapa du bout des doigts quelque chose qui tentait de s'enfuir sur le lit. D'un geste rapide, Ja'zièq lui prit la boulapattes des mains et la lança dans sa bouche, sous les yeux dégoûtés de Maeva et de Victor. Les joues de Pakarel s'étaient gonflées, comme s'il allait vomir.

— Très bon pour les dents, lâcha le shaman en mastiquant jovialement l'insecte.

Après un craquement croustillant, du liquide vert gicla du coin de la bouche de Ja'zièq.

— Ça, c'est certain, commenta Pakarel d'une voix éteinte par ses émotions.

Ja'zièq alla près de la fenêtre et arracha une plume d'un des oiseaux morts, puis il décrocha une tête réduite du plafond.

— L'ingrédient principal, expliqua-t-il, et pour le goût...

Il tordit la tête comme s'il s'agissait d'une éponge et un liquide brunâtre en coula. Tout le monde resta muet et Victor maudit sa paralysie. Le shaman saisit une louche et déversa le liquide épais dans un bol crasseux.

— Ça le remettra sur pied d'ici un quart d'heure, dit Ja'zièq en tendant le bol à Maeva. Prends-le !

La jeune femme restait les yeux figés sur la substance du bol. Victor pouvait déjà sentir son odeur de moisi. Maeva finit par se reprendre et saisit le bol à deux mains.

— Pourquoi ne pas avoir contourné la grotte ? demanda le shaman.

— Nous étions tout en haut d'une falaise, répondit Pakarel. C'était la seule voie !

— Il y avait un sentier à gauche de la grotte, répondit Ja'zièq d'un air amusé.

« Il y avait un sentier, juste à côté de la grotte... », se répéta mentalement Victor. Ils avaient été si stupides de ne pas avoir jeté un œil à gauche !

— En parlant de cette grotte, n'y remettez pas les pieds ! Les gargouilles ne sortent pas de leur nid et n'ont jamais dérangé personne, espérons que leur comportement ne changera pas après votre intrusion ! Quoi qu'il en soit, j'ai des choses à faire, continua le shaman en attrapant son bâton. Si vous comptez trouver ces ruines, je vous suggère de passer en ville.

— Pourquoi passer en ville ? demanda Pakarel.

— Il a raison, dit Maeva, le souffle des coualts s'est probablement dissipé. Nous devrons trouver un guide.

— Tout compte fait, dit rapidement Pakarel, qui regrettait visiblement ses paroles, je ne crois pas que ce soit une bonne idée !

— Ce n'est pas le temps de bavarder ! lui répondit sèchement Ja'zièq. Votre ami a besoin de cette substance médicinale, faites-lui boire et étendez-en un peu sur ses blessures !

Le cœur de Victor battait à toute allure ; l'idée d'avaler cette immonde potion lui retournait l'estomac.

— Ayez disparu à mon retour! ajouta le shaman.

Sur ses paroles, il quitta sa cabane à grandes enjambées. Le bol dans les mains, Maeva se tourna vers Victor, l'air désolé par ce qu'elle allait faire.

— Bois d'un coup, suggéra-t-elle à Victor. Pakarel, ouvre-lui la bouche.

Chapitre 16

Baobab et l'Étau du Boucanier

Victor avait avalé, contre son gré, la substance concoctée par Ja'zièq. Depuis une bonne dizaine de minutes, la paralysie s'était estompée, lui rendant la totalité de ses mouvements. Mis à part un arrière-goût de vomissure qui lui collait à la gorge, le tout avait finalement valu le coup. Ayant retiré sa chemise déchirée, Victor laissa Maeva appliquer la substance sur ses blessures. C'était la deuxième fois qu'elle s'occupait de ses blessures, la dernière fois remontait à leur première rencontre.

— Ce n'était pas si mal, dit Maeva d'un ton encourageant à l'intention de Victor, qui avait le teint blême. Tu as retrouvé ta motricité !

— C'est fantastique, dit Victor d'une façon qui disait l'inverse.

Victor couvrit sa bouche de sa main, encore pris de haut-le-cœur. Pakarel, qui analysait le contenu du bol, dit d'une voix lente :

— C'est dégoûtant...

— Tu n'aurais pas de la gomme ? demanda Victor, sachant très bien la réponse, à Maeva, qui pouffa de rire.

— Nous n'avons pas ce genre de choses, ici ! répondit-elle d'un air amusé.

— Valait le coup d'essayer, dit le jeune homme en se levant. Nous devrions poursuivre notre route.

D'un regard pesé, comme lui aurait lancé une Nika en désapprobation totale, Maeva lui dit :

— Victor, tes blessures...

— Ça va, ne t'inquiète pas.

Ce qui n'était pas faux. Victor ne sentait plus ses écorchures aux épaules.

— Nous devons trouver ces ruines, pour mettre fin à tout ça, ajouta-t-il.

— De quelle manière vas-tu t'y prendre, au juste? demanda le pakamu.

Victor haussa les épaules et enfila sa chemise déchirée.

— Je ne sais pas. Nous verrons en temps et lieu. Déjà, nous rendre jusqu'à ces ruines pour y jeter un coup d'œil et espérer en apprendre un peu plus sur l'assassin. C'est le moins que je puisse faire pour Balter.

Ni Pakarel, ni Maeva n'ajoutèrent quoi que ce soit à ces paroles.

— Laisse-moi ton sac, au moins, lui dit Pakarel d'un ton résolu. Ça aidera tes épaules.

— Ne vole rien, lui dit Victor en souriant, puis lui tendant son sac.

Une fois assurés qu'ils n'oubliaient rien, les amis quittèrent la cabane, chose qu'ils avaient tous bien hâte de faire. Jetant un regard autour de lui, Victor ne vit qu'une jungle assombrie par la nuit.

— Il sera bien difficile de ne pas nous perdre, fit-il remarquer. Maeva, tu as d'autres torches?

— Non, mais il ne sera pas difficile d'atteindre la ville la plus proche, répondit-elle en lançant un regard à l'est du marais.

Victor suivit son regard et vit plusieurs petits points de lumière, qu'il avait cru être des lucioles, à travers la végétation de la jungle.

— Donc, nous irons par là, déclara Pakarel en ouvrant la marche en sens inverse. Suivez-moi!

Victor et son amie regardèrent le pakamu les devancer de quelques pas.

— Pakarel, dit simplement Maeva. Pourquoi ne veux-tu pas aller à l'Étau du Boucanier?

Le pakamu s'arrêta et pivota sur lui-même pour regarder son amie.

— Tu n'y es jamais allée, hein? répondit Pakarel.

Maeva fronça les sourcils.

— Là n'est pas la question...

— Donc, tu n'y es jamais allée, conclut le raton laveur en posant ses poings contre ses hanches.

Maeva resta silencieuse pendant quelques secondes et dit, avec un geste las :

— Non, je n'y ai jamais mis les pieds. Et alors ?

— Cet endroit est pourri jusqu'à l'os, expliqua Pakarel. Les gens là-bas sont mauvais et ne sont pas du tout amicaux.

— Si ce que tu dis est vrai, ajouta Victor, je ne vois pas comment on pourra convaincre un guide. Remarque, j'ai quelques pièces dans mon porte-monnaie...

Le jeune homme tâta ses poches et réalisa, avec déception, que son porte-monnaie était resté dans une des poches de son veston, qu'il avait laissé sur le dirigeable de Manuel.

— Je retire ma dernière phrase, conclut Victor d'un air maussade. Je n'ai pas d'argent.

— Cela n'aurait rien changé, dit Pakarel. Les gens de cette ville ne sont pas intéressés par l'argent.

— Ça vaut le coup d'essayer et puis, c'était ton idée, dit Maeva qui s'était éloignée un peu, donnant l'impression de chercher quelque chose. Comme nous l'avons craint, le souffle des coualts a bel et bien disparu.

— Écoutez, je propose autre chose, dit Victor. On n'a qu'à y aller, et si les choses s'annoncent mal, nous rebroussons chemin et trouvons une autre façon d'atteindre ces ruines.

— L'idée me paraît bonne, dit Maeva d'un air satisfait.

— Vous ne changerez pas d'avis, soupira Pakarel en baissant la tête. C'est d'accord, nous irons. Mais si les choses tournent mal...

— Ne t'inquiète pas, le rassura Victor, nous ferons demi-tour.

— C'est par là, dit Pakarel d'une voix sans énergie, en ouvrant la route vers les points lumineux que l'on voyait à travers la dense végétation.

Le chemin qu'avait entrepris Pakarel traversait directement une jungle marécageuse qui semblait s'étendre sur une longue distance. Le sol recouvert d'eau trempait les chevilles des jeunes gens, tandis que Pakarel en avait jusqu'à la ceinture. La terre vaseuse, qui menaçait à chaque pas de s'emparer des bottes des passants, rendait la traversée plus pénible et aucun chemin plus sec ne s'annonçait à eux. Au bout de quelques minutes, Victor décida de trouver un sujet de conversation pour rompre le silence.

— Ce Ja'zièq, dit-il, je n'ai jamais vu de tel être...

— C'est un troll, répondit Maeva. Tu n'en avais jamais vu ?

— Non, jamais, avoua Victor.

— Il est vrai qu'ils se tiennent généralement très loin des civilisations, et surtout des humains, ajouta Maeva.

— Ah bon ? Comment se fait-il que vous le connaissiez ?

— C'est un vieil ermite, dit Pakarel. Tout le monde le connaît, par ici.

— Il ne se mêle pas des affaires des autres, continua Maeva, mais il lui arrive de nous rendre visite, chez les gnolls. Ja'zièq leur achète de l'alcool. Comme tu l'as vu, il aime bien la bouteille.

— Curieux personnage, dit Victor en enjambant une grosse racine à demi engloutie par le marécage.

— Aïe ! s'écria Maeva en trébuchant dans l'eau.

Pakarel et Victor s'arrêtèrent et tous deux aidèrent leur amie à se redresser. Après avoir lâché deux ou trois jurons, Maeva respira profondément et dit, les dents serrées :

— J'ai dû me coincer le pied dans une racine et je me le suis foulé !

— Montre-moi, lui dit Victor.

La jeune femme enlaça Victor d'un bras pour rétablir son équilibre et leva son pied.

— Pakarel, tiens ma canne, s'il te plaît, lui demanda le jeune homme en la lui tendant.

— Bien sûr, répondit le pakamu.

— Tu permets ? demanda Victor en indiquant la botte de Maeva.

— Fais attention, lui dit-elle en hochant la tête.

Victor retira la botte de son amie avec le plus grand soin, pour dévoiler un pied rougi et légèrement enflé.

— C'est foulé, confirma-t-il. Faisons demi-tour, tu te reposeras chez Ja'zièq.

— Tu l'as entendu, répondit Maeva en remettant sa botte. Il ne veut pas voir quiconque chez lui lorsqu'il reviendra.

— Tu t'es blessée, lui dit Victor d'un ton convaincant, il comprendra ! Ce troll est peut-être bougonneur, mais il m'a bien aidé, non ?

— Tu ne le connais pas comme nous le connaissons, répondit Pakarel d'un air déçu. C'est en plein son genre de nous montrer la porte quand nous avons besoin de lui.

— Ja'zièq sera furieux, ajouta Maeva en hochant la tête négativement. Nous devrions poursuivre. Je serai capable de marcher correctement d'ici peu.

— Ton village est-il près d'ici ? demanda Victor, tentant encore une fois de trouver la solution la plus sensée.

— Victor, nous ne rebrousserons pas chemin, dit Maeva d'un ton sec.

— N'essaie pas d'argumenter avec elle, soupira Pakarel. Elle est bornée comme une roche.

— Très bien, dit Victor. Pakarel, quand atteindrons-nous la terre ferme ?

— Dans une demi-heure, je crois, répondit le raton laveur.

— Alors, pendant ce temps, dit Victor en tournant la tête vers son amie, prends appui sur moi, je vais t'aider.

Le visage de Maeva, qui grimaçait de douleur, s'était adouci en sourire satisfait.

— C'est très gentil à toi, dit-elle.

Cela leur prit finalement près d'une heure pour atteindre la terre ferme, soit le double de ce qu'avait indiqué Pakarel. Cependant, le raton laveur n'était pas en faute, ce retard était dû à la démarche lente de la jeune femme et de Victor.

— Enfin, soupira Maeva en se laissant tomber au pied d'un gros arbre, situé sur la terre ferme, à quelques mètres à peine du marécage.

Victor pouvait voir la plage, puisqu'ils étaient tout près de la lisière de la jungle. Il se mordit la lèvre inférieure, priant pour que la tortue-dragon ne passe pas dans le coin.

— Prenons cinq minutes de repos, suggéra Maeva.

— Bonne idée, dit Pakarel, qui vidait ses grosses bottes pleines d'eau.

— Pakarel, où est la ville ?

— Sur une petite île qui est connectée à la plage, répondit-il. Avance-toi un peu, tu verras bien.

Intrigué, Victor fit quelques pas et poussa la végétation de ses mains, avant d'arriver devant la plage. En effet, une île, pas plus grosse qu'un petit village, s'élevait devant lui. De nombreuses torches et lanternes, identifiables par la lumière qu'elles projetaient, étaient installées sur les structures ombragées qui formaient sans doute l'Étau du Boucanier. Victor compta trois ponts de bois suspendus depuis la plage, bien ancrés dans le sol sablonneux, et qui s'étendaient en montant en altitude jusqu'à la ville. Lorsque la marée venait à monter, il ne devait pas en falloir beaucoup pour que la partie basse des ponts se retrouve engloutie, songea-t-il.

Revenant sur ses pas, Victor s'approcha de Maeva, qui se massait la cheville. Une idée lui vint soudain en tête.

— J'ai peut-être quelque chose pour t'aider, dit-il à son amie.

Elle leva la tête vers lui, l'interrogeant d'un sourcil levé.

— Pakarel, dit Victor, peux-tu me passer mon sac ?

Le raton laveur, qui était assis par terre à côté de Maeva, retira le sac de ses épaules et le tendit au jeune homme.

— Merci, répondit-il en fouillant dans son sac.

Victor en retira la dague de l'assassin, qu'il dégaina avec prudence de son étui. Il observa la lame qui avait tué tant de scientifiques avec un brin de dégoût, avant de revenir à lui. Victor se laissa tomber sur un genou près de son amie et appuya le dos de la lame sur sa cheville. Maeva gémit au contact du froid, mais la grimace de douleur qui s'était imprégnée sur son visage disparut en un instant.

— Ça va mieux ? demanda Victor en tentant de dissimuler son sourire, fier de son coup.

— Tu parles ! s'étonna Maeva en prenant la dague des mains de Victor, pour la maintenir elle-même sur sa cheville.

— Voilà une belle utilité pour cette dague maudite ! fit remarquer Pakarel, le visage souriant.

— Assieds-toi avec nous, dit Maeva en tapotant le sol près d'elle.

Victor accepta l'invitation et s'installa près de ses amis. Posant sa canne sur ses jambes, il ne pouvait qu'avouer que ce petit repos était le bienvenu. La température était étouffante, mais pas assez insupportable pour le convaincre d'utiliser son régulateur de température. S'il s'était senti un peu plus propre grâce à leur baignade de la veille, les marécages avaient anéanti cette impression.

— Un bon bain ne me ferait pas de tort, soupira Victor.

— Ça serait confortable, ajouta Pakarel. Avec beaucoup, beaucoup de bulles !

— C'est moi qui devrais exiger un bain avec des bulles ! protesta Maeva en riant. C'est moi, la fille !

Les amis pouffèrent de rire.

— Regardez ces énormes champignons, dit Pakarel en pointant près d'une souche recouverte de mousse.

Victor vit trois ou quatre champignons, gros comme des citrouilles, dont le chapeau était d'un violet luminescent, courbé en leur extrémité pour finalement terminer en spirales.

— C'est fabuleux, admit Victor. Je n'en avais jamais vu de tels.

— Ils ne sont pas très bons à manger, ajouta Pakarel. J'ai déjà goûté...

— Pakarel, ces champignons sont empoisonnés ! s'indigna Maeva, comme l'aurait fait une mère protectrice.

— J'avais faim, dit Pakarel en haussant les épaules. Parlant de faim, vous avez faim ?

Victor ne put s'empêcher de sourire d'amusement.

— Tu as l'appétit aussi vorace qu'un ogre ! lui dit-il.

— Et alors ? rétorqua Pakarel. C'est bon de manger !

— Je ne te le fais pas dire, répondit Victor.

— Comment vont tes épaules ? demanda Maeva à Victor.

— Oh, elles vont bien ! avoua Victor qui avait complètement oublié qu'il avait été charcuté par les griffes de gargouilles. Elles ne me font plus mal.

— Ja'zièq a peut-être une façon d'être assez douteuse et peu hygiénique, dit Maeva d'un air ravi, mais c'est un bon guérisseur.

— L'habit ne fait pas le moine, conclut Victor, un sourire en coin.

Les minutes passèrent et les trois amis se relevèrent finalement, mettant fin à leur pause. Maeva était parvenue à trouver un bâton de bois bien solide qui allait grandement faciliter ses déplacements. Pakarel ouvrait la marche vers la plage, suivi de près par Maeva et Victor.

— Une chance que vous soyez armés, dit Pakarel, qui s'était retourné vers ses amis, trottant à reculons. Ça risque de nous aider à rester en vie.

— N'exagère pas, lui répondit Maeva d'un air léger.

Victor, cependant, en avait assez vu pour savoir qu'une épée battante sur la cuisse ne serait pas de refus. Il s'abstint cependant d'en faire le commentaire. En file indienne, Victor, Pakarel et Maeva montèrent le pont de bois qui s'avéra beaucoup plus solide qu'il n'en avait l'air. Le pont menait à une plateforme de bois, encombrée de barils d'alcool, de caisses et de boîtes en bois. Deux rectangles jaunes s'allongeaient sur la plateforme, créés par la lumière des fenêtres de deux bâtiments situés juste en face. Un vieillard était installé sur l'un des barils, une bouteille ternie et remplie d'un liquide brunâtre à la main. Victor fut choqué en voyant que le vieil homme avait sous les genoux deux jambes de bois. Il était vêtu de lambeaux, était chauve et possédait une barbe broussailleuse. Lorsqu'ils arrivèrent, il leur envoya un sourire qui laissait paraître sa dentition trouée et noircie. Maeva, qui marchait en tête, arriva sur la plateforme en première, suivie de Pakarel et Victor. Le vieillard siffla la jeune femme avec intérêt.

— Tu es perdue, ma jolie ? croassa-t-il.

Maeva l'ignora complètement, se laissant rejoindre par ses amis.

— Restons groupés, dit-elle à voix basse.

Au bout de la plateforme, deux marches en pierre ouvraient la voie vers le cœur de la ville. Celle-ci était composée de bâtiments de bois mal entretenus, construits trop près les uns des autres, et donnant l'impression que les rues n'étaient en fait que des ruelles. De nombreuses personnes erraient dans les rues, certaines adossées contre les bâtiments, une bouteille à la main, envoyant des regards pesants et froids vers Victor et ses compagnons. En voyant leur accoutrement, Victor comprit que les gens de cette ville étaient peu fortunés.

— Essayons cet endroit, dit Maeva en pointant une bâtisse du menton.

C'était une taverne bruyante, située de l'autre côté de la rue.

— Bien que l'idée ne me plaise pas, avoua Victor à mi-voix en se rappelant le coup solide qu'il avait reçu à la tête lors de sa dernière visite dans une taverne, il n'y a probablement pas de meilleur endroit pour dénicher quelqu'un qui pourrait nous montrer le chemin.

— Je ne veux pas ruiner vos espoirs, dit timidement Pakarel, mais depuis que nous sommes arrivés ici, j'ai la désagréable impression que l'on ne trouvera personne pour nous aider. Vous avez vu les gens qui vivent ici ? On dirait un taudis !

— Sois positif, lui dit Maeva en entrant dans la taverne, suivie par ses amis.

L'intérieur de la taverne était identique à ce que son extérieur annonçait : bondé de gens qui parlaient trop fort, qui riaient et qui buvaient maladroitement leurs chopes d'alcool. Pakarel se boucha le nez avec ses doigts alors que Victor et Maeva balayaient la taverne du regard. À son grand étonnement, Victor vit la croupe d'un cheval au fond de la taverne. La bête se retourna, et le jeune homme réalisa qu'il n'avait pas vu un cheval, mais bien un centaure.

— Les centaures ne faisaient-ils pas office de gardes des ruines mayas ? chuchota Victor à Maeva.

— Pas tous, mais certains oui. Allons lui demander, suggéra-t-elle à mi-voix.

Zigzaguant entre les tables bondées de fêtards, le trio d'amis fut brusquement arrêté lorsqu'une main trapue sertie de grosses bagues, sortie de nulle part, saisit le bras de Maeva.

— Dis donc, ma petite ! grommela une voix, tu n'aurais pas envie de venir t'asseoir avec nous ?

L'homme qui avait saisi la jeune femme était sans doute l'un des plus gras que Victor eut jamais vu. Une longue perruque de boudins blancs reposait sur son front luisant de sueur, et son visage rougi par l'alcool comportait plusieurs mentons. Il était vêtu d'un manteau de qualité (dont les boutons, subissant trop de pression, menaçaient d'exploser à tout moment) ainsi que de petites chaussures bouclées en cuir verni. Le gros homme ne ressemblait en rien aux pauvres gens qui peuplaient la ville et Victor était persuadé, de par son accoutrement, qu'il était de souche anglaise.

— Bas les pattes ! lâcha Maeva en retirant brusquement son bras de l'emprise du gros bonhomme.

— Une bête sauvage qui n'a pas encore été domptée ? rétorqua l'homme d'une voix amusée. Marvin, fais-la s'asseoir !

Victor, le regard fixé sur le visage ravagé par la gloutonnerie de l'homme, sentit en lui un volcan qui menaçait d'exploser. Un grand type au visage renfrogné et vêtu comme un paysan, sans doute Marvin, se leva et s'avança vers Maeva en titubant d'ivresse. Il saisit Maeva par les épaules pour la diriger vers une chaise, mais celle-ci protesta et tomba à plat ventre sur la table, lâchant en même temps son bâton de marche.

— Oh, oh ! ricana le gros bonhomme.

Le dénommé Marvin tenta encore une fois de saisir la jeune femme, mais ses gestes furent stoppés par la pointe d'une lame qui s'était posée contre sa nuque.

— Va-t'en, souffla Victor, qui bouillonnait de colère.

En un instant, le chahut de la taverne s'était entièrement dissipé. Marvin recula de quelques pas difficiles, forcé par la pointe du glaive de Victor.

— Où te crois-tu, mon gars ? beugla la voix de l'homme gras-souillet en costume, qui regardait Victor d'un air sévère.

Le jeune homme ne répondit pas et rendit plutôt son bâton à Maeva.

— Sais-tu à qui tu as affaire ? lança l'homme d'un ton plus haut, définitivement agacé par le fait que Victor l'avait ignoré. Hein, tu le sais ?

D'un bond, il se leva brusquement, renversant sa chaise au passage. Il lâcha un rot sonore qui envoya une bouffée d'haleine nauséabonde, sentant fortement l'alcool, en plein visage de Victor, qui grimaça.

— Qui que vous soyez, rétorqua Victor, vous manquez forte-ment de bonnes manières, monsieur.

— Et toi, tu ne manques pas d'audace pour me parler ainsi ! aboya l'homme. Je suis le préfet de police Newell de Port-Royal, et tu ferais bien de ranger cette arme barbare avant que je décide de m'énerver !

Le visage de Victor afficha une expression de dégoût devant l'ordre qu'on venait de lui donner. Le préfet dut le remarquer, car il s'enflamma aussitôt :

— Je ne sais pas d'où tu viens, mais ici, c'est moi qui prends les décisions. Alors, avant que les choses ne tournent mal, range-moi ton épée !

En voyant l'air inquiet qui s'était emparé de Maeva et le regard défiant (comme toujours) de Pakarel, Victor opta, pour ne pas ris-quer plus d'ennuis à ses amis, de coopérer. Il laissa glisser son glaive dans son fourreau et crispa sa main sur sa poignée.

— Voilà qui est bien, répondit Newell avec un sourire vicieux, appréciant visiblement la soumission de Victor. Maintenant, toi et ce...

L'homme s'interrompit et pencha sa tête dodue vers Pakarel.

— ... ce raton laveur puant, conclut-il, sortez d'ici ! Quant à ta charmante amie, elle restera avec nous.

Victor avait remarqué que les gens qui peuplaient la taverne dirigeaient toute leur attention vers lui et ses deux amis. Contre une horde de fêtards bien ivres, ils n'avaient aucune chance. Cependant, il ne laisserait certainement pas son amie aux prises avec un homme tel que Newell.

— Arrête-moi ton petit cirque, mon gars, ricana Newell. À quoi tu penses, hein? À jouer les guerriers? Tu es un infirme, à ce que je sache! Épargne-nous l'humiliation d'avoir à frapper quelqu'un dans ton genre!

Une sensation étrange traversa le corps de Victor en un éclair, se terminant au bout de ses doigts. Les insultes de Newell l'avaient atteint, clairement parce que la colère avait créé des failles dans son armure et, pour la première fois dans sa vie, il voulait de son plein gré tuer un homme. Maeva posa sa main sur son bras.

— Victor, ça ira... ne fais pas de bêtises. Ils n'en valent pas la peine.

Le préfet pouffa de rire, le visage plus rougeoyant que jamais, et tapa de la main sur la table.

— Écoute donc ton amie, mon gars! lança-t-il en postillonnant. Elle te ramène sur la voie de la raison!

— Raton laveur puant? dit soudain une voix lourde et lente, semblable à un roulement de tonnerre.

Victor vit avec surprise, juste à sa gauche, le centaure qu'il avait aperçu de dos au fond de la taverne. La créature était beaucoup plus imposante que ce qu'il avait cru; sa tête atteignait presque le chandelier qui éclairait la taverne et il était de taille (et de poids) à rivaliser avec un carrosse motorisé. Ses cheveux étaient attachés, tirés vers l'arrière pour former une couette sur sa tête. Son visage, dont le centre était marqué par un nez bien carré, affichait une expression sévère. Une fine moustache, rappelant celles portées en orient, tombait sur son poitrail musculeux, couvert de plaques de fer qui lui servaient probablement d'armure. Fixé sur le corps imposant du centaure se trouvait un harnais qui soutenait deux grosses haches. Trop absorbé par sa colère, Victor ne l'avait même pas entendu arriver, pourtant, les sabots du centaure claquaient bruyamment sur le sol de la taverne, avec agacement; il était facile de voir qu'il n'était pas d'humeur.

— Retourne à ta soûlerie! lui rétorqua Newell. Je n'ai pas de temps à t'accorder, Baobab!

— Ne me parles pas sur ce ton, petit être insignifiant, lui répondit le centaure dénommé Baobab, d'une manière étrangement calme. Sinon tu mourras. Ne t'avise plus d'insulter ce pakamu. C'est bien compris?

Chacune des phrases prononcées par le centaure avait été dite avec lenteur et dégageait un calme inquiétant.

— Ce n'est pas à toi de me dire quoi faire, le canasson! lui rétorqua hardiment Newell, qui cherchait du regard un bon rire moqueur de la part de ses complices, lesquels n'osèrent pas lever l'œil de la table. J'appellerai cette créature dégoûtante, comme tous ceux de sa pauvre race inférieure, un raton laveur puant si j'en ai envie! Et que je ne te reprenne pas à me parler sur ce ton! L'étendue de mes pouvoirs devrait t'être connue, même au Belize, espèce de gros idiot!

— Bien que tu aies atteint ce que tu considères comme une vie bien réussie, répondit Baobab d'une voix sereine, puisque tu te plais dans le pouvoir dans lequel tu baignes, tu aurais tout de même dû apprendre à te taire, lorsque le moment se présente. Voyons voir si les gens de cette ville que tu empoisonnes avec ta corruption te prêteront main-forte.

Victor, Pakarel et Maeva avaient tous reculé, ainsi que la plupart des hommes qui étaient à la table de Newell. Certains avaient déjà quitté la taverne, et même le propriétaire avait quitté son comptoir.

— Sortons d'ici, dit Pakarel d'une petite voix aiguë en se dirigeant vers la porte. Ne tardez pas!

Victor et Maeva, lançant des regards confus vers un Newell dont le courage semblait avoir disparu et un centaure qui dégainait une hache, sortirent et rejoignirent leur ami à l'extérieur. De nombreuses personnes s'étaient regroupées à une bonne distance de la taverne, se chuchotant à l'oreille en jetant des regards vers Victor et ses amis. On entendit alors un fracas de bois et de vaisselle, suivi de la voix plaintive de Newell :

— Non... non ! Tu es complètement fou ! Je te ferai pendre ! Je te ferai servir comme plat principal au festin en l'honneur de ma promotion !

Il y eut alors un bruit de métal qui trancha l'air avant de se planter dans une surface en bois. Quelques instants plus tard, les lents pas de sabots du centaure annoncèrent sa sortie de la taverne. Il brandissait quelque chose au bout de sa main. Avec dégoût, Victor discerna la tête de Newell, figée dans une expression de peur.

— Vous ne serez plus troublés par cette vermine ! déclara Baobab d'une voix tonitruante. Cet homme ne vous pourrira plus la vie !

Puis, il ouvrit le couvercle d'un baril à proximité de la porte de la taverne et y laissa tomber la tête. Les gens reprirent aussitôt le chemin vers la taverne et quelques instants plus tard, les fêtards avaient repris leurs rires et leurs chansons. Un meurtre avait été commis et les habitants de cette ville retournaient fêter ? Newell devait être un vrai salaud. Victor inspira et expira fortement et jeta un œil vers ses amis ; Maeva avait la main plaquée contre la bouche, les yeux entrouverts, l'air dépassée. Pakarel, lui, faisait des signes au centaure, qui avança vers eux.

— Bao ! s'écria Pakarel. Comme je suis content de te revoir !

Victor et Maeva haussèrent un sourcil. Ils pensaient tous deux la même chose : Pakarel et le centaure se connaissaient donc ?

— C'est réciproque, mon vieil ami ! déclara le centaure alors que Pakarel lui serrait le doigt en guise de poignée de main.

Victor posa sa main contre le dos de Maeva et lui chuchota :

— Ça ira... ça ira...

— Madame, pardonnez mon retard, déclara Baobab en tendant sa main vers elle.

Échangeant un regard interloqué avec Victor, Maeva tendit sa main d'une façon mal assurée et le centaure inclina la tête.

— Encore une fois, mille pardons, ajouta-t-il avant de lui baiser la main.

— De... de quoi parlez-vous ? bégaya Maeva. Pourquoi vous excusez-vous ?

Baobab afficha un sourire de charmeur et dit :

— Ja'zièq m'a parlé de votre désir de vous rendre sur nos terres, expliqua-t-il. Étant donné que je devais passer en ville, j'ai accepté de vous aider. Nous devrions cependant partir maintenant, si vous voulez y être avant l'aube.

L'air déconcerté, Maeva plaqua sa main contre son front et sourit maladroitement.

— Voudriez-vous monter sur moi ? demanda Baobab, vous porter serait un grand honneur.

— Oh non, non, non, merci, ça va ! répondit Maeva.

— Maeva... ton pied risque de nous ralentir, dit Victor en tentant d'avoir l'air convaincant, même s'il n'aimait pas la façon dont Baobab dévorait son amie du regard.

Prise au dépourvu, la jeune femme balbutia :

— Je... Enfin, oui j'ai mal au pied, mais...

— Alors, n'en parlons plus, intervint Baobab. La réponse est évidente, montez.

Baobab s'inclina et laissa monter sur lui une Maeva extrêmement réticente tandis que la jeune femme lançait des regards furieux à Victor.

— Venez, dit Baobab en ouvrant la marche.

Victor et Pakarel suivirent Baobab à l'extérieur de la ville, tous deux contents de quitter l'Étau du Boucanier. Ils marchèrent en silence pendant près de dix minutes, et lorsqu'ils atteignirent la plage, Baobab demanda :

— Comment t'appelles-tu, jeune homme ?

Il avait posé cette question sans même regarder Victor.

— Victor.

— C'était très courageux, Victor, de défendre cette jeune dame. Surtout en tenant compte de ta jambe. Très noble. Oh oui...

Ne sachant quoi répondre, Victor croisa le regard de Maeva, qui haussa les épaules.

— Euh... d'accord, merci, répondit le jeune homme, même s'il ne savait pas vraiment si c'était un compliment.

Alors que le quatuor entrait dans la végétation de la jungle, Baobab dit d'un ton charmeur :

— Faites attention aux branches, madame.

Maeva afficha une expression agacée, mais lorsque Baobab jeta un œil par-dessus son épaule, la jeune femme s'empressa de sourire avec froideur.

— Et toi, Pakarel, dit Baobab, tes voyages ont-ils été fructueux ?

— Oui, répondit le raton laveur. J'ai rencontré un tas de gens extraordinaires !

— Bien, bien, répondit Baobab sans grand intérêt. Et ce rite, tu l'accompliras ?

Victor se souvint alors du rite de passage des pakamus que Maeva lui avait expliqué. Il savait que c'était un sujet sensible pour son ami poilu, qui ne lui en avait jamais parlé. Victor évita donc le regard de son ami et tenta de porter son attention sur les nombreuses feuilles qui l'entouraient.

— Tu as vu cette plante, Maeva ? dit-il pour changer de sujet.

— Elle est vraiment jolie, répondit Maeva d'un air précipité ; elle aussi avait compris l'inconfort de la situation.

— Non, répondit Pakarel. Je ne l'accomplirai pas avant quelque temps. Je dois aider mes amis.

Faisant mine de ne rien entendre, Victor détourna aussitôt le sujet et demanda à Pakarel :

— Si tu pouvais manger quelque chose, qu'est-ce que ce serait ?

La ruse fonctionna, Pakarel semblait ravi à l'idée de discuter de nourriture.

Chapitre 17

Les terres interdites

Victor, Maeva, Pakarel et Baobab sillonnaient la jungle depuis maintenant près d'une heure. Cette dernière avait été riche en conversations, mais Victor n'ajoutait pas grand-chose aux paroles de ses amis. À vrai dire, il n'était pas tout à fait à l'aise dans une jungle qui renfermait des horreurs telles que des gargouilles et des tortues-dragons. À force d'examiner Baobab, qu'il avait initialement estimé de taille à rivaliser avec un carrosse, Victor était de plus en plus impressionné par le curieux personnage. Maintenant qu'il se souvenait bien du centaure qu'il avait vu au port de Québec, qui était un peu plus petit qu'un cheval, la différence était flagrante. Baobab portait bien son nom, songea Victor, il était si imposant qu'on aurait pu y asseoir cinq ou six personnes. Ses mains étaient tellement grandes qu'elles pourraient presque écrabouiller la tête d'un homme. La taille de ses haches faisait à peu près celle de Victor. Ironiquement, le centaure avait l'air sympathique et lorsqu'il parlait à Maeva, sa voix devenait celle d'un charmeur.

— Vous êtes bien en forme, madame, vous vous entraînez ? demanda Baobab, d'un air fondant.

Maeva lâcha un petit rire frénétique qui indiquait sa gêne.

— Bao, tu savais que Victor est un grand pianiste ? dit Pakarel en envoyant un regard admiratif vers son ami, qui sentit ses joues s'embraser aussitôt.

— Vraiment ? dit Baobab d'une voix dure, digne d'un gros guerrier bien viril, bien différente de celle utilisée avec Maeva. Jeune homme, as-tu composé quelques pièces ?

Ce soudain changement de ton donna à Maeva un sourire moqueur.

— Euh... oui, répondit Victor, qui détourna la tête pour ne pas attraper le sourire contagieux de Maeva. Oui, j'ai composé quelques pièces.

— Moi-même, je joue de la flûte de pan, déclara Baobab d'un air serein. Mais ce n'est pas aussi complexe que le piano, je dois l'admettre.

Victor ne sut quoi répondre, il toussota et dit d'un air dégagé :

— Oh, vous savez...

— Ne sois pas modeste, lui dit Baobab. Tu dégages une intelligence beaucoup plus grande que ce que tu crois. Même dans le silence, je sais reconnaître les grandes et les petites personnes.

Le jeune homme ne s'attendait pas à un tel commentaire. Profitant du fait que Baobab regardait droit devant, Victor échangea un regard étonné avec Maeva, qui bougea les lèvres en silence pour dire : « Continue de le faire parler, il me rend mal à l'aise ! ».

Victor ne comprenait que trop bien son amie, puisque le centaure n'avait cessé de la courtiser avec de grandes paroles dignes d'un aristocrate qui a trop de manières. De plus, le jeune homme devait avouer qu'il n'aimait pas vraiment voir Baobab faire la cour à Maeva... même s'il était un centaure. D'ailleurs, c'était en grande partie à cause de cela que Victor était silencieux, presque renfermé, durant près d'une heure. Ça, et les monstres, bien sûr !

— Nous arrivons sur les terres interdites, déclara Baobab en écartant une fougère pour pointer du doigt vers un plateau de hautes herbes, situé juste devant une jungle qui s'étendait à perte de vue.

Victor et ses amis se trouvaient juste en haut d'une petite dénivellation de terrain d'une vingtaine de mètres, qui descendait doucement vers un niveau plus bas. La couleur du ciel avait pâli et les étoiles perdaient de leur éclat ; le jour allait bientôt se lever.

— Les terres interdites ? répéta Maeva, interloquée.

— La jungle qui est située de l'autre côté, dit Pakarel en pointant au loin.

— C'est là que moi et mes semblables vivons, déclara Baobab.

— Pourquoi appeler votre territoire « les terres interdites » ? demanda Maeva.

Baobab émit un petit rire charmeur.

— De cette façon, ma chère dame, reprit-il, les étrangers ne viennent pas nous déranger. Rien que ce nom les effraie. Mais n'ayez crainte, s'empressa-t-il d'ajouter d'un ton digne d'un comédien, je suis là pour vous protéger...

— Je crois que je peux marcher, déclara froidement Maeva.

Victor tendit sa main à son amie et l'aida à descendre. Pakarel, qui traînait le bâton de marche de la jeune femme, le lui rendit.

— Êtes-vous certaine ? demanda Baobab d'un air trop attentionné. Je ne voudrais pas que vous vous blessiez davantage...

— Ça ira, merci, le coupa Maeva avec un sourire forcé.

En regardant la vaste étendue qui formait une sorte de rectangle au milieu de la jungle, Victor eut une soudaine révélation.

— Nos amis, dit-il à Pakarel, le regard figé, dans le vide.

Le raton laveur le regarda d'un air confus, avant que son visage s'éclaircisse.

— Tu as raison ! lui dit-il d'un air enjoué.

— De quoi parlez-vous ? interrogea Baobab.

— Mes amis sont en route pour venir nous prêter main-forte, expliqua Victor.

Le petit groupe descendit la faible côte et se rendit au centre de la plaine. Victor regarda autour de lui, analysant la situation.

— Ouais, se dit-il en tournant sur lui-même, ce serait l'endroit idéal.

Comme il l'avait deviné, Maeva lui fit savoir d'un air sévère qu'elle n'était pas d'accord avec lui.

— Je n'aime pas cette idée, Victor...

Baobab ajouta, d'une voix polie :

— Si la jeune femme décrète que l'idée n'est pas à son goût...

— Moi, je la trouve bonne, l'idée ! déclara Pakarel, ce qui donna à Maeva un visage choqué.

— Je n'ai pas l'intention de poireauter ici jusqu'à leur arrivée ! s'enflamma la jeune femme.

Sachant très bien que les paroles du raton laveur risquaient d'alimenter une querelle dont ils n'avaient pas besoin, Victor reprit aussitôt la parole.

— Écoutez-moi bien, j'ai une idée.

Les têtes se tournèrent vers lui.

— Puisqu'il est évident que Maeva n'a pas du tout envie de voir mes amis, et tes raisons sont valables, je t'assure, ajouta-t-il d'un ton pressé lorsqu'elle le regarda avec de gros yeux, j'opte pour que nous leur laissions quelque chose qui pourra leur indiquer que nous sommes bel et bien venus ici.

— Ta radio ? devina Pakarel.

— Exactement, admit Victor en faisant signe au pakamu de lui donner son sac à dos.

Le raton laveur le lui donna et Victor en tira sa radio.

— Je ne peux pas les rejoindre directement, dit Victor en analysant le sol près de lui, je vais donc laisser la radio dans un endroit bien visible. Étant donné que les herbes sont trop hautes... nous allons la placer sur ce rocher.

Le jeune homme pointa un gros rocher et s'en approcha. Il posa la radio dessus et recula de quelques pas.

— De cette façon, continua-t-il, mes amis arriveront ici et, si jamais nous avons besoin d'aide urgente, nous n'aurons qu'à revenir en arrière.

— Qu'est-ce qui te fait croire qu'ils vont t'attendre, quand ils verront que tu n'es pas au rendez-vous ? demanda Maeva.

— Je leur fais confiance, répondit Victor en haussant les épaules.

— Vraiment ? s'étonna la jeune femme en plissant les yeux, visiblement beaucoup moins confiante que son ami.

— L'idée de Victor est solide, dit Pakarel. Caleb l'apprécie beaucoup trop pour le laisser ici sans lui prêter main-forte. En voyant la radio, nos amis tenteront de nous rejoindre, c'est assuré !

— Caleb ? répéta Maeva d'un air interloqué.

— L'ami qui est venu me retrouver à Québec, lui dit Victor pour lui rafraîchir la mémoire. Je t'ai raconté ma petite aventure, tu te souviens ?

— Ah ! dit Maeva sans grande conviction. Je vois. Et comment vont-ils nous rejoindre ? ajouta-t-elle avec un sourire. Mmmh ?

— Sans vouloir t'offenser, s'excusa Pakarel en passant son regard du centaure à Maeva, Bao laisse des traces bien profondes dans le sol. Ils sauront nous rejoindre, j'en suis persuadé.

Un sourire en coin, Baobab répondit :

— Je ne suis pas le seul centaure qui parcourt ce territoire, mon vieil ami. Vos amis seront bien vite perdus dans une mer d'empreintes.

Il y eut un silence que Maeva sembla particulièrement apprécier. Victor ne s'y attarda pas et se tourna vers leur destination.

— Allons-y, déclara-t-il en ouvrant la marche, suivi par Pakarel.

Au bout de quelques minutes de marche, pendant lesquelles les amis suivirent Baobab à travers une jungle étrangement silencieuse, Maeva saisit doucement le bras de Victor et lui chuchota :

— Ne fais pas cette tête.

Elle souriait radieusement.

— Je suis de bonne humeur, lui dit Victor en évitant son regard.

— Mais tu es trop silencieux à mon goût, dit la jeune femme en lui lançant un coup de coude amical.

Victor lui adressa un sourire pas vraiment sincère. La méfiance que Maeva éprouvait envers ses amis l'avait rendu un peu amer. Mais d'un autre côté, il ne devait pas oublier qu'elle avait, elle aussi, perdu quelqu'un de cher à ses yeux. Il était normal qu'elle vive de par ses plus fortes émotions.

— Je suis simplement fatigué, mentit Victor en espérant rattraper la situation. Mais je t'assure, je vais bien.

Au même moment, Maeva trébucha contre une roche et manqua de tomber. Elle se rattrapa au bras de Victor au dernier instant.

— Puis-je vous suggérer de revenir sur mon dos ? proposa Baobab d'une voix douce.

— Ça ira, Baobab, lui répondit Maeva en passant son bras gauche sous le bras droit du jeune homme. Victor prendra soin de moi, cette fois. N'est-ce pas, Victor ?

— Bien sûr, répondit-il tardivement alors que son amie le regardait avec insistance.

— Comme vous le désirez, madame, dit Baobab.

— Moi, je peux embarquer sur toi ? demanda Pakarel.

— Tu n'as pas de pied blessé, fit remarquer Baobab.

— Je suis certaine qu'il est assez petit pour s'installer sans même que vous sentiez son poids, dit Maeva à Baobab d'un air amusé.

— Je ne suis pas petit, protesta Pakarel. C'est lui qui est gros.

Bien décidé à répondre aux dires de la jeune femme, Baobab se laissa chevaucher par Pakarel, dont le visage afficha une expression satisfaite. Le petit chevalier avait enfin trouvé son fidèle destrier, pensa Victor avec moquerie. Durant les minutes suivantes, Victor et Maeva marchèrent ensemble et discutèrent des divers plantes et insectes qu'ils apercevaient. Tenir Maeva par le bras avait redonné la parole au jeune homme, qui ne souffrait plus de hausses de température excessives. À vrai dire, Victor se sentait étrangement léger ; il en oubliait presque l'importance de son voyage. C'est alors que Baobab fit un signe de main indiquant à Victor et à Maeva de s'arrêter. Instinctivement, ils coupèrent leur conversation et se figèrent, regardant autour d'eux.

— Ne bougez pas, ordonna Baobab. Ne faites pas un faux mouvement, ou nous le regretterons tous.

Une créature émergea d'entre les arbres gigantesques ; ce n'était nul autre que la tortue-dragon. Elle pencha sa grosse tête écailleuse, dont les dents étaient directement ancrées sur la chair à l'air libre, et se mit à renifler le sol. La tortue-dragon envoya une bouffée de vapeur en hauteur, qui fit noircir les feuilles d'un arbre qui se trouvait à proximité.

— Tu n'es pas sur ton territoire de chasse, lui lança Baobab.

La créature lâcha une série de petits grognements en agitant la tête, puis elle souffla depuis ses narines un petit jet de vapeur sur le sol.

— Retourne dans ton antre! lui lança Baobab. Tu as déjà rencontré mes haches, il y a des années, ne t'arrange pas pour les rencontrer de nouveau!

L'air mécontente, la créature rugit avec force et fit volte-face, avant de disparaître en direction de la plage. Victor, dont le cœur avait manqué un battement, souffla avec soulagement et dit :

— Si j'avais su que quelques paroles suffiraient à la repousser...

— Ces bêtes sont plus intelligentes qu'elles n'en ont l'air, ajouta Baobab. J'entendais ses déplacements depuis une dizaine de minutes, et j'étais étonné qu'elle nous ait suivis jusqu'ici... mais à t'entendre parler, jeune homme, je crois que tu as fait la navrante rencontre d'une bête bien obstinée.

— Que voulez-vous dire? demanda Maeva, volant les mots de la bouche de Victor.

— Victor n'est pas en sécurité, continua Baobab. Cette tortue-dragon a une dent contre lui et n'arrêtera pas de le poursuivre de sitôt.

Victor eut du mal à déglutir, à la suite de cette remarque.

— Ne pouvons-nous pas l'abattre? proposa Maeva.

Pour la première fois, Baobab fronça un sourcil en direction de la jeune femme.

— Je n'use pas de violence envers les animaux, très chère dame, dit-il d'une voix mielleuse. Cependant, si votre sécurité en dépend...

— Bien sûr qu'elle en dépend! ajouta Maeva. J'ai vu ces bêtes s'en prendre à des créatures bien plus grosses qu'elles! Elles sont dangereuses!

Victor était certain qu'elle mentait, et tromper Baobab ne devrait pas être très difficile.

— Dans ce cas, gente dame, dit Baobab en faisant une petite révérence, je ne la laisserai pas nous approcher. Si elle croise notre chemin à nouveau, je lui trancherai la gorge.

Cette déclaration fit grimacer Victor. Certes, il n'appréciait pas vraiment d'avoir un monstre d'au moins une tonne à ses trousses en plein cœur d'une jungle, mais il ne voulait pas qu'elle se fasse tuer en son nom. Car après tout, ce n'était qu'un animal contribuant au cycle de la vie.

— Reprenons notre route, dit Victor d'un air mal à l'aise.

Les compagnons marchèrent pendant une heure, selon la montre de Victor, et le soleil allait apparaître d'un moment à l'autre. La végétation était recouverte d'une rosée matinale et une légère bruine flottait au niveau des chevilles du jeune homme. Victor se demandait comment allaient ses amies, et surtout, si elles n'étaient pas trop inquiètes. Il voyait très bien l'image de Nika lui faisant la morale à son retour. Le manque de sommeil réparateur commençait à peser sur lui, il avait mal aux jambes et dans le bas du dos. Les années passées à Québec l'avaient rendu un peu trop douillet, songea-t-il avec un sourire. C'est à ce moment que quelque chose apparut entre les arbres, braquant une carabine sur eux.

— Halte ! lâcha la voix de ce qui maintenait l'arme.

Un centaure, dont le torse était couvert d'une armure en cuir, se tenait devant eux. Victor réalisa qu'il était deux fois plus petit que Baobab, mais le centaure restait tout de même aussi impressionnant qu'un gros cheval. Ses cheveux étaient d'un blanc laiteux et une fine barbe cachait ses joues. Son visage, légèrement ridé, lui donnait un air sévère. Un fourreau tombait sur le côté de son corps, il contenait une longue épée. En passant ses yeux noirs sur Baobab, son regard devint moins agressif.

— Baobab ? dit le centaure en abaissant son arme. Que fais-tu ici ?

— Elude, dit Baobab en lui envoyant un bref signe de tête. J'emmène ces gens aux ruines mayas.

Si le visage du dénommé Elude s'était adouci en voyant Baobab, une ride lui coupait maintenant tout le front, démontrant sa désapprobation.

— Ces ruines ne sont plus sur nos terres, Baobab, dit Elude. Tu le sais très bien. Nous ne les protégeons plus.

— Et pourquoi ? demanda Pakarel en se mêlant à la conversation. Je croyais que vous aimiez ces ruines ?

— Pas particulièrement, non, lui rétorqua Elude. Nous les protégions pour faciliter la tâche de monsieur Björnulf, mais maintenant...

— C'est sa fille ! lança Pakarel en pointant Maeva.

Elude passa son regard sévère sur Maeva, puis sur Pakarel et Baobab.

— Pakarel dit vrai, déclara Baobab de sa voix tonique. Ja'zièq me l'a confirmé.

— Que voulez-vous faire, sur le lieu de ces ruines ? demanda Elude à l'intention de Maeva. Je croyais que votre père interdisait à son enfant de pénétrer sur ces lieux ?

Personne ne répondit. Victor avait quelques arguments en tête, mais il préférait ne rien dire pour le moment.

— Tu n'as même pas pris la peine de leur demander leurs motivations ? lança Elude en regardant Baobab.

— Non, mais si Ja'zièq croit bon qui j'y mène sa fille et ses amis, je le ferai.

— Ja'zièq est un vieux troll troublé entre les deux oreilles ! lui lança Elude d'un air moqueur. Comment peux-tu prendre ses paroles pour quelque chose de crédible ?

— La jeune dame est d'abord parvenue à contacter les coualts. Ils lui ont montré la route.

Elude ouvrit la bouche, comme pour dire quelque chose, mais il la referma aussitôt et se contenta de regarder Victor et ses amis d'un air sévère. Le jeune homme ne comprenait pas vraiment en quoi le fait que les coualts leur avaient montré le chemin était un bon argument.

— As-tu une preuve ?

— Au diable les preuves ! Que comptes-tu faire, m'empêcher de les mener à destination ?

Elude soupira et glissa sa carabine sur son dos, retenue par une bandoulière en cuir.

— Dans ce cas, j'irai avec vous.

— Ta présence sera fortement appréciée, Elude, dit Baobab d'un air satisfait.

— Les ruines grouillent de gordurels. Je doute que tes compagnons puissent se défendre adéquatement contre leurs assauts, si jamais ils se faisaient attaquer. Voilà pourquoi je vous accompagne.

Sans ajouter un mot, Elude fit signe aux autres de le suivre à travers la jungle. Victor n'aimait pas ce genre de rencontre, surtout lorsqu'il n'était pas présenté.

— Qu'est-ce qu'un gordurel ? lui chuchota alors Maeva.

— Je n'en sais rien, lui répondit-il à voix basse. Je croyais que tu pourrais m'en dire plus.

— Les gordurels sont des gorilles corrompus par la maladie, répondit Elude en tête de la marche, sans détourner le regard. Ils sont très dangereux.

— Corrompus par la maladie ? répéta Pakarel. Ils n'ont pas juste un rhume, quand même...

— Non, Pakarel, ils n'ont pas «juste un rhume» ! rectifia Elude avec agressivité. Tu n'as pas encore décidé de grandir un peu, hein ?

— Ne sois pas rude avec lui, Elude, dit Baobab en prenant un ton autoritaire. Pakarel est ici pour aider ses amis, ce qui est une nette amélioration, considérant son passé.

Cette dernière phrase sema le trouble dans la tête de Victor. Pakarel n'avait donc pas toujours été ainsi ? Pourtant, il était incapable de le voir autrement qu'un solide petit gaillard serviable et gourmand, mises à part ses mauvaises habitudes de vol. Une chose était certaine, si le pakamu n'avait pas mentionné son passé, c'est qu'il valait mieux ne pas en parler, à moins qu'il ne le fasse lui-même. Quelques minutes s'écoulèrent avant que les centaures se remettent à parler.

— Ton frère est revenu au village, dit Elude à l'intention de Baobab.

— Quand est-il revenu ? demanda le centaure d'un air surpris.

— Plus tôt, cette nuit. Il ne va pas très bien.

— Je m'en doutais bien, soupira Baobab. Va-t-il survivre ?

— Sa vie n'est pas en danger. Par contre, son moral est bien bas. Il a perdu une patte.

— Oh non! dit Baobab en passant son énorme main sur son visage.

— Qu'est-il arrivé à votre frère? demanda poliment Maeva.

— Il s'est enrôlé dans la milice des sept lames. C'est une bande de mercenaires qui font la guerre du côté des nations les plus fortunées. Rien de noble, je l'avoue, mais il rêvait d'aventure et d'action.

— Ça lui apprendra, lança Elude. Qui vit par l'épée périt par l'épée. Qu'il se considère chanceux de n'avoir perdu qu'une patte.

Baobab soupira avec tristesse et hocha la tête. Victor trouvait la remarque d'Elude un peu insensible et crue, mais l'expression de Baobab démontrait qu'il approuvait.

— Léron n'a jamais été comme les autres, dit Baobab. C'est un peu de ma faute. Je l'ai négligé.

— Pourquoi as-tu négligé ton frère? demanda Pakarel.

— Parce que tu as affaire à un centaure qui n'a pas grand-chose dans la tête, dit Elude d'un air moqueur.

Mais Baobab l'ignora et dit, d'un air abattu :

— Il était le plus petit de notre famille de quatre frères bien costauds. Nous le taquinions souvent sur son physique moins avantageux. Un jour, il nous a quittés pour joindre la milice des sept lames.

— Peut-être devrais-tu rentrer voir ton frère? suggéra Pakarel. Il a peut-être besoin de ton soutien.

Baobab hocha la tête dans un signe de négation.

— Pas maintenant. Je le connais, il doit être dans tous ses états. J'irai le voir plus tard, après vous avoir mené aux ruines.

— Et puis, continua Pakarel d'un air sévère, il n'y a rien de mal à être petit!

Les lèvres de Baobab s'étirèrent en un sourire peu convaincant. Tout le monde s'arrêta soudain. Elude avait levé le poing pour leur faire signe de ne plus bouger. Il inclina ensuite ses pattes avant et tâta le sol.

— Nous sommes sur un territoire occupé par les gordurels, dit-il d'un air sombre.

Elude lança des regards autour de lui et s'éloigna de quelques pas, comme s'il cherchait quelque chose. Baobab imita sa conduite et se sépara du groupe. Maeva et Pakarel se resserrèrent sur Victor et lui envoyèrent un regard inquiet. Un martèlement vint alors ébranler le sol sous les pieds de Victor et de ses amis, gagnant en intensité chaque seconde. Aussitôt, surgissant de la dense végétation de la jungle, une créature fonça droit sur Victor.

En une fraction de seconde, le jeune homme vit ce qui avait l'air d'un gorille se ruer vers lui. Cependant, sa mâchoire était entièrement faite d'os, totalement dénuée de peau. Ses yeux étaient simplement deux points verdâtres au fond de ses orbites. De longs poils droits et jaune vif, semblables aux pics des hérissons, recouvraient entièrement son dos et son crâne. Ses mains étaient comme celles des gorilles, mis à part les ongles orangés, pointus et exagérément longs.

Maeva et Pakarel hurlèrent quelque chose que Victor ne put discerner, trop occupé à dégainer son glaive avec rapidité. Un instant plus tard, sa lame se plantait dans le crâne du monstre, qui s'effondra à ses pieds. Un coup de feu retentit, accompagné des cris de Maeva et de Pakarel. D'un coup d'œil rapide, Victor vit qu'Elude avait abattu un gordurel à l'aide de sa carabine tandis que Baobab venait de trancher verticalement l'un de ces monstres d'un puissant coup de hache. Maeva, quant à elle, avait tiré, sans succès, plusieurs dards en direction d'un gordurel qui se balançait d'arbre en arbre dans sa direction. Alors que la bête s'apprêtait à s'élancer sur la jeune femme, Pakarel le heurta en plein vol. Un éclat bleuté scintilla au bout de la petite main du pakamu ; Victor réalisa que le raton laveur avait pris la dague de l'assassin, qui s'enfonça dans la poitrine de l'assaillant.

— Derrière toi, jeune homme ! s'écria Baobab à l'intention de Victor qui pivota sur lui même, son glaive relevé.

D'un coup rapide, le jeune homme abattit sa lame sur l'épaule d'un gordurel qui était sorti de nulle part. Ce dernier hurla de rage, mais son visage se crispa dans une expression de douleur alors qu'un éclat au niveau de son front indiqua à Victor qu'Elude l'avait achevé d'un coup de carabine. La canne à la main, Victor se rua du mieux qu'il le pouvait en direction de Maeva, aux prises avec deux gordurels. Les veines remplies d'adrénaline, le jeune homme assena un coup de canne à l'une des créatures avant d'enchaîner avec un coup de glaive au niveau de son cœur. La bête tomba raide morte.

Libérée de l'un des gordurels, Maeva put aisément aligner son arbalète vers la dernière créature restante, qu'elle abattit d'un dard explosif au niveau de la nuque. Essoufflés, les compagnons lancèrent des regards autour d'eux pendant quelques secondes avant de comprendre que l'assaut était terminé. De nombreux corps de ces créatures étranges gisaient sur le sol ; l'une d'elles avait la bouche ouverte, dévoilant ses immenses crocs recourbés.

— Ces bêtes boivent le sang de leurs victimes, dit la voix d'Elude dans le dos de Victor, qui analysait la bête d'un air dégoûté.

— C'est l'une des nombreuses formes du virus de la *noctemortem*, ajouta Elude.

Victor avait déjà entendu ce terme ; c'était la maladie d'Abigail, la défunte mère de Caleb, qui la poussait à se faire injecter du sang, car son corps éliminait le sien progressivement. Il y avait bien d'autres maladies liées au virus de la *noctemortem*.

— Comme les goules ? demanda Victor.

— Un peu, répondit Elude en jetant son arme sur son épaule. Seulement, le goulisme n'affecte pas les gorilles.

— Ils... ils peuvent boire notre sang, répéta Pakarel d'une faible voix, affichant un air livide.

— Abigail Hainsworth avait la même maladie, n'est-ce pas ? demanda Maeva en s'approchant de Victor.

Le jeune homme se souvint alors que son amie était avec lui, lorsqu'il avait rencontré la mère de Caleb, quatre années plus tôt.

— Abigail avait mentionné qu'elle se transformerait en striga, dit Victor en fouillant dans sa mémoire, les yeux plissés, si jamais elle cessait de prendre du sang.

— Les strigas sont effectivement atteintes par le virus de la *noctemortem*, expliqua Elude. Tout comme les gordurels.

— Je ne voudrais pas vous interrompre, dit Pakarel d'une petite voix, mais j'aimerais poursuivre notre route... Ces bêtes me donnent la chair de poule.

Le raton laveur fixait un gordurel mort d'un air mal assuré.

— Pakarel a raison, déclara Baobab, d'autres gordurels vont venir voir ce qui s'est passé ici. Nous ferions mieux de filer.

Le groupe s'éclipsa aussitôt de la scène de combat, suivant les centaures vers les ruines. À peine avaient-ils fait quelques pas que Victor dit à Pakarel, qui tenait toujours la dague :

— Prends le fourreau de la lame, au fond de mon sac à dos, et attache-le autour de ta taille.

Le raton laveur, qui portait toujours le sac de Victor étant donné ses blessures aux épaules, le regarda d'un air étonné, comme s'il ne s'attendait pas à une telle déclaration.

— Tu... tu m'autorises à la porter ? balbutia Pakarel.

— Comme ça, tu ne fouilleras plus dans mon sac à mon insu, lui répondit Victor d'un air complice. De plus, j'aime mieux te savoir armé. Juste au cas où les choses tourneraient mal.

Pakarel sembla ravi de l'idée de Victor. Par la suite, il dégainait et brandissait sans cesse sa dague comme un preux chevalier le ferait avec sa majestueuse épée.

— Tu te débrouilles bien au glaive, dit Elude alors que le groupe escaladait une petite pente boueuse. Malgré ta jambe, je te pense capable de te défendre contre un adversaire qui a moindrement du talent. Tu t'es souvent entraîné ?

— Euh... non, pas vraiment, avoua Victor, un peu mal à l'aise.

Le jeune homme aida Maeva, dont le pied la faisait toujours souffrir, à surmonter la pente boueuse. Arrivée tout en haut, elle s'écria de joie :

— Les ruines ! Elles sont juste là ! Nous les avons trouvées !

Maeva pointait au loin. Suivant la direction pointée par son doigt, Victor vit, à travers les arbres et les fougères, une structure en pierres blanchies.

— Ne hurle pas ! dit sèchement Elude. Tu risques d'alerter les...

Un bruit de battements d'ailes survint aussitôt, et au loin, on put voir une nuée d'oiseaux noirs s'envoler vers le ciel. Maeva dégaina son arbalète et s'apprêta à tirer un carreau explosif en direction des oiseaux. En pressant la détente, un *clic* indiqua que l'arme était vide.

— Trop tard, soupira Baobab.

— Les Agas seront bientôt avertis de notre présence, dit Elude d'un ton pressé. Ce sont eux qui ont dressé ces oiseaux en tant que sentinelles. Dépêchons-nous, nous n'avons pas de temps à perdre !

Maeva, la main plaquée sur sa bouche, avait l'air étonnée et honteuse. Les centaures avaient accéléré le pas vers les ruines, forçant Victor et Maeva à trotter malgré leur état.

— Pas trop vite ! se plaignit Maeva alors que Victor l'incitait à prendre de la vitesse.

Au lieu de ralentir, Victor saisit la jeune femme plus fermement pour faciliter sa marche. C'était plus difficile pour Victor, dont la propre jambe lui faisait bien assez mal, mais au moins, Maeva pouvait avancer et ne pas trop les retarder.

— Qui sont les Agas ? demanda Victor à Pakarel.

— Une tribu de barbares pas très chaleureuse, expliqua Pakarel d'un air sombre.

— Ils sont dangereux ?

Le pakamu hocha la tête positivement et se mit à courir pour rattraper les centaures. Visiblement, les centaures maudissaient la situation et même Pakarel était fâché contre Maeva.

— Je suis une idiote, dit la jeune femme.

— Ne dis pas ça, rétorqua Victor. Tu ne pouvais pas savoir...

— En fait, mon père m'avait souvent averti que les Agas erraient dans le coin. Quelle idiote !

Victor ne répondit rien. Il n'en voulait pas à son amie d'avoir alerté une volée d'oiseaux, mais il ne trouvait pas les mots pour la réconforter.

— Nous n'aurons pas beaucoup de temps pour élucider le mystère de ces ruines, dit Maeva d'un air morne.

Victor et son amie venaient de rejoindre les centaures et Pakarel, qui attendaient au pied d'une structure de pierre. Analysant la scène, Victor vit une structure semblable à une habitation, faiblement éclairée par les premiers rayons de l'aube, dont le toit était défoncé. Mis à part de grosses vignes ancrées sur les murs de pierre, la végétation ne s'était étrangement pas répandue dans les ruines. Il y était. Finalement. C'était donc ici que l'assassin de Balter se rendait après chacun de ses meurtres. Victor sentit monter en lui une énergie soudaine ; il avait réussi à trouver les ruines mayas et maintenant, il devait saisir le mystère qui entourait ce lieu.

— C'est bizarre, dit Maeva qui inspectait aussi les ruines. Pourquoi n'y a-t-il pas de végétation à l'intérieur ?

— Je n'en sais rien, répondit froidement Elude. Nous n'avons pas plus d'une demi-heure et après nous devrons repartir à toute vitesse. Faites ce que vous avez à faire, Baobab et moi allons monter la garde.

Les deux centaures s'éloignèrent en sens opposé et disparurent derrière la végétation de la jungle. Pakarel, quant à lui, s'était installé à l'intérieur des ruines, l'air boudeur, sur une poutre brisée.

— Change d'humeur, tu veux bien ? lui gronda Victor en le rejoignant en compagnie de Maeva.

Le pakamu leva les yeux vers lui et posa sa tête dans ses paumes.

— Au lieu de bouder, donne-moi le livre de Dweedle, lui ordonna amicalement Victor. Ce lieu détient des secrets et nous avons une demi-heure tout au plus pour les découvrir.

Le raton laveur fouilla dans le sac de Victor et lui tendit le livre.

— Au travail, déclara le jeune homme en observant les ruines.

Chapitre 18

Le retour à soi-même

Au bout de quelques minutes, Pakarel avait oublié sa mauvaise humeur et assistait fièrement Maeva, occupée à traduire les nombreuses inscriptions gravées sur les murs extérieurs des ruines.

— Peux-tu maintenir cette vigne ? lui demanda la jeune femme. Je vais tenter de déchiffrer ce qui est inscrit sur ce mur, ajouta-t-elle en passant vigoureusement la paume de sa main sur la paroi, pour en retirer l'épaisse couche de poussière.

— Pourquoi ne pas simplement l'arracher, cette grosse vigne ? lui dit Pakarel en s'exécutant.

— Lorsque l'on analyse un site ancien comme celui-ci, répondit Maeva d'un air concentré, on ne doit rien abîmer. Si tu tires sur cette liane, sa racine pourrait déloger une pierre instable plus haut et s'écrouler sur nous.

Les yeux grands ouverts d'étonnement, Pakarel n'ajouta rien.

— Aïe ! lâcha Victor depuis l'intérieur des ruines, qui venait de s'écorcher le bout du doigt sur un mur délabré.

— Tu as trouvé quelque chose ? lui lança Maeva depuis l'extérieur.

— Non, rien, répondit Victor, qui refermait le livre de Dweedle. Le bouquin ne m'aide pas vraiment, il n'y a rien à traduire ici.

— Moi, il pourrait m'être utile. Il y a un autre glyphe que je n'arrive pas à traduire. Pakarel, peux-tu aller me chercher le livre ?

Le raton laveur trotta à l'intérieur des ruines et prit le livre que lui tendait Victor pour le ramener à la jeune femme.

Les minutes passaient et Victor se sentait de moins en moins confiant. L'intérieur des ruines ne comportait pas grand-chose ; un cercle était gravé dans les dalles du sol et quelques grosses pierres, qui devaient autrefois servir de plafond, jonchaient le sol. Le jeune homme était confus. Ce lieu était un point crucial dans le déplacement de l'assassin — enfin, s'il n'y en avait qu'un seul — et pourtant, rien ne donnait l'impression que ces ruines détenaient un secret. Victor et ses amis avaient-ils trouvé les bonnes ruines ?

— Victor, j'ai trouvé quelque chose ! dit Maeva.

Essuyant la sueur accumulée sur sa lèvre supérieure et son front, Victor se rendit à l'extérieur pour rejoindre son amie avec peu de hâte. En fait, elle l'avait interpellé à quatre reprises, pour qu'il lui traduise un glyphe ou deux à l'aide du livre, et chaque fois, la traduction s'avérait sans importance.

— Regarde, dit Maeva en pointant un dessin parmi tant d'autres, gravé dans la pierre.

C'était la représentation d'une femme vêtue d'une robe. Le tout était dessiné avec une simplicité absolue.

— Jolie madame, dit Victor d'un air moqueur, se penchant pour mieux voir.

— La phrase inscrite parle d'une femme nommée Ixzaluoh, dit Maeva.

Cette révélation raviva l'humeur de Victor, qui craignait de plus en plus de se trouver dans les mauvaises ruines. Voilà l'origine du nom donné à la particule ; Albert l'avait découverte sur les ruines.

— Qu'est-ce que ça dit ? demanda Pakarel.

— Je ne suis pas certaine, avoua Maeva en plissant le front, l'air embêtée. J'ai du mal à en comprendre le sens. Victor, peux-tu jeter un œil ?

Le jeune homme posa un genou à terre et prit le livre à la page indiquée par son amie. Après de brèves comparaisons de glyphes, Victor comprit pourquoi Maeva avait du mal à comprendre.

— Repose pour l'éternité sur l'Ancien Monde, lut Victor à voix haute.

Maeva et Pakarel le regardaient, tout aussi confus que lui. Soudain frappé par une idée, Victor se leva d'un bond, à l'aide de sa canne.

— À moins que...

Le jeune homme retourna à l'intérieur des ruines et s'agenouilla près du cercle gravé dans le sol.

— Quoi? demanda Maeva. Qu'est-ce qu'il y a? Tu as trouvé quelque chose?

— C'est ce que nous allons voir, lui dit Victor d'un bref regard.

Il dégaina son glaive et le glissa dans la fente en forme de cercle. Victor lâcha son arme qui s'enfonça aussitôt jusqu'à la poignée.

— C'est bien ce que je pensais, dit-il. Quelque chose se trouve sous ce cercle. Il faut trouver un moyen de l'ouvrir.

— Tu as une idée de ce qui se trouve sous ce truc? demanda Pakarel.

— Je crois que nous nous trouvons au-dessus d'une chambre funéraire, ajouta Victor en saisissant la poignée de son glaive pour en faire un levier. Reculez un peu.

Le jeune homme poussa de toutes ses forces, mais le couvercle de pierre ne bougea pas. S'il continuait à exercer une telle pression, sa lame risquait de se briser à tout moment. Abandonnant cette idée, Victor retira son épée et la glissa dans son étui.

— Baobab, dit-il. Il nous faut Baobab.

— Avec sa force, ajouta Maeva avec hâte, il pourra sans doute soulever cette pierre!

— Je vais le chercher! déclara Pakarel avec énergie, avant de filer à toute vitesse.

En retard, Victor lui lança :

— Hé! attends un peu...

Mais il était trop tard, le pakamu avait disparu. Le regard inquiet de Maeva croisa le sien, confirmant qu'elle pensait la même chose que lui : peut-être les Agas étaient-ils déjà dans les alentours?

— Je n'aime pas ça, dit-elle. Je vais tenter de voir où il est.

— Ton arbalète est vide. Je ne sais pas qui sont les Agas, mais s'ils sont craints à ce point, c'est qu'il y a une raison.

Le jeune homme avait apparemment fait revenir son amie à la raison, Maeva se contentant de lancer des regards inquiets autour d'elle. Avec soulagement, les deux amis virent Pakarel revenir en compagnie de Baobab (qui eut bien du mal à entrer dans les ruines) et d'Elude, qui s'offrit pour monter la garde à une dizaine de mètres de distance. Après de courtes explications de la part de Maeva, Baobab enfonça la pointe de ses gros doigts dans la fente et, avec un grognement féroce, parvint à soulever la dalle. Baobab la laissa tomber sur le sol, soulevant un impressionnant nuage de poussière. Victor leva un sourcil ; avec un tel choc, la pierre aurait dû se fracasser.

— Cette pierre devait peser près d'une demi-tonne ! souffla Baobab en essuyant son front luisant.

— Victor... regarde en bas, lui dit Pakarel d'une voix lente et contrariée tandis qu'il avait la tête au-dessus du trou.

Le jeune homme y jeta un œil ; un trou d'une circonférence similaire à celle d'une bouche d'égout s'enfonçait profondément dans le sol. Aussi étonnant que cela puisse être, le tunnel était éclairé par des motifs d'un bleu luminescent et de petites lumières blanches qui se trouvaient à intervalle régulier. Tout au fond du trou, on voyait un plancher rougeâtre.

— Au nom du Ciel ! s'exclama Baobab d'un air abasourdi, le regard fixé vers la pièce inférieure. C'est illuminé !

Intrigué, Elude vint lui aussi jeter un œil au-dessus du trou. Fronçant les sourcils, il lança en tapant d'un sabot sur le sol :

— C'est de la sorcellerie !

— Oh mon Dieu ! dit Maeva à voix basse, la main sur la bouche.

Contrairement à ses amis, le jeune homme n'était pas si étonné. Après la découverte de la Fleur mécanique, il s'attendait un peu à ce genre de choses, surtout en considérant qu'un peuple technologiquement supérieur était passé dans le coin, bon nombre d'années auparavant. C'était presque assurément l'œuvre de l'ancien peuple des Mayas, c'est-à-dire, son propre peuple.

— C'est profond d'une trentaine de mètres, estima Victor d'un ton calme. Il me faut une corde.

— Ne me regarde pas comme ça, lui dit Baobab. Les seules cordes disponibles sont à notre village, qui se situe trop loin d'ici.

— J'en ai une, dit Maeva en faisant glisser son sac de son épaule. Je prévois souvent ce genre de choses...

— Comme pour les torches ? lui dit Victor avec satisfaction, voyant son amie tirer de son sac une corde enroulée, d'apparence bien solide. Vous pouvez me faire descendre ? ajouta-t-il en regardant Baobab.

Ce dernier lui répondit d'un hochement de tête positif. Sous le regard inquiet de Maeva et celui jaloux de Pakarel, qui de toute évidence mourait d'envie de descendre le premier, Victor attacha la corde autour de sa taille.

— Ne traîne pas, dit la voix d'Elude, en retournant à l'entrée des ruines. Nous n'avons pas beaucoup de temps.

— Allons-y, dit Victor à Baobab, qui le fit descendre sans peine dans l'embouchure.

Face au mur, s'aidant de ses pieds pour bien descendre, Victor compta sept lumières parmi les motifs lumineux avant d'atteindre le sol. Une cavité, de forme identique à celle du couvercle que Baobab avait retiré, se trouvait sous ses pieds. Le jeune homme remarqua aussi une fine fente dans le mur qui montait jusqu'à l'étage supérieur.

— Le couvercle qu'on a enlevé, lança Victor à ses amis, je crois qu'il s'agissait en fait d'une sorte d'ascenseur.

— Un ascenseur ? répéta Pakarel.

Victor pivota sur lui-même et vit un couloir s'étendre sur une bonne distance. Les murs du couloir étaient éclairés par les mêmes motifs bleutés et les mêmes lumières qui se trouvaient sur le mur le long duquel Victor était descendu. Au fond du couloir, on pouvait voir un sarcophage, déposé sur une structure d'une cinquantaine de centimètres de hauteur.

— Que vois-tu ? lui demanda Maeva.

— Je pense qu'il y a un sarcophage au fond de la pièce. Je vais y jeter un œil.

— Baobab, faites-moi descendre, ordonna Maeva.

— Non, non ! protesta Pakarel. C'est mon tour !

— Pakarel, reste avec Baobab et Elude ! gronda la jeune femme.

Ignorant ses amis, Victor s'était mis à avancer à pas lents dans l'étrange pièce. Tandis que ses yeux analysaient le décor, une masse noire apparut devant lui, près du sarcophage. Son cœur se figea ; il recula d'un pas pressé et dégaina son glaive. La masse n'était en fait qu'un homme, assis contre le mur. Son crâne était chauve et marqué d'un glyphe blanc ; Victor ne pouvait pas oublier une telle figure. C'était lui, l'assassin de Balter. Son regard était vide, sa bouche entrouverte. Il n'y avait pas de doute, l'homme était mort. Un liquide blanc avait séché sur le coin de sa lèvre inférieure et ses veines étaient noircies, facilement visibles sous sa peau blême.

S'approchant, Victor se pencha et déplaça la main de l'homme qui était posée sur son ventre ; la blessure qu'il lui avait causée il y a deux jours de cela était toujours là. En était-il mort ?

— Mon Dieu ! lâcha Maeva d'une voix aiguë, en arrière de Victor.

— Il est mort. C'est l'assassin de Balter.

Maeva fit passer son regard du cadavre à Victor, puis dit :

— C'est... c'est vraiment lui ?

Victor hocha la tête et ajouta :

— C'est moi qui lui ai fait cette blessure, il y a deux jours. Lorsqu'il a tenté de tuer Léonard de Vinci.

La jeune femme s'était accroupie près du mort et l'observait avec dégoût. Il y avait de bonnes chances pour que cet homme mort soit aussi l'assassin de son père, et Victor le voyait bien dans ses yeux bouleversés. Malgré l'émotion, ils ne pouvaient pas se permettre de perdre leur temps, le jeune homme tenta donc de ramener son amie sur terre :

— Sa peau a une drôle de couleur. Tu crois qu'il est mort à la suite de la blessure que je lui ai infligée ?

Il y eut un court silence.

— Difficile à dire, répondit finalement la jeune femme en se redressant. On dirait une infection, mais la plaie n'est pas bleutée. Ça ne peut pas provenir de ta lame. De plus, il ne s'est pas vidé de son sang ; il n'y en a pas près de lui.

— Et ça ? dit la voix de Pakarel, qui fit sursauter Maeva et Victor. Qu'est-ce que c'est ?

Le raton laveur pointait le sarcophage, contre le mur du fond de la pièce.

— C'est un sarcophage, répondit Victor.

— C'est bel et bien une chambre funéraire, comme tu l'avais dit, Victor, fit remarquer Maeva.

Glissant son glaive dans son étui, Victor s'approcha du sarcophage ; il était assez rudimentaire, fait en pierre, craquelé à quelques endroits. Son couvercle était cependant suffisamment déplacé pour laisser passer une main. Intrigué, Victor déposa sa canne contre le sarcophage et glissa ses doigts dans l'ouverture.

— Victor ! protesta Maeva avec un regard désapprobateur.

Ignorant l'avertissement de son amie, le jeune homme souleva le couvercle et le fit glisser sur le sol. Alors que Victor jetait un œil dans le sarcophage, Pakarel bondit sur le rebord pour, lui aussi, analyser son contenu. Il n'y avait rien. Pas de corps desséché, pas même de momie, rien du tout. Mis à part une bague. Victor la saisit et la porta devant son visage.

— Curieux, dit-il.

— Je veux voir, je veux voir ! dit Pakarel en sautillant.

Victor abaissa sa main pour tendre l'objet au raton laveur, mais quelque chose survint ; tout devint noir autour du jeune homme. Il se tenait là, dans un vide absolu, ne sentant plus rien sous ses pieds. Perdant l'équilibre, il sombra comme au ralenti. Victor voulut crier, mais ses poumons semblaient se remplir d'un liquide froid.

— Victor ? dit une voix masculine. Victor, tu m'entends ?

Lorsqu'il ouvrit les yeux, le jeune homme croisa le regard vert émeraude d'un vieil homme penché sur lui. Voyant que Victor était réveillé, le visage du vieillard s'étira en un sourire profond. Ses cheveux blancs et fins tombaient comme un rideau sur son front ridé, qui était marqué de glyphes peints en blanc. Une longue barbe pendait au menton de l'homme, lui donnant l'air d'être un vieux sage. Victor savait très bien qui était ce vieil homme, puisqu'il avait vu son visage dans la chambre de la Fleur mécanique ainsi que dans d'innombrables rêves, mais quelque chose en lui refusait d'y croire.

Regardant autour de lui, le jeune homme réalisa qu'il était étendu sur un lit confortable. Une table de chevet en pierre blanche, sur laquelle était déposée une assiette de fruits appétissants qui lui étaient inconnus. De larges voûtes séparaient sa chambre, également faite en pierre, d'un balcon extérieur (rappelant les temples antiques) qui laissait entrevoir un ciel d'un bleu azur trop éblouissant, totalement dénué de nuages.

— Prends ton temps, petit, lui dit le vieillard à ses côtés.

Abasourdi, Victor se redressa et se releva. À cet instant, un sentiment étrange le parcourut ; il s'était levé sans difficulté et sa jambe gauche fonctionnait parfaitement bien.

— Ta jambe ne te fera pas souffrir, lui dit le vieillard en observant le visage étonné du jeune homme.

C'était la seconde fois que le vieil homme avait apaisé ses douleurs, comme par magie. À 16 ans, il avait été atteint par balle et, en un instant, la douleur atroce due à ses blessures avait disparu.

— Qui êtes-vous ? demanda le jeune homme, qui savait déjà la réponse.

Le vieillard sourit et répondit d'un ton amical :

— Je suis Udelaraï, de la 11e lignée des dirigeants de Xandaklou.

Victor porta sa main droite à son front, se croyant sincèrement fou. Pendant un instant, il s'était demandé s'il était mort. Ce fut seulement lorsqu'Udelaraï posa sa main sur son épaule que le jeune homme réalisa brutalement qu'il ne rêvait pas. Victor observa le vieillard et vit que ce dernier était légèrement plus petit que lui et moins large d'épaules. Ses mains, chacune ornée d'une bague noire, étaient fines et ses doigts, longs et minces.

— Tu as quitté ton monde, lui dit-il d'un air bienveillant. N'aie pas d'inquiétudes, tu es en sécurité. Assieds-toi, nous avons beaucoup à nous dire.

Même si sa tête nageait dans la confusion, Victor parvint à trouver le rebord du lit de sa main et s'y assit doucement. Le vieillard en fit autant.

— Où suis-je? demanda Victor, le regard vide.

— Sur le troisième royaume d'Orion.

L'air estomaqué et la tête dans ses mains, cherchant ses mots, Victor parvint à demander :

— Comment suis-je arrivé ici?

— Par une méthode loin d'être orthodoxe, répondit Udelaraï sur un air amusé, installé aux côtés de Victor. Seule une partie de ton être s'y trouve, mais nous y reviendrons.

Victor leva la tête et croisa le regard bienveillant d'Udelaraï.

— Pardon?

— C'est ce que nous appelons le déplacement de l'être. C'est un moyen de transport communément utilisé par les habitants de nos trois royaumes.

— C'est une sorte de magie? balbutia Victor, qui se sentait de plus en plus mal à l'aise, puisqu'il réalisait peu à peu qu'il n'était plus sur Terre.

— Oh non! admit Udelaraï en riant. C'est une science de division moléculaire. Veux-tu réellement que je t'explique son fonctionnement?

Le vieillard avait prononcé cette dernière phrase avec un large sourire.

— Non, répondit Victor en s'efforçant de sourire poliment à son tour.

Le regard du vieil homme croisa le sien et s'y fixa pendant quelques secondes. En le regardant, Victor pouvait discerner que les traits de son visage étaient similaires au sien, malgré la différence d'âge qui les séparait. Les joues du vieillard étaient légèrement creusées, comme les siennes, leurs yeux étaient du même vert et leur nez était similaire, même si celui d'Udelaraï était légèrement plus allongé par l'âge.

— Pourquoi suis-je ici?

— Parce que tu as besoin de mon aide pour mener à bien la tâche qu'il te reste à accomplir.

Une phrase revint alors à l'esprit de Victor. Elle avait été dite par son grand-père, lors de leur précédente rencontre, et il s'en souvenait encore comme si c'était hier. En y pensant, sa voix résonnait encore dans sa tête. Udelaraï lui avait dit :

« *Nous nous reverrons un jour, Victor. Je ne te demande qu'une chose : tu dois vivre. Un jour, tu devras aider les habitants de ton monde contre les répercussions de nos propres décisions. Ce jour-là, je reviendrai à toi pour te guider.* »

— Jusqu'à maintenant, tu as fait preuve d'une grande humanité, Victor. Je t'en félicite, tes parents seraient fiers de toi.

Victor n'avait jamais réellement songé à ses parents. À vrai dire, il ne se souvenait même pas de leur apparence. Le commentaire du vieil homme ne le flattait donc guère, mais par politesse, Victor lui envoya un semblant de sourire et demanda :

— Vous me surveillez ?

— Pas vraiment, répondit Udelaraï d'un air dégagé. Mais de temps à autre, je me donne la liberté de prendre de tes nouvelles.

Savoir qu'un vieil homme — grand-père ou non — pouvait l'épier ne le rassurait guère.

— Mes condoléances pour la mort de ton ami, reprit le vieillard d'un ton humble. Je dois admettre que sa mort est due, en partie, à mes propres erreurs.

— Que voulez-vous dire ?

Udelaraï se redressa et marcha jusqu'à la terrasse extérieure. Victor attendit quelques instants et se leva à son tour. La vue était extraordinaire. Le jeune homme et Udelaraï étaient tous deux perchés en haut d'une immense structure semblable à un palais surplombant un océan d'un bleu pur, qui se perdait jusqu'à la ligne d'horizon. En regardant par deux fois au pied de la bâtisse, Victor réalisa que le palais se trouvait sur un continent flottant. Deux grosses lunes étaient bien visibles dans le ciel azur, l'une derrière l'autre, à demi masquées par une aurore boréale d'un rose vif. C'était incroyable, il avait déjà rêvé de cet endroit! Les mains sur la balustrade du balcon, le vieillard fixait l'horizon d'un air triste.

— Il y a environ 5000 ans, expliqua Udelaraï, notre peuple, autrefois connu sous le nom des Mayas, a quitté la Terre. Pourquoi, me diras-tu? Eh bien, aujourd'hui, on ne peut que supposer. Certains croient que les Mayas étaient semi-divins et qu'ils sont partis vers les trois royaumes d'Orion parce que la Terre n'était pas assez digne de leur grandeur.

Le vieillard avait prononcé le dernier mot avec sarcasme.

— D'autres croient que ce n'est que pour des raisons de non-conformité, ou encore pour s'approprier les ressources plus intéressantes d'un autre monde. Certains pensent que le peuple maya avait commis bon nombre d'erreurs, et que par punition, il s'est exilé ailleurs. Mais d'autres, comme moi, pensent que l'ancien peuple maya a fui la Terre par peur d'affronter les conséquences de leurs gestes. J'y reviendrai plus tard. Quels qu'eussent été leurs réels motifs, le roi de l'époque, nommé Yax Nuun Ayiin, avait décidé de restreindre la Terre à un niveau bien strict.

Bien qu'il ne comprît pas tout ce que le vieil homme disait, Victor tentait d'écouter et d'absorber l'information du mieux qu'il le pouvait.

— Restreindre la Terre? répéta Victor.

— Le cycle de la vie se répète toujours, Victor. Un jour ou l'autre, les mêmes erreurs sont répétées, tel un cercle vicieux, dangereux et perpétuel. Le roi, cependant, voyait cela différemment. Par amour pour sa terre d'origine, ou par envie de garder jalousement le savoir de son peuple, il fit installer près de 360 ordinateurs sur Terre, qui avaient pour but de maintenir les races intelligentes qui y vivent en deçà d'une limite bien définie, étouffante, mais protectrice. Ces ordinateurs projetaient une barrière d'ondes neurologiques qui engourdissaient une partie du cerveau, rendant les peuples de la Terre incapables d'atteindre les limites de leur propre savoir.

— Ces ordinateurs, ce sont les Fleurs mécaniques, n'est-ce pas? comprit Victor, les sourcils froncés.

Udelaraï hocha la tête positivement et se tourna vers son petit-fils.

— Ces terminaux planétaires, continua-t-il, placés stratégiquement partout dans le sol terrestre, agissaient en tant que gardiens permanents. Le plan de Yax Nuun Ayiin, aussi étrange qu'il puisse être, a fonctionné pendant près de 5500 années. Jusqu'à tout récemment.

— Que s'est-il passé?

— Encore aujourd'hui, dit Udelaraï d'une voix emplie de sagesse, les réelles intentions de Yax Nuun Ayiin demeurent un mystère. Cependant, un culte de pacifistes s'est formé sur le premier royaume d'Orion, c'est-à-dire, la plus petite planète que tu peux apercevoir d'ici.

Udelaraï pointa les planètes dans le ciel, que Victor n'avait cessé de contempler depuis son arrivée sur la terrasse.

— Ce culte de pacifistes, continua le vieillard, qui s'est baptisé les régents de Yax Mutal, avait pour but de libérer la Terre de ses chaînes protectrices. C'est-à-dire, d'annihiler l'activité des ordinateurs planétaires, aussi appelés «Fleurs mécaniques». Ils ont donc contacté certaines élites des sociétés terrestres les plus susceptibles de comprendre leur situation, et se sont déplacés sur Terre, pour leur montrer comment se libérer des chaînes des Fleurs mécaniques.

C'était donc de cette façon qu'Isaac avait découvert la Fleur. Victor, qui écoutait avec toute son attention, resta bouche bée. Après tout, c'était lui qui avait fermé la toute dernière Fleur, comme l'avait voulu Isaac.

Sur un ton plus sévère, Udelaraï ajouta :

— Évidemment, ces actions ont fortement irrité la plupart des gens des trois royaumes d'Orion, mais au bout de quelques mois de débats, le sujet est tombé dans l'oubli.

— Dans l'oubli?

— De nos jours, les gens n'ont plus aucun attachement envers la Terre, avoua le vieillard en souriant. Notre monde, c'est celui-ci, désigna-t-il d'un geste de la main vers l'horizon. En vérité, peu de gens se soucient du sort de la Terre. Mis à part quelques fanatiques qui se sont regroupés et ont entrepris l'horrible tâche de maintenir la Terre sous contrôle. Ces fanatiques, qui se sont nommés les fils de Yax Nuun Ayiin, veulent entretenir la vision du Roi de l'ancien temps.

— Ils ont envoyé des assassins sur Terre, ajouta aussitôt Victor d'un ton amer. Pour tuer les scientifiques... mais dans quel but... pour restreindre la technologie ?

Sur ces paroles, Udelaraï fixa Victor d'un air étonné. Puis, l'air ravi de la conclusion à laquelle était arrivé son petit-fils, il afficha un sourire.

— Tu as vu juste. Cependant, ils tuent les hommes de science pour restreindre une découverte bien simple.

— La particule d'Ixzaluoh ? devina Victor d'une voix aussi faible qu'un murmure.

— C'est exact, approuva Udelaraï d'un hochement de tête. Cette particule est l'élément clé d'une forme d'énergie instable et dévastatrice, aussi appelée la fusion nucléaire.

— Fusion nucléaire ? Je n'ai jamais entendu une telle chose...

Le vieil homme soupira.

— La fusion nucléaire est la source de beaucoup trop de méfaits par rapport au peu de bienfaits qu'elle a apportés. L'énergie nucléaire a propulsé notre connaissance de la médecine à un point inimaginable, mais elle a aussi détruit une bonne partie de l'écosystème de la Terre. Car vois-tu, la technologie du nucléaire est assez puissante pour faire exploser un continent entier. À l'époque, les cinq rois des sociétés mayas sont passés à un cheveu près de se bombarder la figure. Qu'est-ce qui les a empêchés d'agir ainsi ? Personne ne le sait. Toutefois, une terrible tragédie est survenue. Croyant à tort qu'ils pouvaient contenir l'énergie nucléaire sans trop de problèmes, les Mayas ont eu une bien mauvaise surprise : une très mince fuite radioactive s'est déversée sur toute la Terre. C'est ainsi que d'autres créatures ont pris forme sur ta planète, Victor. Gobelins, gnomes, wyvernes...

L'air choqué et sévère, Victor lança :

— Vous voulez dire que leur existence n'est pas naturelle ?

— Il y a de cela cinq milliers d'années, non, répondit Udelaraï en souriant. Mais la vie trouve toujours son cours. Maintenant, ces créatures font partie de votre système naturel.

N'importe quelle personne fascinée par les origines des êtres vivants de la Terre aurait jubilé devant de telles déclarations. Cependant, Victor se sentait plutôt déçu de cette nouvelle, et son visage avait perdu toute sévérité, pour laisser place à un regard attristé. Il ne s'était jamais attardé à de tels détails, puisque les différences entre lui et Clémentine avaient cessé d'exister depuis longtemps.

— Comme je te l'ai dit plus tôt, continua le vieillard en joignant ses mains, les Mayas ont par la suite quitté la Terre. Comme beaucoup d'autres, je crois qu'ils étaient apeurés des répercussions de leurs actes. Mais là encore, je ne peux que faire des spéculations. Après tout, cela fait plus de 5 000 ans.

— Et les assassins de Yax Nuun Ayiin ? Que comptent-ils obtenir en tuant les hommes et femmes de science de la Terre ?

— C'est très simple : ils veulent étouffer le savoir. Et puisque les Fleurs mécaniques n'agissent plus, ils le font à la lame. Étant donné que les races intelligentes de la Terre sont maintenant aptes à comprendre une bonne partie des technologies, la découverte de la fusion nucléaire est imminente.

— Il faut faire quelque chose ! déclara Victor, outré par cette nouvelle. Ça ne peut plus durer ainsi ! C'est de la démence !

Udelaraï hocha lentement la tête en guise d'acquiescement.

— Je sais, dit-il. Une partie de moi voudrait que les peuples de la Terre ne parviennent jamais à découvrir l'énergie nucléaire, mais nous n'avons en aucun cas le droit d'en être les juges. En tout cas, plus maintenant. C'est ce qui nous mène au point de notre rencontre. Sais-tu pourquoi tu es ici ?

Victor fit signe que non.

Le vieillard lui rendit un sourire et retourna à l'intérieur, suivi de son petit-fils.

— Je suis le dirigeant actuel de Xandaklou, la région dans laquelle tu te trouves actuellement. Dans tes mots, je suis un ministre, ajouta Udelaraï en voyant le regard interloqué du jeune homme. J'ai fait arrêter la totalité des membres du culte des fils de Yax Nuun Ayiin. Tous, à l'exception de deux personnes. L'une d'elles est encore en liberté, et je crois savoir où elle se trouve, et l'autre se trouve coincée sur Terre, probablement morte.

— L'assassin que j'ai trouvé mort au pied du sarcophage ? réalisa Victor.

Udelaraï sourit de ravissement.

— Ainsi donc, il n'a pas pu revenir sur ses pas, dit-il d'un air mystérieux, un sourire aux lèvres.

— Que voulez-vous dire ?

— Comme tu t'en doutes, continua le vieil homme, nous ne pouvons pas survivre sur Terre. Les radiations ont changé bien des choses et notre système immunitaire est incapable de tolérer l'air de la Terre. S'y rendre revient à signer notre propre arrêt de mort.

— Comme l'ont fait mes parents ?

Udelaraï sourit tristement.

— Tes parents étaient des scientifiques. Ils travaillaient sans cesse à la découverte d'un remède qui nous aurait permis de survivre dans les conditions terrestres. Ils sont parvenus à y vivre quelques années, mais comme tu le sais... ils ont perdu leur combat.

L'idée de discuter de ses parents alors même qu'il ne pouvait pas se souvenir de leur visage était bien pénible pour Victor. Probablement que s'il n'avait pas été placé sous l'effet d'un traceur, il se souviendrait d'eux. Voulant changer de sujet, le jeune homme dit :

— Vous ne m'avez toujours pas expliqué ce que je fais ici.

Udelaraï tendit sa main devant lui, retira l'une de ses bagues et la tendit à Victor. Le jeune homme la prit après un moment d'hésitation et l'observa dans le creux de sa main ; c'était une bague noire, plus lourde qu'elle n'avait l'air, mais d'allure bien ordinaire.

— Voilà la raison de ta présence, déclara Udelaraï. Cet objet te permettra de détruire le tombeau d'Ixzaluoh sur la Terre.

Même s'il voyait où son grand-père voulait en venir, Victor demanda tout de même :

— Le détruire ? Mais pourquoi ?

— De cette façon, dit Udelaraï, disons que plus personne de notre monde ne pourra venir vous embêter.

Victor resta sans voix. Il avait été peu chaleureux avec son grand-père, même s'il avait souvent rêvé de leur rencontre, mais l'idée de ne plus le revoir lui fendait le cœur.

— Je ne vous reverrai plus ? dit-il d'une voix plus douce.

Un sourire de bienveillance s'afficha sur le visage d'Udelaraï.

— Ma vie arrive lentement à sa fin, déclara-t-il. Passé 90 années, la bougie commence lentement à s'éteindre. Un peu de repos ne me ferait pas de mal, je dois l'admettre.

Victor observa son grand-père avec stupéfaction. Bien sûr, il avait l'air vieux et ridé, mais jamais il ne lui aurait donné 90 ans ! Plusieurs questions, qui demandaient une réponse urgente, vinrent alors à l'esprit de Victor :

— Qui est Ixzaluoh ? Son nom était écrit à l'entrée de la chambre funéraire...

D'un air jovial, Udelaraï répondit :

— Selon les écrits, Ixzaluoh était, à l'origine, une prêtresse d'un temple vénérant l'élément de l'eau. Je sais, je sais, c'est très banal, et même ridicule, mais il y a 5000 ans, les gens croyaient en des choses bien bizarres. Après plusieurs années, elle s'est consacrée aux sciences. C'est elle qui a découvert, en partie, la fusion nucléaire. La particule d'Ixzaluoh est l'un des éléments nécessaires à sa composition.

— Comment se fait-il que ce soit exactement ce nom-là qui est venu à l'esprit de ceux qui l'ont récemment découverte, sur Terre ? Ils auraient pu l'appeler autrement, non ?

— Cela ne peut être que l'œuvre des régents de Yax Mutal. Les pacifistes qui sont venus sur Terre pour dévoiler l'existence des Fleurs mécaniques. Pourquoi ont-ils dévoilé cela aux peuples de la Terre ? Je ne saurais le dire.

Victor hocha la tête en guise de compréhension. Cependant, il n'arrivait pas à se débarrasser d'un poids qui s'était récemment installé sur ses épaules.

— Lorsqu'on y repense, dit Victor d'une faible voix, c'est moi qui ai condamné mon monde en fermant la toute dernière Fleur.

Soupirant, Victor marmonna, hochant lentement la tête de gauche à droite :

— Au final, j'aurai fait ce que vous vouliez, Isaac. Libérer le monde de l'emprise du peuple d'Orion.

— Ne fais pas l'erreur de croire que tu y es pour quelque chose, lui dit Udelaraï d'un ton doux. Toutes les autres Fleurs avaient été désactivées par les régents de Yax Mutal, qui n'ont pas survécu à l'acte. À l'époque, le gouvernement dont je fais partie avait pris la décision de faire cesser cette folie pour éviter que d'autres hommes et femmes d'Orion se sacrifient pour vous. Contrairement à ces derniers, nous avions les moyens d'opérer à distance. Un jour, nous avons reçu une alerte indiquant que la dernière Fleur avait été ouverte, enfin, presque, puisque personne n'était parvenu à activer le terminal. Craignant que les peuples de la Terre découvrent et étudient une partie de notre technologie, j'ai reçu l'ordre de la détruire. Cependant, une surprise m'attendait. Le terminal s'est activé quelques secondes avant que je programme son autodestruction. Seul l'un des nôtres avait pu y parvenir, mais les régents de Yax Mutal étaient déjà tous morts. Je me suis donc précipité pour savoir qui l'avait ouvert.

— C'était moi, dit Victor à voix basse.

— Mon propre petit-fils, continua Udelaraï dont les yeux s'étaient mouillés. Que je croyais mort depuis longtemps. Par le plus beau des hasards, tu avais survécu à la vie terrestre.

— Mais pourquoi ? demanda le jeune homme.

— Je n'ai pas de réponse à cette question, je ne peux qu'avancer une théorie.

— Quelle est-elle ? s'empressa Victor.

— Tu es né avec une mobilité réduite à la jambe gauche, expliqua le vieillard. Je ne crois pas que ce soit un hasard. Quelque chose s'est passé en toi et je parie que ta jambe en est le résultat. Mais ce n'est qu'une simple théorie...

Même si Victor avait lui-même souvent pensé à cette théorie, il ressentait un grand soulagement de l'entendre de la part de quelqu'un d'autre. Udelaraï ferma les yeux quelques instants, l'air touché, puis les rouvrit et dit d'un ton plus doux :

— Pour en revenir à notre discussion... Tu as fermé la Fleur et tu es parvenu à éviter une explosion titanesque qui aurait été causée par ma décision et celle du gouvernement. Le seul sentiment que tu devrais avoir n'est pas celui d'avoir accompli les méfaits d'un homme tel qu'Isaac, mais bien celui d'avoir sauvé des vies.

Au bout d'un court moment, le jeune homme répondit :

— Mais à quel prix ? Si votre peuple a tout fait pour nous empêcher de découvrir la fusion nucléaire, il y a bien une raison ! Et si les gens de la Terre l'utilisent, tout comme vous, à des fins regrettables ? Comme vous l'avez dit plus tôt, le cycle des erreurs se répète continuellement !

— Il ne nous reste qu'à espérer que vous agirez différemment, dit Udelaraï sur un ton de sagesse.

— Comment se fait-il que lors de notre première rencontre... vous parliez initialement une autre langue ?

— Je n'ai pas changé ma langue pour autant. Tu me comprends parce que ton esprit le veut bien.

Victor leva un sourcil, interloqué. Avant même qu'il ait avoué sa confusion, son grand-père leva le doigt et dit, un sourire en coin :

— Je n'ai pas réponse à toutes tes questions, et mieux vaut que certaines ne soient pas résolues.

Le jeune homme hocha la tête, voyant très bien dans l'expression amusée du vieillard que ce n'était pas la peine d'argumenter ; il ne lui dirait pas. Cependant, une question bien évidente lui taraudait l'esprit et il devait tenter sa chance. Victor prit une bonne inspiration et dit :

— Pouvez-vous me dire, si possible, comment j'ai pu me retrouver ici même ? Je veux dire, avec vous ? Car l'assassin utilisait sans aucun doute la chambre funéraire comme passage jusqu'à votre monde...

— Le déplacement de l'être peut déplacer quelqu'un là où il le souhaite, dit Udelaraï. Cependant, étant donné que la composition chimique de l'air terrestre est différente de celle du nôtre, le déplacement ne peut se faire que depuis une zone qui a été exclusivement aménagée à cette fin.

— Vous voulez dire que l'assassin devait absolument s'y rendre pour se déplacer jusqu'à l'une des trois planètes de la constellation d'Orion ? s'assura Victor.

— C'est juste, acquiesça le vieil homme d'un hochement de tête. Dans ton cas, je t'ai fait venir à moi.

— Mais comment pouviez-vous savoir que j'allais être à cet endroit ? demanda Victor en fronçant les sourcils. Ah ! c'est vrai, vous m'observiez...

— Pardonne-moi la liberté que je me suis donnée, mais depuis notre dernière rencontre, il m'est arrivé plus d'une fois de prendre de tes nouvelles. C'est ainsi que j'ai pu prévoir ta venue.

— Et était-ce en saisissant l'objet dans le sarcophage vide que je me suis retrouvé ici ? demanda Victor, tentant d'en savoir plus.

— Oh ! non, admit le vieillard. C'est une simple coïncidence. J'aurais pu te faire venir à moi avant, cependant, je n'ai réalisé ta présence dans le tombeau d'Ixzaluoh qu'après un certain moment. Et avant que tu me demandes pourquoi le sarcophage de dame Ixzaluoh était vide, je n'en sais rien, précisa-t-il. Il a probablement été vidé par des pillards de notre monde, il y a des centaines d'années.

— Je n'arrive pas à cerner la signification d'une phrase que vous m'aviez dite, avança Victor d'un air songeur, lors de notre dernière rencontre. Vous avez dit, mot pour mot : « Un jour, tu devras aider les habitants de ton monde contre les répercussions de nos propres décisions. » Vous vous souvenez ?

Le grand-père de Victor hocha la tête positivement.

— Pourquoi avez-vous dit « les répercussions de nos propres décisions » ? expliqua Victor en mimant des guillemets.

Udelaraï fixa Victor dans les yeux d'un air léger pendant quelques secondes, durant lesquelles le jeune homme crut qu'il n'obtiendrait pas de réponse. Mais Udelaraï ouvrit la bouche pendant un court instant avant de dire :

— Tu dois te souvenir d'un dénommé Isaac ?

Cette phrase prit Victor par surprise. L'air stupéfait, il répondit :

— Ou... oui. Je me souviens de lui.

En réalité, Victor s'en souvenait plus que bien. C'était lui qui l'avait tué.

— Eh bien, expliqua Udelaraï en souriant, Isaac était le membre fondateur des régents de Yax Mutal. Ce sont des gens de notre monde qui l'ont élevé à un grade primaire. Même s'il n'était pas... à leur niveau. Comme tu le sais, nous sommes légèrement... plus doués pour les problèmes.

Udelaraï sourit.

— Comment cela se fait-il ? demanda Victor, choqué.

— Des hommes d'Orion, qui allaient devenir les régents de Yax Mutal, l'ont approché, étant donné qu'il était, selon eux, digne de comprendre leur situation. Isaac a dû les impressionner, puisqu'il est devenu leur fondateur. Il est même venu ici à plusieurs reprises.

Cette nouvelle ébranla Victor. Isaac en avait su beaucoup plus qu'il ne le laissait savoir. Isaac était donc celui qui avait encouragé les régents de Yax Mutal à se former, et à « délivrer » la Terre.

— Udelaraï ? demanda Victor en levant les yeux vers le vieillard. Je viens de me souvenir de quelque chose... Pourquoi ai-je senti la présence de l'assassin, lorsqu'il était près de moi ?

— Cet assassin devait porter un système de camouflage personnel. Sans aucun doute de basse qualité, puisque tu l'as ressenti. Pour les gens de notre race, c'est facilement discernable, puisqu'il émet sans cesse des petites vagues d'énergie dans l'air. Petites, mais perceptibles.

— En parlant de camouflage, commença Victor, je le voyais très bien...

— Mais pas les autres ? l'interrompit son grand-père. Cela confirme ce que je disais, il utilisait un système de camouflage optique de basse qualité, souvent utilisé pour la chasse au gibier moderne. Il faut croire que ça fonctionne pour les gens de la Terre.

Le visage d'Udelaraï, jusque-là paisible, se figea soudain dans une expression d'inquiétude alors qu'il s'élançait vers le balcon. Réalisant la situation, le jeune homme quitta ses pensées et revint à lui.

— Qu'est-ce qui se passe ? s'inquiéta Victor en suivant son grand-père.

Le vieil homme contemplait le ciel azur d'un regard dur et Victor pouvait voir ses yeux se déplacer d'un point à l'autre, comme s'il s'attendait à voir surgir quelque chose à tout moment. Et il avait raison. Victor vit, bien au loin, quelque chose se ruer droit vers eux. Flottant à une hauteur vertigineuse, le jeune homme dut frotter ses yeux par deux fois, car il voyait une raie manta se diriger vers le balcon à grande vitesse, battant allègrement de ses ailes. Un harnais de cuir était attaché autour de la bête, et installée dessus se trouvait une jeune femme, dont les cheveux flottaient dans le vent. Soudain, elle tendit le bras dans le vide et, comme par magie, une lance bleutée et translucide apparut dans ses mains.

— Retourne à l'intérieur ! lança Udelaraï.

Avant que l'information puisse se rendre à son cerveau, le jeune homme se fit projeter sur le sol, tandis qu'une masse passait au-dessus de lui. Se redressant plus rapidement qu'il n'en avait jamais été capable, puisque sa jambe gauche était entièrement fonctionnelle, Victor se trouva face à face avec la raie manta, qui flottait devant le balcon. Un bruit de pas l'alarma et le jeune homme fit volte-face. Devant Victor se trouvait le dos d'Udelaraï, qui brandissait un bras devant le jeune homme.

— Ta visite me désappointe beaucoup, Mila, dit Udelaraï.

— Tais-toi ! aboya-t-elle au vieillard, en pointant sa lance vers lui.

Si la dénommée Mila n'avait pas été si fulminante, son visage aurait sans aucun doute été attrayant.

Tous deux faisaient face à la cavalière de la raie. Elle avait une coupe de cheveux étrange ; ils étaient attachés en queue de cheval sur un côté de sa tête et l'autre côté était rasé en trois lanières. Elle était vêtue d'une courte robe, de coupe exotique, qui dévoilait une bonne partie de son ventre et de ses épaules. La jeune femme tenait dans ses mains une lance bleutée qui semblait bourdonner d'énergie. On aurait presque dit un hologramme, observa Victor.

— Je ne te laisserai pas faire de mal à mon petit-fils, dit Udelaraï d'une voix douce, mais autoritaire. Ne commets pas l'erreur de penser pouvoir l'atteindre, sinon tu le paieras de ta vie.

Comme si Mila avait soudain été piquée par une mouche enragée, elle se mit à hurler avec fureur et s'élança vers Victor. Par instinct, Victor recula et sentit la balustrade du balcon dans son dos, pendant qu'il levait instinctivement le bras pour se protéger le visage. Udelaraï leva le bras, et sous les yeux écarquillés de Victor, une longue épée holographique apparut entre ses doigts. Malgré son âge, le vieillard para sans difficulté la lance, avant de tourner sur lui-même et, avec une dextérité remarquable, d'attaquer la jeune femme avec une volée de coups qui fit reculer Mila au fond de la chambre. La lance de la jeune femme disparut lors de la dernière parade contre l'épée d'Udelaraï. Elle recula de quelques pas, se retrouvant coincée près du lit de Victor, le corps incliné vers le bas, rappelant un félin enragé.

— Si tu continues ainsi, l'avertit Udelaraï, tu ne t'en sortiras pas. Arrête et rends-toi, pendant que tu le peux encore ! Tu sais très bien ce qui t'attend.

Soudain, Mila écarta les bras de chaque côté de son corps et deux lames holographiques apparurent. Elle s'élança comme une déchaînée vers le vieillard qui parvint à bloquer l'assaut des lames holographiques. Victor sentit son cœur se crisper en voyant la scène ; lui-même n'aurait rien pu faire contre une assaillante aussi chevronnée. Au bout de quelques secondes, Udelaraï perdit l'équilibre et tomba sur le sol ; son épée disparut aussitôt.

— Meurs ! beugla Mila en s'élançant sur le vieillard.

Mais Victor fut plus rapide. Pour la première fois de sa vie, il s'élança à pleine course et plaqua la jeune femme de tout son poids contre la paroi. Sa tête se fracassa dessus. L'impact fut si violent qu'un jet de sang marqua le mur derrière Mila. L'air étourdie, du sang dégoulinant sur son visage, Mila fit apparaître une dague dans sa main et se lança vers Victor qui ferma les yeux, pris au dépourvu. Lorsqu'il les rouvrit, Victor vit la lame de Mila enfoncée dans son torse, mais il ne sentait aucune douleur et ses poumons le faisaient encore respirer sans problème. Le jeune homme recula d'un pas et la lame ressortit de lui sans aucune résistance, et le plus étrange était que sa chemise n'était pas transpercée ! Victor eut une drôle d'impression, comme si cette situation insensée n'était pas réelle.

Au même moment, une troupe de cinq hommes très musclés et vêtus de pagnes fit irruption dans la pièce depuis une porte en bois que Victor n'avait pas encore remarquée, située au fond de la chambre.

— Ne bouge pas ! cria l'un des hommes.

Quatre hommes encerclèrent la jeune femme alors que le dernier se ruait vers Udelaraï. Une paire de lances et de longs boucliers holographiques apparurent dans les mains des hommes, qui menaçaient maintenant la jeune femme de la pointe de leurs lances.

— C'est elle, souffla Udelaraï, qui s'était redressé. C'est le dernier membre des fils de Yax Nuun Ayiin, la propre fille du régent d'O'delysse.

— Lève-toi ! lança l'un des hommes à la jeune femme qui s'était écroulée sur un genou, le regard perdu, alors que la moitié de son visage était rougi par le sang.

Victor eut presque pitié d'elle lorsqu'un des hommes fit disparaître son bouclier pour la relever brutalement et la traîner hors de la pièce.

— Monsieur le régent, dit poliment l'homme qui était resté près d'Udelaraï, vous êtes blessé ?

— Ça ira, répondit-il avec un sourire forcé.

— Qui est ce jeune homme drôlement vêtu ? commenta l'homme à l'égard de Victor alors que ses quatre autres camarades escortaient la jeune femme hors de la pièce.

— C'est mon petit-fils, répondit Udelaraï avec détachement. Vous pouvez nous laisser.

L'homme ne put s'empêcher de lever un sourcil et, après une seconde d'hésitation, il dit :

— Bien, monsieur. Puis-je vous suggérer de recevoir un médecin ?

— Bonne idée, acquiesça le vieillard en s'asseyant sur le rebord du lit. Faites-le venir dans cinq minutes. C'est compris ?

— Bien, monsieur, répéta l'homme en s'inclinant.

Puis, il quitta la pièce et referma la porte derrière lui. D'un coup d'œil vers le balcon, Victor vit que la raie manta avait disparu.

— Je suis terriblement déçu par cette intrusion, dit Udelaraï d'un ton désolé.

— Vous sentez-vous bien ? demanda Victor à son grand-père. Êtes-vous blessé ?

Le vieil homme hocha la tête en guise de négation.

— Je ne comprends pas... pourquoi l'arme ne m'a-t-elle pas atteint ? interrogea Victor.

— Un peu après ton réveil, je t'ai mentionné un fait et je t'ai dit que nous y reviendrions plus tard.

— Oui, se rappela Victor, vous avez mentionné qu'une seule partie de mon être se trouvait ici.

Après avoir prononcé cette phrase, Victor sentit sa tête s'étourdir. Il plaqua sa main contre son front et grogna doucement.

— Notre rencontre tire à sa fin, dit Udelaraï en se levant. Ton corps n'est pas ici, seule une partie de ton esprit y est ; celle du rêve. En te faisant perforer par cette dague, tu as pris conscience que tout ceci n'était pas réel, n'est-ce pas ?

Victor ne put répondre ; il le voulait, mais aucun son ne sortait de sa bouche. Il croyait même entendre des voix l'appeler par son nom. Il manqua de s'effondrer sur le sol, mais son grand-père se précipita pour le soutenir. C'était étrange ; le jeune homme ne sentait plus son propre corps, mais il pouvait sentir celui de son grand-père, ainsi que ses longs cheveux d'un blanc argenté.

— Comment... comment pouvez-vous me... me retenir ? dit Victor dans un effort surhumain.

— Parce que ton subconscient est persuadé que j'existe, répondit Udelaraï d'un air triste. Enfin, c'est ce que je crois.

Les paupières de Victor devinrent très lourdes et il voulut les refermer, mais son grand-père lui dit d'un ton autoritaire :

— Reste ici encore un instant, efforce-toi de m'écouter ! Utilise la bague que je t'ai donnée et détruis les structures qui maintiennent la chambre funéraire. Pour ce faire, tu n'auras qu'à ordonner à la bague de s'autodétruire. Une fois la chambre détruite, la composition de l'air qui permet le déplacement de l'être se dissipera dans l'atmosphère. C'est la dernière zone de déplacement possible sur Terre, tâche de bien la sceller.

Victor voulait se débattre contre la léthargie qui engloutissait son corps, mais ses yeux se refermaient lentement, sans qu'il puisse donner le moindre ordre à son corps.

— Nous nous reverrons une dernière fois avant que je quitte ce monde, dit Udelaraï, dont la voix semblait provenir du fond d'un tunnel, tel un écho. Je te remercie, au nom de chacun d'entre nous, pour l'aide que tu apportes. Je suis fier de toi, tout comme le seraient tes parents...

La voix s'éteignit. Si Victor pouvait sentir les cheveux de son grand-père contre son cou, maintenant, il sentait autre chose se frotter contre lui, quelque chose de plus... poilu. Lorsqu'il ouvrit les yeux, un museau mouillé était plaqué contre sa bouche. Pris de panique, Victor se redressa et, réalisant que Pakarel était en train de lui faire du bouche-à-bouche, il s'essuya furieusement les lèvres.

— Victor ! Victor ! lança la voix implorante de Maeva.

— Je l'ai réanimé ! s'exclama le Pakamu en prenant une pose pour montrer sa musculature inexistante. Ouais !

Victor sentit les mains de Maeva se poser contre ses joues. Il cligna des yeux plusieurs fois avant de prendre conscience de la scène autour de lui. On l'avait remonté au niveau supérieur des ruines, et Maeva et Pakarel se tenaient près de lui. Baobab lui lançait un regard bienveillant depuis l'entrée des ruines, alors qu'Elude l'ignorait, le regard concentré vers l'extérieur.

— Oh mon Dieu ! gémit Maeva, le visage maintenant à moitié caché par ses mains, les yeux rougis.

Il était évident qu'elle avait pleuré.

— Que s'est-il passé ? demanda Victor en passant son avant-bras sur son visage.

— Tu as perdu connaissance et nous t'avons aussitôt remonté à l'étage, dit Pakarel d'un air détendu. Tu as même cessé de respirer il y a quelques minutes.

Maeva hocha la tête en tentant de retenir ses larmes, s'éventant avec ses mains. En regardant son amie, le jeune homme songea à tout lui dévoiler au sujet de son étonnante rencontre avec son grand-père. Mais la raison l'emporta ; ce n'était ni l'endroit, ni le moment pour de telles explications.

— Ça ira ? lui demanda finalement Victor.

Elle confirma d'un signe de tête frénétique et détourna le regard, Victor savait qu'elle cachait ses larmes.

— Victor, sais-tu ce qui aurait pu causer une telle réaction ? demanda Baobab de sa puissante voix.

— La fatigue... sans doute, dit Victor d'un air dégagé.

— Nous devrions y aller, nous n'avons plus beaucoup de temps, suggéra Baobab, dont le ton sérieux trahissait son impatience.

Maeva revint vers Victor et l'aida à se redresser, avant de lui rendre sa canne. Elle enleva la poussière qui se trouvait sur ses épaules en lui adressant un sourire.

— La poussière te fait mouiller les yeux ? lui dit Victor en la taquinant.

Elle se contenta d'un léger gloussement avant d'essuyer ses paupières.

— Où est l'anneau ? demanda Pakarel, la tête penchée au-dessus de l'embouchure. Je l'ai remonté !

Maeva secoua la tête et dit :

— Je ne sais pas, Pakarel, mais ce n'est vraiment pas important.

Cette remarque laissa le pakamu boudeur. Il était clair qu'il aurait aimé ajouter un anneau de plus à sa collection de bijoux volés.

— Nous devons nous en aller... Victor, tu te sens capable de marcher ?

— Oui, répondit-il avec sincérité. Tout va bien.

Victor se rendit compte que quelque chose pesait dans sa main gauche. Lorsqu'il l'ouvrit, il vit la bague noire. C'était celle que son grand-père lui avait donnée.

— Ah! dit Pakarel en regardant la main de Victor. Tu l'as retrouvé!

Levant un sourcil, il dit :

— Non, en fait, je...

L'information se rendit alors à son cerveau. Son grand-père lui avait-il remis la même bague qui se trouvait déjà dans le sarcophage? Un regard rapide autour de lui le fit pencher pour cette possibilité, puisqu'aucune autre bague n'était visible, et la possibilité que Maeva l'ait prise lui paraissait nulle.

— Tu es certain que c'est celle-là? lui demanda Victor d'un air suspicieux.

— Oui, je jouais avec pendant ton évanouissement, déclara Pakarel en le fixant d'un air louche. Je l'ai remontée avec moi. La bague était dans mon chapeau, et je ne perds jamais les objets qui s'y trouvent!

— Assez parlé, vous deux! lança Elude d'une voix agacée. Nous devons y aller, ce que vous cherchez ne se trouve pas là!

— Attendez! dit Victor d'une voix assez forte pour voir toutes les têtes de ses amis se tourner vers lui. Je dois condamner l'entrée de cet endroit.

Une confusion générale s'abattit dans l'air.

— Que veux-tu dire? demanda Pakarel en premier.

Déconcertée, Maeva ajouta :

— Mais, Victor...

Elle n'eut pas le temps de terminer sa phrase avant de se faire interrompre par Elude :

— Nous n'avons plus de temps! Les Agas seront ici d'une seconde à l'autre!

Ignorant les protestations du centaure, Victor glissa la bague autour de son doigt. Comme s'il avait deviné son fonctionnement, le jeune homme lui demanda mentalement de se détruire. Aussitôt, la bague vira du noir à l'orangé, puis se mit à chauffer radicalement.

— Comment as-tu fait ça ? lança Pakarel, l'air fasciné.

— Je crois que vous devriez commencer à courir, dit-il à ses amis d'une voix qui manquait de conviction, mais personne ne bougea.

La bague lui brûlait maintenant le doigt. Victor la retira et la laissa tomber dans l'embouchure menant à la chambre funéraire. Empoignant Maeva par le bras pour l'inciter à le suivre, Victor cria :

— On s'en va ! Allez, allez !

Les centaures se ruèrent à l'extérieur des ruines, suivis de près par Pakarel, puis par Victor et Maeva qui se tenaient mutuellement par les épaules. Une explosion survint et les ruines s'écroulèrent, ne laissant que quelques poutres et gros blocs de pierre entassés les uns sur les autres. Maeva avait failli perdre l'équilibre sous le choc de l'explosion, contrairement à Victor, qui s'y attendait. Déboussolée, la jeune femme marmonna :

— Mais, que...

— Vite, Maeva ! lui dit Victor en l'aidant à poursuivre sa marche.

— Que s'est-il passé ? demanda Pakarel, qui avait cessé de courir pour regarder la scène.

— Continue de courir ! lui cria Victor, tandis que Baobab galopait vers eux.

— Montez ! leur ordonna Baobab, nous devons faire vite !

Les trois amis montèrent sur le dos du centaure et rejoignirent rapidement Elude, qui les attendait un peu plus loin. Son regard noir et ses lèvres qui dévoilaient ses dents indiquaient très bien son mécontentement de la situation. Pendant près d'une minute, les deux centaures dévalèrent la jungle, sautant par-dessus les troncs d'arbres écroulés et contournant les crevasses. Le soleil était maintenant plus haut et ses rayons étaient facilement visibles, perforant la dense végétation de la jungle à intervalle régulier. Depuis un moment, Victor (qui était installé derrière Maeva et Pakarel) ne cessait de jeter des regards en arrière, prêt à voir apparaître quelque chose à tout moment. Et s'ils s'étaient tous affolés pour rien ? songea-t-il alors. Mais Elude lança un rugissement.

— Attention !

Se retournant le plus rapidement possible, Victor vit un immense filet s'élever du sol et se refermer dans le vide, suspendu en l'air, avant de disparaître loin derrière. Les deux centaures n'avaient pas ralenti la cadence.

— Ils ont posé des pièges ! s'écria Elude en passant sa carabine par-dessus son épaule.

— J'ai vu ! lui répondit Baobab.

Au même moment, Victor vit juste devant Baobab quelques feuilles mortes entassées sur un... filet. Crier était inutile : il était trop tard. Le filet remonta, saisissant l'une des pattes arrière de Baobab et le déséquilibrant, projetant Victor, Maeva et Pakarel dans les airs. Un lourd choc meurtrit l'épaule de Victor, qui réalisa avec un moment de retard ce qui s'était passé. Il était étendu sur le sol, au pied d'un arbre immense. Le jeune homme saisit sa canne, qui se trouvait à ses côtés, et se redressa rapidement. Après s'être assuré qu'il n'avait rien de cassé, il entendit aussitôt un cri effroyable — celui de Maeva —, ainsi que des hurlements poussés par les centaures. Il fallut une demi-seconde à Victor pour déterminer la provenance des cris et s'y ruer. Cependant, Victor s'arrêta net en réalisant qu'à une dizaine de pas de lui, un étrange humanoïde lui faisait face.

La tête légèrement inclinée, comme un animal curieux, la chose fixait Victor, immobile. Son corps, quoique d'une minceur alarmante, était muni de membres très longs, bien plus que ceux d'un simple humain. La créature était recouverte, de la tête aux pieds, d'un habit en cuir moulant, et son visage était masqué par une cagoule trouée au niveau des yeux par deux gros cercles de verre trop épais pour laisser paraître quoi que ce soit. Lentement, Victor fit un pas en arrière. L'humanoïde l'imita, exactement au même moment que lui. Lorsque le jeune homme fit un pas sur le côté, la créature fit de même, encore une fois en même temps que lui, ce qui envoya un frisson glacé dans la colonne vertébrale de Victor.

— Qui es-tu ? lança le jeune homme d'un ton froid. Que me veux-tu ?

Mais la créature ne répondit pas, se contentant d'incliner la tête dans l'autre sens. Un cri trancha le silence qui s'était installé.

— Victor ! hurla la voix de Maeva, perdue à travers les arbres. Vic...

Son cri se coupa brusquement. Le jeune homme, reprenant ses esprits de par l'urgence de la situation, fit quelques pas dans la direction du cri, mais la créature l'imita, définitivement décidée à lui obstruer le chemin.

— Je n'ai pas le temps ! lui lança Victor d'un air furieux.

Deux dagues glissèrent des avant-bras de l'humanoïde, avant de tomber dans ses mains, à l'envers. Instinctivement, le jeune homme tira son glaive de son étui, dans un glissement métallique. Le rythme cardiaque de Victor s'accéléra. Il pointa son arme vers l'humanoïde et dit :

— Ne rends pas cette situation plus compliquée qu'elle ne l'est.

La créature se mit à rire d'une voix aiguë et perçante. Puis, elle inclina son dos vers le bas, lui donnant une allure sauvage, et envoya une série de mots incompréhensibles, depuis le fond de la gorge, comme des grognements d'indigène. Une seconde plus tard, l'humanoïde se rua vers Victor, les dagues prêtes à tout déchiqueter sur leur passage. D'un coup rapide, Victor envoya au bon moment, par chance, un coup de canne au visage de la créature, qui tournoya dans les airs avant de s'effondrer sur le sol. Le jeune homme aurait pu lui planter son glaive en plein dos, mais l'apparence presque humaine de la créature décourageait fortement son geste ; peut-être avait-elle des enfants ? Et puis, il n'était pas un assassin. Maudissant ses principes, Victor s'élança du plus vite qu'il le put, ignorant la douleur causée par sa jambe, en direction des derniers cris de ses amis.

Au bout de 30 secondes, il déboucha à l'emplacement exact où les filets avaient failli les capturer. Les deux filets étaient relevés au niveau des arbres, bien vides. Seulement, de nombreuses traces étaient visibles dans la terre sans verdure et l'attention de Victor fut attirée par une trace de sang qui se perdait à travers les hautes herbes, menant plus profondément dans la jungle.

Soudain, trois créatures émergèrent des hautes herbes, vêtues de la tête aux pieds de cuir. Il n'y avait plus de doute, c'était les Agas qu'avaient mentionnés ses amis. Victor avait peut-être eu de la chance contre l'un de ces humanoïdes, mais il n'était pas prêt à risquer sa peau contre trois Agas. Un bruit martelant le sol survint, puis un animal similaire à un gorille bondit sur le sol depuis les arbres. Victor se trouva face à un gordurel, sur lequel se tenait un Agas, debout, se retenant à l'aide d'une grosse corde qui entourait le cou de la bête. Le gordurel ouvrit sa gueule décharnée et rugit bruyamment. Il pointa Victor en lâchant une série de grognements primitifs.

Sans perdre une seconde de plus, Victor s'élança en sens inverse, titubant à chacun de ses pas, repoussant les fougères de son bras qui tenait toujours le glaive. Les feuilles et les branches lui fouettaient le visage, lui écorchaient les bras, sa jambe gauche bourdonnait de douleur, mais le jeune homme ne perdait pas de vitesse. Le martèlement des pas sur le sol, non loin derrière lui, l'incitait fortement à poursuivre sa route. Cependant, le sol se mit à s'incliner radicalement et, malgré ses tentatives pour rester sur ses pieds, Victor tituba et déboula ce qui s'avérait être une pente. Sa chute s'arrêta brutalement contre le tronc d'un arbre dangereusement incliné vers... une rivière d'un brun clair, qui tranchait la jungle en deux, au fond d'un ravin d'une centaine de mètres. Les bras du jeune homme pendaient de chaque côté de l'arbre, retenant sa canne et son glaive.

Pris de vertige, Victor recula difficilement et parvint à rejoindre un petit bout de terre qui se trouvait sur une butte située juste sous le plateau de la jungle. En entendant les Agas se rapprocher, le jeune homme se plaqua contre la paroi terreuse et retint sa respiration. Dans cette position, peut-être ne le verraient-ils pas... Les Agas avaient cessé de bouger. Victor les entendit grogner dans leur langue, comme s'ils se disputaient, jusqu'à ce que le rugissement du gordurel les fasse taire. Le cavalier de la bête était-il leur chef ? Au bout de quelques secondes, le jeune homme entendit ses poursuivants s'éloigner, probablement persuadés qu'il avait chuté dans la rivière.

Relâchant son souffle, Victor se décolla de la paroi et tenta de trouver un moyen de remonter plus haut. Il rangea son glaive dans son étui et glissa sa canne dans sa ceinture, puisqu'il aurait forcément besoin de ses deux mains. Soudain, un ronronnement de moteur survint derrière lui. Pivotant sur lui-même, Victor vit un engin volant assez rudimentaire flotter dans l'air, à quelques pas de lui. Mis à part le moteur, situé à l'arrière, l'engin était entièrement fait de bois et de cordage. Deux petites hélices étaient ancrées dans des structures similaires à de petites ailes situées sous le seul et unique siège, maintenant l'appareil en vol. Deux Agas étaient assis l'un derrière l'autre. Le conducteur tenait fermement ses mains sur un guidon, tandis que l'autre pointait une longue carabine vers Victor, qui se figea pendant un instant. Cependant, bien que le jeune homme fût dans sa ligne de mire, l'Agas ne semblait pas pressé de l'abattre.

— Tu vas te tuer, se dit Victor à voix basse. Tu n'es qu'un pianiste, pas un acrobate... Aaaah !

Sans même prendre le temps d'y réfléchir, Victor avait bondi dans le vide, les bras tendus vers un Agas. Dans son élan, il parvint à expulser le passager hors du véhicule et prit sa place maladroitement, à l'envers. Le conducteur du véhicule lança un regard derrière son épaule et lâcha un cri de terreur, tandis que son compagnon malchanceux chutait vers sa mort, dans un cri de détresse qui diminua jusqu'à disparaître dans une éclaboussure d'eau. Pendant que Victor se retournait prudemment pour convaincre l'Agas restant de diriger le véhicule sur la terre ferme, ce dernier se leva, posa ses pieds sur le guidon et bondit agilement sur l'arbre incliné, là où Victor s'était retrouvé un moment plus tôt. Puis, tel un singe, l'Agas escalada l'arbre et bondit sur le plateau de la jungle avant de disparaître dans la végétation.

L'information mit un bon moment à se rendre jusqu'au cerveau du jeune homme. Réalisant que l'appareil s'inclinait dangereusement vers le bas, Victor se glissa à la place du conducteur. Il appuya fermement sur la pédale qui se trouvait sous son pied droit et le moteur de l'engin volant ronronna fortement. Évitant de justesse la paroi rocheuse qui se trouvait juste devant lui, Victor parvint à stabiliser la machine volante. Surgi de nulle part, un coup de feu le fit sursauter et tirer instinctivement le guidon vers la droite, tout en appuyant fortement sur la pédale d'accélération. Le véhicule du jeune homme se mit alors à frotter contre la paroi rocheuse, créant une pluie d'étincelles et de roches qui s'égrenèrent et chutèrent vers la rivière. Victor parvint tout de même à rétablir la situation au bout de quelques secondes. Il jeta alors un regard derrière son épaule et vit trois engins identiques au sien, transportant chacun deux Agas, qui volaient dans sa direction.

Aussi incliné qu'il le pouvait sur son siège, Victor fit remonter sa machine volante en flèche alors que des coups de feu sifflaient autour de lui. Un coup d'œil vers la droite lui annonça qu'il avait atteint le plateau de la jungle. Tout en remerciant la chance d'être encore en vie, Victor vira rapidement vers la droite et s'élança à toute vitesse à travers les arbres immenses, toujours poursuivi par ses assaillants.

— Oh... mon... Dieu! lança Victor d'une voix incertaine alors qu'il venait d'effectuer une vrille pour éviter un arbre. Je vais peut-être m'en sort... Aaaah!

Un arbre venait d'apparaître dans son champ de vision. Le jeune homme tira le guidon vers l'arrière et la machine volante vira automatiquement vers le haut, droit contre le feuillage des arbres. Après s'être protégé le visage des coups de fouet des branches et des feuilles, Victor déboucha dans le ciel bleu matinal. Jetant un œil derrière lui, il vit deux engins remonter de la jungle à ses trousses, alors qu'une explosion, survenue dans la nappe verdâtre de la jungle, indiqua que le troisième appareil n'avait pas eu autant de chance que les autres.

Le fait que son engin volant était en grande partie fait en bois et ne cessait de grincer ne le rassurait guère. Plus vite il serait de retour sur la terre ferme, mieux ce serait, puisqu'il n'arrivait pas à se débarrasser de l'impression que sa machine volante allait exploser d'elle-même. Ramenant son regard vers l'avant, Victor vit un gros objet violet, semblable à un oiseau, juste au-dessus de la jungle. Avant qu'il ne puisse l'analyser davantage, une explosion retentit au niveau de son moteur arrière. Victor comprit aussitôt : on lui avait tiré dessus. En un instant, le décor autour de lui se mit à tournoyer, son cœur se figea dans sa poitrine et ses poumons se contractèrent. Un impact assourdissant survint alors, et tout devint noir.

Lorsque Victor ouvrit les yeux, il ne vit qu'une fumée épaisse monter vers un ciel partiellement recouvert de feuilles, troué à une multitude d'endroits, laissant passer une lumière éblouissante. Une main agrippa férocement ses cheveux et tira sa tête vers l'arrière. Le visage masqué d'un Agas apparut alors dans son champ de vision. Clignant des yeux, Victor revint à lui progressivement. Malgré la position inconfortable de sa tête inclinée de force, le jeune homme balaya la scène du regard. Quatre Agas se trouvaient autour de lui, dont deux qui contemplaient l'origine de la fumée, c'est-à-dire son appareil volant, écrasé contre un arbre. Les deux autres Agas étaient près de lui, l'un d'eux lui maintenant fermement la tête et l'autre montant la garde près des deux engins volants que lui et ses compagnons avaient utilisés pour rattraper Victor.

L'Agas qui maintenait Victor dégaina d'un geste lent une dague rouillée, tachée de sang, qu'il plaça sous la gorge de sa victime. Victor aurait bien voulu se défendre, mais le choc de l'écrasement l'avait abasourdi à un point tel qu'il avait peine à garder l'œil ouvert. Soudain, l'un des Agas se mit à crier des paroles incompréhensibles, puis le cri perçant d'un oiseau le fit taire momentanément, avant que Victor sente la pression exercée contre ses cheveux disparaître. Les yeux du jeune homme se fermèrent. Victor entendit le frottement métallique d'un combat d'armes blanches, quelques phrases criées par les Agas, puis, plus rien.

Des pas s'avancèrent vers Victor. Une main se posa sur son épaule. Puis, tout à coup...

— Toujours en vie? lui demanda une voix fortement familière, sur un ton détendu.

Curieux, Victor fut revigoré et réussit à ouvrir les yeux. Caleb se trouvait devant lui, accroupi, lui envoyant un sourire taquin. Hol, le gros oiseau violet, donnait des coups de bec sur la tête d'un Agas mort, un peu plus loin.

— Ca... Caleb? dit Victor en tentant de se redresser trop rapidement.

— Oh! tout doux, lui dit le demi-gobelin en repoussant gentiment Victor contre l'arbre auquel il était adossé. Prends quelques instants pour te reposer, tu veux?

Le jeune homme posa sa main sur son front et hocha la tête, ce qu'il regretta aussitôt. Un horrible mal de crâne lui encerclait le cerveau.

— Aïe! grogna Victor. Ma tête...

— Après un choc pareil, dit Caleb d'un ton amusé, c'est un miracle que tu sois encore en vie.

Ces paroles réveillèrent l'inquiétude que Victor éprouvait pour ses amis. Où étaient Maeva, Pakarel, Baobab et Elude? Le jeune homme voulut se relever, mais n'osa pas; il savait que son corps avait définitivement besoin de quelques minutes de repos. Tout de même, il dit à Caleb :

— Je dois retrouver Pakarel, Maeva et... et les centaures.

— Ne t'en fais pas pour eux, lui dit Caleb d'un air réconfortant. Ils vont bien. Liam et les autres les ont sauvés des mains des Agas. Quant à moi, je suis parti à ta recherche.

Le visage de Victor devint aussitôt rayonnant.

— Nous nous sommes posés dans la clairière que tu nous as indiquée avec ta radio, continua le demi-gobelin. C'était une bonne idée.

— Vous nous avez retrouvés..., dit Victor, incapable de s'empêcher de sourire.

— Avec Hol, aucun problème pour retrouver ta trace, lui dit Caleb en ricanant. Allez, accroche-toi à mon épaule, je vais te ramener à tes amis. Tu en as long à nous raconter. Te lier d'amitié avec des centaures ? Tu m'étonneras toujours, mon vieux...

Victor acquiesça d'un faible hochement de tête, un sourire toujours figé sur son visage.

Chapitre 19

Les secrets de Victor Pelham

N'ayant rien de cassé, mais étant tout de même atteint d'un sérieux mal de tête, Victor s'était installé, avec l'aide de Caleb, sur Hol. Le demi-gobelin, après avoir pris place devant Victor, tira doucement sur les rênes de l'oiseau géant, lui ordonnant de s'élever dans le ciel, juste au-dessus des arbres, en direction de la clairière.

— Donc, mes amis sont sains et saufs ? s'assura Victor.

— Oui, tout le monde va bien, acquiesça le demi-gobelin.

— Qui t'a dit où je me trouvais ?

— Une jeune femme a tenté de m'expliquer. Mais elle pleurait comme une fontaine. C'est Pakarel qui m'a décrit à peu près la direction à emprunter. Pour le reste, Hol t'a flairé. C'est là que je t'ai vu aux commandes d'une machine volante.

Victor se remémora alors le gros oiseau mauve qu'il avait vu au loin, avant de s'écraser. C'était Caleb, chevauchant Hol.

— Et toi, comment vas-tu ? demanda Victor à son ami.

— En pleine forme, malgré l'humidité. Je n'aime pas vraiment la température de ce pays.

— Je parlais de ta blessure, rectifia Victor.

— Ah ! Ça me picote de temps en temps, mais ça ira.

Il y eut un court silence, durant lequel le jeune homme ferma les yeux, se laissant bercer par les battements d'ailes de Hol et par le vent qui lui frottait le visage.

— C'était quoi, cette grosse explosion ? demanda Caleb.

— Le véhicule bizarre que je conduisais ? demanda Victor en ouvrant les yeux.

— Non, je parle de l'autre. C'est arrivé bien avant que tu t'écrases.

— Tu parles des ruines d'Ixzaluoh ? Je les ai détruites.

— Ixzaluoh? répéta Caleb en tournant la tête, laissant voir son visage interloqué. Les ruines étaient appelées ainsi?

— Non. Les ruines que l'assassin de Balter utilisait étaient en fait la chambre funéraire d'une femme. Morte il y a des siècles.

— Et tu l'as détruite? s'étonna Caleb d'une voix irritée. Comment as-tu fait exploser des ruines, bon Dieu? Et comment allons-nous élucider le mystère de cet assassin?

— Le mystère est élucidé, Caleb. Lorsque nous arriverons auprès des autres, je vous expliquerai toute l'histoire. Pakarel et mes amis doivent, eux aussi, se demander ce qui s'est passé.

L'irritation de Caleb se dissipa aussitôt. Victor referma les yeux, dans l'espoir de mieux combattre son mal de tête.

— D'accord, dit finalement Caleb, d'un air calme. De toute manière, nous allons arriver dans quelques minutes. Au fait...

— Mmmh? grogna Victor.

— Cette fille que j'ai vue dans la jungle avec les centaures et Pakarel, tu la connais bien?

Le jeune homme n'ouvrit pas les yeux, mais se mit à sourire.

— Je l'avais rencontrée il y a longtemps, dit-il simplement. Mais nous ne nous connaissons pas beaucoup. Pourquoi?

Caleb lâcha un petit rire.

— Vraiment? J'aurais juré le contraire. Elle était folle d'inquiétude à ton sujet. Folle, répéta-t-il. Tu vois ce que je veux dire?

— Pas vraiment, répondit Victor avec honnêteté.

— Tu ne me caches pas quelque chose, par hasard? lança Caleb d'un air amusé. C'est une jolie fille, après tout...

— Caleb, contente-toi de nous ramener à la clairière, lui suggéra Victor d'un air amical.

Quelques minutes plus tard, une plaine apparut dans le paysage tropical.

— On arrive, dit Caleb. Accroche-toi!

Un gros vaisseau y était posé, et à l'arrière, une plateforme était abaissée jusqu'au niveau du sol, formant une passerelle. Victor le reconnut aussitôt, avec sa forme de gros frelon C'était l'engin volant de Liam et de ses confrères. Deux centaures se tenaient à côté, ainsi que plusieurs personnes, certaines assises, d'autres debout. Quelques caisses étaient déposées près du vaisseau, faisant office de sièges. Hol se posa en douceur près du vaisseau et ses deux cavaliers mirent pied à terre. Avant même qu'il n'ait pu poser sa canne par terre, Maeva avait déjà sauté dans les bras de Victor, sous les yeux moqueurs de Caleb qui marmonnait d'une voix aiguë les paroles du jeune homme :

— Nous ne nous connaissons pas beaucoup…

Victor posa sa main, un peu tardivement, sur le dos de Maeva, qui avait la tête appuyée contre son épaule.

— Je vais bien, dit Victor, mais la jeune femme ne répondit rien.

Pakarel tirait maintenant sur le pantalon du jeune homme, le visage radieux. Victor se détacha de son amie (qui avait le visage mouillé par les larmes) pour saisir l'épaule du Pakamu et la secouer amicalement, tout en lui envoyant un sourire amical.

— Tu vas bien, petit bonhomme ? lui demanda Victor d'un air jovial.

— Oui ! répondit Pakarel avec intensité.

Liam, Nathan et Marcus s'approchèrent de Victor.

— Content de te voir en une seule pièce, lui dit Liam en lui tendant une main amicale que Victor serra. Bon Dieu, regarde ta chemise, tu es dans un sale état ! Un tigre t'a sauté dessus ?

— Pas un tigre, répondit Victor d'un air amical. Vous êtes en retard, ajouta-t-il avec un sourire complice en direction de ses trois amis du Consortium.

Liam lui répondit d'un sourire.

— Victor, viens donc t'asseoir avec nous, l'invita Nathan, j'ai fait réchauffer un plat.

— Ce n'est pas dangereux de rester ici ? s'inquiéta Victor. Avec les Agas et...

L'image de la tortue-dragon lui vint en tête.

— Ces primates ont bien trop peur de nous, rit Marcus. Et puis, qu'ils viennent !

— Les Agas ne nous attaqueront pas ici, déclara la voix de Baobab, qui s'approcha d'eux. Nous ne sommes plus sur leurs terres.

Marcus regarda le centaure de la tête aux pieds, l'air intimidé. Victor songea que pour la première fois de sa vie, Marcus voyait quelqu'un de plus gros et plus fort que lui.

— Tu pourras nous raconter ce qui s'est passé ici tout en mangeant, ajouta Marcus, qui donna une tape amicale (quoique douloureuse) sur l'épaule de Victor.

— Victor, tu as un moment ? dit la voix de Caleb, qui se trouvait maintenant sur la passerelle du vaisseau. J'ai quelque chose à te montrer.

— Tu viendras nous rejoindre, lui dit Nathan.

Encouragé par un hochement de tête approbateur de Maeva, Victor se rendit à la passerelle et pénétra dans la cale baignant dans la noirceur. Au bout de quelques secondes, il parvint à discerner la silhouette de Caleb.

— On t'a ramené ton copain, lui dit le demi-gobelin en tapotant une masse à la hauteur de son ventre.

Ce que Victor avait devant lui n'était nul autre que D-rxt, sa sentinelle. Passant sa main sur la carapace, le jeune homme trouva des doigts la plaque qui dissimulait l'écran d'utilisation de la sentinelle et la fit basculer. Il posa sa main sur l'écran et une multitude de lumières jaunes apparurent, illuminant la cale du vaisseau. La sentinelle se dressa sur ses pattes. Les lèvres de Victor s'étirèrent en un sourire. Son vieil ami l'avait de nouveau rejoint.

— On ne pouvait pas vraiment le laisser dans le hangar d'Alexandrie, dit Caleb, les bras croisés, adossé contre deux grosses caisses. Avec le pétrin dans lequel le Consortium se trouve après les accusations de Thomas Dujardin...

— Je sais, répondit Victor, qui sentit la culpabilité s'emparer de lui peu à peu. Je suis vraiment désolé...

— Bah ! lança Caleb avec un geste de la main. On s'en fiche. Nous n'aurons qu'à retrouver Dujardin et à lui faire comprendre que tu n'as rien à voir avec le meurtre de Balter.

Victor acquiesça, mais il n'était pas prêt à se faire de faux espoirs face à un homme froid et droit tel que l'officier Dujardin.

— Allons manger, ajouta Caleb en descendant la passerelle, je meurs de faim. Mais avant, je dois aller reprendre le livre que m'a dérobé ce petit voleur de raton laveur...

Caleb, Victor et D-rxt rejoignirent leurs amis, qui dégustaient un ragoût de bœuf dans des bols. Maeva était assise sur un tronc d'arbre, Pakarel était adossé à une caisse, ses petites jambes étirées devant lui, Liam, Nathan et Marcus étaient assis sur l'herbe et les centaures, un peu en retrait, étaient reposés en discutant entre eux. À la vue de D-rxt, les yeux de Maeva s'écarquillèrent et sa fourchette s'arrêta avant d'atteindre sa bouche, entrouverte. Victor remarqua qu'Elude avait dégainé sa carabine, lançant des regards méfiants vers la sentinelle.

— Il est à moi, déclara Victor. C'est mon robot. Drext, installe-toi ici.

La sentinelle s'exécuta et s'immobilisa près du vaisseau. Elude fit glisser sa carabine sur son épaule et lança quelques mots à Baobab, qui se leva à son tour. Caleb s'installa sur la passerelle menant à la cale du vaisseau, les jambes dans le vide.

— Ton robot? répéta Maeva. Victor, ce sont des machines de guerre!

Le jeune homme eut un petit rire.

— C'est une longue histoire, dit-il. Je te raconterai une autre fois.

Les centaures remercièrent Liam, Nathan, Marcus et Caleb pour leur aide et le repas. Puis, Baobab prit la parole :

— Nous devons nous en aller. Nous devons retourner chez les nôtres.

— Oh non, Bao! lâcha Pakarel, la bouche pleine de ragoût. Reste encore un peu!

Victor ne protesta pas, il savait que Baobab avait probablement hâte de rejoindre son frère blessé. Le centaure baisa la main de Maeva, écarlate de gêne, sous le regard méprisant d'Elude et sous les sourires moqueurs du reste du groupe. Baobab s'approcha finalement de Victor et lui serra la main.

— J'espère que ce que tu as trouvé au fond des ruines t'aidera à faire le point sur tes questionnements, déclara-t-il d'un air sage, laissant Victor surpris.

Le centaure en savait-il plus qu'il ne laissait paraître?

— Notre rencontre aura été brève, mais j'ai été heureux d'être à tes côtés pendant un bref moment, termina Baobab. Adieu, Victor Pelham.

— Merci pour tout, déclara Victor, vous aussi, Elude, ajouta-t-il en étirant son cou vers l'autre centaure, qui ne répondit que d'un bref signe de tête.

Puis, les centaures s'éloignèrent au galop et disparurent dans la jungle, dans la direction opposée à celle des ruines mayas.

— Explique-nous ce qui s'est passé et n'oublie aucun détail, dit Liam, qui observait les centaures s'éloigner.

— Oui, Victor, ajouta Pakarel, pourquoi les ruines ont-elles explosé?

Après un court moment d'hésitation, Victor décida qu'il allait tout révéler à ses amis. Lui-même aurait du mal à y croire à leur place, mais il n'avait pas le temps ni l'envie d'inventer un mensonge.

— Eh bien, commença Victor, son bol de ragoût entre les mains, s'adossant au tronc d'arbre sur lequel était assise Maeva. Lorsque nous sommes arrivés aux ruines...

Maeva lui coupa aussitôt la parole et dit, le regard dans le vide, les sourcils froncés :

— Attends… attends… Qu'est-ce qu'une Fleur mécanique?

Un silence inconfortable s'installa et Victor sentit tous les yeux se tourner vers lui, ceux de Maeva y compris.

— Tu l'as mentionnée, lorsque tu étais sans connaissance, reprit-elle. Tu disais « Fleur mécanique, Fleur mécanique ». Qu'est-ce que c'est?

Victor savait qu'il n'y avait plus d'issue; il allait devoir s'expliquer. Nathan, Marcus, Caleb et Liam le regardaient d'un air surpris.

Et ils avaient bien raison d'être étonnés, songea Victor, puisqu'ils avaient été mêlés à sa quête pour détruire la Fleur, quatre années plus tôt.

— C'est un ordinateur, répondit Liam à la place du jeune homme. Il servait à...

Mais Victor lui coupa la parole :

— Ça va, Liam. Chaque chose en son temps... Je vais tout vous expliquer. Si vous ne me croyez pas, et que vous me prenez pour un fou, vous aurez été averti. À votre place, je préférerais ne pas avoir su ce que je m'apprête à vous dire. Lorsque j'ai perdu connaissance, je me suis réveillé ailleurs. Dans un autre monde. Mais avant de m'étendre là-dessus, je dois vous informer, Marcus, Liam, Caleb et Nathan, que je ne vous ai pas tout dit lorsque nous revenions d'Iavanastre, il y a quatre ans.

Un peu honteux, Victor raconta ce qui s'était réellement passé dans la chambre de la Fleur. Toutes ces choses qu'il avait gardées pour lui, qu'il n'avait même pas mentionnées à Clémentine et à Nika, il allait devoir les partager. Les déclarations d'Isaac à son sujet, le fait qu'il avait des capacités hors du commun. Qu'il avait ouvert l'ordinateur, qu'il était entré en contact avec son grand-père, lequel lui avait montré comment éteindre le dernier terminal planétaire. Puis, il passa au plat principal et s'étendit sur son étrange visite à son grand-père, et toutes ses déclarations concernant l'origine des Fleurs mécaniques et leur utilité, ainsi que la nature d'Ixzaluoh, cette femme qui avait découvert la fusion nucléaire. Puis, finalement, il mentionna le départ des Mayas de la Terre, l'évolution des créatures terrestres causée par les radiations nucléaires, et le fait que le groupe de Yax Nuun Ayiin tentait de camoufler la particule d'Ixzaluoh en assassinant les personnes susceptibles de la découvrir. Des personnes comme Balter et Leif Björnulf.

On l'avait écouté dans un silence total, et personne n'avait osé émettre de réserve concernant son histoire. À la fin de son récit, personne n'osa prendre la parole avant une longue minute. Tout le monde fixait le sol ou le ciel d'un air sérieux, triste ou dur. Caleb, qui venait d'apprendre les origines de la race de son père, se contenta de hausser les épaules.

— Bah! Tout est bien qui finit bien, déclara-t-il. J'ai toujours su que tu étais différent des autres, Victor.

Le jeune homme fronça les sourcils et ne sut quoi dire.

— Car tu es une personne admirable, continua Caleb. Même si tu es un peu bizarre, à tes heures… Tu restes un exemple de l'incarnation du bien, de la tête aux pieds. On ne trouve pas souvent de gens comme toi, ici.

La bouche de Victor s'entrouvrit, mais aucun son n'en sortit.

— C'est vrai! l'appuya Pakarel. Moi je te trouve super, Victor! Et que tu sois de descendance maya te rend encore plus cool!

— Edward Leafburrow l'a toujours dit, ajouta Liam d'un air sage. Tu es bien spécial, Victor.

Marcus et Nathan lui envoyèrent un clin d'œil et un sourire.

— Je... je ne sais pas quoi dire, balbutia Victor.

Maeva, dont le visage était resté passif, se leva du tronc d'arbre et se laissa tomber auprès de lui, avant de poser sa tête contre son épaule. Victor sentit sa température corporelle augmenter dangereusement. Liam fit un signe de tête aux autres et tous se levèrent, laissant Maeva et Victor seuls, adossés au tronc d'arbre. Caleb, l'air amusé, ne manqua pas d'envoyer un sourire moqueur au jeune homme, qui ne put s'empêcher de sourire à son tour. Victor n'en croyait pas ses yeux. Pendant un instant, il avait songé que ses amis n'avaient peut-être pas bien compris ce qu'il avait dit. Il avait l'impression qu'ils avaient réagi de la même manière que s'il venait de leur annoncer qu'il avait eu une augmentation de salaire. Il avait tellement redouté d'avouer une telle vérité à ses amis et d'être pris pour un fou qu'il avait complètement négligé le fait qu'ils pourraient peut-être comprendre et l'appuyer. Ce qu'ils avaient fait.

— Merci, lui dit-elle, d'un souffle. Je sais que mon père peut reposer en paix, maintenant.

Une heure plus tard, tout le monde était rentré à l'intérieur du vaisseau, y compris D-rxt, mais pas Hol, qui suivrait l'engin en volant. Victor et ses compagnons avaient décidé de libérer Thomas des griffes des gnolls, dans le but d'obtenir son appui lorsqu'il devrait se présenter devant les autorités dans l'enquête sur la mort de Balter. Il était convenu que l'appareil de Liam se poserait à une bonne distance du village, pour ne pas attirer l'attention des gnolls, et que seuls Victor, Caleb, Maeva et Pakarel iraient à leur rencontre. Lorsque le vaisseau décolla finalement, Victor, Caleb, Pakarel, Nathan et Maeva étaient tous assis dans la cale, adossés aux parois du vaisseau, discutant de tout et de rien.

— Je suis désolé de l'avoir vidée, dit Maeva, qui jouait avec l'arbalète que Manuel lui avait donnée. Je veux dire, d'avoir gâché tes munitions...

Victor leva la tête et dit :

— Voyons, Maeva, tu l'as utilisée pour nous sauver la vie. Quel genre de personne serais-je pour te blâmer d'avoir épuisé les carreaux d'une arbalète ? Et puis, des carreaux, ça se rachète !

La jeune femme sourit timidement.

— Ce que je ne comprends pas, dit Nathan en jouant avec sa petite barbiche blonde, c'est le fait que ton teint de peau ne soit pas plus foncé que ça. Les Mayas vivaient en pleine jungle, non ?

— Ils ont changé de climat il y a des milliers d'années, déclara Caleb. Leur physionomie a eu amplement le temps de s'y adapter. De toute évidence, leur soleil doit être beaucoup moins fort qu'en Amérique centrale.

— Logique, affirma Nathan. J'ai entendu dire que le souffle des coualts peut rester dans l'air pendant un bon moment, ajouta Nathan. C'est vrai ?

Maeva hocha la tête en guise d'acquiescement.

— Par contre, ajouta-t-elle, je ne sais pas exactement ce qui leur permet de faire ça.

— J'aurais bien aimé les voir, ces drôles de bêtes, conclut Nathan d'un air rêveur. J'ai toujours voulu un animal de compagnie exotique.

— Exotique comme ta coupe de cheveux ? fit remarquer Caleb, ricanant, en traçant un mohawk sur sa tête à l'aide de sa main.

Victor sourit. Il était heureux de voir que Caleb n'était plus maussade et silencieux, comme au début de leur rencontre. Un Caleb souriant et mesquin était plus agréable qu'un Caleb froid, réservé et frôlant la tristesse.

— Dans ce cas, tu devrais te trouver un perroquet ! lança Pakarel en riant.

— Vous n'êtes pas drôles, leur dit Nathan d'un air complice.

— Moi, j'aime bien ta coupe de cheveux, dit Maeva. C'est original. Les boucles d'oreilles, par contre...

Nathan passa aussitôt sa main sur les nombreux anneaux qu'il avait aux oreilles.

— Quoi ? Qu'est-ce qu'ils ont, mes anneaux ? Tu n'aimes pas ? J'ai un anneau pour chaque copine que j'ai eue...

Au même moment, Liam entra dans la pièce. Il balaya l'endroit du regard et dit :

— On arrive. Préparez-vous. Et Victor, si tu veux des carreaux pour ton arbalète, j'en ai quelques-uns.

Quelques instants plus tard, le vaisseau s'arrêta au-dessus de la forêt et se posa près d'un petit ruisseau, passant tout juste entre les arbres. La rampe de la cale s'abaissa et tomba sur le sol. Caleb mit pied à terre, suivi de Victor, de D-rxt (chevauché par le preux chevalier Pakarel) et de Maeva. Marcus et Liam les attendaient déjà à l'extérieur.

— Garde Hol bien en vue, dit Caleb à Marcus. Ne le laisse pas partir fouiner, c'est compris ?

— Pour qui me prends-tu ? grommela Marcus d'un air sévère. Je sais très bien m'occuper d'une tâche minable de ce genre.

— Victor, tu es certain de ne pas vouloir te reposer davantage ? demanda Liam, l'air inquiet.

— Ça ira, dit Victor en s'efforçant de se convaincre lui-même.

À vrai dire, il était complètement exténué et ça devait paraître.

— Ton ami a raison, Victor, ajouta Maeva d'un air soucieux. Après tout ce que tu as traversé...

— Ça ira, répéta-t-il avec plus de conviction. De toute manière, Drext est avec nous. Il pourra me supporter, si jamais je m'effondre d'épuisement !

La blague du jeune homme n'eut pas l'effet escompté ; Maeva fronça un sourcil et Liam hocha la tête de gauche à droite.

— Bon, comme tu veux, dit Liam d'un ton vaincu. Nous t'attendons ici.

Le jeune homme fit quelques pas pour rejoindre Caleb, Maeva, la sentinelle et Pakarel.

— Nous devrions tous y aller ensemble, suggéra Marcus de sa voix bourrue.

— Les gnolls n'aimeraient pas cette approche, dit Maeva, je croyais vous l'avoir expliqué...

— Je vais venir avec vous, au cas où les choses tourneraient mal, déclara Nathan.

— C'est une bonne idée, dit Caleb. Une épée de plus contre la faune de la jungle. Je ne dis pas non.

— C'est là que je vis ! s'indigna Maeva. Les gnolls sont mes amis ! Comment pouvez-vous croire que les choses pourraient mal tourner ?

L'air calme, Victor dit :

— Maeva... ce ne sont que des précautions prises par le groupe.

La jeune femme leva les yeux au ciel et croisa les bras, l'air outrée. Elle ne semblait pas enchantée par cette situation, mais elle ne s'y opposa pas. Tout le monde s'assura d'être bien armé. Maeva avait récupéré l'arbalète avec l'accord de Victor qui, lui, avait son glaive et sa bonne vieille canne. Caleb avait ses quatre lames, Pakarel avait toujours la dague de l'assassin et Nathan passa sa carabine sur son épaule, avant d'attacher le fourreau d'une épée à sa taille.

— On dirait qu'on part en guerre, fit remarquer Pakarel d'un air joyeux.

— Avec la tortue-dragon qui pourchasse Victor, fit remarquer Maeva, il est préférable d'être armés.

Cette phrase rendit la déglutition de Victor un peu plus pénible. Il avait presque oublié la présence du monstre.

— Même si je connais bien cette région, continua la jeune femme, on n'est jamais trop prudents.

— Alors, récapitulons, dit Caleb d'un air songeur. Nous marchons pendant une heure, puis nous atteignons le village gnoll. Ensuite, nous ramenons l'officier Dujardin vers Québec.

— Si les gnolls nous laissent le reprendre, bien sûr, dit Pakarel d'une faible voix que seul Victor put entendre.

— Lorsque nous serons en route, ajouta le demi-gobelin en tournant la tête vers Victor, nous tenterons de lui expliquer que tu n'as rien à voir avec le meurtre de Balter.

— Je ne miserai pas là-dessus, admit Victor.

— Nous sommes assez nombreux pour le convaincre, dit Marcus d'un air grave, tout en se craquant les jointures. Dépêchez-vous, l'humidité de ce pays me rend irritable !

Le petit groupe avança dans la jungle, Maeva en tête, et Liam lança aussitôt :

— Victor !

Le groupe entier stoppa et le jeune homme fit volte-face.

— Sois prudent, dit Liam, j'ai promis à Nika de te ramener entier.

Victor lui leva le pouce et reprit la route. Au bout d'une minute de marche, Maeva demanda :

— Qui c'est, cette Nika ?

— Hein ? dit Victor qui croyait avoir mal entendu. Ah, Nika ! C'est une amie.

— Une amie ? répéta Maeva. Une simple amie ?

— Une simple amie, confirma Victor.

L'air mesquin, Caleb ajouta :

— Ça n'empêche pas qu'ils vivent ensemble...

La démarche de Maeva devint alors plus rigide et ses pas semblèrent plus lourds. Victor lança un regard foudroyant à Caleb, qui riait dans un silence complice avec Nathan. Le jeune homme détestait la situation actuelle. Pourquoi une situation aussi inconfortable devait-elle arriver à ce moment-là ? N'avait-il pas assez de pain sur la planche ?

— Nika est amoureuse de Liam, dit Nathan, l'air jovial, au bout de quelques secondes. Ils sont ensemble. Victor et elle ne sont que de bons amis.

— Elle est comme ma sœur, ajouta Victor. Et puis, Clémentine aussi vit avec nous, tu te souviens d'elle, la petite gobeline que tu as rencontrée à ton village ? Balter aussi, vivait avec nous...

Maeva ne répondit pas, mais sa démarche devint moins raide, ce qui était bon signe.

— Comment va-t-elle ? dit finalement la jeune femme. Clémentine ?

— Elle va bien, répondit Victor. Enfin... elle ira mieux.

Un silence s'était installé. Victor savait que le fait d'avoir mentionné Clémentine et Balter en était la cause ; il le regrettait fermement et savait aussi que Maeva regrettait d'avoir demandé comment allait une jeune fille qui venait tout juste de perdre son oncle. Au bout d'un moment, la jeune femme posa le pied sur une roche et pointa au loin.

— Nous allons traverser un petit marécage, dit-elle. C'est le chemin le plus court pour se rendre au village.

En effet, une odeur de végétation humide et moisie chatouillait les narines de Victor.

— Tu es certaine ? demanda Caleb, qui n'avait pas l'air très enclin à se salir.

— Si tu préfères le contourner, rétorqua Maeva, fais-toi plaisir, mais le chemin sera deux fois plus long.

Le groupe avança à travers le marécage en file indienne. Au bout de quelques minutes à peine, on entendit des jurons de mauvaise humeur ; les moustiques étaient agressifs, la chaleur, suffocante, et l'air, putride. Victor, qui avait récupéré son sac à dos (puisque ses plaies dorsales ne lui faisaient plus mal), n'avait finalement pas mis son régulateur, par solidarité envers ses amis, afin d'endurer la chaleur comme eux.

— Charmant pays, dit Nathan d'un ton sarcastique.

— Moi, j'aime bien vivre ici, dit Pakarel. Mais je n'aime pas les marécages... c'est salissant.

— C'est ironique, venant de quelqu'un qui est confortablement assis sur une sentinelle, à un mètre au-dessus de l'eau ! lui répondit Caleb.

Victor se sentait plus souillé que jamais et l'idée de prendre un bain chaud représentait pour lui le paradis.

— Imaginez un bain chaud, dit-il, l'air rêveur.

— Après avoir mangé un bon poulet rôti, continua Pakarel.

— Un bon massage, ajouta Maeva, les yeux perdus dans ses pensées.

— Une bonne bière froide pour moi, dit Nathan.

— Stop ! murmura sèchement Caleb. Ne bougez plus !

Tout le monde s'immobilisa. Victor regarda les autres, qui avaient l'air tout aussi confus que lui. Caleb fit glisser sa rapière de son étui et dégaina une dague. Victor observa les lieux rapidement. Le marécage était tranquille, baigné dans plusieurs faisceaux lumineux et seuls les bruits de crapaud et de divers insectes brisaient le silence. Aussi loin que ses yeux lui permettaient de voir, il ne discernait que des gros arbres sur lesquels pendaient de longues lianes, et des feuilles flottant à la surface de l'eau, qui lui arrivait aux chevilles.

— Il n'y a rien, murmura Nathan, qui avait l'air crispé.

— Je le sens aussi, déclara la voix de Pakarel d'un ton fier. C'est gros et ça pue. Et c'est droit devant nous.

Soudain, une forme ronde, allongée en pointe, se dressa à une dizaine de mètres du groupe. Elle ne cessa de grossir jusqu'à ce qu'elle atteigne près de quatre mètres de haut. Deux gros yeux injectés d'encre s'ouvrirent dans la masse, fixant Victor et ses amis avec férocité.

— C'est un calmar de boue ! lança la jeune femme. Vite, courez !

Tout à coup, sept énormes tentacules dégoulinants de boue jaillirent du marécage, et l'un d'eux saisit les jambes de Maeva, qui fut projetée en l'air.

— Aidez-moi ! cria-t-elle.

Victor et Nathan dégainèrent leur épée et se joignirent à Caleb, et tous se mirent à attaquer le tentacule qui avait saisi Maeva.

— Ces tentacules sont trop durs à trancher ! grogna Nathan.

En effet, ni Caleb ni Victor n'avaient réussi à faire mieux que d'égratigner l'épiderme caoutchouteux du monstre. Puis, un énorme bec, semblable à celui d'un oiseau et renfermant une grosse langue noire, jaillit du marécage, claquant furieusement tandis qu'un tentacule lui amenait son repas : la jeune femme. Maeva se mit à hurler de terreur.

— Pakarel, descends du dos de Drext ! cria Victor en évitant un coup de tentacule. Maintenant !

Le pakamu obéit tout de suite et sauta dans l'eau du marécage. Une fois la sentinelle débarrassée de son passager, Victor cria :

— Drext, libère Maeva de ce tentacule !

Aussitôt, la sentinelle s'envola et se plaqua contre le tentacule du calmar juste avant que celui-ci avale Maeva, qui balançait dangereusement en direction du bec du monstre. Les pinces du robot se refermèrent sur l'énorme tentacule et un instant plus tard, le membre était sectionné, crachant un épais liquide verdâtre. La jeune femme chuta dans l'eau tandis que Victor évitait de justesse le tentacule sectionné et saisissait le bras de son amie pour la tirer loin du monstre.

— Comment est-ce qu'on tue cette chose ? cria Caleb, qui manqua de se faire fouetter par un des membres du calmar.

Maeva voulut répondre, mais Victor voyait bien qu'elle crachait encore de l'eau, toussant pour mieux respirer. Nathan reçut un coup de tentacule en plein ventre et s'envola sur une bonne dizaine de mètres avant de retomber dans les eaux marécageuses.

— Nathan ! lança Victor.

— Ça va ! répondit-il en se relevant, d'une voix peu convaincante.

— Son point faible ? rugit Caleb à nouveau.

— Le dessus... le dessus de sa tête est plus tendre ! toussota Maeva.

— Drext ! s'écria Victor.

En un vol plané, la sentinelle récupéra son maître et reprit de l'altitude. Le glaive pointé vers l'avant et se maintenant bien à D-rxt, Victor cria :

— Fonce !

Telle une flèche, la queue recourbée vers l'avant, la sentinelle s'abattit contre la tête du monstre. Victor retint sa respiration et... quelque chose frappa soudain la sentinelle, l'envoyant tournoyer dans les airs, droit vers un gigantesque arbre. Les pattes de D-rxt amortirent l'impact au dernier moment, avant de repartir à la charge. C'est alors qu'un rugissement lent et profond fit trembler l'air ; les tentacules du monstre se dressèrent vers le ciel, puis retombèrent sur le sol, complètement inertes. Le monstre chavira sur le côté, sa langue pendant de son bec, les yeux opaques et vides.

D-rxt freina sa course et se posa dans le marécage, et Victor descendit pour rejoindre ses amis. Ils virent alors le gros chapeau couvert d'une substance verdâtre se dresser tout en haut du calmar mort. Relevant la tête, Pakarel leur sourit, sa dague bleutée à la main.

— Tu es incroyable ! lui dit Victor en souriant, avec une expression démontrant qu'il n'arrivait pas à y croire.

— Je crois qu'il est mort, dit Pakarel d'un air peu convaincant.

— Tu l'as eu ! le félicita Maeva.

— Tu as plus d'un tour dans ton sac, répondit Nathan en souriant. Sacrée petite boule de poils, tu nous surprendras toujours.

— Je sais, je sais, répondit Pakarel en bombant le torse, la tête gonflée par les flatteries.

— Et moi qui croyais que tu te serais sauvé à la première occasion, dit Caleb d'un air stupéfait. Mais quand même. Bien joué, petit voleur.

Victor et ses amis étaient couverts du sang verdâtre du calmar. Par précaution, tous s'éloignèrent de la bête et se remirent en marche.

— Comment une saloperie aussi énorme peut-elle se cacher dans un marécage qui fait à peine une trentaine de centimètres d'eau ? s'étonna Nathan, qui essuyait le liquide verdâtre de ses cheveux avec dégoût.

— Ils creusent un tunnel depuis la rivière, dit Maeva. Ce que je vais dire est étrange, mais… le fait d'avoir abattu cette bête risque de nous faciliter la tâche.

Tous la regardèrent d'un air interloqué.

— Les gnolls tentent de tuer ce monstre depuis des mois, continua Maeva. Il a déjà tué deux de leurs enfants.

— Sale bête ! dit Caleb en crachant au sol.

— Avec tout le sang de calmar de boue que nous avons sur nous, continua la jeune femme, ils ne manqueront pas de preuves de notre exploit. Les gnolls seront beaucoup plus enclins à nous remettre votre officier.

Chapitre 20

La lettre d'Heblok

Un peu plus tard, lorsque Victor et ses amis furent finalement parvenus à quitter la zone marécageuse, ils s'arrêtèrent à une source d'eau claire pour se désaltérer et se nettoyer le visage et les mains, avant de se remettre en route vers le village de Maeva.

— Je ne te l'ai jamais demandé, mais... pourquoi tu as un robot comme ça, Victor ? demanda Pakarel, qui avait repris son poste de cavalier sur D-rxt.

— Parce qu'on me l'a donné.

— Pourquoi ? insista le raton laveur.

— C'est une longue histoire, répondit Victor d'un air vague.

Contrairement à ce que le jeune homme croyait, Pakarel n'argumenta pas. Il se contenta de dire, l'air rêveur :

— J'aimerais tant avoir une sentinelle, moi aussi !

— Pour que tu n'utilises plus tes jambes ? rétorqua Caleb. Et qu'elle te porte jusqu'aux pâtisseries, afin que tu puisses t'empiffrer sans effort physique ?

— En voilà une idée ! déclara Pakarel, l'air ravi.

Victor hocha la tête en souriant. Le pakamu l'étonnerait toujours.

— Nous y sommes, déclara Maeva en pointant son doigt au loin. Droit devant.

Au bout de cinq minutes, ils virent, non loin d'eux, ce que Victor considéra comme une palissade de bois qui montait au-delà des feuilles des arbres. Le jeune homme pouvait voir, à travers le feuillage, deux énormes tours, trouées de meurtrières qui projetaient une vive lumière jaune même en plein jour, et qui étaient ancrées aux extrémités de la palissade. Entre les deux tours se trouvait une énorme grille de fer, garnie de pics acérés et rouillés. Dans un roulement de chaînes, celle-ci fut hissée, dévoilant une porte de bois. On ouvrit la porte et un gnoll en sortit, vêtu d'un pagne coloré, puis attendit patiemment la venue de Victor et de ses amis.

— C'est ça, un gnoll ? murmura Nathan à Victor, qui hocha la tête.

— Bon retour, Maeva, déclara le gnoll d'une voix lente, lorsqu'ils furent arrivés à sa hauteur. Nous t'attendions.

— Merci beaucoup, Bok, dit Maeva en souriant. Nous avons vaincu le calmar de boue, ajouta-t-elle lorsque le gnoll regarda ses habits, l'air étonné. Il s'était tapi dans le marécage. C'est Pakarel qui l'a tué.

Bok détourna les yeux et reconnut Pakarel, chevauchant le scorpion mécanique. Ses yeux se plissèrent momentanément. Victor se souvint que le pakamu n'était pas le bienvenu parmi les gnolls. Cependant, le gnoll répondit :

— Le maire sera ravi de l'entendre.

— La sentinelle pose-t-elle un problème ? demanda Maeva. Le robot ?

— Non, répondit le gnoll, dont le visage de hyène s'attendrit aussitôt.

— Nous ne resterons pas longtemps, précisa Victor.

Bok lui envoya un hochement de tête.

— Comme vous le voudrez, dit-il. Soyez le bienvenu parmi nous.

Bok leur fit signe de passer, refermant la porte derrière eux. Alors que le mécanisme des chaînes faisait redescendre l'immense grille au niveau du sol, Victor et ses amis restèrent épatés de voir devant eux un village bondé de gnolls, qui s'étendait à perte de vue, composé de petites maisons de pierre dont le toit était fait en bois. Des chemins pavés sinuaient entre les maisons, des poules se promenaient un peu partout, et un gnoll puisait l'eau d'un puits un peu plus loin. Quelques têtes s'étaient tournées vers eux, mais la plupart des gnolls ignoraient la présence de Maeva et de ses amis. Au cœur de la ville, bien au loin, se trouvait un arbre gigantesque (probablement le plus gros que Victor eut jamais vu) entièrement dégarni de feuilles. Avec stupeur, le jeune homme réalisa qu'une large demeure était construite entre ses gigantesques branches. Ces dernières se terminaient en spirales et maintenaient des lanternes allumées même en plein jour, donnant à l'endroit une allure féérique.

— Ne tardez pas à rencontrer le maire, leur dit Bok avant de s'éloigner à travers les maisons.

— Wouah! dit Victor d'une voix éteinte. Moi qui m'attendais à des huttes. Sans vouloir t'offenser, ajouta-t-il rapidement en se retournant vers Maeva, qui lui lançait un air sévère.

— Bonté divine! lâcha Nathan, l'air étonné. C'est un royaume ou quoi?

— Cette maison, sur l'arbre, c'est un hôtel? demanda Caleb d'un air sarcastique. Un peu de repos ne nous ferait pas de mal...

— C'est la demeure du maire des gnolls, Heblok, répondit Maeva. C'est là que nous allons. Suivez-moi et ne touchez à rien! ajouta-t-elle à l'intention de Pakarel, qui avait tendu la main pour voler une pomme dans le panier d'un gnoll qui avait le dos tourné.

Pendant qu'il traversait la ville en compagnie de ses amis, suivant les chemins pavés, Victor ne cessait de regarder autour de lui. Les gnolls, ces créatures ressemblant à des hyènes humanoïdes, imposantes et d'allure primitive, vaquaient à leurs occupations journalières, comme n'importe quel membre d'une communauté. Leur ville était remarquablement propre et bien construite. Bien sûr, il manquait une grande partie de la technologie moderne, mais tout le reste demeurait pour le moins étonnant.

Au fur et à mesure qu'ils s'approchaient de l'arbre soutenant la maison du maire, Victor discernait de mieux en mieux ses caractéristiques. Ce n'était pas une maison en pierre comme toutes les autres du village, mais bien une demeure de style alsacien, haute de deux étages et recouverte de fenêtres, similaire à la maison de Leafburrow. Durant leur passage, quelques gnolls firent un signe de la main à Maeva, ou la saluèrent d'un signe de tête. L'image que Victor s'était faite des gnolls, lors de leur première rencontre, ne pouvait pas être plus différente de celle qu'il voyait maintenant.

— Heblok, demanda Victor à Maeva, c'est le chef que nous avons vu dans la jungle?

— Non. Lui, c'était Lore, un des lieutenants du maire. Il n'est pas très sympathique.

— J'avais remarqué, signala Victor avec un petit rire.

— Mais c'est une bonne personne. Beaucoup de vies ont été sauvées grâce à lui. Il a accompli de grandes choses pour le village. Quant à Heblok... eh bien, il a un sale caractère.

Victor et ses amis arrivèrent au pied de l'arbre qui servait de piédestal à la demeure du maire. Devant eux montait un large (et long) escalier en bois verni, orné de motifs dorés.

— La classe, murmura Nathan.

Depuis quelques années, Victor était parvenu à améliorer sa démarche, maintenant beaucoup plus fluide, ce qui lui rendit plus facile la montée de l'escalier. Arrivés tout en haut, Victor et ses amis essuyèrent la sueur de leur visage. Un petit jardin floral soigneusement entretenu s'étendait devant la vaste maison, coupé en deux par un chemin de dalles de pierre. Qui menait jusqu'au porche d'entrée.

— Laissons le robot ici, suggéra Maeva. Ce serait impoli de le faire entrer à l'intérieur.

— Tout à fait, approuva Victor. Pakarel, descends de Drext, s'il te plaît.

Le raton laveur s'exécuta tandis que le jeune homme ordonnait à sa sentinelle de se désactiver, près de l'escalier. Puis, Victor et ses amis s'engagèrent dans le chemin de pierre qui coupait le jardin en deux. Deux par deux, à cause de l'étroitesse du chemin, ils arrivèrent devant la double porte de la demeure. Pakarel se trouvait devant Maeva et Victor, comme un enfant.

— Il n'y a pas de gardes? s'étonna Caleb en regardant à gauche et à droite.

— C'est un village paisible, répondit Maeva. Personne ne veut de mal à quiconque, ici.

Maeva cogna deux coups à la porte. Durant quelques secondes, tous ajustèrent rapidement leurs habits et coiffures, ce qui était inutile ; ils étaient tous souillés de la tête aux pieds par le sang verdâtre du calmar. La porte s'ouvrit et un gnoll apparut, vêtu d'une robe de nuit et de pantoufles. Un monocle se trouvait devant son œil gauche. C'était assez loufoque de voir un gnoll habillé d'une telle manière, songea Victor, par rapport aux autres qui étaient tous vêtus de pagnes...

— Ah! Bonjour! leur lança-t-il en indiquant l'intérieur d'un geste du bras. Entrez, entrez.

Tous, à l'exception de Maeva et de Pakarel, échangèrent un regard avant d'entrer dans la demeure du gnoll. L'intérieur était aussi soigné que l'extérieur ; s'y trouvaient un plancher en bois verni, une belle moquette, des meubles de bonne qualité, un lustre au plafond et une horloge grand-mère qui ornait la salle à manger. L'escalier menant à l'étage était au fond, donnait sur le salon.

— Enlevez vos chaussures, dit le gnoll en dépassant ses invités sans leur accorder un seul regard, le dos voûté, avant d'entrer dans la cuisine.

Victor se dit que le maire était probablement âgé. Tandis que ses compagnons et lui retiraient leurs chaussures, la voix du gnoll se fit entendre depuis la cuisine :

— Du thé ?

— Oui, merci ! répondit Maeva.

Ne sachant pas trop s'ils devaient s'inviter eux-mêmes au salon, Victor et ses amis restèrent devant la double porte d'entrée, gênés. Le maire revint avec un cabaret en argent soutenant une théière et des tasses.

— Qu'attendez-vous pour passer au salon ? leur dit-il. Pour quel genre d'hôte me prenez-vous ?

Maeva gloussa d'un petit rire maladroit et lança un regard à ses amis, leur indiquant de passer au salon avec elle. Le maire s'installa dans un petit fauteuil rembourré et déposa le cabaret sur une table, en face de ses genoux. Au moment où Victor et ses amis s'apprêtaient à s'asseoir sur les deux sofas qui faisaient face au fauteuil, le gnoll leur lança avec protestation :

— Vous êtes aussi sales que des chiens errants ! Asseyez-vous plutôt par terre. Pas sur la moquette ! ajouta-t-il alors que Pakarel s'y était déjà installé. Sur le plancher de bois.

Une marche séparait le salon du hall d'entrée. Victor et ses amis s'y assirent dans une froideur extrême ; ils tentaient tous de dissimuler leur agacement.

— Merci, répondit le maire. Tenez, servez-vous, dit-il en servant les tasses une par une, avant de s'asseoir. J'attendais votre visite.

Puisque personne n'osait parler, Maeva prit la parole avant que le silence ne devienne pesant.

— Comment se fait-il que vous nous attendiez ?

— Lore m'a raconté votre rencontre, répondit le maire après avoir avalé une gorgée de thé. Je savais que tu allais revenir avec ces gens, ma douce enfant. Ils veulent l'humain.

Un silence s'installa. Caleb demanda alors :

— Monsieur le maire, pourriez-vous nous laisser cet humain ?

— Et pourquoi donc, jeune homme ?

— J'ai été faussement accusé d'un crime, dit Victor en prenant la parole avant que Caleb ait pu répondre.

— Un crime commis dans les terres des humains ? demanda le maire, fixant Victor d'un air intéressé.

— Oui, monsieur.

— Alors, tu n'as aucune chance ! Mise à part Maeva, les humains sont fourbes et vicieux ! Ne crois pas avoir de justice avec eux !

Victor et ses amis échangèrent un regard. Maeva était rouge de honte tandis que Nathan semblait légèrement agacé par cette remarque.

— Ils ne sont pas tous fourbes et vicieux, dit Pakarel en coupant le silence. Victor est quelqu'un de bien. Il est mieux que vous, ajouta-t-il en pointant son petit index vers le maire.

— Tu n'es pas en bonne position pour faire de telles remarques, petit vaurien ! gronda le maire après avoir avalé sa gorgée de travers. Tu n'as pas été banni de notre communauté pour rien, d'ailleurs ! Dois-je te rappeler tes méfaits ?

— Dois-je vous rappeler les vôtres ? rétorqua le pakamu.

Le visage de Pakarel se figea dans un air de défi. Avant de laisser l'animosité entre le maire et le raton laveur devenir le sujet principal de la conversation, Victor dit :

— Cet homme, l'officier Dujardin, représente la meilleure chance que j'ai d'être reconnu non coupable.

Le maire ramena doucement ses yeux vers Victor et demanda :

— De quel crime te croient-ils coupable ?

— Je ne sais pas s'ils me croient réellement coupable, ajouta Victor d'une voix honnête, mais je suis l'un des principaux suspects, voire le seul.

— Tu n'as pas répondu à ma question, mon garçon ! lança le gnoll avec agacement.

— Du meurtre d'un vieil ami. Je suis faussement accusé de meurtre.

— Et qu'est-ce que l'officier Dujardin pourrait faire pour t'aider, mmmh ? demanda le gnoll avec une expression de mépris.

Victor échangea un regard avec ses amis et Maeva dit :

— Nous espérons le raisonner.

Le gnoll siffla entre ses dents, l'air moqueur.

— Lore essaie de le faire parler depuis des heures, dit le maire. Il est têtu, ce Dujardin.

— Nous laisserez-vous le ramener avec nous ? demanda Nathan d'une voix qui laissait paraître son impatience.

Les yeux du gnoll parcoururent le visage de Nathan depuis son menton et s'arrêtèrent à la pointe de ses cheveux.

— Non, dit-il tranquillement. Je ne vous le laisserai pas.

— Pourquoi ? demanda Maeva d'un air déçu.

— Parce que les humains ont rompu le traité qui avait pour but de protéger nos terres. Et maintenant, la moitié de notre jungle, à l'extrême sud, a subi une déforestation massive.

Pakarel bondit sur ses pattes, l'air alarmé.

— Tu as bien compris, petite créature, le cimetière qu'était ton village a été anéanti.

Les yeux du pakamu s'humectèrent, puis de grosses larmes coulèrent sur ses joues. Maeva l'attrapa et le serra contre elle en lui murmurant des paroles bienveillantes. Nathan et Caleb avaient l'air interloqués, ne comprenant pas la situation. Victor, par contre, savait très bien que Pakarel tenait à son village pillé comme à la prunelle de ses yeux.

— Vous n'êtes qu'un sale porc! s'enflamma Pakarel. Je vous déteste!

— Bla bla bla, ricana le maire qui avait l'air bien satisfait de son coup.

Écœuré par l'attitude du maire, Victor se leva.

— Vous aviez ce genre de réaction, lorsque des parents venaient se plaindre que leur enfant avait été tué par un calmar de boue? dit-il d'un air défiant.

Le sourire malicieux disparut du visage du gnoll.

— Vous leur faites un commentaire fendant et déplaisant, sans doute? continua Victor.

Le maire restait sans voix.

— Eh bien, sachez que mes amis et moi avons pris la responsabilité de traquer cette bête et de la tuer, pour vous et vos enfants, mentit Victor. Voilà pourquoi nous sommes couverts de taches verdâtres!

Le gnoll cligna des yeux et répondit en balbutiant :

— Je... Oui, en effet, je...

— Et c'est Pakarel qui l'a abattu! ajouta Victor.

Cette dernière parole fut la cerise sur le gâteau. Le maire glissa un peu de son fauteuil, sa main velue et griffue sur son front, l'air abattu.

— C'est vrai? demanda-t-il finalement.

— Oui, c'est la vérité! répondit Maeva avec sévérité tandis que Pakarel s'était rassis sur la marche du plancher, le regard vide.

Quelques secondes plus tard, le gnoll se leva, l'air déconcerté, et s'avança vers Pakarel.

— Je te demande pardon, lui dit le maire.

Pakarel ne répondit rien. Son regard était inexpressif et sa mâchoire, entrouverte.

— Je... j'ai manqué de tact, continua le gnoll. Je n'aurais pas dû t'annoncer cela de cette manière. Me pardonneras-tu ?

Le raton laveur se leva lentement et marcha jusqu'au hall d'entrée, puis il enfila ses bottes. Victor prit sa canne, mit rapidement ses propres bottes et suivit son ami, qui quitta la demeure. À peine avaient-ils mis les pieds dehors que Caleb, Maeva et Nathan sortirent à leur tour.

— Il ne mérite pas que je lui pardonne, dit Pakarel à Victor. Heblok est une vieille canaille malicieuse. Je suis désolé, Victor, je ne voulais pas ruiner vos chances...

— Je te comprends, l'excusa aussitôt Victor. Nous trouverons un autre moyen. Allez, installe-toi sur Drext et n'en parlons plus.

Hochant la tête, le pakamu s'installa timidement sur la sentinelle. Soudain, un cliquetis de pattes survint. Tous portèrent leur attention vers le bruit ; c'était une coquerelle grosse comme un chat, avec une boîte aux lettres attachée sur le dos.

— C'est le facteur, commenta Maeva.

L'insecte prit délicatement une lettre dans la boîte, sur son dos, et la fit glisser sous la porte. Puis, elle s'élança trois fois contre la porte (d'une force remarquable) avant de s'en retourner à toute allure vers le grand escalier de bois.

— On s'en va, dit Caleb d'un ton maussade, en observant la coquerelle. On perd notre temps.

— C'est vrai, confirma Nathan.

— Retournons au vaisseau pour l'instant, suggéra Victor.

— Bonne idée, ajouta Maeva. Nous trouverons une autre façon de récupérer Dujardin...

Au même moment, la double porte s'ouvrit et le détestable maire vêtu de sa robe de nuit marcha vers eux.

— On vient de m'informer que le calmar a été retrouvé mort près des marécages de Lodol, dit-il d'un air attristé. Vous pouvez prendre Dujardin. Donnez cette lettre à Lore, il vous laissera le prendre avec vous.

Le gnoll tendit à Victor une lettre fraîchement scellée avec de la cire rouge, avant de faire volte-face et de retourner à l'intérieur de sa demeure, le dos voûté.

— Eh bien! dit Caleb. Ça aurait pu être pire, non? Allons rendre visite à ce Lore.

Victor leva le doigt pour indiquer à son ami de patienter.

— Pakarel, je peux te parler un instant?

Le pakamu hocha la tête en guise d'acquiescement.

— Bien, dit Victor en se tournant vers ses amis. Pouvez-vous nous attendre en bas? Ça ne prendra qu'un moment.

— Bien sûr, répondit Maeva, qui s'engagea dans l'escalier, suivie par Nathan et Caleb.

Le jeune homme s'assit sur la première marche et invita Pakarel à le rejoindre. Le raton laveur se laissa tomber de D-rxt et marcha à petits pas jusqu'à son ami pour s'asseoir près de lui. Lorsque Maeva, Nathan et Caleb furent hors de portée, Victor, qui jouait avec sa canne, demanda :

— Tu veux rentrer à ton village, Pakarel?

Victor tourna la tête vers le pakamu et croisa son regard. Ce dernier soupira et haussa les épaules. Il était vrai que le village de Pakarel n'existait plus, alors à quoi bon y aller, songea le jeune homme.

— Tu as parcouru tout ce chemin en ma compagnie, dit Victor à voix basse, tu as risqué ta vie et tu t'es battu à nos côtés depuis le début. Rien ne te retient à nous, maintenant que tu as ramené le livre à Maeva, ce dont je te remercie, ajouta Victor d'un ton complice et souriant, car le livre nous aura été fort utile. Pourtant, tu es toujours là. Pourquoi nous accompagnes-tu, Pakarel?

— Ma présence te dérange? demanda timidement le pakamu.

— Bien au contraire! lui assura Victor en écrasant le devant du chapeau de Pakarel sur son front, en guise de taquinerie. Ta présence est très appréciée!

Remontant son gros chapeau, Pakarel sourit.

— Alors, redemanda Victor, veux-tu retourner à ton village?

Pakarel hésita longuement.

— Non. Je ne veux pas.

— Tu es certain ? Je suis persuadé que Maeva t'accompagnerait. Moi aussi, d'ailleurs.

— Certain, je ne veux pas y retourner.

Victor hocha la tête d'un air satisfait.

— Et maintenant, peux-tu répondre à la question que je t'ai posée ? Pourquoi nous suis-tu ? Comme je te l'ai dit, tu as mis ta vie en danger, mais dans quel but ?

— Parce que tu es mon ami, répondit Pakarel, regardant ses petits pieds qui ne touchaient pas à la seconde marche.

— Est-ce qu'il y aurait une autre raison ? demanda Victor, qui n'était pas tout à fait convaincu.

Pakarel hocha la tête en signe de négation et n'ajouta rien. Il avait l'air tendu.

— Tu veux attendre avant de me l'expliquer ? lui dit Victor d'un air amical.

Pakarel fit un signe positif de la tête, puis sourit.

Victor aurait voulu sous-entendre à Pakarel qu'il en savait plus sur lui que ce dernier ne le croyait, mais trahir la confiance de Maeva était hors de question. Le jeune homme aurait aussi voulu demander à Pakarel la raison de l'animosité qu'il y avait entre le maire et lui, et surtout, pourquoi il avait été banni de la ville des gnolls. Mais pour le moment, il avait plus urgent à faire.

— Très bien, déclara Victor en se levant. Nous allons chercher cet officier désagréable. Tu viens avec nous ?

— Oui, répondit Pakarel. Euh, Victor ?

Le jeune homme, qui s'était mis à descendre les marches, tourna la tête vers le pakamu.

— Je peux retourner sur Drext ? demanda Pakarel avec un sourire, se tenant près de la sentinelle.

— Bien sûr, preux chevalier ! répondit Victor en lui envoyant un clin d'œil.

Une fois arrivés tout en bas, ils virent Maeva, Caleb et Nathan qui discutaient près de l'escalier.

— Vous êtes prêts ? demanda Maeva.

— Nous sommes prêts, confirma Victor.

— Tout va bien, vous deux ? demanda Caleb d'un air soucieux.

— Oui, répondit Pakarel.

— Maeva, tu sais où se trouve Dujardin ? demanda Victor.

— Probablement au baraquement des forces de l'ordre, répondit-elle. Allons y jeter un œil.

Victor et ses compagnons suivirent Maeva à travers les rues. La jeune femme indiquait à ses amis les bâtisses importantes de la ville, comme la taverne, l'école et même un club pour vieux gnolls qui venaient y jouer aux cartes.

— Drôle de facteur, dit Nathan en observant une grosse coquerelle filer à toute allure entre les jambes des passants, avant de disparaître dans la foule.

Au bout de quelques minutes, ils arrivèrent devant un grand bâtiment de pierre, semblable à un petit bastion. Une grosse porte double, semblable à celle d'un garage, barrait l'accès au bâtiment.

— Passons sur le côté, à droite, suggéra Maeva. C'est par là que nous pouvons entrer. À gauche, c'est pour les employés.

Victor et ses amis s'engagèrent dans une ruelle à moitié coupée du soleil, suivant Maeva. Leurs pieds glissaient sur le sol de pierre mouillé. Une porte en bois, illuminée de torches, était située en bas de quelques marches qui descendaient dans le sol.

— C'est par là, déclara Maeva.

Tous échangèrent un regard inquiet.

— Je vais rester dehors avec Drext, dit Pakarel.

— Moi aussi, dit Nathan. On vous attend.

— Très bien, dit Victor d'un air amusé. Un effort pour l'équipe, alors ! ajouta-t-il pour encourager Maeva et Caleb.

Puis, il descendit l'escalier en tête, pour arriver devant une porte de bois entourée d'une arche en pierre.

— Beurk ! dit la voix de Caleb, derrière Victor.

Le demi-gobelin regarda sous sa chaussure gauche.

— Je crois que ce sont les fientes d'un rat.

Victor ouvrit la porte de bois et tous se glissèrent à l'intérieur. Ils arrivèrent dans une pièce faiblement éclairée, d'allure sinistre. Un bureau était installé non loin d'eux et un gnome était assis devant. On entendait le grattement de sa plume sur le papier devant lequel il était penché. De grosses lunettes étaient installées sur son nez gonflé et son crâne chauve luisait de sueur. Il ne semblait même pas avoir remarqué l'entrée (plutôt bruyante) de Victor et de ses amis. Après un bref regard, Maeva s'avança la première vers le petit bonhomme et se plaça devant le bureau avant de s'éclaircir la gorge poliment.

— Bonjour, dit-elle timidement, avec un beau sourire.

Le gnome ne leva pas la tête. Caleb frappa avec force sur le bureau, du revers de la main. Le petit bonhomme sursauta avec exagération et Maeva regarda Caleb d'un air ahuri.

— Nom de nom de nom! grommela-t-il en replaçant ses lunettes.

— Hello, dit Caleb avec un sourire bien étiré.

Le gnome cligna des yeux, grossis par ses lunettes. On aurait dit une taupe.

— Vous êtes des sauvages ou quoi? leur lança le gnome d'un air furieux. On ne vous a pas élevés?

— Nous sommes vraiment désolés, couina Maeva.

— Je pourrais vous faire poursuivre! lança le gnome d'un air noir.

Caleb se contenta de masquer une expiration moqueuse.

— Nous sommes venus voir Lore, reprit aussitôt Victor en se grattant l'arrière de la tête, gêné par le geste de Caleb.

— Eh bien! dit le gnome en tournant ses gros yeux vers Victor, il ne prend pas de rendez-vous!

Victor insista cependant :

— C'est important! Voyez-vous, c'est au sujet du prisonnier du nom de...

— Pas... De... Rendez-vous! prononça froidement le gnome.

— On n'a pas besoin de son approbation, chuchota Caleb d'une voix sèche. Allons le trouver nous-mêmes.

Mais Victor secoua la tête. Il tira de sa poche la lettre qu'avait écrite Heblok.

— C'est de la part du maire, dit le jeune homme en la tendant au gnome.

Ce dernier la lui arracha des mains et l'ouvrit sans le quitter des yeux, tout en marmonnant des jurons, avant de se mettre à lire.

— Je croyais que c'était une ville de gnolls ? chuchota Victor à l'oreille de Maeva.

Mais le gnome l'avait entendu, et celui-ci répondit sans lever les yeux de la lettre :

— Transféré ici il y a deux ans. Meilleur salaire, lorsqu'on travaille à l'étranger.

Puis, le silence retomba. Maeva se balançait sur ses talons, Caleb sifflotait doucement et Victor épongeait son front.

— Je n'ai pas que ça à faire ! s'exclama le gnome en plaquant la lettre sur son bureau.

— Techniquement, la lettre ne vous était pas destinée, fit remarquer Caleb.

Sans même lui prêter attention, le gnome se leva et marcha vers une porte de bois située derrière son bureau. Il l'ouvrit et quitta la pièce. Victor, Maeva et Caleb le suivirent aussitôt.

— Ce petit homme devrait changer de travail, chuchota Caleb. Il n'a pas l'air de s'y plaire.

— Avec le genre de frousse que tu lui as donnée, lui rétorqua Maeva, il peut bien être d'une humeur massacrante !

Sans y être invités, Victor et ses amis suivirent le gnome à travers de longs corridors. Le petit réceptionniste traînait avec lui la lettre du maire, la ballotant de ses mouvements saccadés. Les corridors, éclairés par la lumière du jour, étaient entourés de hautes fenêtres en arche et sans vitre, qui donnaient sur ce qui semblait être un cloître dans lequel on pouvait voir de nombreux gnolls suivre un entraînement rigoureux.

— C'est une caserne, dit Victor en regardant les créatures. Ce sont probablement eux qui défendent la ville.

— Oui, acquiesça Maeva. Chacun des mâles de la tribu doit y consacrer deux années de sa vie, dès l'âge adulte.

Le gnome finit par s'arrêter devant une porte et y cogna trois coups.

— Entrez, dit une voix par-delà la porte.

Le gnome ouvrit la porte, puis annonça :

— Ces trois humains veulent vous voir, monsieur Lore. Ils ont une lettre du maire.

— Faites-les entrer, répondit la voix.

Le petit gnome s'écarta de la porte et tendit d'un geste brusque sa lettre à Victor, tout en lui lançant un regard désapprobateur. Puis, il retourna sur ses pas. Caleb poussa doucement Victor, qui fut forcé d'entrer dans la pièce en premier. La pièce était petite et vide, ses murs étaient faits de pierre, et l'on n'y trouvait qu'un simple bureau en bois derrière lequel se trouvait le gnoll que Victor, Pakarel et Maeva avaient vu la veille. Le jeune homme n'avait pas vraiment prêté attention au personnage fortement tatoué lors de leur première rencontre. Lore était un gnoll d'une carrure impressionnante et son visage de hyène était cicatrisé à plusieurs endroits. Le bout de l'une de ses oreilles semblait avoir été déchiré, mais de nombreux anneaux s'y trouvaient malgré tout.

— Tiens, tiens ! dit le gnoll qui avait levé les yeux pendant une seconde pour reconnaître ses invités, avant de replonger son regard sur un papier sur lequel il écrivait à grands coups de plume. Je me doutais bien que je te reverrais avec cet humain, Maeva.

— Bonjour Lore, dit-elle d'un air sérieux. Nous avons une lettre du maire pour vous. C'est au sujet du prisonnier.

Lore tendit sa main libre sans quitter des yeux son occupation. Victor la lui donna. Au bout de quelques secondes, Lore plongea sa plume dans l'encrier et se mit à lire la lettre.

— Vous voulez Thomas Dujardin ? conclut le gnoll. Très bien, ajouta-t-il en se redressant. Si c'est l'ordre d'Heblok, qu'il en soit ainsi. Le maire raconte aussi votre succès contre le calmar de boue. Bien joué à tous. Vous avez la gratitude de notre village.

— C'est Pakarel qui l'a tué, fit remarquer Victor.

— Vraiment ? s'étonna Lore. Ça ne lui ressemble pas. Peu importe. Veuillez me suivre.

Chapitre 21

Une mauvaise surprise

Le gnoll passa à côté d'eux et se dirigea vers un autre couloir, Victor et ses amis sur ses pas. La démarche de la créature, au dos légèrement voûté, était lente, mais précise. Ses bras musculeux et ses mains griffues étaient intimidants; Victor n'aurait pas voulu se trouver en mauvaise posture face à Lore.

— Attention aux marches, dit le gnoll en descendant trois marches qui menaient à une porte en fer, sur laquelle il cogna un bon coup.

Une trappe s'ouvrit à la hauteur de ses yeux.

— Fais-moi entrer, dit Lore.

La porte s'ouvrit aussitôt et un autre gnoll (armé d'une lance pneumatique) s'écarta du chemin. Une petite table de bois, sur laquelle étaient posés une chandelle et un jeu de cartes, se trouvait dans un coin, près de la porte. Seule la chandelle du gardien éclairait sinistrement l'endroit, mis à part deux ou trois fenêtres barricadées qui ne laissaient passer que quelques timides rayons de soleil. D'après la demi-robe noire du gnoll, son capuchon abaissé sur son front et le trousseau de clés qui pendait à sa ceinture, il était sans doute le gardien de prison. Ce dernier était beaucoup plus petit que Lore et arrivait aux épaules de Victor, malgré sa musculature avantageuse. Son regard donnait froid dans le dos — en grande partie du fait qu'il avait un œil de verre — et son visage était profondément cicatrisé.

— De la visite pour les prisonniers? dit-il d'un air amusé.

— Non, ils viennent chercher l'humain, répliqua Lore.

— Dommage, répondit le gardien d'un haussement d'épaules. Il est au fond à droite.

Victor et ses amis suivirent Lore et le gardien dans un corridor sombre, bondé de cellules aux barreaux de fer rouillés, alignées les unes en face des autres. La plupart étaient vides, mais quelques-unes laissaient entrevoir des silhouettes tapies dans l'ombre de l'endroit. La cellule du fond contenait un homme assis sur le sol, près des barreaux, le visage froid. C'était Thomas. Le gardien s'avança, glissa une clé dans la porte de la cellule et l'ouvrit dans un grincement métallique, avant de retourner à son poste.

— Thomas Dujardin, déclara Lore, tu es libre.

Sur ces mots, Lore fit volte-face et s'éloigna.

— Victor Pelham? dit la voix caverneuse de Thomas, qui avait les yeux fermés.

Le jeune homme avait la désagréable impression que l'officier avait deviné sa présence sans même le voir.

— Quelle surprise, continua l'homme. Je ne m'attendais pas à me faire ouvrir la porte de ma cellule par vous.

Puis, il ouvrit les yeux et croisa le regard de Victor. Son visage était froid, passif, et un petit sourire se dressa sur ses lèvres.

— Je suis libre, donc?

— Oui, répondit Victor avec froideur. Vous êtes libre.

— Je n'ai pas d'autorité en cette ville de gnolls, dit Dujardin de sa même voix pesée et froide. J'aimerais cependant vous rappeler que je dois vous ramener à Québec, monsieur Pelham.

Victor avait l'impression que Dujardin lui parlait d'un air sarcastique, comme s'il se moquait de lui, même s'il était incapable de discerner si c'était le cas. Thomas reprit la parole :

— Eh bien, si je suis libre...

L'officier se redressa lentement et fit craquer son cou. Victor, Maeva et Caleb lui obstruaient visiblement le chemin.

— Voudriez-vous me laisser passer? demanda-t-il d'un air poli, bien que sa forme physique exceptionnelle pour un humain et sa carrure d'athlète fussent suffisantes pour effrayer quiconque se mettrait en travers de son chemin.

— Nous avons quelques questions pour vous, dit Victor. J'espérais pouvoir vous parler avant de rentrer à Québec.

— À Québec? répéta Dujardin avec une curiosité amusée. Vous prévoyez de rentrer?

— Bien sûr. Je n'ai jamais cherché à fuir Québec. Je dois vous dire, je n'ai pas tué Balterforth-Ulrich Anselm von Liechtenstein.

— J'avais l'intuition que vous me diriez ça, un jour ou l'autre, répondit Thomas de son visage froid et légèrement amusé. Maintenant, excusez-moi.

L'homme tendit le bras entre Maeva et Victor pour passer, mais Caleb se plaça devant lui, l'air inflexible.

— Ça va, intervint Victor. Laisse-le.

Caleb haussa les sourcils et fit un pas de côté. Thomas lâcha un regard vers Victor et ses amis avant de poursuivre sa route vers la porte.

— Qu'est-ce qui te prend? demanda Caleb à Victor. On a besoin de cet homme! Nous sommes tous dans le même pétrin, ne l'oublie pas!

— Je ne l'ai pas oublié, lui assura Victor, qui suivait l'homme du regard.

Le regard sombre du gardien suivait aussi l'homme, tout en marmonnant des phrases incompréhensibles.

— Venez, continua Victor à l'intention de ses amis.

Tous suivirent les pas de Thomas, qui marchait à grandes enjambées en direction de l'entrée par laquelle ils étaient arrivés plus tôt. Tandis que Dujardin ouvrait la porte et marchait vers l'extérieur, Victor envoya un signe de tête au gnome qui le fixait de son regard noir, derrière son bureau.

— Où est-ce que vous croyez aller? lança la voix de Pakarel, depuis l'extérieur.

Victor, Maeva et Caleb montèrent l'escalier et se retrouvèrent dans la ruelle. Nathan et Pakarel (toujours installé sur D-rxt) faisaient face à Dujardin. Le raton laveur avait une lueur noire dans les yeux, tandis que Nathan ne semblait pas trop savoir comment réagir.

— Cette sentinelle ne serait-elle pas celle que vous tentiez de me cacher ? demanda lentement Dujardin avec un certain amusement.

— Je regrette, monsieur Dujardin, s'excusa Nathan, mais nous avons besoin de vous parler.

L'officier fit volte-face et son regard se plongea dans celui de Victor. Lui et ses amis entouraient Thomas.

— C'était donc votre sentinelle, monsieur Pelham ? Celle qui était sur le toit du bâtiment dans lequel vous m'avez échappé ?

Victor ignora la question et prit un moment avant de répondre poliment :

— Nous aimerions que vous restiez un moment. Pourriez-vous nous accorder la possibilité de vous raconter ce qui s'est réellement passé ? Par la suite, je me rendrai à Québec avec vous. Un vaisseau volant nous attend.

— Croyez-vous honnêtement être le seul à vouloir réfuter vos crimes ? ajouta Dujardin d'un air plein de mépris. Je n'ai que faire de vos excuses. Je m'en vais. L'un de vous veut-il vraiment tenter de m'en empêcher ?

Un froid vint s'installer sur la scène. Personne ne bougea, sauf Caleb, que Victor dut retenir d'une main sur sa poitrine, et Pakarel, que Maeva retint en le prenant dans ses bras. Ravi, Thomas ajouta :

— Bien, puisque personne ne s'y oppose…

Soudain, une voix familière sortie de nulle part l'interpella :

— Officier Dujardin !

Tous tournèrent la tête en direction de la rue ; le maire des gnolls s'y tenait, le dos voûté, vêtu de sa robe de nuit, en compagnie de deux gnolls armés. L'un d'eux était Lore, vêtu de son pagne coloré, tenant dans sa main gauche sa longue lance sertie de crânes et de plumes. Le jeune homme échangea un regard surpris avec ses amis.

— Vous ne quitterez cette ville qu'en compagnie de ces gens, continua Heblok d'un air sévère, tout en pointant Thomas de son long index griffu. Maeva, ma chère enfant, voudriez-vous vous assurer de leur départ et de m'en informer par la suite ?

— Évidemment, répondit la jeune femme d'une voix qui indiquait qu'elle ne voyait pas les choses autrement.

— J'irai avec eux, dit Lore d'un ton ferme. Je n'ai pas confiance en cet homme, ajouta-t-il en pointant Dujardin de son menton velu de hyène.

Thomas semblait irrité, mais son visage s'étira en sourire.

— Très bien, conclut-il en se tournant vers Victor. Monsieur Lupin, après vous.

Sous le regard attentif du maire, Victor mena son groupe vers la rue, puis tous se dirigèrent vers les portes de la ville. Le jeune homme avait aussi ordonné à D-rxt de surveiller Dujardin et de l'immobiliser à la moindre tentative de fuite. De temps en temps, Victor jetait un coup d'œil discret derrière son épaule et pouvait voir que Lore fermait la marche, le regard constamment rivé sur Dujardin qui, lui, ne semblait pas se soucier de grand-chose. Une fois arrivés à l'extérieur de la ville, Maeva rejoignit Victor en tête du groupe pour lui indiquer le chemin du retour (étant donné que le chemin était évident, Victor suspectait son amie de simplement vouloir être en sa présence).

La chaleur de la jungle, sous le soleil de midi, avait dangereusement grimpé. Victor et ses amis suaient abondamment. Quant à l'officier, son uniforme noir était souillé, déchiré et devait enfermer l'homme dans une chaleur étouffante, mais comme toujours, Thomas n'affichait aucun signe d'inconfort. En repassant dans les marécages, ils virent, à travers les quelques arbres, plusieurs gnolls, dont certains accroupis, près du calmar mort.

— C'est vraiment toi qui l'as tué, Pakarel ? demanda Lore, regardant la scène.

— Oui, avec l'aide de mes amis, répondit-il timidement.

— Tu m'impressionnes, répondit le gnoll au bout d'un court instant.

Victor envoya un clin d'œil amical au pakamu qui enfonça son chapeau sur sa tête, histoire de couvrir son visage souriant de gêne. Au bout d'un bon moment, Victor et ses amis finirent par traverser le marécage et mirent à nouveau les pieds dans la jungle tropicale.

Là, un ruisseau s'écoulait devant eux. Tout le monde s'y arrêta pour boire un peu.

— Nous sommes bientôt arrivés, déclara Maeva en portant de l'eau à sa bouche.

— Seigneur, dit Nathan avec extase après s'être désaltéré. Cette eau n'a rien à voir avec celle d'Alexandrie !

Lore ricana bruyamment.

— Elle n'a pas été souillée par la technologie des humains, voilà pourquoi.

Malgré quelques regards froids de la part de la part de Caleb et de Nathan, personne n'y trouva à redire. Soudain, une détonation survint au loin devant eux ; un tir d'arme à feu. Tous s'arrêtèrent tandis que quelques oiseaux s'envolaient brusquement des nombreux arbres. L'air inquiète, Maeva chuchota :

— Mais qu'est-ce que…

Une seconde détonation retentit alors. Victor se rua vers D-rxt et fourra habilement sa canne dans son compartiment. Lore, Caleb et Thomas tendaient tous l'oreille, l'air grave.

— Dépêchons-nous, s'alarma Nathan, ça vient du vaisseau !

— Je vais aller voir, dit le jeune homme à ses amis. De toute manière, à pied, je risque de vous ralentir. Pakarel, tu pourrais descendre ? Ça risque d'être dangereux…

— Je viens avec toi ! protesta-t-il d'une voix ferme.

— D'accord, renonça aussitôt Victor en montant sur la sentinelle. Drext, vole bas !

— Sois prudent, lui dit Maeva d'un air soucieux.

Victor lui fit un signe de tête et ajouta :

— Soyez sur vos gardes, si ce sont les Agas, nous devrons nous défendre.

La sentinelle de Victor s'envola aussitôt et fila en rase-mottes entre les arbres, laissant ses amis loin derrière. Au bout d'une longue minute de vol, Victor et Pakarel virent le vaisseau en forme de frelon apparaître entre les arbres. Liam et Marcus étaient affairés, épées et pistolets à la main. Tous deux se battaient contre des assaillants que

Victor n'arrivait pas à voir. La sentinelle se posa avec lourdeur sur le sol, près du vaisseau.

— Pakarel, non! lança Victor, d'un geste instinctif de la main pour retenir Pakarel, qui s'était élancé à toute vitesse vers Liam et Marcus.

Dégainant son arme, Victor descendit de la sentinelle et lui dit :

— Va protéger Pakarel!

La sentinelle bondit en l'air et disparut aussitôt du champ de vision de Victor. La canne et le glaive à la main, Victor avança d'un pas rapide, mais saccadé vers ses amis. À peine venait-il de contourner l'engin volant que le jeune homme tomba nez à nez avec une horrible créature : un squelette humain se tenait devant lui, la gueule entrouverte, et qui dégageait une odeur immonde. De longues vignes, couvertes de feuilles, s'entortillaient à travers le corps de la créature, comme si elles faisaient office de nerfs.

Bougeant avec une rapidité étonnante, la créature balança avec maladresse sa main squelettique vers Victor. Celui-ci, les sens affaiblis par la fatigue, n'eut pas le temps de réagir et reçut le coup en plein visage, ce qui lui fit presque perdre l'équilibre. Victor sentit sa lèvre gonfler alors que du sang lui coulait dans la bouche. Le jeune homme grogna de douleur et, cette fois, parvint à éviter le second coup que le squelette lui lança. La créature tituba dans son élan et se retrouva dans une position fâcheuse. Lâchant sa canne, Victor saisit son glaive à deux mains et dans un rugissement rageur, il trancha la tête du squelette d'un seul coup.

— Saleté de monstre tout droit sorti d'un conte de fées! gémit-il en crachant du sang sur le sol.

Quelque chose bougea sur le sol. Victor bondit instinctivement vers l'arrière, manquant de trébucher; la créature que Victor avait décapitée s'était mise à gesticuler. Soudain, il entendit la voix de Marcus.

— Victor!

Le gros homme noir bien musclé arriva à grandes enjambées, une carabine à la main et une écorchure maculée de sang sur l'épaule.

— Tu dois l'achever, sinon elles vont se reformer ! lui dit Marcus d'une voix rapide. Je vais te montrer.

Marcus leva sa grosse botte et l'abattit fermement sur la cage thoracique de la créature qui se fracassa comme des brindilles de bois. Puis, l'homme recommença, brisant la tête décapitée, les bras et les jambes du squelette.

— Qu'est-ce que c'est ? demanda Victor.

— Ce sont des squelevignes, dit-il d'une voix essoufflée une fois qu'il eut terminé. Parasites. Qui se forment dans les ossements morts et les utilisent comme protection.

Liam apparut à leur gauche, en compagnie de Pakarel (qui était assis sur D-rxt). Tous deux semblaient sains et saufs.

— Ça rappelle Ichabod, tu ne trouves pas ? lança Liam d'un air amusé.

— Ichabod ? répéta Pakarel. C'est qui ?

Un martèlement de pas annonça l'arrivée des autres. Caleb était en tête, suivi par Thomas, Maeva et Lore.

— Que s'est-il passé ? demanda Maeva d'un air inquiet.

— Squelevignes, répondit Lore avant Victor.

Non loin des autres, le gnoll analysait maintenant un squelette de sanglier, inerte, qui était l'hôte d'un squelevigne.

— Ils ne sont pas dangereux, conclut-il.

— Où est Hol ? demanda Caleb, les sourcils froncés. Marcus, je t'avais demandé de…

— Du calme, l'interrompit Liam. Hol est dans le vaisseau. Nous l'avons enfermé pour qu'il ne soit pas blessé par le squelevigne que Marcus a dérangé.

— Blessé ? répéta Caleb en trottant vers le vaisseau. Hol, être blessé par un squelette atrophié ? Il les aurait tués sans problème !

Victor et ses compatriotes suivirent Caleb des yeux jusqu'à ce qu'il disparaisse dans la cale de l'engin volant.

— Les squelevignes n'attaquent pas les gens, dit Maeva d'un air mal assuré. Comment se fait-il qu'ils vous aient attaqués ? Ce sont des plantes pacifiques…

— Des parasites, rectifia Marcus d'un ton amer.

Liam ricana et dit :

— Explique-leur, Marcus, sinon je le ferai pour toi.

Le visage de Marcus s'assombrit, prenant un air massacrant.

— J'avais envie d'aller aux toilettes, dit-il à contrecœur, le visage furieux. Je voulais un peu d'intimité ! J'suis allé à une dizaine de mètres du vaisseau, et j'ai trouvé un squelette.

Il y eut une longue pause, suffisante pour que Victor déduise par lui-même le reste de la situation et décide de l'expliquer à voix haute.

— Attends… tu… tu as uriné sur le squelette, car tu trouvais ça drôle, et là tu as eu une mauvaise surprise ?

Le visage de Marcus se renfrogna et ses yeux fuirent tout regard.

— Et tu t'es rendu compte que le vulgaire squelette était un squelevigne… donc tu l'as attaqué ? continua Nathan. C'était pour ça, les coups de feu ?

— Mouais, gronda Marcus.

— Ridicule, lâcha Nathan en riant fortement.

Liam laissa échapper un rire moqueur en masquant son visage de sa paume.

— Ce n'est pas drôle ! vociféra Marcus avec colère. Bon, maintenant qu'on a l'officier, lâcha-t-il en jetant un regard noir à Dujardin, allons-nous-en. Je n'aime pas ce pays.

Sur ce, Marcus fit volte-face et entra dans l'engin volant.

— Heureux de t'avoir rencontrée, lança Nathan à Maeva, lui tendant une main qu'elle serra aussitôt. Merci et bonne chance.

Nathan salua ensuite Pakarel, avant d'inviter Thomas à monter à bord du vaisseau et de le suivre. Liam fit ses adieux et salua cordialement Lore.

— Rejoins-nous vite, dit-il à Victor avant de retourner au vaisseau.

Le jeune homme acquiesça d'un signe de tête et envoya D-rxt se désactiver dans la cale du vaisseau. Un instant plus tard, les moteurs de l'engin s'allumèrent. Victor était planté là, sans voix, devant Lore, Maeva et Pakarel. Il n'avait pas du tout imaginé qu'ils étaient arrivés au bout de leur aventure commune. Il devait maintenant rentrer à Québec et répondre de ses actes. Sans Pakarel et Maeva, deux amis grâce auxquels les péripéties des derniers jours avaient pu être surmontées. Victor se gratta l'arrière de la tête, mal à l'aise. Lore prit alors la parole.

— Bonne chance à toi, l'humain, dit-il en tendant sa grosse main griffue.

Victor la lui serra et sentit ses puissantes griffes frotter contre sa peau.

— J'espère que ces hommes que nous avons tués lors de notre première rencontre n'étaient pas tes amis.

— N... non, pas vraiment, répondit Victor.

Lore acquiesça d'un signe de tête et ajouta à l'intention de Pakarel et de Maeva :

— Pakarel, notre maire veut te rencontrer. Tu devras rentrer avec nous aujourd'hui. Je vous attends près de cet arbre. Ne tardez pas.

Puis, le gnoll laissa seuls Victor et ses deux amis. Le jeune homme s'efforça de sourire et balbutia :

— Bon, eh bien... euh...

— Je ne veux pas rester ici, dit Pakarel d'un ton ferme. Je veux venir avec toi, Victor.

Le jeune homme haussa les sourcils.

— Pakarel, tu ne préfères pas retourner à...

— Je ne retournerai plus à mon village, dit le pakamu d'un ton ferme. Il n'existe plus. Je veux vous accompagner. Je veux vous aider à convaincre l'officier que tu n'es pas l'assassin de ton ami. Après, je retournerai à Ludénome. Je m'y plais bien.

Victor, qui avait ouvert la bouche pour dire quelque chose, la referma aussitôt.

— Très bien, dit-il finalement. File retrouver les autres.

Pakarel se tourna vers Maeva et tendit les bras dans le vide, comme un enfant qui veut se faire prendre. La jeune femme tomba sur un genou et se blottit dans ses petits bras.

— Reviens me voir, c'est d'accord ? lui dit-elle d'une voix douce.

— C'est promis ! répondit Pakarel, puis il se rua vers le vaisseau.

Maeva se redressa alors que les deux amis regardaient Pakarel monter la passerelle menant à la cale de l'engin volant. Puis, leurs regards se croisèrent. Victor ne savait pas quoi dire, ni Maeva d'ailleurs, car elle se contenta de se blottir dans les bras du jeune homme, la tête contre son épaule. Ils restèrent ainsi pendant de longues secondes. Victor passa finalement sa main dans les cheveux de son amie et se dégagea doucement d'elle.

— Merci de m'avoir aidé, lui dit-il finalement.

— C'est moi qui te remercie, lui dit-elle, souriante, en essuyant une larme au coin de son œil.

Ne sachant pas quoi dire, même s'il aurait voulu lui avouer qu'elle allait tout simplement lui manquer, Victor se retourna et marcha en direction du vaisseau, sans se retourner. Il sentait que Maeva le regardait toujours et se retourner risquerait de faire chavirer son cœur déjà fragilisé par l'idée de la quitter. Il allait atteindre la passerelle du gros vaisseau dans quelques secondes, il quitterait ce pays tropical dans lequel il avait vécu de grandes aventures, affronté des créatures dangereuses et, surtout, résolu le mystère de la mort de Balter et réglé le cas de son assassin. Le seul prix à payer serait donc de laisser Maeva derrière lui…

Soudain, un froissement de feuilles le tira de ses pensées. Des pas martelaient le sol frénétiquement. Victor pivota en direction du son. Une jeune femme bondit depuis un bosquet de fougères, accourant vers lui, les bras tendus. Avant même qu'il ait pu esquisser le moindre mouvement, deux lames bleutées bourdonnantes d'énergie jaillirent des mains serties de bagues de la jeune femme. Quelque chose fit perdre l'équilibre à Victor qui chuta au sol, comme si on l'avait frappé derrière le genou. L'agresseuse manqua sa cible ; le jeune homme vit les épées fendre l'air à l'endroit où il se trouvait une fraction de seconde plus tôt. Instinctivement, il roula hors de portée de la jeune femme et se redressa péniblement, mais rapidement. Pakarel se tenait dos à Victor, sa dague en verre bleu dégainée. C'était donc lui qui l'avait poussé hors d'atteinte de la jeune femme.

Victor reconnut alors son visage haineux, déformé par la colère ; c'était Mila. Seulement, sa peau était d'une blancheur maladive et ses veines, visibles sur toute la surface de son corps, étaient gonflées et noircies. En position d'attaque, comme un fauve, le dos voûté et une main sur le sol, elle fixait le jeune homme avec démence.

Caleb sortit de nulle part, ses épées fouettant l'air vers la jeune femme qui les évita sans peine. D'un geste de parade, elle trancha l'une des lames du demi-gobelin comme un couteau chaud fendant le beurre, avant de le plaquer au sol d'un féroce coup de pied.

— C'est une blague !? lâcha Caleb en laissant tomber son pommeau sectionné.

Nathan, Marcus et Liam dévalèrent la passerelle du vaisseau, tous armés, criant à Victor de s'éloigner. Nathan attaqua le premier et tira plusieurs coups de feu vers Mila. La jeune femme prit trois coups en pleine poitrine, mais malgré les éclaboussures de sang, elle se rua vers Victor, ses armes tournoyant dans ses mains. Le jeune homme évita un coup d'épée qui trancha une plaie profonde dans le flanc d'un arbre. Marcus passa à l'assaut et assena une rafale de coups d'épée vers la jeune femme, qui les évita avec une grâce effrayante. Puis, elle planta l'une de ses lames dans le ventre de Marcus, qui s'effondra sur ses genoux sans un bruit.

— Marcus ! cria Nathan avec rage. Marcus, mon vieux !

Mila tenait tête à elle seule à la totalité du groupe de Victor ; personne n'osait s'approcher d'elle, ni même de Marcus.

— Pakarel, cours rejoindre Maeva, ordonna Victor. Pa… ?

Le pakamu n'était plus là. Victor reçut alors un impact puissant au niveau du menton, qui l'envoya s'écrouler lourdement sur le sol. Mila l'avait frappé d'un coup de pied sauvage. Soudain, un scintillement bleuté apparut au coin des yeux de Victor ; la dague de l'assassin de Balter échangeait une série de coups qui s'entrechoquaient dans une pluie d'étincelles contre les armes énergiques de Mila. C'était Pakarel. Il bondissait, évitait, parait, attaquait avec une rapidité féroce. Victor entendit le cri de Maeva qui courait vers eux, accompagnée de Lore. Soudain, un bruit attira l'attention du jeune homme ; la dague de Pakarel était tombée sur le sol.

Maeva hurla à nouveau à travers les cris de Liam, de Nathan et de Caleb. Mila tenait maintenant Pakarel sous son pied, à un mètre de Victor. Lore courait à quatre pattes, comme un animal, sa lance serrée dans sa gueule féroce. Il plaqua Mila au dernier moment, libérant ainsi Pakarel, et l'entraîna au sol. Avec un cri de rage, la jeune femme repoussa le gnoll et l'attaqua avec véhémence. Lore avait évité une bonne partie des coups lorsqu'un jet de sang jaillit de son bras. Le gnoll grogna de douleur et recula.

Caleb, Liam et Nathan se remirent à l'attaque, mais personne n'osait s'approcher des armes énergiques de la jeune femme. Victor se releva, saisit la dague de l'assassin et se dirigea d'une démarche titubante vers Mila. Arrivé juste derrière elle, il leva le bras pour frapper, mais la jeune femme se retourna et para le coup de dague avec l'une de ses épées. La dague bleutée quitta la main de Victor et virevolta dans les airs. C'était fini, se dit Victor mentalement. Il allait mourir, ainsi que ses amis. Il regrettait amèrement d'avoir envoyé D-rxt dans la cale du vaisseau, car avec sa machine, il aurait peut-être pu vaincre Mila. La jeune femme prononça une phrase dans un dialecte inconnu avec agressivité. Puis, elle brandit ses armes vers lui.

Tout le reste se passa en un instant. La jeune femme fut tirée vers l'arrière puis jetée au sol. Thomas laissa tomber de sa main gauche une poignée de cheveux arrachés tandis que de sa main droite, il planta la dague en verre dans le cœur de Mila. Elle cracha une gerbe de sang et ses yeux roulèrent vers le haut. Elle était morte. Victor se tenait debout, face à Dujardin, et tous deux regardaient le corps sans vie de la jeune femme.

— Comment s'est-elle retrouvée dans notre monde? grommela Marcus, se tenant près de Victor, une main plaquée sur son ventre taché de sang.

— Marcus, mon vieux, ça va? dit Nathan en tendant la main vers son ami, qui la rejeta d'un geste.

— Je vais bien, grogna-t-il.

— C'est bien elle, la jeune femme de ton rêve? demanda Liam qui venait d'arriver avec Pakarel, Nathan et Caleb.

— Ouais, acquiesça Victor. C'est… c'est bien elle.

— Mais… pourquoi n'était-elle pas invisible ? s'étonna Caleb d'un air songeur. Les premières fois… seul Victor pouvait les voir…

— Elle n'avait pas son système de camouflage optique, devina Victor. Sinon, je l'aurais pressentie, comme avec Balter et Léonard. J'aurais eu cette désagréable sensation…

Il se remémora en frissonnant l'aiguille glacée qui lui perforait le bas de la colonne.

— Cette femme succombait déjà à l'air de notre monde, dit Liam les sourcils froncés. Elle allait mourir et a décidé de t'emporter avec elle.

— Et dire que le rêve de Victor était vrai, marmonna Nathan d'un air incrédule. Je te croyais, mais… Ça alors…

Victor étira son bras par-dessus l'épaule de Maeva, qui avait rejoint le groupe en compagnie de Lore, et personne n'échangea un mot pendant de longues secondes.

— Qui est-elle ? demanda finalement Thomas de sa voix lente et grave.

— C'est une femme venue de l'autre monde, répondit simplement Victor. Je sais que vous ne me croirez pas, mais…

L'officier l'interrompit aussitôt et dit brusquement :

— En effet, je ne vous aurais pas cru, monsieur Pelham. Mais, après avoir vu des armes translucides qui apparaissent de nulle part et qui coupent le bois avec facilité, ainsi que cette…

Thomas passa la dague bleutée sous ses yeux, l'air incrédule.

— … arme qui dégage du froid, continua-t-il, d'un matériau visiblement inconnu, qui plus est, eh bien, je me pose effectivement des questions.

— Victor n'a pas tué Balter, monsieur Dujardin, dit poliment Liam. C'est une personne comme elle, venue d'un autre monde, qui en est responsable.

L'officier ne répondit rien. Il passa sa main sur ses joues masquées d'une barbe naissante, puis sur son crâne rasé.

— Vous me raconterez cette histoire en route vers Québec, ajouta-t-il en tendant sa dague à Pakarel.

Le pakamu reprit l'arme avec un sourire joyeux. Victor et ses amis échangèrent un regard complice.

— Votre bras, s'inquiéta le jeune homme en posant son regard sur Lore. Ça ira ?

— Nous avons une trousse médicale... si vous voulez, ajouta Nathan en pointant le vaisseau.

— Ça ira, merci, refusa poliment Lore. Je ne sais pas qui était cette humaine et je ne tiens pas à le savoir. Vos affaires restent vos affaires. Je retourne à mon village. Pakarel, Maeva ?

— Je ne rentrerai pas avec vous, déclara Pakarel. Je pars avec Victor.

Lore plissa les yeux.

— Très bien, comme tu veux. Par contre, lorsque tu reviendras au pays, reviens voir le maire. Heblok veut probablement te faire des excuses au nom de tous les gnolls.

— Je vais aussi partir avec Victor, déclara subitement Maeva, avant que ses yeux ne rejoignent ceux du gnoll.

Lore parut plus qu'étonné, ainsi que Victor et les autres. Caleb avait un sourire moqueur.

— Que dis-tu ? répéta le gnoll. Tu quittes le village ?

— Je suis désolée, Lore, s'excusa Maeva d'une faible voix en s'approchant du gnoll.

Elle posa sa main sur son bras musculeux.

— Vous avez été bons pour mon père et moi, toi et les autres, continua Maeva. Mais la compagnie des gens comme moi me manque.

Lore hocha la tête lentement.

— C'est compréhensible, dit-il. Je veillerai à ce que ta maison reste ta maison. Si jamais tu veux revenir nous voir, tu auras un logis.

Maeva rougit et balbutia :

— Oh ! non, Lore, je t'assure...

Mais le gnoll leva la main pour interrompre la jeune femme.

— Tu auras ta demeure parmi nous, un point, c'est tout.

Puis, après un bref signe de tête aux autres, Lore fit volte-face et disparut dans la jungle.

— Je peux vous accompagner ? demanda Maeva en regardant tout le groupe.

Victor ne put s'empêcher de sourire. Gêné de croiser le regard de son amie, il baissa les yeux.

— Bien sûr ! répondit Liam en souriant. Il y a bien assez de place pour tout le monde à bord.

— Que fait-on d'elle ? demanda Caleb d'un signe de menton vers le cadavre de Mila.

— Vous voulez l'enterrer ? suggéra Nathan.

Victor et ses amis échangèrent un regard qui signifiait bien que personne n'avait envie de lui faire un tel honneur.

— Laissons-la pourrir ici, lâcha Marcus en crachant sur le sol.

— Attendez, dit Pakarel en s'approchant du corps.

Le raton laveur se pencha, une main sur son chapeau, et retira les deux bagues de la jeune femme. Puis, il les tendit à Victor.

— Il ne faudrait pas que quelqu'un d'irresponsable tombe dessus, dit Pakarel en replaçant son chapeau.

Victor sourit à son ami et fit glisser les bagues dans sa poche.

Un instant plus tard, tout le monde était monté dans le vaisseau et la passerelle s'élevait doucement. L'engin volant décolla et s'envola en direction du nord. Marcus était couché dans un compartiment qui faisait office de chambre, sur le même lit que Victor avait utilisé quatre années auparavant, lorsque ses amis et lui avaient quitté Iavanastre. Liam pilotait le vaisseau tandis que les autres étaient assis dans la cale, mangeant des fruits. Dujardin, quant à lui, restait à l'écart, assis et adossé à une caisse, les yeux fermés. Victor l'observait du coin de l'œil tandis qu'il jouait aux cartes avec Pakarel et Caleb.

— Si jamais tu veux revenir, fais-nous signe, dit Nathan à Maeva. Nous te ramènerons au Belize. Même chose pour toi, Pakarel.

Le pakamu lui répondit d'un signe de tête.

— C'est gentil, répondit la jeune femme.

— Où iras-tu vivre ? poursuivit Nathan.

La jeune femme haussa les épaules, croqua dans sa pomme et dit :

— Je trouverai bien un endroit et du travail.

— Tu pourrais venir travailler pour nous, offrit Nathan. On manque de personnel…

— Sans façon, s'excusa poliment Maeva en souriant. J'ai d'autres projets.

Victor savait très bien que la jeune femme méprisait le Consortium au plus haut point. Lorsque le jeune homme jeta à nouveau un œil vers Dujardin, celui-ci le regardait. L'officier prit alors la parole.

— Monsieur Pelham, voudriez-vous me raconter votre histoire ? Je crois que ce serait… dans votre plus grand intérêt.

Chapitre 22

L'investigation de Dujardin

Tous les regards se braquèrent sur Victor et Dujardin tandis qu'un silence s'installait dans la cale. Seul Hol, couché près de D-rxt, sur un lit de paille, lâcha un petit cri.

— Très bien, répondit Victor en posant ses cartes. Pakarel, tu permets ?

Le pakamu hocha la tête positivement avec vigueur.

— Je préférerais vous parler en privé, ajouta l'officier. Pouvons-nous emprunter l'un des compartiments ?

— Prenez la porte juste avant la chambre de Marcus, répondit Nathan.

Victor prit sa canne et se redressa péniblement ; sa tête tournait, la fatigue commençait à lui peser sur les épaules.

— Vous sentez-vous bien ? demanda Thomas sans la moindre expression de souci.

— Ouais, répondit aussitôt Victor en se frottant le front.

Sous les yeux de ses amis, Victor quitta la cale pour s'engouffrer dans l'étroit couloir qui menait à la cabine de pilotage, mais il tourna à la première porte et l'ouvrit. C'était une chambre. En voyant le désordre et les pots de gel à cheveux, Victor comprit que c'était celle de Nathan. Après un bref coup d'œil, il s'assit sur le bout du lit, dont les ressorts grincèrent fortement, puis fit un signe de main vers la chaise pour inviter Dujardin à s'y asseoir.

— Merci, dit Thomas en s'asseyant.

Ce dernier défit quelques boutons du haut de son costume noir et souffla un bon coup. Puis, il retroussa ses manches pour laisser apparaître ses avant-bras gonflés de muscles.

— Alors, dit-il en changeant de position sur sa chaise. Pourquoi avez-vous fui la scène de crime, si vous n'êtes pas son auteur ?

Victor avait mentalement visualisé cette conversation à plusieurs reprises les jours précédents, mais à cet instant, il ne se souvenait plus de la manière idéale qu'il avait choisie pour entamer son récit. Il allait devoir improviser au fur et à mesure, et surtout ne pas oublier de détails importants. Après une bonne inspiration, il commença :

— Ce soir-là, je suis resté au cabaret plus longtemps que prévu.

— Je sais, dit l'officier. J'y étais.

Victor, qui ne s'attendait pas du tout à cette remarque, garda la bouche entrouverte, étonné.

— En revenant chez moi, en fin de soirée, continua-t-il, j'ai remarqué quelque chose d'anormal.

Dujardin le regardait d'un œil attentif.

— Les lumières étaient éteintes. Généralement, notre maison est la seule à être tout illuminée, même très tard. Cela m'a paru étrange.

— Pourquoi les lumières restent-elles allumées, même tard ?

— C'est Clémentine. Elle les laisse allumées pour éviter que je trébuche quand je rentre le soir.

— Clémentine, c'est la gobeline ? La nièce de Balterforth ?

— Oui. Je la considère comme ma petite sœur.

L'officier hocha la tête.

— Continuez, dit-il.

— Lorsque je suis entré, tout était sombre. J'étais naturellement suspicieux. Au bout d'un court moment, j'ai entendu du bruit provenant de l'atelier. Lorsque j'y ai accouru, j'ai découvert... Balter. Il était mort.

Victor ferma les yeux. Ces événements s'étaient déroulés à peine quelques jours plus tôt et tout cela lui était encore bien pénible. Il rouvrit les yeux un moment plus tard.

— Clémentine et Nika, une amie qui vit avec nous, précisa Victor, sont alors entrées par la double porte de l'atelier, qui donne sur l'extérieur.

— Nika ? répéta Dujardin. Annika Nikolaevna ?

Victor acquiesça d'un signe de tête.

— Elles avaient été retenues à l'extérieur par Caleb, le demi-gobelin qui est avec nous.

Les sourcils de l'officier se froncèrent.

— À ce moment-là, je ne le savais pas, mais Caleb poursuivait un meurtrier... invisible et quasiment indétectable. Ayant réalisé que ces assassins ciblaient des gens bien précis — des hommes et femmes de science —, Caleb s'était élancé vers Québec. Évidemment, il ne pouvait pas empêcher le meurtre de Balter. Pas contre des gens avec de telles... facultés. Il a donc installé un piège qui nous a permis de suivre le tueur à la trace.

— Ces assassins ont un rapport avec cette femme qui vous a attaqué, monsieur Pelham?

— Oui.

— Poursuivez.

— Laissant mes amies derrière moi avec le corps de Balter, je suis descendu au sous-sol et j'ai réactivé ma sentinelle, Drext, pour retrouver Caleb. C'est là qu'il m'a avoué ses intentions. Nous avons conclu, par la suite, que nous partirions tous les deux vers Alexandrie, pour essayer de localiser l'assassin. Puisque le piège utilisé par Caleb était...

— ... de la lueur collante? lâcha Thomas.

— C'est exact, avoua Victor, un peu étonné.

— Nous en avons trouvé des traces à votre demeure, expliqua l'officier. Continuez.

Victor frotta ses yeux fatigués et enchaîna:

— J'avais demandé à mes amies de se rendre à la maison d'un ami et de contacter les forces de l'ordre de la ville. Nous sommes donc allés les rejoindre pour leur expliquer notre plan.

— Annika semble être une femme sensée, ajouta Dujardin, ne vous a-t-elle pas suggéré de nous laisser faire notre travail?

— Bien sûr, dit Victor en levant la main d'un geste las. Mais nous ne pouvions pas attendre. Sans vouloir vous offenser, je doute que vous nous ayez crus.

Ce fut l'un des rares moments où Dujardin sourit sans un air sarcastique.

— J'ai donc décidé de prendre les devants et de partir avec Caleb. Nous avons fait un détour par Ludénome, car son père, un gobelin, lui avait demandé de récupérer un livre qui pourrait nous être utile ; ce qui se révéla être vrai. En chemin, nous avons rencontré Pakarel, qui s'est joint à nous.

— Et pourquoi ?

Victor eut un sourire en se remémorant le raton laveur qui avait tenté de voler le livre de Dweedle Fislek.

— Car il voulait le livre du père de Caleb. Il avait l'intention de le voler, mais puisque nous l'avions pris avant lui…

— Et que contenait ce livre ? le coupa Dujardin.

— Des renseignements concernant les ruines mayas. Dweedle, le père de Caleb, s'y est beaucoup intéressé durant sa jeunesse. Lorsque nous sommes arrivés à Alexandrie, nous nous sommes dirigés vers le quartier général du Consortium, là où Caleb travaille avec tous les membres que vous avez vus ici.

— Quel intérêt avaient-ils à vous prêter main-forte ?

— Liam et moi sommes amis depuis quelques années. C'est aussi le copain de Nika. Liam est proche de nous, même si Nika et lui n'ont jamais vécu ensemble.

— Le blond au mohawk, le demi-gobelin et le costaud travaillent pour lui ? demanda Dujardin en voulant parler de Nathan, de Caleb et de Marcus.

Victor hocha la tête positivement.

— On peut dire ça. Enfin bref, avec l'aide de Liam et de ses hommes, nous avons été en mesure d'évaluer la position de l'assassin. Il retournait sans cesse, à une vitesse incroyable, à une destination bien précise : le Belize.

— Aux ruines mayas ? devina Dujardin.

— Oui. Nous avons décidé de partir le lendemain. Durant la soirée, vous êtes arrivés.

— Où étiez-vous caché ? demanda Dujardin d'un air amusé. Sincèrement ?

— Sous le lit. Avec une toile qui m'a dissimulé.

L'officier hocha la tête doucement.

— Je savais bien que vous étiez sur les lieux, surtout avec cette sentinelle sur le toit.

— Cette soirée-là, répondit Victor d'un air sombre, vous n'avez pas été le seul visiteur. L'assassin de Balter s'est introduit dans le quartier général du Consortium et a tenté d'assassiner Léonard de Vinci. Par chance, Caleb et moi étions éveillés et nous avons pu empêcher son meurtre. Caleb a été blessé et moi, j'ai réussi à blesser l'assassin. Puis, il a disparu, laissant derrière lui sa dague, celle qui dégage du froid. C'est à ce moment-là que je l'ai reconnu. Je l'avais vu auparavant. Il était à la billetterie des quais de dirigeables de Londres, ainsi qu'au cabaret, le soir du meurtre de Balter.

Dujardin fronça les sourcils.

— Il était vêtu d'une robe maya, ajouta Victor, sachant très bien que l'officier n'avait pas pu le voir.

— J'ai une mémoire photographique, dit Thomas d'un air suspicieux, et je n'ai jamais vu cet homme dans l'auditoire, ce soir-là.

Victor sourit.

— Ça, c'est parce qu'il était invisible à vos yeux. Mais moi, je pouvais le voir. Je sais, ça paraît idiot, mais je vous assure que c'est la vérité.

— Et pourquoi pouviez-vous le voir et pas les autres ?

— Parce que je suis originaire du même monde que lui, avoua Victor en tentant d'avoir l'air sérieux.

Il y eut un court silence. Dujardin fixait Victor avec un air indéchiffrable.

— Je pourrais vous faire passer un test psychologique, dit finalement l'officier. Surtout après de telles déclarations.

Le jeune homme ne répondit rien. Il s'attendait à une telle réponse.

— Mais... après avoir vu cette femme dans la jungle, continua Thomas, une partie de moi vous croit. L'autre demande de plus amples explications.

Victor baissa la tête un moment, fouillant dans ses pensées. Il savait ce qu'il devait faire, au risque de paraître encore plus fou.

— Vous avez entendu parler du scandale de l'Institut de Saint-John et des enfants qui y étaient utilisés ? dit-il sans relever la tête.

— C'est très noble de votre part d'avoir acheté l'orphelinat, monsieur Pelham, mais ce n'est pas le sujet de…

— J'y étais pensionnaire durant toute mon enfance, le coupa Victor.

Thomas haussa les sourcils.

— Vous voulez savoir pourquoi je suis encore en vie ? Eh bien, j'ai une longue histoire à vous raconter. Ça remonte à quatre années auparavant. Mais avant, laissez-moi terminer mon récit actuel. Étant donné que Léonard avait été attaqué, j'ai décidé de partir tout de suite, tandis que les autres allaient contacter les forces de l'ordre. En même temps, il était préférable pour moi d'éviter de vous croiser.

— Et comment avez-vous quitté la ville, vous et le pakamu ?

— Avec le dirigeable de Manuel, un métacurseur, répondit Victor en se souvenant du mal de tête qu'il avait ressenti après avoir été assommé. Il se trouvait à la taverne de la ville.

— Le brigand d'Iavanastre ? s'assura Dujardin, un sourcil levé.

Victor confirma d'un hochement de tête.

— Nous avons rencontré quelques problèmes à notre arrivée au Belize, continua le jeune homme, pris de frissons en se souvenant de la tortue-dragon. Nous avons été séparés, mais Pakarel et moi avons fini par nous retrouver. Pour ce qui est de la suite, vous la connaissez : vous et vos amis nous avez retrouvés.

Dujardin hocha lentement la tête.

— Je présume que vous avez découvert pourquoi votre assassin se rendait au Belize ?

— Oui, répondit aussitôt Victor. Des centaures nous ont conduits à ces ruines, qui étaient en fait celles du tombeau d'une femme, enterrée ici depuis des milliers d'années, dénommée Ixzaluoh.

— Et que contenait ce tombeau ?

— Deux choses, répondit Victor en montrant son index et son majeur. La première était l'assassin de Balter, mort des mêmes symptômes que présentait la femme qui nous a attaqués dans la jungle.

Le jeune homme sortit les deux anneaux de sa poche.

— La seconde chose qui s'y trouvait était un anneau comme ceux-ci, dit-il en les présentant à Dujardin, au fond de sa paume. Lorsque je l'ai touché, j'ai perdu connaissance. Par la suite, j'ai fait un rêve qui s'est avéré… plutôt étrange. Mais avant que je vous raconte ce rêve, laissez-moi revenir en arrière. Je vous ai dit tout à l'heure que j'étais sorti vivant de l'Institut de Saint-John. Eh bien, laissez-moi vous expliquer.

Un sourire s'étira au coin des lèvres de l'officier.

Le jeune homme résuma brièvement, avec les détails nécessaires, son aventure pour retrouver la Fleur mécanique. Dujardin l'écouta sans dire un mot, l'air absent. Victor savait cependant que l'homme l'écoutait avec une grande attention.

— Maintenant que vous savez pourquoi je suis toujours en vie, d'où je viens et pourquoi j'utilise un faux nom à l'étranger, je vais maintenant vous expliquer le rêve que j'ai fait dans le tombeau.

Victor expliqua alors tout ce qui s'était passé avec son grand-père, tout en assurant à l'officier, à plusieurs reprises, que tout ceci n'était pour lui qu'un rêve invraisemblable. À la fin de son récit, Victor remarqua que Thomas avait le regard vide, perdu, et un silence s'installa dans la pièce. Le jeune homme ne pouvait blâmer Dujardin d'une telle réaction, surtout pas après ces révélations.

— Ce que vous dites est très difficile à croire, monsieur Pelham, dit finalement Thomas, le regard toujours vide. Je ne m'attendais pas vraiment à ce genre de choses. Je ne sais pas quoi penser.

— Tout le monde ici vous dira la même chose que moi, monsieur Dujardin. Vous avez vu comme moi ces armes qui n'appartiennent pas à notre monde, ajouta Victor en faisant un signe de tête vers les anneaux, maintenant posés sur une petite table.

Dujardin tira sa montre de sa poche et la consulta.

— Nous devrions arriver à Québec demain matin, dit-il en rangeant sa montre.

Il se leva et ajusta son complet.

— Comme vous vous en doutez, dit Thomas, je vais questionner l'équipage en entier.

Victor sourit poliment, mais au fond, il était bien content que Dujardin veuille questionner tout le monde ; ça l'aiderait forcément à gagner en crédibilité. Le jeune homme se leva à son tour et Dujardin lui ouvrit la porte.

— Envoyez-moi Caleb, demanda-t-il à Victor. J'ai deux ou trois choses à lui demander.

Victor hocha la tête et rejoignit ses amis. Dès qu'il mit le pied dans la cale, les conversations stoppèrent et les têtes se tournèrent vers lui.

— Dujardin veut tous vous voir, dit Victor. Je vous raconterai ce que je lui ai dit, lorsque vous serez revenus. Il veut commencer par toi, Caleb.

— Maintenant ? s'étonna le demi-gobelin.

— Oui.

Le jeune homme alla s'asseoir sur le sol et s'adossa au mur, la canne sur les cuisses. Ses paupières étaient lourdes.

— Tu m'as l'air exténué, lui dit Maeva, qui s'installa près de lui.

— Je le suis, sourit le jeune homme.

— Dors un peu, je te réveillerai plus tard, lui assura Maeva en passant sa main sur son front. Tu es presque fiévreux.

Les paupières de Victor tombèrent aussitôt et il s'imagina sur le banc de son piano, montrant une pièce à Clémentine, tandis qu'ils riaient. La neige tombait à l'extérieur et quelques enfants façonnaient des bonshommes de neige. Victor ouvrit brusquement les yeux. Pakarel se tenait devant lui, les mains tenant quelque chose.

— J'ai cuisiné une tarte, dit-il d'un air jovial. Tu en veux ?

Victor regarda de gauche à droite. Il était seul dans la cale avec Pakarel.

— Tout le monde est à la cuisine, dit Pakarel. Maeva vient tout juste de quitter la pièce, elle a veillé sur toi pendant près de trois heures, pendant que tu dormais.

Se frottant les yeux, Victor réalisa qu'il ne rêvait plus. Il consulta sa montre de poche. Il était bientôt 17 h.

— Tu en veux? répéta Pakarel en tendant une assiette contenant une pointe de tarte aux raisins sous le nez du jeune homme.

— Merci, répondit Victor en souriant.

Il prit l'assiette, ainsi que la fourchette que Pakarel lui tendait, et goûta la tarte sans vraiment avoir faim; il ne voulait simplement pas décevoir son ami. Après avoir pris une première bouchée, Victor haussa les sourcils; la tarte était tout simplement délicieuse, même si la pâte était un peu brûlée.

— Ch'est bon! dit Victor, la bouche pleine de tarte chaude. Comment as-tu préparé ça?

— Il y a tout le nécessaire pour cuisiner dans le vaisseau, y compris un four, dit Pakarel. Ce n'est pas une vraie cuisine, mais j'ai quand même trouvé les ingrédients nécessaires pour faire une tarte.

Pakarel se laissa tomber sur son derrière, sa queue entre ses petites jambes et ses grosses bottes. Il retira son chapeau et le posa sur ses cuisses. Victor trouvait toujours amusant de voir le raton laveur sans son chapeau démesuré.

— Tu crois que ces gens vont encore venir nous embêter? demanda-t-il à Victor.

Le jeune homme savait de qui Pakarel voulait parler. Il avala sa dernière bouchée de tarte et prit son temps pour mastiquer avant d'avouer:

— Je ne sais pas. J'ai suivi les instructions de mon grand-père à la lettre… et pourtant, cette femme est revenue.

— Tout le monde parlait de ça, tout à l'heure, dit Pakarel en jouant inconsciemment avec son chapeau.

Victor le regarda d'un air interrogateur.

— De quoi exactement?

— De cette femme qui t'a attaqué. Ça a confirmé les doutes de certains… au sujet de ton rêve.

— Les doutes de qui?

— Marcus et Nathan, dit Pakarel. Ils… ils ne te croyaient pas entièrement.

Cette révélation fit naître une certaine déception dans le cœur de Victor. Même s'il ne savait que trop bien que tout le monde n'aurait pas cru ses dires sans preuve, Victor s'était fait à l'idée que ses compagnons l'avaient entièrement cru au sujet de son étrange voyage vers les trois royaumes d'Orion. Pourtant, Marcus et Nathan, tout comme Liam, savaient très bien qu'il venait d'un autre monde.

— Et toi et Caleb? Vous m'avez cru sans aucune arrière-pensée?

— Moi, je t'ai cru, dit Pakarel d'un ton énergique. Caleb et Maeva aussi. J'en suis sûr. Ils ne cessaient de te défendre contre les arguments de Marcus.

— Qu'est-ce qu'il disait? demanda le jeune homme, les sourcils froncés.

— Rien de vraiment intelligent, répondit Pakarel en replaçant son chapeau sur sa tête. Un sanglier qui grogne serait plus agréable à écouter.

La porte de la cale s'ouvrit lentement. C'était Caleb.

— Bien dormi, princesse? lui lança-t-il.

Ne pouvant s'empêcher de sourire, Victor lui fit un signe de tête positif.

— Les choses s'annoncent bien pour nous, dit Caleb en allant flatter la tête de Hol, qui dormait sur un lit de paille.

— Qu'est-ce que tu veux dire? demanda Victor.

— Dujardin a interrogé tout le monde durant les dernières heures, répondit le demi-gobelin. Il sera bien forcé de nous croire. Ou de tous nous faire arrêter et incarcérer pour folie. Ça serait cool, non? On pourrait faire des concours de «celui qui défait sa camisole de force le premier».

Victor, Pakarel et Caleb rirent.

— Ce n'est pas tout, ajouta le demi-gobelin lorsque le calme fut revenu. Dujardin nous a expliqué qu'aucune charge de complicité criminelle n'était retenue contre le Consortium.

Victor haussa les sourcils.

— Pourquoi? demanda-t-il, surpris.

— Il n'a pas expliqué, répondit le demi-gobelin en hochant la tête. Mais Liam est persuadé que Léonard y est pour quelque chose. Ce vieux désagréable a probablement passé un accord avec les autorités d'Alexandrie. Bref, rien n'est retenu contre nous. Nous sommes libres comme des oisillons.

C'était une excellente nouvelle, songea Victor qui souriait, le regard perdu dans le vide.

— Caleb, je peux te poser une question? demanda le jeune homme. Où vis-tu, au juste?

— Il n'y a pas vraiment d'endroit où je vis, dit-il d'un air décontracté, comme si ça ne l'importunait pas. Je dors à gauche et à droite, mais depuis deux ans, je dors au quartier général du Consortium.

— Pas très confortable, lâcha Pakarel.

— Non, en effet, admit Caleb.

— Liam, Nathan et Marcus y vivent aussi? s'étonna Victor en se remémorant qu'en effet, les deux hommes avaient dormi dans le dortoir avec eux, lors de leur séjour à Alexandrie.

— Non, répondit Caleb. Ils ont tous un appartement à Alexandrie.

— Tu comptes travailler pour le Consortium toute ta vie? demanda Victor.

— Faut bien vivre, répondit le gobelin en haussant les épaules. Et puis, quel autre travail me permettrait d'avoir un œil constant sur Hol?

— Décrasser les dirigeables et les machines volantes qui ne peuvent pas se poser au sol? dit Pakarel.

— Je préfère le Consortium à ce travail-là, dit Caleb en riant.

La porte de la cale s'ouvrit de nouveau. Cette fois, c'était Liam.

— On devrait arriver à Québec à l'aube, dit-il au groupe.

Victor lui sourit en guise de réponse, même s'il le savait déjà.

— Victor, reprit Liam, je suis désolé, mais nous ne pourrons pas être là pour ton procès.

— Qui ça, nous? fit remarquer Caleb d'un air curieux.

— Tous ceux qui travaillent pour le Consortium, rétorqua rapidement Liam. Toi y compris, Caleb, si tu veux ton salaire.

— Et pourquoi nous ne pourrons pas être là ? demanda le demi-gobelin, visiblement agacé.

— Un petit village dans le nord de la France est terrorisé par un monstre, dit Liam d'un air léger, comme si de rien n'était. Les forces de l'ordre du coin n'ont pas pu faire grand-chose.

— Pourquoi nous ? demanda Caleb avec un brin d'impatience.

— Parce que nous sommes des mercenaires, répondit Liam d'un air sarcastique. Nous faisons la sale besogne que les gens ne veulent pas faire par eux-mêmes. Ça paie.

Caleb ne répondit rien, mais il était facile de lire sur son visage qu'il n'avait aucune envie de faire ce voyage.

— C'était ce que ta mère voulait de la compagnie ; qu'elle fasse le bien. Du moins, avant qu'Isaac ne l'utilise à ses fins démentielles.

Liam se gratta la tête et fixa le sol pendant un instant, l'air agacé, puis dit :

— Bon, si tu veux rester avec Victor pour son procès, tu peux, mais tu devras revenir à nous dès que possible.

— D'accord, répondit Caleb sur un ton qui contenait un peu de déception.

Liam fit volte-face et avant de sortir par la porte, il ajouta par-dessus son épaule :

— Victor, je suis désolé de ne pas pouvoir être là avec Nathan et Marcus…

— Ce n'est rien, répondit le jeune homme en souriant. Vous m'avez énormément aidé. Sans vous, je ne serais pas ici. Merci, vraiment.

Liam ne répondit rien. Il lui adressa un bref sourire en guise de réponse puis disparut dans le couloir principal du vaisseau.

— Caleb, il y a une douche dans ce vaisseau ? demanda Victor avec espoir.

Le demi-gobelin lâcha un bon rire.

— Le petit prince ne supporte pas très bien quelques jours sans se laver ? ajouta-t-il d'un air moqueur. Voyons, Victor, il n'y a pas de douche ici !

Le jeune homme soupira avec amusement.

Le soir venu, Victor passa les dernières heures avec Caleb, Pakarel et Maeva, tous installés par terre dans la cale, autour d'une chandelle, à jouer aux cartes. Mais un sujet de conversation remplaça rapidement le jeu : évaluer les diverses possibilités qui pourraient arriver durant le procès de Victor. Tous en étaient venus à la conclusion qu'il n'irait pas en prison. Ils l'encourageaient sans cesse en lui disant qu'il ne pouvait pas être condamné sans preuve.

— Ils ne peuvent pas te condamner, dit Caleb d'un ton assuré. N'y pense plus, d'accord ?

— Caleb a raison, l'appuya Maeva. En plus, je crois que Dujardin est de notre côté.

Malgré la conviction de ses amis, Victor ne pouvait se défaire de l'idée qu'il pourrait passer les prochaines années de sa vie derrière les barreaux. C'était une idée horrifiante. Il n'ajouta rien, préférant recommencer à jouer aux cartes afin de se changer les idées.

— Pourquoi le piano, Victor ? demanda Pakarel durant la partie.

Le jeune homme lui lança un air interrogateur.

— Pourquoi tu as choisi ce métier ? précisa Pakarel.

— C'est une bonne question, avoua Victor en jouant une carte. Caleb, je t'ai eu.

Le demi-gobelin grommela et jeta une carte.

— Le piano, répéta Victor. Au début, ce n'était pas par amour de la musique. Loin de là. Je me suis découvert un don naturel pour le piano. Je n'aimais pas vraiment ça, mais c'était facile.

En fait, Victor était doué avec n'importe quel instrument, mais le piano était le plus répandu, et le plus payant à enseigner.

— Avec le temps, poursuivit-il, j'ai commencé à y prendre goût. Me voilà pianiste.

— Et homme d'affaires, ajouta Caleb avec un clin d'œil complice.

Maeva et Pakarel échangèrent un regard curieux.

— Homme d'affaires ? répéta Maeva.

— Je suis propriétaire d'un orphelinat, dit Victor d'un air modeste.

— D'un orphelinat ? répéta Maeva, la bouche entrouverte.

— Tu es riche ? demanda Pakarel d'un ton joyeux.

Victor rit silencieusement.

— Avec de tels investissements, je ne suis pas vraiment riche, non.

— C'est l'orphelinat dans lequel tu étais étant enfant ? demanda Maeva d'une petite voix.

— Oui, c'est le même, avoua Victor.

La jeune femme n'ajouta pas un mot, mais elle était visiblement émue. La porte de la cale s'ouvrit et Dujardin entra. Tout le monde tourna la tête vers lui.

— Je viens de contacter les forces de l'ordre de Québec, déclara-t-il de sa même voix caverneuse et lente. Ils sont au courant de votre arrivée.

Victor sentit un frisson lui parcourir le dos. Pendant un court moment, il était parvenu à oublier cette réalité.

— Votre procès aura lieu à 8 h, ajouta l'officier.

— Huit heures ? répéta Caleb, l'air outré. C'est bien trop tôt !

— Ce n'est pas ma décision, répondit Dujardin d'un air froid. Je vous conseille de passer une bonne nuit de sommeil, monsieur Pelham.

Dujardin alla s'asseoir dans un coin sombre de la cale, sous les regards de Victor et de ses amis. Au même moment, Nathan arriva dans la cale. Étant donné qu'il se faisait tard et qu'il n'y avait que trois lits, ces derniers furent attribués à la courte paille. Pakarel, Nathan et Dujardin furent les heureux gagnants. Naturellement, Dujardin renonça à sa chambre et préféra dormir sur le sol. Quant à Nathan, il laissa la sienne à Maeva, et Pakarel offrit son lit à Victor.

— Tu en as bien plus besoin que moi ! rétorqua Pakarel alors que Victor tentait de refuser. C'est ton procès, demain matin !

Finalement, Victor céda et, incité par tous ses amis, il alla se coucher dans le lit. Soucieux de sa malpropreté et ne voulant pas imposer sa saleté au propriétaire de la chambre, il préféra rester habillé cette nuit-là. Environ 30 minutes après qu'il eut fermé les yeux, sans trouver le sommeil, on cogna timidement à sa porte.

— Entrez, dit-il en tournant la tête vers la porte.

La porte s'ouvrit ; c'était Maeva. Victor, qui était couché sur le dos, se redressa sur ses coudes.

— Je suis venue te souhaiter bonne nuit, dit-elle.

— Bonne nuit à toi aussi, lui répondit Victor.

La jeune femme voulait visiblement ajouter autre chose, mais sa bouche se refermait à chaque fois. Elle finit par lui envoyer un beau sourire, et quitta sa chambre.

Le bruit des moteurs de l'appareil réveilla Victor. Un fin rayon de soleil perçait dans une grille d'aération, près du plafond. La tête lourde d'un sommeil à demi récupéré, Victor se leva, prit sa canne, et sortit de sa chambre. Il pouvait à présent entendre la voix de Marcus. Le jeune homme se dirigea au bout du couloir et arriva, près du cockpit, dans une petite pièce dans laquelle il y avait une banquette et une table ancrée au sol. Marcus et Nathan s'y trouvaient, buvant un gobelet de café.

— Bon matin, lui sourit Nathan. Bien dormi ?

— Pas vraiment, avoua Victor en souriant.

— Ça se comprend, grommela Marcus.

— Café ? offrit Nathan.

Victor hocha la tête positivement et s'installa sur la banquette avec les deux hommes. Ils avaient tous deux l'air exténués ; il était clair qu'ils n'avaient pas fermé l'œil de la nuit. Nathan, qui versait du café dans une tasse, dit d'un air navré :

— On te dépose et on repart aussitôt. C'est dommage.

— Je sais, dit Victor en prenant sa tasse café. Ce n'est pas grave.

Il en but quelques gorgées. Le liquide était bien trop chaud, bien trop amer, mais au moins, ça réveillait. La porte du cockpit s'ouvrit et Liam en sortit.

— On arrive dans 20 minutes, annonça-t-il.

Chapitre 23

L'audience

Le vaisseau se posa à l'extérieur de l'enceinte de la ville, près d'un petit village de campagne, puisqu'une loi interdisait l'atterrissage des machines volantes dans la cité fortifiée de Québec. Lorsque la passerelle du vaisseau s'abaissa sur l'herbe mouillée du matin, une diligence tirée par deux chevaux costauds les attendait, à côté de laquelle se trouvaient trois officiers, les mains derrière le dos. Tout le monde descendit du vaisseau, Victor en tête. Lorsque Hol et D-rxt apparurent, les officiers reculèrent d'un pas, la main sur le pistolet de leur ceinture. Le premier était bedonnant, moustachu et portait un chapeau qui semblait exercer une pression inconfortable sur son visage dodu. L'un des deux autres était jeune, l'air tendu, le visage en sueur. Le dernier officier était en fait une femme au visage dur, dont les traits étaient pointus, et à l'air hautain.

— Monsieur Victor Pelham, déclara le moustachu de sa voix bourrue. Vous êtes en état d'arrest…

Dujardin leva la main pour l'interrompre.

— Ça va, officier Picard, dit-il sur un ton froid. Mon client est au courant de ce qui l'attend.

Victor, comme tout le monde, sembla surpris du mot utilisé par Dujardin.

— Votre client ? répéta l'officière.

— Vous m'avez bien compris, continua Thomas d'une voix sérieuse en croisant le regard de Victor, je représenterai monsieur Victor Pelham en tant qu'avocat de la défense.

Le visage de l'officier Picard vira au rouge et sa moustache touffue sembla se hérisser tandis qu'il balbutiait :

— Je… vous… Mais vous n'avez jamais… C'est insensé !

— Épargnez-moi vos balivernes, répondit Dujardin. J'accompagnerai moi-même mon client jusqu'au palais de justice.

— En tant qu'avocat de la défense, rétorqua Picard d'un ton fulminant, vous n'avez pas l'autorité pour...

— Je suis au courant des lois de notre ville, le coupa Dujardin. Je suis aussi officier de premier rang. Le seul à Québec. Dois-je vous rappeler l'étendue de mes fonctions et de mon autorité? Ainsi que de mes nombreux diplômes me permettant d'être avocat ou procureur de la Couronne?

— Je... Non, bien sûr que non, bégaya l'officier joufflu.

— Vous avez un problème avec mes décisions?

— Non, répondit Picard, dont les joues menaçaient d'exploser.

— Bien. Maintenant, veuillez retourner à Québec, j'accompagnerai mon client à pied jusqu'à la ville.

Dujardin jeta un œil à sa montre de poche.

— Nous avons amplement le temps.

Sans dire un mot, les trois officiers sautèrent dans leur diligence et celle-ci s'éloigna sur le chemin principal menant à Québec.

— Monsieur Dujardin, dit Maeva, nous vous remercions énormément...

Victor crut voir un mince sourire sur les lèvres de Thomas.

— Monsieur Pelham, dit-il, je dois vous passer les menottes, il serait mal vu que vous m'accompagniez sans.

Victor présenta ses poignets sans protestation et Thomas lui menotta les mains sous les yeux horrifiés de Pakarel, de Caleb et de Maeva.

— Cependant, vous pouvez faire le voyage sur le dos de votre sentinelle, ajouta Dujardin. Vous devez être fatigué de votre voyage.

La tension qui régnait dans l'air se dissipa aussitôt, et tout le monde lâcha un sourire. Victor se hissa avec peine sur D-rxt, en raison de la fatigue qui l'accablait. Nathan, Marcus et Liam s'approchèrent de lui pour lui serrer la main à tour de rôle.

— C'est ici que nos chemins se séparent, dit Nathan. Nous avons du boulot en France.

— Je sais, répondit Victor avec sourire.

— Bonne chance, lui dit Marcus avec une féroce poignée de main. Passe nous voir, lorsque tu seras libéré de prison… Je blague ! ajouta-t-il aussitôt après avoir croisé le regard cinglant de Maeva.

Finalement, Liam posa sa main sur l'épaule de Victor et l'observa avec un petit sourire.

— Tu m'étonneras toujours, Victor, dit-il. Tu as du cran et tu as du cœur au ventre.

Victor ne sut quoi dire, il se contenta donc de sourire timidement.

— Présente mes excuses à Nika, continua Liam, elle sera probablement furieuse de ne pas m'avoir vu… surtout que j'étais censé venir la voir le lendemain du meurtre...

— Je le ferai, répondit Victor.

— Tu as toutes tes affaires ? demanda Liam sur un ton plus léger.

Victor hocha la tête et dit :

— Mes armes sont dans les compartiments latéraux de Drext.

Liam lui tapota une dernière fois l'épaule et se tourna vers le demi-gobelin.

— Quant à toi, Caleb, ne tarde pas trop. Nous aurons sans doute besoin de tes connaissances et de tes talents. Nous aurons affaire à des créatures dangereuses.

Caleb hocha la tête en signe d'acquiescement. Après avoir salué tout le monde, Liam, Nathan et Marcus retournèrent dans leur vaisseau et ce dernier décolla aussitôt vers le soleil montant.

— Victor, je peux monter avec toi ? demanda Pakarel.

Quelques minutes plus tard, le petit groupe était en marche sur le chemin principal menant à Québec, qui séparait les terres des paysans. Victor et Pakarel étaient installés sur D-rxt, Maeva était assise sur Hol qui était dirigé par Caleb, marchant à côté, et Dujardin marchait près de D-rxt.

— Vous avez décidé de me croire ? demanda Victor à Dujardin.

— Mettre en doute votre parole reviendrait à faire incarcérer chacun d'entre vous, répondit Thomas, ainsi que tous les membres du Consortium.

Il tourna la tête vers Victor et ajouta d'un air sérieux, mais sarcastique :

— Ça coûterait beaucoup trop cher à la Ville. Surtout durant cette période économique précaire. En réalité, reprit-il d'un air plus sérieux, c'est Léonard qui a convaincu les autorités de laisser tranquille le Consortium. Il sait convaincre les gens.

Dujardin avait prononcé cette dernière phrase avec un brin d'amertume, sans doute parce qu'il avait lui-même été berné par le gnome inventeur. Vingt minutes plus tard, ils passaient les portes de la cité de Québec. Les passants changeaient de trottoirs à la vue de D-rxt et de Hol, tout en les pointant du doigt, l'œil désapprobateur. Au début, le jeune homme croyait que sa sentinelle intimidait les gens, mais il fut forcé d'admettre que les regards sinistres qu'on lui lançait étaient dirigés vers lui. L'affaire de Balter s'était sans aucun doute répandue dans toute la région et, étant donné que Victor était connu de la plupart des gens, ceux-ci le reconnaissaient et le croyaient visiblement coupable.

— Va jouer ailleurs ! lança sèchement Caleb à un homme qui avait tenté de photographier Victor à l'aide d'un énorme appareil photo rustique.

Hol claqua furieusement son bec vers le photographe, qui tomba sur les fesses.

— Vous n'êtes pas mieux que lui ! rétorqua l'homme.

Caleb allait dégainer sa rapière (étant donné que son glaive avait été sectionné), mais Dujardin l'en dissuada en plaçant sa main sur son bras.

— Vous êtes dans une ville civilisée, ici, lui dit-il. Ne faites pas l'erreur de sortir votre arme à la première occasion.

L'expression du visage de Caleb se fit menaçante, mais le demi-gobelin se contenta de suivre ses amis. Ils marchaient à travers les rues principales de la ville, directement vers le palais de justice. Maeva et Pakarel semblaient mal à l'aise, et Victor pouvait les comprendre. Se faire observer en compagnie d'un présumé tueur en fuite ne devait pas être très agréable. Un homme, que Victor reconnut comme le forgeron de la ville, lança des jurons cinglants en leur direction, tout en traitant Victor de meurtrier. Au coin d'une rue, Victor remarqua Béatrice Duval, sa bonne amie, lui faire un léger signe de la main et lui sourire timidement. Le jeune homme lui rendit son sourire avec le plus de sincérité possible, mais il ne pouvait s'empêcher de se sentir mal, presque autant que s'il avait vraiment tué son vieil ami.

Comme Victor s'en était douté, son visage était placardé sur tous les murs de briques de la ville, sous-titré d'une récompense pécuniaire pour celui qui le ramènerait en vie. Victor et ses compagnons restèrent dans un silence absolu durant tout le trajet. Il aurait aimé leur offrir de ne pas assister à son procès, mais il ne trouvait pas la force, ou plutôt le courage de leur dire. Des officiers étaient postés sournoisement à tous les coins de rue, leur jetant un œil discret, mais perçant.

Au bout de 10 minutes de calvaire, Victor arriva finalement devant le palais de justice ; c'était un majestueux établissement, devant lequel se trouvaient de larges gradins ainsi qu'une gigantesque fontaine de marbre, représentant diverses créatures fantastiques, offerte par la France quelques années plus tôt. Aux portes du palais de justice se trouvaient deux officiers vêtus d'uniformes militaires, un plastron de fer soutenu par-dessus une demi-robe de combat bleu foncé. Ils tenaient de grosses carabines, et de longues épées pendaient sur leur jambe gauche. Les officiers lui ordonnèrent de descendre de sa monture, ce que Victor fit avec un pincement au cœur ; il ne s'était jamais senti aussi mal.

Dujardin lui déverrouilla ses menottes et lui tendit sa canne, avant de se placer derrière lui pour l'inciter à passer les portes du palais que les officiers avaient ouvertes. Le jeune homme ordonna à D-rxt de ne pas bouger tandis que Caleb descendait de son gigantesque oiseau. La gorge de Victor se serra ; le stress s'empara de lui. Le palais de justice était bien décoré, trop bien même, songea-t-il, avec des tapisseries brodées et un long tapis de velours. Plusieurs portraits de gens importants, mais décédés, figuraient sur les murs. Il entendit les portes du palais se refermer derrière lui et sursauta. Jetant un œil derrière, il vit que Pakarel et Maeva le suivaient, mais que Caleb était resté à l'extérieur. Victor croisa le regard de Maeva qui lui envoya un faible sourire d'encouragement, mais une voix ramena son attention vers l'avant :

— Victor Pelham. La cour vous attend, votre procès vient de débuter.

La voix venait du gobelin qui se trouvait tout au fond du couloir, vêtu d'une robe militaire version miniature (mais portant les mêmes armes un peu démesurées que ses collègues humains). Celui-ci se tenait près d'une autre double porte, beaucoup plus grande et impressionnante que celle de l'entrée principale.

— Ces deux-là ne peuvent pas passer, déclara fermement le gobelin à l'égard de Pakarel et de Maeva, une fois qu'ils furent arrivés près de lui. La salle est fermée au public depuis 10 minutes…

— Je suis navré, ajouta Dujardin, l'air désolé, mais ces gens sont des témoins. Ainsi que le demi-gobelin qui court vers nous.

Tout le monde se retourna. Caleb trottait effectivement vers eux.

— J'ai dû attacher Hol, dit-il en reprenant son souffle. Désolé.

Le gobelin cogna une fois sur la double porte, et celle-ci s'ouvrit, poussée par deux officiers en armure et armés. La salle d'audience se dévoila devant les yeux de Victor, qui déglutit avec difficulté. La pièce était immense. Deux rangées de bancs, bondées de gens qui avaient tourné la tête vers le jeune homme, s'étendaient à gauche et à droite d'un long tapis rouge qui menait à deux chaises et une table. Juste devant, le haut bureau du juge dominait la salle. Un vieux bonhomme à la perruque blanche y était perché.

— Vous êtes en retard, annonça-t-il de sa voix austère. Veuillez prendre place sur le banc des accusés.

Le jeune homme vit un officier venir indiquer discrètement à Pakarel, à Maeva et à Caleb de le suivre. N'y portant pas plus d'attention, Victor avança machinalement jusqu'à sa chaise, suivi par Dujardin, tout en évitant de croiser les regards sévères dirigés vers lui. Victor tira sa chaise et s'y assit doucement, sa canne contre le bureau. Thomas s'installa sur l'autre chaise. Le jeune homme était sale de la tête aux pieds, ses cheveux étaient entremêlés et ses vêtements, déchirés ; il aurait préféré pouvoir se montrer sous un autre jour. À cet endroit, sous les regards de tous, Victor se sentait presque rabaissé, surtout devant l'intimidant pupitre du juge. Ce dernier était un vieillard ridé aux joues flasques, mais dont les yeux bruns à l'air féroce suffisaient à démontrer sa parfaite lucidité.

— Accusé, vous vous dénommez bien Victor Pelham ? lança le juge.

— Oui, répondit Victor.

— Vous êtes accusé pour le meurtre de Balterforth-Ulrich Anselm von Liechtenstein, tué à votre domicile dans la nuit du 22 septembre dernier.

Le juge observa Victor pendant un moment avant d'ajouter :

— Avouez-vous avoir été présent lors des événements ?

— J'y étais, répondit fermement Victor.

Le juge poursuivit :

— Les forces de l'ordre de notre ville ont découvert une série d'indices révélant votre implication dans le meurtre. Votre ADN a été retrouvé sur le corps de la victime, et il y avait les traces de vos pas dans le sang qui se trouvait sur le sol. De plus, vous avez fui la ville le soir même. Plusieurs témoins vous ont vu emprunter la station de Ludénome, à l'extérieur de la ville.

Le juge tourna la tête vers Thomas et ajouta :

— Par chance, l'officier Dujardin, qui avait été chargé de vous ramener, a accompli sa mission avec succès. Confirmez-vous ces faits ?

— Oui, répondit Victor.

— Vous faites face à une sentence d'emprisonnement à vie sans possibilité de libération à la prison du Cloître de Fer, continua le juge. Qu'avez-vous à dire pour votre défense ?

Le jeune homme avait souvent entendu parler de cette prison. Située loin au nord, c'était une prison souterraine et ses détenus ne voyaient jamais la lumière du jour. Victor, qui n'avait levé les yeux que pour regarder le juge, tourna son regard vers Dujardin, qui lui fit signe de se taire. Ce dernier poussa sa chaise et se leva.

— Monsieur le juge, dit Dujardin de sa voix caverneuse, mon client n'est pas l'assassin de Balterforth-Ulrich Anselm von Liechtenstein.

— Continuez, dit le juge de sa voix sévère.

— Mon client a découvert la victime alors qu'elle venait de rendre son dernier souffle, dit Dujardin. S'il a quitté Québec ce soir-là, c'était pour assister aux activités du Consortium, un groupe de mercenaires...

— Je sais ce qu'est le Consortium, le coupa poliment le juge.

— Le Consortium était déjà sur les trousses d'assassins d'hommes et de femmes de science, continua Dujardin. Ils avaient prédit, quoique trop tard, la mort de Balterforth. Lorsque Victor est arrivé sur les lieux, il est entré en contact avec l'un des membres du Consortium, Caleb Fislek.

Thomas se tourna vers une rangée de sièges et fit un signe de tête. Victor vit Caleb se lever, mais celui-ci resta devant son banc. Près de lui se trouvaient Maeva, Pakarel, Edward Leafburrow, madame Alice, Louis Leblanc, Nika et Clémentine. À la vue de ses amis, le cœur de Victor se serra; ses deux sœurs lui accordaient un faible sourire, les yeux rougis par les pleurs, tandis qu'Edward lui envoyait un regard bienveillant. Madame Alice avait le visage caché derrière un mouchoir. Quant à Louis, il semblait au bord des larmes, mais levait le pouce en l'air. De l'autre côté de la salle se trouvait un gradin sur lequel se trouvait une bonne vingtaine d'hommes et de femmes, tous ayant l'air sévère.

— Monsieur Fislek, commença Dujardin, pourriez-vous établir les faits?

— Bien sûr, monsieur Dujardin, répondit le demi-gobelin. Le soir du 22 septembre dernier...

Victor ramena aussitôt son attention vers Caleb, qui s'étendit d'une manière assez professionnelle (et convaincante) sur le fait que le Consortium pourchassait, depuis un bon moment, des assassins, et que Victor leur avait apporté une précieuse aide.

— Victor Pelham s'est trouvé au mauvais endroit au mauvais moment, termina Caleb. Mais estimons-nous chanceux qu'il ait décidé de participer à nos recherches, puisqu'il a non seulement abattu l'assassin, mais aussi sauvé la vie de Léonard de Vinci.

— Balivernes! lança quelqu'un dans la foule.

— Léonard de Vinci? rétorqua une autre voix. C'est n'importe quoi!

Un brouhaha s'éleva dans la foule, on lança quelques insultes et jurons à l'endroit de Victor, avant que le juge n'intervienne :

— Silence!

— Ma parole, dit une voix sortie de nulle part, ces gens ont la langue bien sale!

Certaines personnes poussèrent un cri de surprise, d'autres pointèrent du doigt le gnome qui venait d'apparaître près de Caleb qui, lui, tenait sa main crispée sur sa poitrine, le teint livide, comme s'il venait d'avoir une crise cardiaque.

— Léonard? lança le juge d'une voix incrédule. Bonté divine! Que faites-vous ici?

— J'assistais au procès, répondit le gnome en repliant une toile (que Victor reconnut comme celle qu'il avait utilisée pour se camoufler lors de la visite de Dujardin) dans la poche de son étrange robe. La vue est bien meilleure ici que sur les bancs ; à vrai dire, je n'y voyais rien, les gens ici sont tous trop grands…

Des murmures s'élevèrent dans la salle, les gens regardaient le gnome avec surprise — ce qui se comprenait, songea Victor, puisque Léonard était une figure assez connue dans le monde. Le juge cligna des yeux par trois fois avant que le gnome ne reprenne la parole :

— Je viens confirmer le fait que Victor m'a bel et bien sauvé des griffes d'un assassin, il y a deux jours. Étant donné ma réputation, ma parole devrait être suffisante pour vous convaincre, n'est-ce pas?

Le juge passa son regard entre Caleb, Victor et Léonard avant de dire :

— Très bien. Monsieur Fislek, veuillez vous asseoir.

Caleb s'exécuta aussitôt.

— Quant à moi, déclara Léonard, j'ai des choses à faire. Au revoir !

Sur ce, il quitta la salle d'audience sous les regards étonnés du public.

— Voici l'arme du crime, déclara Dujardin en tirant de sa veste un objet enroulé dans un papier journal.

Le juge tendit sa main et l'officier y posa l'objet.

— Victor Pelham, mon client, continua Thomas, l'a récupérée sur le corps de l'assassin, lors de l'attaque contre Léonard. Vérifiez par vous-même.

Le juge venait sans doute de sentir le froid qui émanait en permanence de l'arme qu'il observait d'un air presque dégoûté, car il marmonna :

— Par la barbe de…

Victor se demanda si le juge savait qu'il tenait dans ses mains une arme créée sur une autre planète. Au bout d'un moment, le juge fit un signe de la main et un officier s'avança avec une boîte, qu'il déposa sur le pupitre de Victor. Il l'ouvrit, fouilla dedans, puis en sortit une liasse de feuilles de papier qu'il amena aussitôt au juge.

— Voyons voir, dit ce dernier en mettant une petite paire de lunettes sur son nez.

Le juge feuilleta la liasse de papiers, que Victor supposa être les renseignements liés à son soi-disant crime. Le juge sortit une photographie grandeur nature et la compara avec la lame, puis se mit à feuilleter et à lire d'autres documents d'un air attentif.

— Très bien. Monsieur Pelham, qu'avez-vous à dire pour votre défense ?

Le jeune homme sentit dans son dos tous les regards de la salle se diriger vers lui.

— Je n'ai pas tué Balter. J'ai découvert son corps et je me suis élancé sur la première piste que j'ai trouvée. Je voulais le venger. Je suis conscient que mes actes m'ont fait passer pour un fugitif, mais je n'aurais jamais tué une personne que je considérais comme mon père.

Dans la salle, les gens se mirent à murmurer de plus en plus fort. Ils ne le croyaient pas.

— Il ne l'a pas tué! s'écria la voix de Clémentine, ce qui eut pour effet de ramener le silence. Vous êtes tous idiots ou quoi? Vous voulez absolument condamner quelqu'un et personne ne veut se soucier de moi, la nièce de Balter, qu'il a élevée comme sa propre fille? Victor n'a pas tué mon oncle! Victor ferait n'importe quoi pour aider qui que ce soit, et vous ne pensez qu'à l'envoyer au bûcher!

— Vous êtes ridicules, vous devriez avoir honte! déclara Louis Leblanc, le directeur de l'Institut de Saint-John, en se levant d'un bond. Victor Pelham a dépensé toutes ses économies dans l'achat et la rénovation de l'Institut de Saint-John sous le pseudonyme de Gabriel Lupin! Excuse-moi, Victor, mais je devais le dire...

Le brouhaha de la foule s'amplifia à nouveau.

— Je te l'ai toujours dit! lança une femme à son mari, qui paraissait agacé. J'étais persuadée que c'était lui!

— C'est vrai! dit un vieillard qui se leva, le dos voûté. Je l'ai vu à plusieurs reprises entrer dans cette bâtisse, à Londres! Mon petit-fils y est admis et il n'a jamais été aussi bien encadré! Ce jeune homme est un saint! ajouta-t-il en pointant sa canne vers Victor.

— Vous accusez la meilleure personne que j'ai rencontrée au cours de mes 32 ans d'existence d'un crime qu'il n'a pas commis, déclara Dujardin d'une voix sincère. Intenter un procès contre Victor Pelham, alors qu'il n'y avait aucune preuve contre lui, était une erreur grave et impardonnable, ajouta-t-il. De telles choses ne devraient pas arriver. Nous ne sommes plus au Moyen Âge!

Après ces paroles, Victor ne sut plus où donner de la tête; tout le monde parlait et le juge semblait dans une confusion totale, la main sur son front, à demi affaissé sur son bureau.

— Un peu de silence, dit-il finalement d'un air peu convaincant.

Comme par magie, les murmures se turent. L'assistance voulait apparemment connaître la suite des événements. Cependant, le juge n'ajouta pas un mot. Il se contenta de revérifier les documents du dossier de Victor, tout en envoyant un regard vers le jeune homme de temps à autre. Il n'y avait plus un bruit dans la salle, comme si tout le monde retenait son souffle.

— Très bien, déclara le juge au bout d'un long moment. L'issue de cette audience sera déterminée par le vote du jury.

Le juge tourna la tête vers la droite, là où se trouvait le gradin bondé d'hommes et de femmes à l'allure sérieuse. Il y eut quelques murmures dans la salle, mais le silence revint aussitôt.

— Quels sont ceux qui sont en faveur d'une peine d'emprisonnement à vie à la prison du Cloître de Fer ?

Quelques mains se levèrent timidement, bien moins que la moitié cependant, mais Victor restait sur ses gardes, peut-être certains étaient-ils indécis et pouvaient décider d'annuler leur vote ?

— Quels sont ceux qui jugent monsieur Pelham non coupable du crime de Balterforth-Ulrich Anselm von Liechtenstein ?

Le reste des mains, soit la grande majorité, se levèrent. Victor n'en croyait pas ses yeux. Il y eut deux coups de maillet du juge et celui-ci annonça :

— Monsieur Victor Pelham, vous êtes déclaré non coupable du crime qui pèse contre vous. L'audience est levée.

Dans un vacarme de rires, de cris de joie et de paroles incompréhensibles, Victor ferma les yeux ; il sentit tout à coup la tension retomber. Lorsqu'il les rouvrit, le juge s'était levé et ramassait ses affaires. Victor se leva à son tour, et aussitôt il sentit un poids s'écraser contre sa poitrine ; c'était Clémentine qui venait de lui sauter dans les bras.

— C'est terminé, lui dit-elle d'une voix réconfortante, on va pouvoir rentrer chez nous !

La gobeline se recula pour laisser Nika se blottir dans les bras de Victor et l'embrasser sur la joue.

— Je déteste lorsque tu nous fais des peurs aussi horribles, lui souffla-t-elle à l'oreille.

— Je suis vraiment désolé, dit Victor en serrant dans ses bras son amie qu'il considérait comme l'une de ses sœurs.

Puis, ce fut au tour de madame Alice de s'avancer avec son mari. Elle tendit les bras et serra Victor contre elle.

— Nous sommes tellement navrés! dit-elle.

— Merci d'être venus, lui répondit Victor.

Edward, qui paraissait encore un peu plus vieux, le regardait d'un air bienveillant derrière ses petites lunettes rectangulaires, les cheveux attachés et le dos droit. Madame Alice se retira finalement et posa ses deux mains garnies de bagues sur les joues du jeune homme.

— Nous t'aimons beaucoup, dit-elle. Ne te remets plus dans de telles situations, je t'en prie…

— Meurtrier! lança la voix d'un homme dans la foule de gens qui faisaient la file pour quitter la salle.

À la grande surprise de Victor, madame Alice se rua vers lui pour le matraquer de coups de sacoche, encouragée par les hommes et les femmes aux alentours.

— Tu veux voir une meurtrière? s'écria-t-elle avec véhémence. Je vais t'apprendre les bonnes manières!

— Je ne voudrais pas être à sa place, dit la voix rassurante d'Edward.

Victor ramena son regard vers l'homme qui lui tendait la main.

— Tu auras un long récit à nous raconter, continua-t-il. Si tu le veux, évidemment.

— Bien sûr, répondit Victor, qui ne pouvait s'empêcher de sourire, tout en serrant la main de Leafburrow.

— Votre maison a été nettoyée, continua Edward. J'ai embauché une compagnie de nettoyage et je me suis, bien évidemment, occupé de la facture. Je crois qu'un retour à la sérénité vous fera le plus grand bien, à toi et aux filles.

— Monsieur Leafburrow, commença Victor d'un air reconnaissant. Je ne…

Mais Edward le coupa aussitôt:

— Nous t'attendrons dehors. Les funérailles de Balter doivent se dérouler au crépuscule, ce soir.

Victor hocha la tête en guise d'acquiescement. Cette nouvelle le réconforta beaucoup, puisqu'il avait longuement redouté d'avoir raté l'enterrement de son vieil ami. Edward rejoignit sa femme, qui l'attendait près de la porte, en compagnie de Nika et de Clémentine. Lorsque Victor voulut remercier Dujardin, il le chercha du regard pendant quelques secondes avant de réaliser que l'homme s'était volatilisé.

— Je dois vite retourner à l'orphelinat, dit la voix de Louis, qui venait d'apparaître aux côtés de Victor. Je suis heureux que tout soit réglé. Mes sincères condoléances.

— Merci infiniment d'être venu, lui dit Victor. Je viendrai à Londres très bientôt pour m'occuper de la paperasse.

— Prends ton temps, prends ton temps, lui répondit Leblanc en quittant la salle d'audience.

Pakarel, Maeva et Caleb étaient maintenant près de la porte, en compagnie des autres, leur serrant la main en se présentant. Victor jeta un dernier regard au pupitre du juge et à la salle. C'était vide, mis à part les officiers qui attendaient pour fermer les portes. Victor prit sa canne et marcha vers ses amis.

— Allons-nous-en d'ici, suggéra Caleb lorsque son ami arriva auprès d'eux.

— J'approuve, dit Clémentine en envoyant un sourire rayonnant à Caleb.

Le temps avait-il arrangé les choses ? se demanda Victor. Il était bien heureux de voir que la méfiance qu'éprouvait Clémentine envers Caleb avait disparu. Ils quittèrent tous le palais de justice et, avant de retourner chez lui, Victor fit un détour par une ruelle, juste à côté du palais de justice, dans laquelle Caleb avait laissé D-rxt et Hol. Victor remarqua qu'un morceau de papier tenait, bien inséré dans une des fentes de soudure de la coquille de la sentinelle. Portant le papier sous ses yeux, il put lire :

Vous devrez cacher votre sentinelle et faire en sorte qu'elle ne soit plus vue, sinon les forces de l'ordre de la ville devront la confis-

quer. Vous pouvez cependant l'emmener chez vous en toute quié-
tude, j'ai déjà averti les autorités.

Thomas

Victor releva la tête, le sourire aux lèvres.

— Ça dit quoi? demanda Caleb d'un air intéressé.

Le jeune homme lui tendit le bout de papier et retourna dans la rue principale. Alors que Victor et ses amis marchaient en direction de sa maison, une voix féminine retentit, non loin derrière eux.

— Victor!

C'était Béatrice Duval, sa bonne amie.

— Tu as été innocenté! s'écria-t-elle en se dirigeant vers lui. Je le savais!

La jeune femme lui sauta dans les bras, ce qui rendit Victor un peu mal à l'aise lorsqu'il vit que Maeva tentait délibérément de regarder ailleurs, fuyant son regard.

— Oui, je suis innocenté, confirma-t-il avec bonne humeur, en remerciant le ciel que Béatrice l'ait relâché.

— Étant donné que tu es libre, Raymond te fait dire que tu peux prendre une semaine de vacances, ajouta-t-elle. Bon, je vais vous laisser. Je suis vraiment heureuse que tu sois de retour.

Elle envoya un signe de tête poli au groupe avant de reprendre son chemin dans le sens opposé.

— Elle est jolie, lâcha Caleb.

— Je peux t'organiser un petit rendez-vous avec elle, rétorqua Victor. Elle adore les cheveux bleus et les longues canines comme les tiennes, tête de troll.

— Attends un peu que je te lave la langue! rigola Caleb.

L'atmosphère de bonne humeur diminua lorsque Victor et ses amis atteignirent la demeure. C'était dans cette maison que le jeune homme avait vécu ses plus belles années, mais c'était aussi dans cette même demeure qu'il avait perdu la seule figure paternelle qu'il eut jamais eue. Pourtant, le soleil montant de cette fin de matinée et le ciel bleu clair la faisaient resplendir de beauté. Après s'être encouragé mentalement, Victor tourna la poignée de porte et pénétra chez lui. Malgré la propreté, il savait que cette maison avait été souillée par la mort, mais il ne laisserait pas ce sentiment l'affaiblir. C'était leur maison, à lui, à Nika et à Clémentine, et elle le resterait.

— Et si on cuisinait un bon repas pour ce soir ? offrit madame Alice.

— Je suis partante, répondit Nika. Nous devrons aller au marché, nous n'avons plus rien à manger.

— Moi aussi, je veux cuisiner ! lança Pakarel.

— Quelle charmante petite boule de poil ! dit madame Alice à l'intention du raton laveur. On dirait une peluche.

— Il est a-do-rable, ajouta Clémentine en le regardant comme s'il représentait la chose la plus mignonne au monde.

— À votre place, commença Caleb, je cacherais mes bijoux... Aïe !

Maeva lui avait donné un bon coup de coude dans le flanc et lui souriait avec froideur.

— Puisque toutes les filles vont au marché, voudriez-vous nous accompagner, ma chérie ? demanda madame Alice à Maeva.

— Oh ! je suis toute crasseuse, s'excusa-t-elle aussitôt en se contemplant.

— Tu exagères, ricana Nika. Viens avec nous, on fera connaissance. Tu pourras te laver par la suite, nous avons une grande salle de bain.

Maeva échangea un regard rapide avec Victor, puis un sourire s'afficha sur son visage. Sur ce, Maeva, Pakarel, Clémentine, madame Alice et Nika quittèrent la demeure. Victor savait que madame Alice avait proposé cette idée pour apaiser l'atmosphère, et il ne la blâmait pas. C'était une excellente chose.

— Où est le corps ? demanda Victor à Edward lorsqu'ils se retrouvèrent seuls.

— À la morgue, répondit le vieil homme. Il sera livré ce soir.

Victor hocha la tête.

— Je vais rester pour l'enterrement, dit Caleb, mais je devrai partir dès l'aube. Liam compte sur moi.

— C'est très gentil de ta part, le remercia Victor.

— Je pourrais installer Hol dans l'atelier ? demanda Caleb.

— Bien sûr. Viens, je vais te montrer. D'ailleurs, je dois ranger Drext au sous-sol.

Edward offrit d'aller préparer du café tandis que Victor et Caleb ressortirent pour faire entrer leurs montures dans l'atelier. Victor réalisa que l'endroit était désert ; tout avait été retiré. Ce qui avait autrefois été le laboratoire du gobelin était maintenant un garage vide, mise à part une trappe sur le sol. Le jeune homme y fit descendre D-rxt et le désactiva, avant de le recouvrir d'une toile et de remonter à l'étage.

— Je vais aller chercher un peu de paille à l'extérieur de la ville, déclara Caleb en analysant les lieux. Hol devra récupérer s'il veut me faire traverser l'océan demain.

— Fais comme chez toi, lui assura Victor. Moi, je vais aller prendre un bon café, puis un bon bain.

Chapitre 24

Les funérailles

Victor s'était installé à la table avec Edward, qui lui avait servi une bonne tasse de café (après que le jeune homme lui eut indiqué où se trouvaient les tasses dans les nombreuses armoires).

— Les filles nous ont raconté ton départ, mais que s'est-il passé au Belize ? demanda le vieil homme en s'installant à la table, face à Victor.

Le jeune homme regarda Edward et prit une gorgée de café qu'il mit un certain temps à avaler, se laissant le temps de rassembler ses idées. Leafburrow avait toujours représenté, pour Victor, une figure de sagesse et de bienveillance. Cependant, il ne lui avait jamais révélé ce qui s'était réellement passé dans la chambre de la Fleur mécanique. Aujourd'hui, il s'en voulait un peu de ne pas lui avoir dit. S'il y avait quelqu'un qui méritait bien de le savoir, c'était lui.

— Monsieur Leafburrow, commença Victor d'une voix lente. Si je dois vous raconter ce qui s'est passé en espérant que vous y voyez du sens, je devrai d'abord vous avouer ce qui s'est véritablement passé à Iavanastre…

Leafburrow sourit d'une manière amusée.

— Victor, mon garçon, dit-il en essuyant ses lunettes sur sa chemise. Que crois-tu m'apprendre ? Que tu ne viens pas de ce monde et que tu as contacté ton grand-père à travers le terminal planétaire de la Fleur mécanique que tu as désactivée ?

Le jeune homme, qui allait prendre une autre gorgée de café, se figea en plein mouvement.

— Mais comment…

— Victor, le coupa aussitôt Leafburrow, j'ai passé 15 années de ma vie aux côtés d'Isaac. Il était aussi mon grand ami.

— Vous saviez depuis le début, lui dit Victor, les yeux plissés, déposant doucement sa tasse de café.

— Il y a certaines choses que je ne savais pas, répondit Edward d'un air décontracté. Mais je savais que tu venais d'un autre monde. D'Orion, plus exactement. Et avant que tu ne le demandes, ajouta le vieil homme pour interrompre Victor, qui s'apprêtait à parler, ton grand-père m'a contacté à plusieurs reprises durant les trois dernières années pour savoir comment tu allais.

C'était donc de cette manière qu'Udelaraï avait pris de ses nouvelles ! Victor resta sans voix. Son regard, vide, se posa sur sa tasse de café.

— Vous devez être déçu que je ne vous aie rien dit plus tôt.

Edward eut un petit rire.

— Comment pourrais-je être déçu, rétorqua-t-il, alors qu'à ta place, j'aurais fait la même chose ?

— Qui d'autre sait la vérité à mon sujet ?

— Mis à part ceux que tu as toi-même informés, moi seul. Alice n'est pas au courant. Tu devrais peut-être avouer la vérité à Nika et à Clémentine. Elles t'aiment énormément, elles comprendront.

Victor avait caché ces vérités depuis tant d'années que parfois, il lui était arrivé de croire que tout ça n'était qu'un rêve et qu'il n'était qu'un simple jeune homme comme les autres.

— Vous avez sans doute raison, répondit Victor à voix basse. Je leur dirai.

— Fais comme bon te semble, mon garçon, répondit le vieil homme d'un air jovial. Ton jugement t'a souvent fait prendre les bonnes décisions. Ah ! j'oubliais. Ichabod t'envoie ses condoléances depuis l'Irlande. Il est en spectacle, c'est d'ailleurs pour cette raison qu'il n'a pas pu venir.

Victor hocha la tête.

— Vous vouliez savoir ce que je suis parvenu à apprendre au sujet de la particule d'Ixzaluoh ?

— Ixzaluoh ? répéta le vieil homme.

— C'est le nom de la particule sur laquelle Balter et ses collègues travaillaient.

Edward acquiesça d'un hochement de tête.

— Raconte-moi, dit-il en buvant une gorgée de café du bout des lèvres.

— Pour commencer, il faut savoir qu'Ixzaluoh était une femme de science, expliqua Victor. Elle aurait trouvé une particule, laquelle porte maintenant son nom, qui s'avéra être la clé de la fusion atomique, soit le nucléaire.

Edward leva un sourcil.

— Nucléaire?

— C'est une forme d'énergie très dangereuse, continua Victor, que mes ancêtres ont développée sur Terre il y a des milliers d'années. Incroyablement puissante, mais aussi très instable.

— C'est ton grand-père qui t'a expliqué tout cela?

Victor hocha la tête en guise d'acquiescement.

— Que s'est-il passé par la suite?

— Je ne sais pas vraiment comment l'expliquer, mais une catastrophe est survenue.

— Essaie du mieux que tu le peux, l'encouragea Edward.

Victor prit une bonne inspiration.

Alors que les Mayas exploitaient l'énergie nucléaire, il y a eu une fuite qui s'est répandue dans l'air de toute la planète et s'est mise à infecter mortellement la plupart des Mayas de l'époque. C'est probablement pour cette raison qu'ils ont fui la Terre pour un nouveau monde. Cette fuite a ensuite modifié la nature même de la vie, créant des...

Victor hésita. Il n'aimait pas le mot qu'il allait utiliser pour désigner les êtres non humains, mais c'était la meilleure manière de les décrire.

— ... créatures, qui n'existaient pas avant. Encore aujourd'hui, il y aurait une très infime couche de radiations nucléaires dans l'atmosphère.

Le vieil homme regardait Victor avec un mélange de curiosité et d'intérêt.

— Et quel est le rapport avec l'assassin de tous ces hommes de sciences?

Victor prit une gorgée de café et offrit un sourire vide au vieil homme.

— L'histoire se répète, monsieur Leafburrow. Aujourd'hui, les hommes de notre monde s'apprêtent à découvrir la particule d'Ixzaluoh, tout comme cette femme l'a fait il y a des milliers d'années. Ces assassins venus d'ailleurs, ils avaient pour but d'étouffer cette découverte.

— Dans le but de nous empêcher de commettre les mêmes erreurs qu'eux, devina Edward d'un air songeur.

La porte de la maison s'ouvrit. Caleb entra, frottant ses pieds sur le tapis.

— Pas dans ton bain ? lui lança le demi-gobelin.

— J'y allais, déclara Victor tandis qu'Edward lui souriait. Merci pour le café.

— C'est le tien ! fit remarquer Edward. C'est moi qui devrais te remercier !

— Vous comprenez, rigola Victor en prenant sa canne.

Le jeune homme se dirigea vers l'escalier et le gravit jusqu'au premier palier. Il s'y arrêta un moment pour contempler la ville québécoise à travers la fenêtre. C'était bon d'être de retour chez soi, même après la perte d'un être cher. Une fois arrivé à sa chambre, Victor la balaya d'un simple coup d'œil. Tout était méticuleusement rangé et le plancher de bois verni luisait, reflétant les rayons de soleil provenant de la fenêtre. Le lit avait été fait et le jeune homme remarqua même que ses vestons, qui étaient accrochés sur des cintres, dans sa garde-robe entrouverte, avaient été repassés. Les gens qui avaient été engagés par Edward avaient fait un travail irréprochable, car jamais Victor n'aurait fait sa chambre avec autant d'attention.

Il rebroussa chemin et marcha le long du couloir, qui donnait à son extrémité sur une porte à demi ouverte. C'était la chambre de Balter. Bien que son cœur se serrât, il prit son courage à deux mains et entra dans la pièce. Elle était méconnaissable. La chambre du vieux gobelin comprenait autrefois une panoplie de plans, de papiers et de parchemins éparpillés sur une longue table qui avait disparu. Les pièces de machineries brisées que collectionnait le vieil ingénieur avaient été retirées et sa garde-robe avait été vidée. Il ne restait plus que son lit, mais les couvertures et oreillers avaient été changés. La première impression de Victor était négative, il aurait bien aimé garder la chambre de son vieil ami telle quelle, mais le bon sens lui revint assez vite. C'était mieux comme ça, songea-t-il en soupirant. Finalement, il remercia encore l'équipe qui avait été chargée de nettoyer la maison durant son absence.

Le jeune homme fit volte-face et se dirigea vers la salle de bain. Victor sursauta lorsqu'il se vit dans le miroir ; son visage était marqué de taches de boue séchée et sa barbe, qui avait été fortement négligée, lui donnait quelques années de plus. Il se tailla la barbe, pour n'en laisser qu'un mince voile tant apprécié par la gent féminine. Puis, le jeune homme se fit couler un bain et se déshabilla avec une lenteur douloureuse ; tous ses membres semblaient lui faire mal. C'était sans doute dû au manque de sommeil et à ses blessures. En retirant son pantalon, un tintement attira son attention. C'étaient les bagues de Mila, que lui avait données Pakarel. Comment cette folle les avait-elle retrouvés ? Comment était-elle revenue sur Terre ? Victor contempla les anneaux avec un regard amer. Puis, sachant qu'il n'aurait sans doute pas de réponses à ses questions, Victor les déposa sur le lavabo et se glissa dans l'eau chaude. Tout son corps brûla d'extase. Enfin ! Il lâcha un juron de satisfaction et se laissa glisser dans l'eau savonneuse jusqu'aux épaules, avant de plonger la tête dans l'eau.

Une demi-heure plus tard, Victor descendait l'escalier, fraîchement lavé et vêtu d'un pantalon propre, d'une chemise propre et d'un de ses plus beaux débardeurs. Ses cheveux, encore mouillés, lui tombaient sur les épaules.

— Victor ! lança la voix bourrue et familière de Radvek Kraut.

Le large bonhomme chauve à la barbe hirsute marchait vers lui d'une démarche claudicante, causée par sa jambe de bois. On aurait dit un vieux pirate.

— Rauk ! répondit le jeune homme en lui serrant la main.

Radvek sentait fortement le tabac à pipe.

— Désolé, grogna Rauk, j'aurais voulu être là pour ton procès, mais j'étais coincé chez une cliente insatisfaite.

Victor ne se souciait pas des excuses de son vieil ami ; il était bien trop content de le revoir.

— Nika et les autres sont parties chercher à manger, lança le jeune homme, tu veux bien rester pour le souper ?

— Bah ouais ! répliqua Rauk, comme si c'était évident. Mais c'est trop tard pour l'invitation, m'dame Alice m'a déjà invité. Joli brin de femme, l'autre petite dame. C'est une amie à toi ?

Victor sourit malicieusement.

— On peut dire, répondit-il.

Maeva apparut aussitôt, les bras chargés de serviettes, de débarbouillettes et de vêtements.

— Annika m'a prêté des vêtements, dit-elle à Victor, un peu gênée. Elle est vraiment gentille, ton amie. Et Clémentine, elle est adorable. La salle de bain… ?

Réalisant avec un peu de retard que c'était une question, le jeune homme répondit :

— Oh ! La salle de bain. Oui, tout en haut, deuxième porte à gauche.

— Ça te va bien, les cheveux un peu vers l'arrière, ajouta Maeva en dépassant Victor.

Puis, Rauk et lui la regardèrent monter à l'étage.

— C'est ta copine ? lâcha Rauk d'une voix un peu trop forte, qui fit monter la température du visage de Victor.

— Pas si fort ! dit le jeune homme, visiblement mal à l'aise, les joues embrasées. Non… ce n'est pas ma copine.

— Ça te ferait pas de mal, une femme, rétorqua Rauk en haussant les épaules.

— Ne recommence pas, ria Victor.

Le jeune homme avait souvent eu à écouter les longs monologues de Rauk, remplis de jurons, mais ridiculement hilarants, au sujet des femmes, et combien il serait favorable pour lui de se trouver une bonne compagne de vie.

— Bon! Ne restons pas plantés là, dit Rauk. Allons donner un coup de main à la cuisine. Oh, Victor?

Le bonhomme s'était arrêté dans son élan pour se rendre à la cuisine.

— Oui? répondit le jeune homme.

— Tu voudras bien me raconter ce qui s'est passé depuis ton départ?

— Je vais tout vous raconter pendant le repas.

— Ça, c'est un bon gaillard! répondit Rauk en donnant deux bonnes tapes sur l'épaule du jeune homme.

Tous deux passèrent ensuite à la cuisine. Les filles avaient acheté une grosse dinde déjà apprêtée, il ne restait qu'à la farcir et à la faire cuire. D'ailleurs, madame Alice était déjà à l'œuvre. Edward et Clémentine étaient en pleine discussion au sujet des études de cette dernière tandis que Caleb et Pakarel se disputaient sur la manière de couper les légumes. Malgré l'achalandage de la cuisine, le regard de Victor se posa sur la chaise vide, qui était autrefois celle qu'occupait constamment Balter. Victor n'avait connu le vieux gobelin que pendant quatre années, mais il lui semblait avoir partagé toute sa vie avec lui, ce qui était un peu vrai considérant sa jeunesse gâchée au service de l'Institut de Saint-John.

— Victor, mon chéri, lança la voix de madame Alice, tu veux bien me donner un coup de main?

Sortant de sa rêverie, le jeune homme répondit avec une seconde de retard:

— Euh, oui, bien sûr!

Vers 19 h, tout le monde quitta le domicile, laissant le repas cuire au four, et se dirigea vers le cimetière de la ville à pied. Le soleil disparaissait à l'horizon, projetant de faibles rayons orangés sur la cité de Québec. À peine Victor et ses amis étaient-ils arrivés qu'une diligence conduite par un cocher et tirée par deux bons chevaux amena le cercueil. Deux employés du cimetière, de solides gaillards, s'empressèrent de sortir la grande boîte contenant le corps du gobelin. Comme Nika et Clémentine l'avaient souhaité, l'enterrement se fit dans l'intimité. Seuls quelques proches amis du gobelin, tous âgés, vinrent s'ajouter au petit groupe qui s'était attroupé près de la pierre tombale de Balterforth.

Le dernier adieu fut touchant ; tout le monde eut le cœur serré pendant ce lourd moment, durant lequel Clémentine et Maeva s'étaient constamment blotties sur Victor. De temps à autre, le silence funéraire était brisé par Rauk qui se mouchait bruyamment, les paupières rougies. Pakarel, Caleb et Maeva, qui ne connaissaient pas Balter, avaient tout de même été très respectueux pendant l'événement. Une demi-heure plus tard, les employés descendirent le cercueil dans le grand trou juste devant sa pierre tombale et attendirent poliment, à la demande de Victor, que tout le monde soit parti avant de se mettre à pelleter.

Le ciel s'étant entièrement obscurci, tout le monde rentra à la maison et se mit à table. L'atmosphère était lourde, mais le festin succulent qu'avait préparé madame Alice joua un grand rôle dans le rétablissement de la bonne humeur générale. Edward risqua quelques blagues bien senties qui parvinrent à faire apparaître quelques sourires.

— Ch'est vraiment bon ! lâcha Pakarel, la bouche pleine de dinde, à madame Alice.

— Mange autant que tu le voudras, mon petit chéri, lui dit-elle d'un visage rayonnant, tout comme si elle parlait à un enfant de cinq ans.

Caleb ne put s'empêcher de hocher la tête de gauche à droite, l'air sarcastique, à l'égard du chouchoutage accordé à Pakarel. Une fois le repas principal terminé, et alors que tout le monde discutait de tout et de rien, Victor s'éclaircit la gorge. Il n'avait pas vraiment envie de briser cette belle atmosphère — il n'aurait pu souhaiter mieux pour un repas suivant un événement aussi triste —, mais le jeune homme savait que c'était le meilleur moment pour aborder le sujet.

— Excusez-moi, tout le monde, dit-il poliment.

Il balaya la table du regard et vit que tout le monde l'écoutait avec attention. Victor ne buvait généralement pas d'alcool, mais lors de certaines occasions, il acceptait volontiers une bonne coupe de vin. Il prit une bonne gorgée pour finir sa coupe et grimaça.

— Je crois qu'il est temps pour moi de vous raconter ce qui s'est passé durant les dernières journées.

Le jeune homme marqua une pause, puis ajouta :

— Ainsi que de vous avouer ce qui m'est réellement arrivé, il y a quatre ans.

Sur ces mots, madame Alice, Nika, Rauk et Clémentine échangèrent un regard confus, les sourcils froncés, que les autres ne partagèrent pas. D'une voix incertaine, Nika prononça :

— Victor… de quoi parles-tu ?

Le jeune homme chercha ses mots.

— Je ne viens pas d'ici, dit-il après un moment.

— Que veux-tu dire ? ajouta Clémentine.

— On l'a souvent sous-entendu, continua Victor, mais je ne suis pas vraiment humain. D'une manière générale, oui, mais je ne suis pas comme vous.

Nika prit une voix apaisante et dit :

— Victor, ne dis pas de telles choses…

— Je ne viens pas de ce monde, ajouta le jeune homme. Je viens des trois royaumes d'Orion.

Nika, madame Alice, Rauk et Clémentine avaient l'air bouleversés.

— C'est la fatigue, intervint madame Alice. Victor, mon chéri, peut-être devrais-tu aller au lit, après un tel voyage, tu dois être mort de fatigue…

Après avoir prononcé ces mots, elle chercha le regard d'Edward, comme si elle voulait qu'il l'appuie.

— Il a raison, ajouta Edward. Victor ne vous ment pas.

— Que… quoi ? balbutia madame Alice, qui ne s'attendait visiblement pas à une telle déclaration de son mari.

— Écoutez ce qu'il a à vous dire, continua le vieil homme.

Victor raconta tout au sujet de la rencontre avec son grand-père, ses origines mayas et son aventure liée à la particule d'Ixzaluoh. Le récit du jeune homme fut souvent confirmé ou même détaillé par

Maeva, Pakarel ou Caleb. Victor prit soin de ne pas mentionner l'origine des autres races que celle des hommes, histoire de ne pas choquer Clémentine. Fort heureusement, personne d'autre n'en fit mention, pas même Pakarel qui prenait un plaisir fou à ajouter tous les détails que Victor avait jugés inutiles. Lorsque le récit fut terminé, il était minuit passé. Tout le monde était fatigué, mais les bouteilles de vin avaient grandement aidé certains, comme Rauk, à rester parfaitement éveillés.

Finalement, ils décidèrent tous d'aller au lit. Clémentine et Nika ne semblèrent pas en vouloir à Victor, ni le percevoir comme un extraterrestre, ce qui le rassura un peu. Seule madame Alice resta muette, voire froide, mais serra quand même Victor dans ses bras avant de monter au lit, dans l'ancienne chambre de Balter. Clémentine insista pour laisser sa chambre à Maeva qui, naturellement, tenta de refuser à plusieurs reprises, mais sans succès. La jeune gobeline irait dormir avec Nika, tandis que Rauk et Caleb occuperaient les sofas du salon. Victor fit rouler les bagues mayas au fond d'un tiroir, tomba comme une bûche dans son lit et s'endormit aussitôt; la nuit fut incroyablement paisible.

Tôt le lendemain, Victor se réveilla d'un bon sommeil répara-teur, s'habilla, empoigna sa canne et descendit au rez-de-chaussée. Le jeune homme entendait les ronflements de Rauk, étendu de tout son long sur un sofa, la bouche grande ouverte. Caleb et Nika étaient à la cuisine, plongés dans une discussion discrète. Tous deux tour-nèrent la tête vers Victor lorsqu'il apparut.

— Bien dormi? demanda Nika, souriante.

— Tu parles! répondit Victor en se prenant une tasse de café bien chaud.

— Caleb me racontait pourquoi Liam n'a pas pu être ici, ajouta la jeune femme.

Victor avala sa gorgée de travers. Il avait oublié de faire passer le message lui-même, comme Liam le lui avait demandé.

— C'est dommage, dit-il finalement.

— Je suis habituée, répondit Nika d'un air complice.

Victor allait s'installer à la table quand Caleb se leva.

— Je dois y aller, déclara-t-il. Merci beaucoup pour l'héberge-ment et encore une fois, toutes mes excuses pour notre... première rencontre.

— N'en parlons plus, dit Nika en baissant les yeux.

Puis, elle se leva, embrassa poliment Caleb sur les joues et lui envoya un sourire triste. Victor savait que son amie était encore navrée pour les événements, mais elle n'en voulait visiblement pas au demi-gobelin. Caleb s'assura que ses lames étaient bien ancrées à ses ceintures, et avala d'un trait son café.

— Je vais t'accompagner, offrit Victor.

Caleb ne s'y opposa pas. Les deux amis marchèrent jusqu'à l'atelier, dans lequel se trouvait un Hol plein d'énergie et qui lâcha quelques cris d'excitation en voyant son maître et Victor.

— Je ne te remercierai jamais assez, dit Victor à son ami, la tasse de café à la main. Sans toi, tout cela aurait été impossible.

Caleb, qui s'occupait à fixer la selle de cuir sur le dos de son oiseau, regarda par-dessus son épaule et sourit à Victor.

— Tu pars directement pour la France ? demanda Victor.

— Ouais, répondit le demi-gobelin. Un petit village au nord-est du pays, dans la région de l'Alsace. Espérons que ce ne soit qu'un problème mineur, comme un loup-garou ou quelque chose dans le genre.

— C'est vrai qu'un loup de 2 m 50 de haut, dit Victor sur un air sarcastique tout en avalant une gorgée de café, c'est un problème de petite envergure.

Le jeune homme regarda son ami se préparer pendant quelques secondes de plus avant d'ajouter :

— Et après, que comptes-tu faire ?

— Après quoi ? l'interrogea Caleb, qui ajustait la muselière de Hol.

— Ton travail en France. Tu n'aimerais pas avoir un travail plus stable ?

— Je n'aime pas vraiment les enfants, dit Caleb d'un ton amical. Si tu voulais m'offrir un travail dans ton orphelinat, c'est gentil, mais ce n'est pas mon style.

— Je pensais plutôt à t'engager comme majordome, ajouta Victor d'un air sérieux, mais son sourire le trahit.

Le jeune homme posa sa tasse de café sur une table vide de l'atelier.

— Il est temps pour moi d'y aller, dit Caleb en tapotant l'épaule du jeune homme.

Les deux amis s'enlacèrent brièvement.

— Donne-moi de tes nouvelles, veux-tu ? demanda Victor.

Au fond de lui, il était un peu inquiet pour son ami.

— Je t'écrirai à la fin du mois pour te raconter les événements, lui assura le demi-gobelin en montant sur le gros oiseau. Allez ! hop, hop !

Hol sortit de l'atelier en trottant et monta le long de l'allée. Le jeune homme vit une femme bondir d'une manière ridicule hors du chemin de Hol, qui zigzagua habilement entre les poules qui erraient dans la rue avant de s'envoler et de disparaître du champ de vision de Victor. Il ne voyait à présent plus que la femme qui brandissait un doigt d'honneur pointé vers le ciel. Amusé, Victor referma les lourdes portes de l'atelier vide et retourna dans la maison.

Une heure plus tard, tout le monde était levé. Madame Alice, qui avait eu une attitude étrange la veille, se présenta sous une humeur parfaite. Son mari et elle partirent une demi-heure plus tard, à bord d'un carrosse qui devait les mener au quai des dirigeables de la ville. Bien sûr, avant de partir, madame Alice avait imploré Victor de leur rendre visite dès son passage à Londres, ce que le jeune homme promit. Réalisant qu'il était en retard, Rauk avala son déjeuner sans mastiquer et se rua vers sa boutique, la moustache encore pleine de jaune d'œuf.

Maeva avait été invitée par Nika à rester à leur maison le temps qu'elle se trouve un travail ainsi qu'un logis, ce qu'elle accepta humblement. Durant l'après-midi, Victor s'installa à son piano, dans le salon, devant une vitre quadrillée qui donnait sur une belle rue de Québec. Son piano, que Nika lui avait acheté, appartenait autrefois à un vieillard qui était décédé deux ans plus tôt. Il était terriblement vieux et usé, mais parfaitement fonctionnel, et Victor l'aimait beaucoup. C'était sur ce piano qu'il avait créé tant de pièces musicales, qu'il n'avait jamais baptisées ou même transcrites, et qui lui avaient permis de vivre dans un certain confort. Il laissa ses doigts se balader sur le clavier de l'instrument, jusqu'à ce que Maeva s'approche de lui.

— Tu veux bien m'apprendre à jouer ? lui demanda-t-elle.

Victor se tassa et laissa la jeune femme s'asseoir à ses côtés.

— Je vais te montrer une pièce vraiment simple, dit Victor, tu verras, tu n'as même pas besoin de connaître les notes…

Pendant une heure, ils jouèrent ensemble en riant et en se donnant des coups d'épaule amicaux. Maeva n'avait pas les mains d'une pianiste, mais elle apprenait rapidement. C'est alors que Pakarel arriva, vêtu de vêtements trop grands que Victor reconnut comme ses vieux habits. On aurait dit une peluche habillée par une fillette. Clémentine avait dû les lui donner. Ses bottes énormes aux pieds et son chapeau démesuré sur la tête, le pakamu joignit ses petites mains et resta planté là, près de Victor et de Maeva, sans rien dire.

— Ça va ? lui demanda Victor.

— Oui, répondit-il. Victor, je pourrais te parler un instant ?

On aurait dit que Pakarel avait accumulé tout le courage du monde pour prononcer cette phrase. Après un court regard échangé avec Maeva, Victor acquiesça. Le jeune homme suggéra d'aller marcher un peu et Pakarel accepta aussitôt. Les deux amis sortirent du domicile et marchèrent en silence pendant une bonne minute. L'air de la fin septembre était frais, mais le soleil rendait la température très confortable. Les gens semblaient avoir oublié les accusations portées contre Victor, puisqu'ils le saluaient dans la rue et lui offraient même leurs sympathies et condoléances.

Brusquement, Pakarel s'arrêta. Victor fit de même et l'observa en haussant un sourcil.

— Je veux bien que tu sois mon ami, dit le pakamu.

Victor faillit rire, mais se retint. Pakarel avait toujours eu une manière assez bizarre d'aborder les choses et, par respect, le jeune homme se garda de se moquer de lui.

— C'est… gentil à toi, dit le jeune homme en tentant de garder une voix normale.

— Mon vrai ami, spécifia le pakamu d'un ton convaincu.

Le jeune homme observa Pakarel sans rien dire.

— L'autre jour, lorsque nous étions au village gnoll, expliqua Pakarel, tu m'as demandé pourquoi je vous avais suivis jusqu'ici.

— Tu m'as répondu que c'était parce que j'étais ton ami, fit remarquer Victor de bonne mémoire.

Pakarel baissa les yeux un moment avant de les remonter vers son ami.

— Je voulais devenir un adulte, dit-il.

Victor fronça les sourcils. Il connaissait déjà l'histoire de Pakarel, mais devait avoir l'air convaincant.

— Un adulte ? répéta-t-il.

Pakarel hocha la tête.

— J'ai 137 ans. Je ne suis jamais passé à l'âge adulte. Si je t'ai accompagné, c'était pour me prouver que je pouvais faire autre chose que me morfondre sur la destruction de mon village.

Victor ne savait pas quoi dire, il préféra donc rester muet. Le rappel de l'âge de Pakarel était surréel, comment une créature si petite et si mignonne pouvait-elle être aussi âgée ?

— Ce jour-là, on m'avait chargé d'apporter une lettre d'urgence aux gnolls du Belize pour leur demander de l'aide, expliqua Pakarel. Je n'y suis jamais parvenu. J'avais trop peur. J'ai fui. Lorsque je suis revenu, tout le monde était… mort.

Pakarel prononça ce dernier mot dans un sanglot. Le raton laveur fuyait le regard de Victor, il était honteux. Le jeune homme s'abaissa sur un genou, s'appuyant sur sa canne, et lui dit :

— Ne te blâme plus pour des erreurs comme celle-là. Dans la vie, il faut savoir encaisser et se relever. Moi-même, j'ai commis des erreurs, comme tout le monde. Tu as fait une erreur, et tu as compris, ajouta-t-il en posant sa main sur la petite épaule de Pakarel. Et cette erreur t'a permis d'être un élément clé de ce que nous avons traversé. Sans toi, nous n'aurions jamais pu passer à travers tout ça. Nos erreurs, Pakarel, nous sont bien souvent amères au premier regard, mais avec le temps, on se rend compte qu'elles nous ont permis de devenir de meilleures personnes.

Victor lui envoya un sourire rayonnant. Pakarel finit par le lui rendre.

— D'habitude, dans notre tribu, expliqua le pakamu, on nous envoie en Alaska recueillir un fruit qui symbolise notre passage à l'âge adulte. Mais je n'ai pas envie de m'y rendre. Vous allez trop me manquer. Même Caleb.

— Ce voyage n'est qu'un symbole, le rassura Victor. Ce que tu as accompli avec nous est aussi un symbole de ta maturité.

— Merci, dit finalement Pakarel.

Convaincu de la bonne humeur de son ami, Victor se redressa.

— Alors, que comptes-tu faire?

— J'aimerais me trouver un logement à Ludénome. J'aime beaucoup cette ville.

— Si tu veux, je peux t'aider à trouver un endroit où rester. De toute manière, on m'a donné congé du cabaret où je travaille. J'ai une longue semaine devant moi et je ne crois pas avoir de clients de sitôt pour les cours de piano.

— Tu m'aiderais? s'étonna Pakarel.

— Bah! ouais, rétorqua Victor d'un air nonchalant. Et puis, si tu veux passer la semaine avec nous, tu es le bienvenu.

Pakarel n'aurait pas pu avoir l'air plus ravi que ça.

— Victor, je peux te poser une question?

— Vas-y, répondit le jeune homme d'un signe de main.

— Tu aimes bien Maeva, n'est-ce pas?

Victor haussa les sourcils et ses joues le picotèrent de gêne.

— Pourquoi tu demandes ça?

— Parce qu'elle, elle t'aime bien, ajouta Pakarel.

Victor tenta de paraître décontracté et de faire comme si cette nouvelle ne l'atteignait pas, mais ses lèvres le trahirent en s'étirant en un grand sourire. Il baissa la tête pour tenter de le dissimuler.

— Tu as mangé? demanda Victor, qui voulait changer de sujet.

— Pas encore, répondit Pakarel.

— Moi non plus. Je te propose qu'on trouve un petit resto et qu'on déjeune sur une terrasse. Ça te tente ?

— Je meurs de faim ! déclara le pakamu. Mais… Victor ?

Le jeune homme lui accorda toute son attention.

— Tu sais, le diamant de Manuel, continua timidement Pakarel en retirant son chapeau. Eh bien…

Le pakamu plongea sa main dans son énorme chapeau et en retira le diamant qu'il avait promis au métacurseur.

— Oh non ! lança Victor, le sourire aux lèvres, la main plaquée contre son front.

Puis, tous deux éclatèrent de rire et partirent en direction de la rue principale, bondée de gens, marchant joyeusement devant les petites boutiques et les restaurants qui ouvraient leurs terrasses.